발행일/2024/02/19

저자/박두병

펴낸이/김성호

펴낸 곳/성미출판사

디자인/성미출판사

교정/편집/성미출판사

출판등록〔720-93-00159〕

주소/서울금천구 시흥3동시흥대로6길35-25(2층 203호)

대표전화/02)802-2113(팩스겸용)

전자우편/sungmobook@naver.com

홈페이지/https;www.haver.com/sungmobook

블로그/https://bIog.haver.com/sungmobook

ISBN/979-11-972790-8-8(03220)

정가/25,500원

머리말

우리네 인생이 아무리 일기일회一期一會라지만, 언제 어느 때 세상을 뜰지도 모르는 나이가 되니, 한눈만 팔고 주위에 속만 썩이고 살아온 인생을 되돌아보는 발자취가 왜 그리 어지럽고 아쉬움과 후회만 남는지, 그야말로 회한 괴념록悔恨 壞淰錄이 아닐 수 없다.

두 번 다시 오지 않는 한번뿐인 내 인생. 술 취해 비틀거리며 지나온 발자취마다 뒤돌아보니, 한숨과 눈물만이 고이는구나. 앞만 보고, 꿈만 좇은 젊은 날의 패기는 허황된 뜬구름의 빈 수레일 뿐, 취생몽사, 한낮 백일몽의 후회와 한숨뿐일세. 누가 우리네 인생을 일일일생 <一日一生>이라고 했던가?

이제 죽음을 눈앞에 두니, 비로소 숨 한번 내쉬고 들이쉬는 호흡의 일분일초가, 그 무엇과도 바꿀 수 없는 생체보다 더 귀하다는 걸 뒤늦게나마 깨우친 거 다행으로 여기고 자위하는 데 그쳐야 하나?

옛말에 인생 80이며 고래희라는 데, 어느덧 나도 70대 중반을 넘어 80세를 바라보는 나이가 되다보니, 지나온 내 인생길이 너무나 보잘 것 없고, 비틀거리며 걸어온 발자취가 부끄럽고 후회로 가득 차 참회와 회오로 넘쳐난다고 밖에 달리 변명할 여지가 없음을 고백할 자격도 없다고 해야겠죠.

죽음은 누구라도 피할 수 없는 생명체로서의 인간이라면, 반드시 직면할 수밖에 없이 받아들여야만 하는 과제라고 생각한다. 그래서 회피할 수 없는 두렵고 암울한 현실을 어떻게 긍정적으로 정리할까를 고민하면서, 누군가는 끝이 있어야 비로소 시작이 있는 게 아니냐는 말로 자위(?)하거나, 누구든지 죽으면 부패되고 썩어 한줌의 진토塵土나 먼지가 되는 현실을, 우주나 아니면 저 하늘에 별 하나로 미화하기도 한다.

프랑스의 천재 수학자이자, 철학자인 파스칼은, 삼각형과 확률론, 계산기발명 등 수많은 업적을 남긴 그가 유고집 《팡세》에서 '인간은 생각하는 갈대'라는 명언을 남겼다. 그 파스칼이 비록 당시로서는 보편적인 현상이었겠지만, 40세가 되기도 전에 이승과 유명을 달리했지만, 그가 이룬 철학적, 수학적, 기하학적 원리는 이루 말할 수 없이 눈부시다고 볼 때, 과연 나라는 존재의 나름 긴 인생길에 비춰 볼 때, 나는 너무나도 게으르다 못해, 거의 무의도식인 과거사는 부끄럽다 못해, 자괴감에 시달리는 게 마땅하겠죠!

인간이 살아가면서 느끼는 생의 목표, 가치관, 윤리도덕관은 물론 누구라도 피할 수 없는 언젠가는 맞닥뜨리는 죽음이라는 명제를 대할 때, 우리들은 비로소 철학에 직면하고 아니, 초보 철학자가 되게 마련이다.

그런 의미에서 우리는 人皆知有用之用 而莫知無用之用也(인개지유용지용, 이막지무용지용야). 사람들은 누구나 다 쓸모 있는 것의 쓰임새를 알고 있지만, 쓸모없는 것의 쓰임새를 아는 사람은 없다. 『장자』 인간세편의 글귀에 관심을 기울일 필요가 있겠다.

장자는, 소요유(逍遙遊)에서 무위이치(無爲而治·일부러 하지 않아도 다스려진다. 쓸모없음의 쓸모 있음-무용의 용(無用之用)을 말하고 있다. 道可道, 非常道, 名可名, 非常名(도가도, 비상도, 명가 명, 비상 명)도(道)라고 말할 수 있는 것은 도가 아니고, 이름을 붙일 수 있는 것은 이름이 아님을 일깨우고 있다.

노자의 사상은, '억지로 하려함이 없이 스스로 그러하게 놔두자'는 무위자연(無爲自然)의 마음가짐과, '이름을 알리려하지 말고, 혹시라도 명성을 얻더라도, 유명세가 커질수록 자신을 낮추어야 된다.'는 공수신퇴(功遂身退)의 처세술. 또, 누구든지 높은 곳을 지향하고 사는 게 인지상정이라지만, 높아지려거든 낮은 곳에 거하고, 낮은 곳이 있어야 높은 곳도 있다는 말을 요즘 세상을 살아가는 지도자들 특히, 정치가들이 마음에 새겨들어야 하지 않을까?

세상을 자기 마음대로 그야말로 떡 주무르듯이 원칙도, 윤리도덕도 없이 제멋대로 요란을 떨며 살아가는 오늘날(과거도 예외 없이)의 위정자들에게 들려주고 싶은 채찍은, 우주제일서書 라는 논어에 나오는, 가장 마음에 와 닿는 주옥같은 명언은, "지나침은 오히려(모자람에) 미치지 못한다."[과유불급過猶不及]이고, 법철학 중에서도 가장 기본 원칙은, "만인은 법 앞에 평등하다"라는 아주 지극히 평범한 진리를 외면하는 그들의 행태는 과연 얼마나 편안할까?

한 발 더 나가 공자가 법치法治보다는 인치人治를 권하고, 인仁과 용容이 없는 법은 존재가치가 없다고 했을까 라는 생각도 든다. 또, 이 세상에서 자기를 제일 잘 아는 사람은 자기 자신이라는, 입만 열면 위선과 거짓말을 하고, 무슨 방법이던지 인위적인 위상만을 높이려드는 오늘날의 정치가들에게 꼭 들려주고 싶은 말이다.

인간의 가치가 저토록 저렴한 정치꾼들이 국민을 뒷전으로 밀어 넣고 있는 사이, 놀랍게도 우리 현실은 세계 10위권의 경제대국 운운하지만, 너무나도 슬프게도 자살 율은 세계 1-2위를 다투고 있다는 점이다. 그중에서도 적어도 70-80%는 아마도 생활고나 경제난등 사회 경제적 요인에 의한 벼랑 끝에 내몰린 강요된 자살 아닌 타살로 추정되는 데, 이 부끄럽고 수치스런 문제 앞에 정치권은 과연 무얼 하고 외면을 일삼지 않았는지 묻고 싶다. 그래서 이런 비참한 현실을 언제까지나 정파싸움이나 하면서, 임기를 채우는 무사안일을 따질 수밖에 없지 않나 싶다.

물은 상선(上善)과 같다고 한다. (上善若水)물은 조건 없이 모습을 바꾸며 손쉽게 적응한다. 또한, 사람이 싫어하는 낮은 데로 흘러가 거기에 머물며, 약하고 순할지언정 공격해도 꿈쩍 않는다. 물은 모든 사람에게 도움이 되는 것이지만, 오만하지 않고 겸손하다. 이유극강(以柔克剛) 부드러운 것으로 굳센 것을 이긴다. 부드럽고 약한 것이 억세고 강한 것을 이긴다(柔弱勝剛强/유약승강강). 아는 자는 말하지 않고, 말하는 자는 알지 못한다. 知者弗言 言者弗知. 도에 대해서 여러 가지로 아는 척하며 말하는 사람들은 실질적으로 도가 무엇인지를 모른다는 것.
[출처] 도덕경56

그래도 "세상에 흔들리지 않고 피는 꽃은 없다."는 어느 시인의 시구처럼 우리네 인생길이 고속도로 같이 탄탄대로의 연속이거나, 아니면 반대로 형극의 가시밭길만 지속되지는 않겠지만, 그래도 후회 없는 인생길을 살려는 바람은, 우리 모두의 희망이 아닐까요? 그래서 나는, 철학은 죽음의 훈련이라는 말처럼, 또 모든 학문의 박사학위가 Ph.D 즉, Doctor of philosophy(철학박사)이듯이, 우리 삶의 모든 분야가, 심지어 돈 한두 푼을 놓고 따지는 시장바닥의 상행위에도 나름대로의 상도덕 내지 도리가 있고, 또 당연히 있어야만 되지 않을까 한다.

우리가 흔히 서양철학의 시조로 부르는 소크라테스는, 우리들 삶이 결국 아무것도 모른다는 무지를 깨닫는 것이 철학하는 이유이고, '너 자신을 알라!'는 그리스 철현의 명언과도 상보되는 진리가 아닐까?

소크라테스는 "나는 내가 아무 것도 모른다는 걸 안다"라는 말을 남겼다. "네 자신이 아는 것이 아무것도 없다는 것을 알라"는 <무지無知의 지知> 혹은, <무 지식無 知識의 지식知識>라는 논리는, 우리들이 지식 앞에서 겸허한 태도를 가지고 반복적인 끊임없는 의문을 일으키며 진리에 다가가라는 질문법을 통해, 상대기 지기의 답을 찾는 것을 도와주는, 마치 산파가 출산을 도와주는 것 같은《산파술》이라고 부르는 것을 통해, 사람들이 생각하는 계기를 갖게 도와주는 질문이 중요한 이유다.

또, "모든 것을 소유하고 채우려고만 하는 욕심을 버리고 마음을 비우라는 공空의 사상과, 높아지고 싶으면 오히려 반대로 낮아지고, 모든 대상에 맞서거나 거역하기보다는, 항상 양보하고 낮아지는 물과 같이 되라"는 노자의 상선약수上善若水로 대변되는 이론과, 칸트 이후에 서양근대철학의 완결 자에 전통철학의 완성자이면서 독일관념론을 한층 끌어올린 헤겔은, "이성적인 것이 현실적인 것이고, 현실적인 것이 이성적인 것"이라고.

그의 변증법辨證法은, 정正(긍정)-반反(부정)-합合(부정의 부정) 역시 노예와 주인간의 관계(통칭 노주관계奴主關係)로 대변되는, 편안함을 추구하기 위한 운전자 고용이, 되레 주인이 운전자의 눈치를 보게 되는, 흔히 "종의 종살이"와 같이 영원한 선이나 힘의 추구 같은 절대적 가치 추구는, 반드시 반작용을 불러올 수밖에 없다는 맥락에서 서로 양보하고 타협하라는, 제諸 이론의 그 동질성에 놀라움을 금치 못하는 것은, 비단 필자만의 좁은 소견은 아닐 듯싶다.

그런 의미에서 미력이나마 절박하고 암울한 현실에 직면해 죽음으로 내몰린, 아니면 직면 당할지도 모르는 수많은 슬프고 불쌍한 우리 이웃들에게 가냘픈 도움의 손길이 됐으면 하는 바람을 덧붙이는 한편으로, 저 친구 세상 떠날 때가 되니까 헛소리까지 한다고 비웃지는 않을는지 모를 일이다.

나 같은 인간은, 너무나 긴 세월을 무익하게 허송세월을 보냈다는 자괴감과 수치심에 버거운 삶을 살아온 건 아닐까라는 생각이 부담일 수밖에 없는 주제에, 군더더기와 토를 다는 것 자체가 쓸데없는 짓이고, 부디 후학들만은 나 같은 후회와 미련이 없는 삶을 살아가기를 바라는 심정에서 졸필이나마 펜을 들 수밖에 없었다.

마지막으로 두서없는 글을 정리해준 김성호 시인의 노고에 감사드린다.

박두병 올림
2024년 2월 26일

추천사

인생의 여정은 사람과의 관계에서 강화된다. 누구를 어떤 장소에서 만나 어떤 공감으로 뜻이 모아지느냐의 여부에 따라 단편, 혹은 지속 관계의 운명이 결정된다. 그러나 개중에는 영구적 교제를 말한 표면과 달리, 짧은 몇 마디 인상만 남기고 떠나버리는 사람들 수두룩 많다. 평생을 함께 걷는 동반자로 발전할 수 없는 인물들이다.

의사부부가 백발의 노모(별세)를 모시고 사는 평범한 한 가족. 벽면 TV를 마주보게 되는 소파에 앉아 차 대접을 받는 방문객 눈에 가장 많이 띄는 물품은, 단연 온갖 책들이다. 철학, 경제, 현대문학 등의 책들이 손길이 쉽게 닿는 여기저기 널려있다. 그동안 지갑을 열어 한 권씩 사들여 모아둔 책들은, 공간상 쌓을 수 없어, 종이박스에 담아 쓰지 않는 빈방에 들였다는 양도 제법 된단다.

성격이 악의 없이 순박한 남편은 정신과의사, 사람들을 즐겨 사귀면서 종교생활도 열심히 하는 아내는 산부인과원장. 두 부부를 만나 교제를 나누게 된 것은, 진정 하늘의 섭리가 아닐 수 없다. 자주 만나면 가까워지는 것이 인간사이지 않는가.

5년 전으로 기억하고 있다. 박두병 의사께서 그동안 모아둔 원고를 출판하겠다며, '성미출판사'에 맡기는 결정을 내렸다. 행사초대 때마다, 기꺼이 시간을 내 자리를 빛내준 건 만도 감사한 데, 그 범위를 크게 뛰어 넘는 파격이라 감회가 넘쳤다.

전자우편으로 넘어온 분량이 대략 3권 정도인 원고는, 교정·편집정리에 상당한 시간이 소요될 만큼 복잡했다. 쏟아 붓는 에너지 량이 굉장할 것 같아, 어디서부터 작업을 풀어야 할지? 엄두가 나지 않을 지경이었다. 그 작업 중 난제에 부딪쳤다. 독서 겸 나름의 공부를 하면서 그때마다 기록을 했을 터인 원고 전체는, 원작자 명을 붙였다고는 하나, 순수 창작이 아닌 그 인용에 해당되는 번역 작품이라, 저작권 문제에 걸릴 수 있어 잠정 중단할 수밖에 없었다. 그럼에도 언젠가는…' 전제를 달고 오늘날까지 자체 원고를 폐기하지 않고 보관해왔다.

이미 널리 소개된 내용들을 모아 담은 이 책은 한 주제로 엮은 것이 아니라, 여러 편(5권)으로 나누어져 있다. 사회 계층에서 오랜 화두인 정치이야기부터 서구철학자들의 한마디 사상과, 피조물이라면 누구든 피할 수 없는 죽음에 관한 이야기를 두루 담았다. 중국고전의 대략적 소개 및 불교계 '유마경'의 독후감 형식의 글로 대미를 장식했다.

글 쓰는 작가 김성호
(성미출판사)

〈목차〉

전진하기 위한 탈 성장

구주위기가 고하는 진정한 위기란?

거기서도 독일은 수집을 멈추지 않는다.

고대부터 이어온 구주통일이라는 이데올로기

자본주의의 종언終焉

무한無限을 전제로 성립된 근대

미래로부터의 수탈

버블다발 시대와 자본주의의 퇴화

연착륙의 길을 찾아서

일본이 정상상태를 유지하기 위한 조건

국채=일본주식회사의 회원권

긴21세기의 다음에 오는 시스템

정보의 독점에의 이의신청

국가와 국민의 이혼

1970년대에 일어난 자본주의의 구조변화

18세기의 동력혁명이 민주주의를 성공시켰다.

제3권

《서양철학 편》

1서양 철학사

1.고대

소크라테스=그 근본사상은 덕德은 지知다.

2.고대 그리스철학

3.중세철학

4.근세철학

죄악이란 무엇인가

희망에 대하여

허무주의

차라투스트라는 이렇게 말했다.(초인의 철학)

카이로스

종교는 '민중의 아편'마르크스

국가철학

칼-오토 아펠과 칸트철학의 변형

철학이란 무엇인가

진리란 무엇인가

철학적 방법론-마르크스와 철학의 변형

현대과학 철학에서의 방법론 논쟁

제3의 길은 가능한가?

실증주의 논쟁

『중아함경中阿含經』

불교의 기초를 순서 있게 말하는 석가

『유마경』의 구성

유마경은 어떤 경전인가?

현대인이『유마경』을 읽는 의미

불도교경에서는 다음과 같이 설하고 있다.

제1권
《정치 편》

    우리들은 매일 선택을 하고 살아간다. 즉, 인생은 선택의 연속이라고 말해도 좋다. 무언가를 결정하는 행위에는 「決斷이 現實을 만든다.」는 것이다. 決斷하지 않으면 「現實」은 생기지 않는다. 실은 이것이 「政治」의 본질이다.

《제1권》
《정치 편》

政治의 敎室

하시츠메 다이사부로橋爪大三郎 고단샤學術文庫

테라야마 슈지, 寺山修司가 장편영화를 만든 것은, 1970년대 들어서 이다. 1971년에 발표된 장편 데뷔작 <책을 버리고 거리로 나가자>(書を捨てよ町へ出よう)는 파멸로 치닫는 한 가족을 냉소적인 소년의 시점으로 그려 가망 없는 일본사회를 조롱하였다. 이 영화 역시 명료한 플롯이 있다고 말할 수는 없다. 일본의 평론가 요모타 이누히코(四方田犬彦)는 '도시의 익명성과 언더그라운드 문화의 주체인 젊은 세대의 자기 증언'이 담겨 있다고 이 영화를 평했다. 그것과 같이 <교과서를 버리고 거리로 나가자>라는 수업을 매년 하는 것이다.

정치가 지금까지 혼탁하고, 돈에 오염된 이미지로 사람들로부터 경멸돼 왔다. 정치를 경멸하니까 정치에 무관심하고, 정치에 관여하지 않으니까 정치는 좋아지지 않는다. 정치가 좋지 않으니까 정치를 경멸 한다—는 바보 같은 악순환을 끊고, 이 사회를 사는 대부분의 사람들의 건전한 양식을 믿고서 정치를 고쳐보자. 그렇기 때문에 유권자도 공부를 하지 않으면 안 된다.

정치가 반복해서 펼쳐지는 무대인 사회란 무엇인가 라는 질문부터 시작해보자. 사회란 무엇인가. 제일 간단한 대답은 「사람들의 집합」이라는 것이다. 그것뿐이라면 집단이나 군중으로 불러도 좋다. 그러나 단순한 집단과 사회의 차이는 무엇일까. 사람들은 반드시 그런 모임에서 무언가를 하고, 여러 가지 행위를 통해서 타인과의 관계 형성이 이루어진다. 이런 사람들의 행위의 집합이 사회다.

정치는 본래 누구에게나 최대의 관심사일 수밖에 없다. 그러나 한국에서는 특히, 젊은 세대를 중심으로 「정치이탈」「정치적 무관심」등으로 불리는 현상이 진행돼왔다. 정치에 흥미를 갖게 하는 「정치가 재미있게 되는」 정보를 제공하지 못한 정치학의 책임은 결코 작지 않다.

1,정치政治의 본질本質
결단決斷이「현실現實」을 만든다.

우리들은 매일 선택을 하고 살아간다. 즉, 인생은 선택의 연속이라고 말해도 좋다. 무언가를 결정하는 행위에는 「決斷이 現實을 만든다.」는 것이다. 決斷하지 않으면 「現實」은 생기지 않는다. 실은, 이것이 「政治」의 본질이다. 사회전체로 「現實」을 취해 선택해 간다.

친구, 연인, 가족 등 소수의 인원들 간의 약속, 그 행위 자체의 결단을 「政治」라고 부르는 것은 사회의 극히 일부분이지만, 사회학에서는 이것을 「마이크로의 政治」라고 말한다. 여기에 대해서 정치학에서 취급하는 것은 「마크로의 政治」 즉, 좀 더 정치다운 정치사회의 일부분이 아닌, 사회전체를 포함하는 모든 사람들을 구속하기 때문에 「政治」라고 생각하는 것이다. 모든 사람들이 부정할 수 없는 「現實」을 만드는 것이 政治다. '決定의 정통성正統性이 흔들리면 사회社會는 혼란混亂해진다.

제정일치祭政一致의 의사결정意思決定 시스템
권력權力에는 사람들의 승인承認이 필요必要하다.'
실질적인 권한은 각료가 아닌 각 부·청의 과장급이 쥐고 있다.

2.모든 정치형태政治形態를 경험經驗한 유태교猶太敎 社會

유태교 역사를 보면 여러 가지 정치형태를 경험한 것을 알 수 있다. 최초는 혈연집단을 족장이 통치하는 부족 제部族 制. 농민군을 거느린 군사적 지도자를 「사사士師」라고 부른다. 예언자(지식인)가 사람들에게 야훼 신앙을 가르치고, 문화적 영향력에 의해 민족을 모으다.

이왕국론二王國論에 기인基因한 그리스도교의 정치사상政治思想

「가이샤의 것은 가이샤에게, 神의 것은 神에게」라는 말에 기초한 것. 요컨대, 혼을 지배하는 교회와, 지상을 지배하는 세속의 정치는 별개의 것으로 세속의 정치형태는 어떤 것인가는 상관없이(따라서 로마제국에 반항하지 말라는) 그런 것이다.

통치계약統治契約과 헌법憲法

절대신 야훼에 의해 지배되는 유태사회가 왕제일 때, 그 왕은 누가 어떻게 선발할까. 어디까지나 위대한 왕이기 때문에 왕도 신이 선택한다. 실제로는 신의 음성을 들을 수 있는 예언자가 인재를 물색해서 왕의 후보자를 찾아내고 "신이 당신을 왕으로 선택했음"을 통고한다. 라고 고지한다. "나는 곤란합니다."라고 거절해도 예언자는 듣지 않는다. 신의 결정은 절대적이다.

신에 의해 선택된 왕이라도 무조건 사회의 지도자가 되지 않는다. 인간은 신에 의해 지배되어도, 인간이 인간을 지배하는 것은 다른 문제기 때문에, 왕으로서 나라를 통치하는 것은 그 결정에 따르는 사람들의 합의合意가 전제로 된다. 거기서 다윗 왕이 즉위할 때, 각 부족의 長老들이 합의해서 다윗이 왕으로 되는 것의 동의를 결정했다.

다윗은 장로들과 계약을 맺고, 통치자로서 승인을 얻었다. 여기서 다윗 왕과 장로들 간에 체결한 조약이 「통치계약統治契約」이다. 이런 생각은 근대정치 제도를 얘기할 때 절대 빠져선 안 된다. 이런 계약이 있기 때문에, 유태교의 정치제도는 근대유럽정치의 원천源泉이라고 말해진다. 이 통치계약이 변한 것이 오늘날의 헌법憲法이다.

3, 유교儒敎의 정치사상政治思想
민주제民主制는 유교儒敎의 천적天敵

서열을 결정하는 시스템이 실은, 2단段 중첩重疊이 유교의 특징이다. 하단은 가족친지家族親知 等 혈연집단血緣集團의 질서. 이것이 「수신제가修身齊家」. 상단上段은 군주(왕이랑, 황제)를 정점으로 하는 전체사회의 정치제도. 이것이 「치국평천하治國平天下」. 두 개 영역에서 행동원리가 다르지만, 그렇다고 해서 무관계는 아니고, 양자는 연결돼있다. 여기서는 「장유長幼의 서序」가 기본원리로 된다. 연장자절대年長者絶對, 부친절대父親絶對, 조선절대祖先絶對.

政治의 基本은 過去에 있다.

공산주의共産主義와 儒教는 궁합宮合이 맞는다.

　일본에서는 「모두가 하는 것을 하는 사람」이 위대하지만, 중국에서는 「모두가 하는 것을 하지 않는 사람」이 위대하다. 왜냐하면 중국은 「상단上段의」 엘리트 관료조직과, 「하단下段의」 일반사람들의 사회가 별개의 행동원리로 움직이는 데 대해서, 일본은 그런 구별이 없이 엘리트와 일반인의 차이가 없기 때문이다. 사장이 작업복을 입은 채로 사원식당에서 식사하는 것을 「조식朝食은 눈치 보기다.」라고 말하기도 한다.

　공산당이 지도하는 현재의 중국사회도, 그 기저基底에는 유교의 정치사상이 있다. 중국은 유교와 공산주의의 궁합이 좋은 것은 관료제 부분 일뿐, 그 후에 상정되는 민주주의는 유교의 천적天敵이기 때문이다.

4,근대近代 민주주의民主主義의 특징特徵

왜 의회에 입법권立法權이 있을까

　근대의회가 갖고 있는 최대의 기능은 立法權이다. 절대왕정은 주권자는 왕이기 때문에 「국가에 법률을 만들 권한이 있다」라는 아이디어가 생겨났다. 이 입법권을 왕으로부터 탈취한 것이 프랑스혁명이다.

　법法은 은혜일까 귀찮은 걸까. 여기서 중요한 전제가 「法의 지배支配」라는 생각이다. 「법 앞의 평등」은 법률이 많으면 많을수록 사회는 권력자에 의해 좋고, 인민은 귀찮아진다. 법은 은혜가 아니라, 권력자가 인민을 학대하는 도구로 되고 만다.

民主制와 군주제君主制는 양립兩立 가능可能

「천황天皇은 군주일까 아닐까」「일본은 민주주의 국이다」

　民主主義의 대립개념對立概念은 무엇일까. 「독재는 민주주의의 반대가 아니고, 민주주의 그 자체다」 小室直樹 박사

좀 더 강력한 정통성을 갖는 정치제도

　「결정의 정통성」이 흔들리지 않을까라는 의미에서 민주주의만큼 안정된 시스템은 없다. 「다수기 때문에 바르다고 할 수밖에 없다. 그것을 바르다고 하는 민주주의는, 다수의 횡포는 아닐까」라고 비판하는 사람이 때때로 있지만, 그것은 오해다.

어떻게 결정의 질을 높일 수 있을까

　결정의 질을 높이기위해서는, 언론言論의 질質을 높이는 것이 중요하다.

혈연血緣보다 지연중시地緣重視의 부락사회部落社會.

　선택의 여지가 없는 고정固定사회가 부락원리를 만든다.

　명치유신明治維新을 영어로「메이지·리스토레이션(復古)」라고 부른다.

5,日本政治

자민당自民黨 내의 부락원리部落原理에 의한「정권교체政權交替」

　자민당은 소위 「국회國會내의 國會」로 5개 전후의 파벌이 있다. 자민당의 권력기반은, 각

성청各 省廳의 이익을 대변하는 족族 의원議員등이 있어, 정·재·관政·財·官의 삼자가 강한 유대紐帶를 갖고 있다. 관료官僚는 인허가認許可 권한權限을, 정치가政治家는 정치적 영향력을, 기업企業은 자금資金을 갖고 있다. 그것을 상호교환 하는 것을 각각 이익을 얻는 구조로 구축돼있다. 또 하나의 이유는, 자민당의 집표集票 구조가 안정돼 있다는 것이다. 자민당은 「集票머신」으로 부르는 지지단체支持團體를 몇 개나 갖고 있다.

자민당 내의 부락원리部落原理는 族 議員이 사전교섭事前交涉을 하고, 파벌동지들과 흥정을 하고, 최후로 自民黨 총무회總務會에서 결론이 마무리(전원일치全員一致!)된다. 형식상은 민주주의의 수순을 밟고 있지만, 본질적으로는 에도시대와 변함이 없는 방법으로 의사결정이 행해진다고 할 수 있죠.

정치자금政治資金의 제도개혁制度改革

돈이 안 드는 선거는 있을 수 없나. 「돈 안 드는 정치가 이상적 정치」「맑고 바른 선거」「법정비용의 10/1밖에 사용하지 않고 당선됐다」「돈을 안 쓰고 청결한 정치를 한다.」「돈을 안 쓰고도 정치가 가능하다.」

비용費用을 지불支拂하면 관심關心은 늘어난다.

바르게 자금을 모으기 위한 당원티켓 제制

6,政治家를 육성育成하라

유능有能한 인재人才가 정치가政治家가 되지 않는 현상現象

의원의 출현은, 대의사인 부친으로부터 지반地盤(고향故鄕의 지지支持), 간판看板(집표集票 조직組織), 가방(정치政治 자금資金)의 3점 세트를 인계 받고, 수월하게 정치가의 길에 들어서는 게 가능하다.

비슷하게 닮은 정치가로 되는 2世 議員만 늘어나는 것은 문제다. 본인에게 불행한 것은 물론, 국민에게도 큰 손실이라고 말할 수밖에 없다. 정치를 레벨 업 시키기 위해서는 우수한 인재를 육성해서 입후보로 세우는 시스템이 필요하다.

본격적本格的인 정치가政治家 양성養成 시스템을 갖는 대학大學을…

영국은 대학을 나온 우수한 인재를 전문 리쿠루터가 조사해서 스카우트한다. 프랑스도 유능한 관료를 양성하기 위한 소수정예의 인재양성으로 엘리트양성을 목적으로, 엄격한 선발시험을 거쳐 배출하는 시스템을 갖고 있다.

에콜 폴리테크닉(이공과理工科 學校)은, 입학과 동시에 군인으로 임관하고 급료를 지불한다. 2년간 지도자를 위한 학문을 닦고, 그 후 1년은 현장실습, 원래는 포병장교를 양성하는 학교로, 수학數學, 물리학物理學은 필수必修다. 거기에 더해 경제학經濟學은 필수必修. 문학文學, 역사歷史, 철학哲學, 정치학 등 政治學 等도 선택과목으로 준비돼있다.

왜 군인이 경제학이랑, 정치학이 필요한가는 외국에서 전쟁이 났을 때, 현지에서 군정을 펼 가능성이 있기 때문이다. 전쟁 중에는 정치적 지도자로서 입법·행정·사법권立法·行政·司法의 전권全權을 장악하고, 모든 사안에 대해서 의사결정이 가능하지 않으면 안 된다. 그런 인재를 육성하는 것이 에콜 폴리테크닉인 것이다. 졸업 후에는 군의 간부로 되는 것이 원칙이지만, 실제로는 대기업의 경영자로 되는 자도 많고, 정치가로 되는 자도 있다. 어쨌든 그 능력은 정평이 나있다.

일본의 경우 「요시다 학교」라고 관료를 스카우트해 정치가로 육성하는 루트 같은 것이 있었다. 일본정계에는 오래 전 '요시다 학교'라는 조직이 있었습니다. 2차 대전 종전 후, 70세에 자유당총재와 총리를 지낸 요시다 시게루(吉田 茂)의 구상으로 만들어진 관료출신 정치그룹으로, 보수의 주류를 이룬 세력을 일컫는 말입니다.

전전戰前 외교관 출신인 요시다는, 전전파(戰前派) 당인(黨人)을 몹시 싫어해 관료들을 대거 발탁하여 정치에 입문시켰다. 그는, 이들 '요시다 학교'출신들을 통해 보수정당의 당권과 정책을 주도하였다. 사토 에이사쿠(佐藤榮作 운수성차관), 이케다 하야토(池田勇人 대장성차관)등 50여명이 1세대들이다.

전후파 젊은 당인으로 다나카 가쿠에이(田中 角榮), 스즈키 젠코(鈴木 善幸)들도 친 요시다파가 되었다가, 후에 총리에 등극하기도 했습니다. 요시다의 제자들은 자유당이 민주당과 연합하여, 자유민주당이 된 후에도 보수의 본류로 정계를 이끌었다. 오히라 마사요시(大平 正義), 미야자와 기이치(宮澤 喜一) 등 2세대들이 그들입니다.

'요시다 학교'는, 단지 관료들을 정계에 끌어들이는 데 그치지 않았다. 외교전문가를 자처해 온 요시다는, 재임 중 대미강화와 일본 독립을 염원했고, 실제로 1951년 9월 9일 샌프란시스코에서 미일 안보조약을 이끌어냈다. 미국이 요구하는 일본의 재무장을 유보하고, 자위대를 두어 미국의 핵우산 보호를 받는 유리한 결론도 얻어냈다.

요시다는 이에 만족하지 않고, 오키나와 북방 섬들의 반환문제, 동남아 국가들과의 전쟁배상 문제, 한국-대만과의 국교교섭 문제, 중공과의 관계 개선 등 산적한 전후 처리문제를 제자들의 과제로 각인시켜 놓았다. 요시다 이후 일본총리들의 업적들은 바로 요시다 구상을 하나씩 실천한 것들이다.

그러한 요시다이었으나, 뒷날 '요시다 학교'의 수제자들인 이케다와 사토의 총재 경선에서, 그는 철저하게 중립을 지켰다. 먼저 승리한 이케다가 졌지만, 근소한 표차를 보인 사토가 서로 상대방에게 상처를 주지 않고 상처를 받지 않도록 배려한 것이다. 그것이 요시다 제자들이 잇달아 정권의 맥을 잇게 한 요체가 아닌가 한다.

제도는 다르지만, DJ는 요시다보다 더 많은 수하를 거느려 왔습니다. DJ정치의 메카인 '동교동'은, 수십 년 동안 그를 따르는 정치인과 지망생들의 성소(聖所)로 여겨져 왔다. 그런데도 왜 여태까지 'DJ학교' 같은 별명이 정착되지 않았는지 궁금하다.

결과만 두고 보면, 분명 DJ는 성공한 정치인이다. 건국 50년 만에 야당이 집권하는 정권교체를 처음으로 이룩해냈다. 국난이라 할만한 IMF위기를 조기에 극복하는 저력을 보였다. '햇볕정책'을 통한 남북정상회담을 성사시켜, 한국인으로는 처음으로 노벨평화상을 수상하기도 했다. 첫째에 이어 둘째아들도 국회의원에 당선시켜 정치의 대를 잇게 했다.

그럼에도 불구하고 '동교동'을 '학교'가 아닌 'DJ학원'으로 부를 수밖에 없는 것은, 몇 가지 명확하지 않은 점 때문이 아닌가 합니다.
-DJ의 수제자ㅡ애제자가 과연 누구인지 궁금하다.

-정권재창출은 왜 해야 하는지, 다음정권이 수행해야 할 정책의 핵심이 무엇인지 감이 잡히지 않는다.
-그가 그토록 강조해온 '국민'의 개념도 모호하다. 아무리 '깊은 뜻'도 쉽게 수긍할 수 있어야 국민이 따를 것이다.

여기서 이제까지 제도로서 인재육성을 담당해올 수밖에 없었던 것은, 대학이라고 생각한다. 이제까지는 동대(동경대) 東大법학부法學部가 그 대역 비슷한 것이었지만, 법률만 공부해서는 우수한 정치가의 자질이 몸에 밴 특성은 아니라고 생각한다. 좀 더 실천적인 政治랑, 經濟를 배우고, 그것에 더해서 哲學, 歷史, 語學, 自然科學 等을 전체적으로 몸에 익히는 장소를 마련해야 할 것이다.

政治家라는 직무職務에 명예名譽를
정치가라는 직업의 이미지는 나쁜데, 「돈에 오염된」「흑심黑心이 찬」「권력욕權力慾의 화신化身」등 선입관으로 경멸하는 경우가 있다. 이에 반해 미국은 선출된 공직자가 존경받는 경우가 많은 데, 그 배경에는 오피스 「직무職務」를 신이 부여한 천직으로 간주하는 프로테스탄트의 사고방식이 작용하는 것으로 본다.

국가의 책임가로서의 최고지도자로서 존경하고 「이런 대통령에 따르지」 않으면 안 되는 충성의 대상이 되는 그런 대통령에 대한 존중이다.

7. 質이 높은「情報」가 質이 높은 選擇을 낳는다.
유권자有權者의 의사선택意思選擇에 필요必要한 정보情報는 무엇인가
정치개혁의 키워드로서 「돈」「사람」「명예名譽」에 이어서 거론되는 것이 「정보情報다. 유권자의 투표는 절대적일 것이지만, 여론은 그런 정도는 아니고 정치가는 그것을 무시해도 신경 쓰지 않는다. 투표에 의해 신임을 받은 이상, 선거에서 공약한 것에 관해서는 그대로 실행할 책임이 있지만, 그 이외의 안건에 관해서는 정치가 자신의 판단으로 의사결정을 해도 좋다. 이것이 「직무職務」라는 생각으로 선거후에 새롭게 부상되는 문제에 대해서, 의원을 프리핸드가 주어진다. 따라서 반드시 여론에 따를 필요는 없다.

예를 들면 영국의 대처수상은, 여론이 크게 반대한 국영기업의 민영화랑, 탄광스트라이크의 금지 등의 국내개혁을 총선거에서 지지를 근거로 해서 수행했다. 여론의 반발은 있었어도, 다음 선거까지 개혁을 성공하면 정권을 내놓는 일은 없다는 그런 생각이다. 이것은 정치가로서 바른 태도로 무엇이든지 여론에 영합하는 것은 좋지 않다. 불합리한 여론에 따르는 것은, 나쁜 포퓰리즘으로 인기人氣 영합주의迎合主義에 지나지 않는다.

言論의 自由와 정보공개情報公開
「세금이 어떻게 쓰이고 있을까」를 국민에게 있어서 중요한 정치적 판단의 기본으로 되는 정보인 것이다.

政治家의 입증立證 책임責任과 인터넷
인터넷의 문제점은, 대중매체에 따라붙는 비판批判이나, 반론反論을 미디어측이 주체적으로 편집編輯을 하는 때문이다. 그런데 인터넷의 경우 제3자에 의한 편집과정編輯過程이 없다. 그래서 일방적인 선전광고와 구별이 안 되고, 객관성이랑, 공정성이 손상될 가능성이 높다. 논쟁이라는 것이 성립되지 않는다.

　제3자의 편집에 의해 비판과 선택의 작용이 생기게 된다. 이런 비판과 선택이 없으면, 유권자는 정보의 바다에 익사하고 만다. 가치판단이 불가능하다. 따라서 아무리 인터넷이 발달해도, 대중매체의 역할은 없어지지 않겠죠. 인터넷과 대중매체는 상호 부족한 것을 보강해 공존하는 것이라고 생각된다.

자기 일을 자기가 결정하면 반드시 정치는 재미있다.

풀뿌리 민주주의 만들기 10개 조
⑴좋은 정치가를 발굴하고 육성하기 위해 예비선거豫備選擧를 시행한다.
⑵선거가 끝나도 해산하지 않는다. 지역에 뿌리내린 일상적日常的인 조직을 갖고 있다.
⑶당내黨內 민주주의를 철저히 하고, 인사랑 경리를 투명하게 한다.
⑷누구에게나 활동의 장을 주고, 즐거운 개방開放된 조직組織으로 한다.

제1조
정당원政黨員으로서 활동하세요. 어딘가의 政黨에 가입해보세요.

제2조
어떠한 의견도 자유롭게 말하세요. 어떤 의견도 배제하지 말고, 레테르를 붙이지 말고, 차분히 귀를 기울여 토론해보세요

제3조
몇 명이라도 모여 그룹을 만들어보세요. 최초는 「1年間의 독서회讀書會」를 시작하거나 월 1-2회의 독서회를 출발해본다.

제4조
지역마다 정당지부政黨支部를 만들어보자.
풀뿌리 민주주의를 육성하기 위해 반복해서 선거에 대처하는 정당지부를 만들기 위해 전국을 세분해서 공표해보자.

제5조
　정당지부의 직원을 선거로 뽑자. 정당지부의 직원(사무직)을 선거해보자. 풀뿌리 민주주의는 '어떤 직원도 예외 없이 선거로 뽑는 것이 원칙'이다. 투표는 당원(선거권자)이 표제로 만원 혹은, 10만원의 당비를 낸 사람은 당원(선거권자)이 사무원후보자(피 선거권자)를 결정하지 않으면 안 된다. 후보자(피 선거권자)의 경우는, 「단순 다수결」이 아닌 「인정認定 투표」(후보자 중에 좋다고 생각하는 사람을 정원 내에서 몇 사람이고 0을 치게 하는 투표방법)를 적용하면, 좋은 후보자의 공멸이나 발목을 잡는 것을 방지한다.

제6조
　예비선거豫備選擧를 해보자. 豫備選擧(프라이마리)는 뛰어난 예비정치가를 발굴하고, 당내민주주의를 강화하고, 선거구에서의 선거운동 되는 일석 삼조다.

풀뿌리민주주의를 하고 싶으면 예비 선거를 활용해서 정치가를 육성해보자. 본 선거에서 좋은 인물이 없다고 한탄하는 것은 때 늦은 것이다.

제7조
회계보고會計報告를 투명하게 하자.
「여러 사람한테 모은 돈을 일부 사람이 사용해서는 안 된다」
풀뿌리 민주주의를 정착시키기 위해서는 1원이라도 착오 없이, 1원이라도 헛되이, 1원이라도 엉뚱하게 쓰이면 안 된다.

제8조
豫備選擧로 후보자를 결정해보자.
풀뿌리민주주의를 정착시키기 위해서는 본선거보다도 예비선거에 우선 힘을 들여 보자. 지역의 뿌리인 사람들 특히, 주부랑, 고령자의 역할은 크다고 생각한다.

제9조
선거를 자원봉사자로 해보자
풀뿌리 민주주의를 정착시키기 위해서는 선거를 자원봉사자로 해보자. 그래서 왜 이정당의 이후보를 지지할까를 자기말로 설명할 수 있게 공부해봅시다.

제10조
정당본부의 지시대로 하지 마시오.
첫째로, 정당본부는 자금을 모으고, 예비선거로 공인후보를 결정하고, 선거운동까지 지역의 정당본부는 자금모금과 지부에의 배분.
두 번째로, 정책을 연구한다. 상근 정책연구 제작진이랑, 대학싱크탱크 연구소 등의 외부 진행 요원의 활용으로 여러 가지 연구를 행한다.
세 번째로, 신문이랑 잡지, 인쇄물을 발행. 기초지식자료 확보 등.
넷째로, PR이랑 이미지 만들기.
다섯째로, 당원집회랑 예비선거의 지원.
여섯째로, 국회활동의 지원.

풀뿌리민주주의를 준비하는 정치의 주인공은 유권자인 우리들이다. 정치가도 유권자의 의사에 따라서 활동할 뿐이다. 정당본부는 각각의 선거구의 유권자가, 보다 좋은 정치적 결정을 하게 지원하는 역할에 철저할 수밖에 없다.

政治의 學校

이케가미 아키라(池上 彰)朝日新書

정치문제는 어디에 있나─「 표票모 으기 」와「 행운幸運의 파랑새 」

일본정치가 좋아지지 않는 것은, 정치가는 「 표票 모으기 」에 매진邁進하고, 국민은 「 행운幸運의 파랑새 」를 추구하기 때문이다.

일본은 「 중中선거구選擧區 제制 」를 채용해왔지만, 「 정치개혁政治改革 」의 일환으로 「 소선거구小選擧區 비례대표比例代表 병립제竝立制 」로 변했다.

민주당은 『관료官僚주도主導』에서 『정치政治주도主導에로』라는 기치로 정권교체에 성공.

*덴마크선거의 투표율은 근래 80%를 상회한다.

「 중선거구제 」는 일개 선거구로부터 복수의 정치가가 당선되는 선거의 구조다. 중선거구제도에서는 혁신적인 정권교체가 일어나기 어렵다.

한편, 小選擧區制는 한 개 선거구에서 당선자가 1인밖에 안 나오는 구조다. 소선거구제의 문제①─**정당 내에서 신진대사新陳代謝가 일어나기 어렵다.** 선거활동이 어떻든 「 현직 우선現職優先 」이 된다. 소선거구제는 각 정당 내에서 인재의 신진대사가 일어나기 어려운 선거제도다.

소선거구제의 문제②─국회의원이 왜소화矮小化한다.

소선거구제의 문제③─본래 정치가로서 선거에 당선되는 게 아니라, 단순히 소속정당의 인기에 의해 당선되는 「 아동兒童 정치가政治家 」를 만들어내는 것이다.

투표율投票率과 사회보장社會保障의 관계關係

덴마크의 부가가치세는 25%다. 의료비는 무료, 교육비도 무료다.

정치가는 무엇을 하는가? 라는 물음에 「 우리들 국민이 낸 세금을 사용하는 것을 결정하는 사람 」이라는 것이다. 그런 업무가 가능한 능력이 있고, 성실한 인간을 선출하는 것이 선거다.

국민이 증세를 싫어하는 것은 자기부담의 증가만을 생각하는 것이 아니라, 그 세금이 어디에 써지는 가가 확실하지 않기 때문이다.

민주당의 고정표는 옛날 사회당의 흐름을 가져온 노동조합勞動組合의 표가 여전히 압도적이다.

공명당公明黨의 기초표基礎票

진지하게 선거활동을 하는 큰 표수를 얻는 것이 창가학회創價學會다. 미국 대통령선거에서 알 수 있는 민주주의 1년에 걸친 긴 過程.

작은 정부를 지향하는 공화당共和黨과, 큰 정부를 지향하는 것이 민주당民主黨이다. 共和黨은 자유주의적自由主義的인 부자당富者黨, 백인당白人黨, 사업가事業家의 당黨이다.

한편, 民主黨은 흑인黑人이랑, 남미계南美係, 혹은 노동자勞動者 등等 가난한 사람들을 대표하는 당. 지역적으로 남부南部는 共和黨, 북부北部는 民主黨이 강한 경향이다. 예비선거豫備選擧는 흥겨운 행진곡 같은 것이다.

政黨정당

「정치政治는 수數, 數는 힘」이라고도 말하지만, 그러다보니 의론의 내용보다도 의석수가 중요해졌다. 55년 체재라는 1955년 이래, 일본은 자민당과 사회당의 2대 정당제政黨制라는 형태였다. 자민당세력을 1이라고 하면, 사회당의 세력은 2/1이라는 상황으로, 이55년 체재는 「1과2/1政黨 체재體裁」라고 부른다.

自民黨은 사회社會민주주의民主主義 당黨이다. 자민당은 「나라의 돈을 건설업에 사용해 경기를 부양하자」는 즉, 「큰 정부」와 「작은 정부」로 나눌 때 「큰 정부」편이다.

사회당社會黨은 시장원리보다도 정부에 의한 재분배를 믿는 입장이라, 사회당도 「큰 정부」론이 된다. 나라의 정치가, 나라자체가 성숙해가면 그자체가 민주주의의 본질이다.

사민당社民黨과 공산당共産黨

주의 주장으로 보면 사민당社民黨과 공산당共産黨은 거의 같다.

國會

1,欽定 憲法

명치헌법이랑, 지금의 중국이 이것.

천황天皇이 국민에 대해서 「나는 이렇게 국가를 만들어간다」라는 선언하는 내용이다. 현재에는 중국이랑, 북조선이 채택하고 있다.

2,民政憲法

민주주의 국이 채용. 국민이 제일 상위에 있고, 그 국민이 헌법을 정한다. 삼권분립이지만, 국회가 제일 위대하다. 헌법41조에 「국권國權의 최고기관最高機關은 국회國會다」라고 정해져 있다. 즉, 총리대신보다도 국회의 경우가 위대한 이유다.

나라를 움직이는 것은 관료官僚들?

자민당에서 민주당으로 정권이 바뀌면서 「관료주도官僚主導」로 부터「정치주도政治主導」로 변했다고 말해진다. 민주주의국가에서는 국가의 운영이 「政治主導」로 행해지는 것은 당연한 것이다. 관료는 국민이 선발한 존재는 아니기 때문이다. 관료는 어디까지나 정치가를 돕기 위한 존재에 지나지 않는다. 그러나 「官僚主導」의 계략을 들여다보면, 정치주도는 「원칙」으로 끝나고 만다. 「유권자회의」랑, 「ㅇㅇ심의회」등은 실은 官僚主導를 지원하는 중요한 구조의 하나다.

모든 시나리오를 만드는 것이 관료의 일이기도하다. 「관료는 국민으로 선출된 존재는 아니다. 선거에서 선출된 정치에 책임을 지는 것은 정치가다. 따라서 정치주도로 정치를 할 수밖에 없다.」

본래 정치주도는 정치가가 모든 것을 다하는 것은 아니다. 정치의 책무는 「대 방침大 方針을 결정하는 것」이고, 그 후에는 관료에게 일임하는 것이다. 이제까지의 자민당 정권시대에는 그 「대 방침을 결정하는 것」까지 관료들에게 던져놓고, 자신들은 정권유지에만 집중하는 것이 문제였다.

官僚의 惡習

관료가 나라 일을 걱정하는 것보다, 자기 소속관서의 이익을 위해 일하는 것에 지나지 않는다. 「부서部署는 있지만 나라는 없다」는 것은 「官僚의 악습惡習」이다.

특별수업特別受業

대통령은 「과반수過半數」의 지지가 필요하다. 최초투표에서 과반수를 확보한 후보가 없을 경우 결선투표를 하는 것이다. 미국대통령선거에서 대통령과 부통령을 세트로 뽑는 것은, 만에 하나 대통령 유고시 부통령이 대통령직을 대신하는 것도 「이 부통령도 국민에 의해 선거에서 선발된 사람이다」라는 것을 국민들에게 납득시키기 위함이다.

화이트하우스白堊館이 저지대低地帶에 있는 이유

화이트하우스는 워싱턴 중에 낮은 곳에 있다. 주거지로는 나쁘다. 한편, 전국의 국민이 뽑은 연방의회 의원들의 집합인 연방의회는, 될 수 있으면 좋은 장소인 언덕 위에 있다. 연방의회는 국민의 대표기 때문이다.

영국의 역사가 쫀 악톤경卿은 「절대 권력은 절대 부패한다.」고 했다. 이것은 민주주의의 대원칙이다. 미국대통령 선거는 정치가를 「뽑는 것」이 아니라, 정치가를 「키우는 것」이라도 말할 수 있다.

한편, 일본의 경우는 돌연 수상이 태어나고 만다. 충분한 준비가 없는 채로, 총리대신이 되는 경우도 있다. 이런 상태기 때문에 조악粗惡한 일이 일어난다.

大統領과 首相은 어느 쪽이 더 훌륭한가?

답은 大統領이다. 훌륭함을 결정하는 포인트는 국가원수인가 여부다. 대통령은 국가원수지만, 수상은 행정의 수반일 뿐이다.

중국의 행방을 결정하는「차이나나인」

중국에는 「차이나 나인」으로 부르는 9인의 정치국政治局 상무위원常務委員이 있는 데, 이들은 중국공산당 전국지부에서 25인이 중앙대회에서 정치국에 선발된다. 이 정치국원 중 다시 선발된 9인이 「차이나나인」이다. 이 상무위원 9인 중에도 서열序列이 있는 데, 그중 1위인이 국가주석國家主席이 된다.

민주주의 정치의 병病 포퓰리즘

여론조사가 인기몰이 정치의 한 원인이다. 포퓰리즘을 번역하면 「중우衆愚정치政治」라고 부르는 데, 정치가가 민중의 인기몰이를 쫓다가, 진짜 중요한 정책은 실행하지 않는다. 그래서 민중도 그것을 비난할 수 없다. 그것이 포퓰리즘의 기본적인 구조다.

포퓰리즘은 민주주의의 고질痼疾이다.

정치가는 국민에게 인기가 없는 정책을 「뒤로 미루기」 마련이다. 정치가는 국민에게 인기가 없는 정책은 뒤로 미루는 경향이 있는 데, 연금문제도 수십 년 앞을 내다보고 개혁을 해야 하지만, 당장 대담한 개혁을 하면 반발하기 때문에 다음선거에서 떨어지기 때문일지도 모른다. 40년 후의 일을 생각해보면, 지금 대단한 개혁을 할 필요가 있지만, 40년 후는 자기는 살고 있지 않기 때문에, 국회의원이 아니라도 자기 정치생명을 걸기까지 개혁운동을 하지 않기 때문에 뒤로 미루기가 진행되는 그런 구조다.

투명성透明性, 책임설명責任說明이 중요하다.

극단적인 포퓰리즘 정치로부터 탈피를 위해서 「내일 나라 일을 생각하는 것이, 정치가로 내일 자기선거를 생각하는 것이 정치가다」

이태리에서는 위기 돌파내각을 국회의원이 아닌 경제학자 등의 학자만으로 구성하고 만다.

政治家 育成方向

영국은 노동당도 보수당도 일반 공모형태로 후보자를 공모한다. 신인후보는 지명도가 없고, 상대 아성에서 싸운 적이 없기 때문에 절대 승리할 수 없는 데, 「절대 승리할 수 없는 선거구」에서 악전고투惡戰苦鬪 시킨다. 거기서 그 후보자가 어떻게 싸우는가를 관찰하고, 이후에 정치가로서 성장여지가 있는가를 눈여겨본다.

「선거選擧에서 고전苦戰하지 않은 정치가政治家는 허약虛弱하다」.

미국 대통령선거가 1년에 걸쳐 치러지는 대장정인 데, 그것은 비효율적이라고 생각할지도 모르지만, 실은 그 시간은 대통령을 대통령답게 키우는 필요한 기간이다.

국민國民의 육성방안育成方案

18세 때 선거권을-좋은 정치가를 만들기 위해서는 「국민이 좋은 정치가를 만들자」는 의식이 있어야 된다.

정치개혁, 중선거구제 타파

<가네마루 사건>은, 금권정치와 파벌정치가 횡행하는 일본정치의 민낯을 극명하게 드러낸 사건이다. 「가네마루 신(자민당 부총재)에게 돈만 가지고 가면 안 되는 일이 없다.」

자민당 <정치개혁을 위한 젊은 의원 모임>의 대표간사인 이시바리 시게루가 당시 다케시타파 회장인 가네마루 전부총재에게 정치개혁을 요구하자, "자네는 아직 어려서 정치개혁 운운하는데, 대여섯 번 당선되고 나면 선거에도 강해지고 돈도 들어오는 법이야. 그렇게 되면 입을 다물게 되지."

「자민당이 부패한 가장 큰 요인은, 의원의 세습화로 정치에 경쟁원리가 사라진 것이다. 경쟁이 없는 사회는 반드시 부패하고 만다. 문제는, 젊고 우수한 정치가들의 참여가 엄격히 제한된 제도에 있다.」

이사리비카이(어화회漁火會)

1988년 <히가시 니혼 하우스(동일본東日本 house)> 사장인 나카무라 이사오가 "부패한 정치를 방치하면 일본은 위태로워지고, 경제도 파탄에 이르고 말 것"이라고 부르짖으며 설립한 정치단체다.

영국은 이렇게 후보를 뽑는다.

영국 보수당은 하원의원후보자를 선정할 때, 18항목에 걸쳐 적성을 철저히 조사, 결정한다. 5단계 평가에서 <Adequate(적합)> 이상을 받지 못하면 불합격이다. 정부나 국가를 위해 헌신할 마음은 있는가? 설득력이나 결단력은 어떤가? 등등.

<신인으로서 당의 공인을 받기위해서는 자격심사에 합격해야한다. 심사기준은 과거의 경험·실

적·인격·지도력·정책능력·표현능력 등을 감안해 폭넓게 인재를 구한다.>

심사위원은 보수당원의 조직인 <전국연합>의 임원이나, 국회의원·산업계인사 등으로 구성된 20명이다. 최초 응시자중 반이 탈락하고, 이중 실제후보가 되는 확률은 1/3 내지 1/2이다. 최종적으로는 1/6~1/4이 되는 것이다.

이에 반해 자민당 중의원 후보는 파벌이 좌우한다고 보여 진다.

일본의 중선거구제

1925년 가토다키야키 내각이 연립내각을 구성하고 있던 헌정회, 정우회, 혁신 구락부 등 호헌 3파가 각 한명씩 당선시킬 목적으로 고안한 제도다.

철의 삼각동맹

<정치>는 법안의 통과나 예산의 획득으로 <행정>을 움직이고, 행정은 허가권한이나 예산집행으로 <업계>를 조정한다. 또, 업계는 정치헌금이나, 선거집표로 정치적 영향력을 행사하려고 한다. 가히 정·재·관계의 <철의 삼각동맹>이라고 할 수 있다. 그 대표적인 <3각 동맹> 의무대는 정부발주 공사이다. 특히, <지명경쟁 입찰제도>의 폐해가 심각하다.

ⅰ 한국정치의 문제점

경제원론으로 정치현상을 분석하는 공공선택론(Public Choice)에서는 민주주의라는 단어를 안 쓰고, 다수지배주의(Majority Ruling)라는 표현을 쓴다. 제임스 뷰캐넌(Buchanan)이 고든 털록(Tullock)과 함께 창립했고, 노벨경제학상도 받은 공공선택론은, 51명이 49명을 지배하는 현 다수지배주의 체제에서 민주주의는 존재할 수 없고, 정치는 제도적으로 무조건 부패한다고 주장한다. 이 이론은 다음과 같다.

정당은 국민의 복지 최대화가 아닌 정권 창출만이 존재 목적이기에, 상대 정당보다 유권자에게 정책이 더 근접하면 되니, 가게가 위치를 잡는 것과 같은 전략을 쓰게 된다. 미국의 경우, 민주당이 3번에 정책을 피면, 공화당은 4번에 정책으로 나서며 유권자 의지와는 관계없는 정책이 펴지게 된다. 이 당이나 저 당이나, 거의 비슷한 정책얘기를 하는 이유도 바로 여기에 있다.

다수 지배주의에서는 51명이 49명 재산을 몰수해 나누어 갖자는 법안을 통과시키면, 그것 또한 합법적 국가운영이다. 따라서 개인이나 집단은, 이 51명그룹에 들어가려 하니 경상도, 전라도, 충청도가 바꿔 가며 편을 짜게 되고, 이를 중복연립(Overlapping Coalition)이라 한다. 이는 망국병이 아니다. 투표를 통한 다수 지배주의 체제에서는 당연히 벌어지는 현상이며, 박정희 전 대통령 때부터 본격적인 투표싸움이 시작되어, 그때 처음 이 지역분쟁이 생긴 것처럼 보일뿐이다.

다수 지배주의에서 제도적으로 벌어지는 부패 등의 문제를 막기 위해서는, 정치가와 정치제도에 대한 허상과 기대가 없고, 정확한 규칙이 있어야 하며, 정치가들이 이를 어길 경우 가차없이 보복을 하여야 한다.

정당의 존재 이유는, 민주주의나 국민의 복지 최대화가 아니라, 정권탈취 그 이상 그 이하도 아니다. 정당이나 정치인이 국민을 위해 일을 하길 바란다는 어리석음은 권투선수가 폭력을 안 쓰거나, 군인이 살인을 안 하기를 바라는 것처럼 비논리적이다.

서구에서는, 권투선수는 발로 상대방을 못 차듯 정확한 정치게임의 규칙이 있는 데, 한국은 이게 없어 늘 문제가 생기는 것 같다. 서구에서는 세 가지 직업을 갖은 사람은 절대로 정치를 못 하는 불문율이 있다. 판사, 감사위원, 그리고 기자다. 판사가 정치를 하게 되면, 후에 정치 기반을 닦기 위해 특수 정당에 유리하거나, 자기 인기관리를 위해 판결이 내려질 수도 있다고 일반사람이 볼 수 있기에 법조계의 중립이 무너지기 때문이다.

정부 즉, 정권을 장악한 정당을 상대로 감사를 해야 하는 감사위원이나 기자도 마찬가지이다. 정계에 기자들이 진출하면 후배기자가 취재를 할 때, 자신이 몸담아 정치를 하려는 특수 정당에 유리하게 기사를 쓸 수 있다고 일반이 보기에, 정계에 진출하는 기자도 언론이 살기 위해 언론계에서 매장시켜 버린다.

정당을 감시해야 하는 판사나 기자가 정치판에 뛰어 들어가니, 언론문건 사태부터 각종 비리사고까지 문제가 안 생길 수가 없다. 자기 자신 이익의 최대화를 추구하는 유권자는 이성적이며, 논리적으로 본인들에게 최대의 이익을 줄 수 있는 정치후보자를 지지하나, 정책을 통해 국가 즉, 전 사회에 집단적인 이익을 줄 수 있는 후보자보다는, 자기 자신이나 주위의 사람들에게 개인적인 이익을 줄 수 있는 후보를 원하는 게 한국의 사회계약이며 관습이다.

즉, 한국문화에서는 아는 사람이 정치를 해야만, 자기 자신이나 자기 자신 주위의 사람이 경제적 도움 또는, 사회적 특혜를 받을 수 있는 확률이 높아지니 학연, 지연, 혈연 등 인연이 있거나, 아는 사람을 지지하게 되며, 정치가들에게는 부정이나 부패를 조장하는 결과를 갖고 온다. 따라서 한국의 정치권 부패는 다수지배주의의 제도적인 문제와 더불어, 모든 유권자의 이성적이고 논리적인 행동의 이유로 벌어지는 현상에 불과하며, 유권자가 투표성향을 바꾸기 전에는 부정부패가 사라지기 어렵다.

백광열(캐나다 전 수상 폴 마틴의 재경부장관 시설 경세고문)

계파본질은 배신 승자독식 황홀함 찾아 철되면 이동

한국의 계파정치 무엇이 문제인가? 냉정히 생각해 보건대, 이 땅에 정당은 없었다. 정당처럼 보이는 그건 단지 계파를 덮고 감싸는 외피일 뿐이다. 계파는 당을 주무르며, 대통령과 고위공직자들을 배출하는 젖줄로 작동한다. 선거 때마다 정치인들은, 계파를 급조하거나 서둘러 없앴고, 갈아탔다가 되돌아오길 반복해 왔다. 이 점에서 현 집권여당과 야당은 서로의 거울이다. 대통령 말 한마디로 집권당 원내대표가 물러나고, '계파는 없다'면서도 제사람 쓰기 바쁜 야당대표의 모습은 '알아서 기기'와 '함부로 정치'의 원형이다.

생각과 출신 공간 중시하는 '파벌'

'계파'의 원형은 파벌(派閥)이다. 생각을 함께하는 '파'와 출신 공간을 중시하는 '벌'이 모여 죽을 때까지 한 사람만 섬기겠다는 특이한 집단 개념은, 조선의 사색(四色) 당파를 기원으로 삼는다. 하지만 현대 한국정치에서 계파는 엉큼하고 은근하며, 나아가 요행까지 바라는 사람들의 정치적 본능에서 출발했다.

철새 정치인이 그린 우리 정치자화상

보스 한 사람만 바라보며 충성의 의지를 불태운 진짜 이유는, 승자 독식의 황홀함 때문이다. 하지만 꿈을 이루지 못한 불안한 보스 곁에서 의심 많고, 성질 급한 철새정치인들의 계파 갈아타기는, 우리 정치사의 슬픈 자화상이다. 노태우와 김영삼·김종필의 3당 합당과, 노무현을 대통령으로 만든 당을 박차고 열린 우리당을 만들어 나가며 들끓던 광풍은, 잊지 말아야 할 집단계파 이동의 민낯이다.

이합집산의 문화는, 표로 후려치는 유권자들의 매가 처방전이었다. 하지만 명분만 그럴듯하면, 언제든 배반과 변절의 역사를 반복할 태세의 집단이 이 땅의 계파정치인들이다. 단순히 계파가 존재한다는 사실은 문제의 핵심이 아니다. 갈아타고 배반하며 거침없이 되돌아오니 문제다. 유권자는 봉이고, 정당은 계파 가리개로 더없이 훌륭하며, 가능하면 언제든 만들고 없앨 수 있다는 사고가 먹혀드니 정치가 한심할 따름이다.

계파정치의 폐해를 뛰어넘을 대안은 그리 많지 않다. 다만, 영국의 '내각 정부론'에 눈길이 간다. 영국의 계파는 민주주의를 망치는 악마가 아니라, 도리어 정책과 연계해 특정인과 특정 정당의 독주를 견제하는 '파수꾼' 역할을 한다. 집권당의 특정계파가 총리를 배출하더라도, 그는 다른 계파의 눈치를 볼 수밖에 없다. 영국총리가 독재자가 될 수 없는 이유다.

우리는 한번 보스가 되면 당을 자신의 사유물로 인식하고, 상대 계파의 엄혹한 관찰과 감시를 받아들이는 일이 가능할까. 그런 상황에서 차기 공천 가능성을 날려버릴 각오로 정면 돌파를 감행하는 의원들을 기대할 수 있을까. 정치가 중요한 가업(家業)이며, 계파는 그 자체로 존치돼야할 목적 가치로까지 받아들여지는 일본의 경우는, 우리에게 늘 타산지석으로 다가온다.

전후 일본정치에서 파벌은 요시다 시게루(吉田 茂) 내각 말기인 50년대, 전쟁 전 정치인의 공직추방을 해제할 때 시작됐다. 집권 자민당 파벌들은, 각기 별도의 사무실에다 직원까지 두고 독립회계로 운영됐지만, 금권정치와 정치부패에서 자유롭지 못 하다. 94년 파벌 해소에 합의했지만, 파벌은 여전히 건재하고 재생되고 있다. 주목할 점은, 파벌을 만든 사람이 사라져도 파벌은 죽지 않는다는 점이다. 사람이 정치를 주무르는 건 우리와 같지만, 파벌은 정치하는 사람들을 끝없이 만들고 바꾸어 가며 자금 문제까지 해결한다. 일본의 파벌정치는 정치의 재생산과 인재의 재생산 통로로서 긍정적 역할을 하는 부분이 있다.

한국정치에서 계파의 본질은 배신이었다. 하지만 아무리 이합집산이 마음대로라지만, 집권당 원내대표를 그만둔 누군가가 야권 신당을 구상한다는 누군가의 영입가능성을 언급하는 건 또 뭘까. 그렇다 하더라도 계파정치의 폐해를 온몸으로 겪은 그 의원이 할 말은 아니다. 국민은 계파의 수장과 추종자들이 내뱉는 이런 노련한 수사에 허구한 날 무력하게 휘둘릴 뿐이다. 결국 유권자들이 표로 응징할 수밖에 없다.

정치인의 부정부패 문제

한국정치의 문제점을 찾아보자면, 일단 정치인의 부정부패 문제를 들 수 있겠습니다. 비현실적인 제도로 인해서 정치인들이 음성적으로 정치자금을 모으게 되고, 이 과정에서 부정부패가 싹틀 여지가 생기게 되는 것이죠. 즉, 제도가 부정부패를 조장한다고 봐도 됩니다. 이것은 OO당이던, OO당이던 정치권에 몸담고 있는 사람은 어느 누구도 피해갈수 없다고 봐야합니다. 그리고 지역감정과 지역주의를 구분해야 할 필요성도 있는 데요. 미국의 경우에도 지역주의는 분명히 있습니다. 자기 지역의 이익을 대변하는 정당을 지지하는 것은 어찌 보면 당연한 것이죠.

미국의 경우 북부지역은 공화당, 남부지역은 민주당이 싹쓸이 하는 경향이 있습니다. 우리나라의 경우, 영남은 보수당, 호남은 진보당이라는 공식과 비슷하죠. 하지만 우리나라의 지역주의는 보통 정치적 성향과 궤를 같이합니다. 영남은 대체적으로 보수적인 성향이 강하고, 호남은 개혁을 지향하는 성격이 강합니다. 따라서 우리나라의 지역주의는 지역주의 자체를 폄훼하고 없애려고 하기 보다는, 지역주의를 보다 긍정적 방향으로 개선시켜 나가는 것이 더 현실적입니다.

마지막으로 현재의 우리나라의 대통령제는 제왕적 대통령제라고 해서, 미국식 대통령제와 유럽식 내각제의 안 좋은 점만을 취합한 것이라고 볼 수 있습니다. 미국식 대통령제는 대통령이 속한 당이 있지만, 그 당의 의사결정은 철저히 의원개인의 자유에 맡깁니다. 그러므로 대통령은 정책의 의회통과를 위해서는 의원들에게 이해를 구하고 정책을 설명하는 절차가 필요하겠죠.

반면, 유럽의 내각제는 총리가 있고, 그 총리의 의사를 소속당의 의원들이 뒷받침하여 정책의 안정성을 높여주는 제도입니다. 하지만 우리나라는 대통령은 자신의 당을 가지고 있고, 그 당을 통해 의회를 지배하는 구조입니다. 즉, 대통령이 실질적으로 행정부권력과 의회권력을 모두 컨트롤 할 수 있죠. 물론, 이 경우는 여대야소의 정국에만 해당합니다. 하지만 여소야대의 경우에는, 과반수이상을 점한 야당의 정국주도권 장악을 위한 반대로 정책의 추진력이 약화되고, 의회의 협조를 받기도 힘들며, 자칫하다가는 무한정쟁으로 휘말릴 수밖에 없는 구조이기도 합니다.

선거문화의 문제점과 개선방안

선거를 할 때 은근히 지역주의를 조장시키는 면이 없지 않아 있다는 겁니다. 사실, 선거유세를 할 때, "지역주의를 타파 합시다!"이러는 데, 이처럼 지역주의가 있다는 자체를 후보자가 이 말을 통해서 강조하게 되는 데, 이는 어쩌면 지역주의를 타파하라는 말 속에 벌써 지역주의를 조장하고 있는 것이다. 선거에서 이러한 것을 통해 후보들이 이익을 추구하는 면에서는 그들이 "지역주의를…"말을 하는 순간 그 후보의 지역구에 따라서 벌써 유권자들이 나눠지게 됩니다. 아무래도 지역사람을 선출하면, 그들의 이익을 보장받을 수 있을 거란 생각에서 입니다. 후보들은 그들의 득표수를 위해 은근히 이러한 지역주의를 조장하고 있다고 생각됩니다.

1-1.해결방안

지역주의는 어느 나라에서도 나타나는 현상입니다. 이러한 지역주의 문제는 당장 해결된 사안도 아니므로, 지금으로서는 지역주의를 통해 오히려 건설적인 경쟁을 이끌어내어, 지역끼리 긍정적인 경쟁으로 동시에 발전할 수 있는 시스템이 마련되어야 합니다. 이것을 선거에서 왈가불가할 문제는 아니지요. 선거에서 이러한 문제를 그들의 이익을 위해서 조장하는 것은 바람직하지 않습니다.

2.재정상의 문제점

재정상의 문제점에서는 두 가지의 문제점이 파생되는 데, 첫째는 선거비용이 너무 많이 든다는 것입니다. 정치가로서 훌륭하지만, 돈이 없으면 선거도 못나가는 것이죠. 그 어마어마한 돈이 도대체 어디로 굴러가는지 의문입니다. 아마도 그들이 당선되기 위해 유력한 지지층을 확보하기 위한 로비로 쓰이겠지요. 문제는, 그로 인한 부정적인 측면이 나타나고 있다는 사실입니다. 누가 누가한테 돈을 얼마나 받았느냐, 어쨌느냐, 하는 등 말입니다. 그로 인해서 둘째, 선거비용 재정을 확보하기 위해 비리를 낳을 수도 있는 부정적인 측면이 생겨나는 것이지요.

2-2.해결방안

이것은 후보자와 유권자 모두의 의식 개혁이 필요합니다. 돈이 많아야 당선될 수 있다는 생각은 버려야지요.

3.인물중심적인 선거

한국의 선거문화의 문제점으로 꼽을 수 있는 게 인물중심적인 선거가 이루어진다는 것입니다. 우리는 선거를 할 때, 다른 나라처럼 당략이나, 그 사람의 가치관을 뽑는 경우가 거의 없습니다. 당에서 내세우는 당략들을 보면, 이 당이나 저 당이나 거의 비슷비슷하고, 가치관에 있어서도 특징적인 게 없고, 또한 유권자도 이들의 그러한 점을 보고 뽑는 게 아니라, 단지 내가 아는 사람을 뽑는 경향이 큽니다.

3-3.해결방안

이러한 것도 국민들과 후보자의 의식개혁이 필요합니다. 후보자는 더 이상 유권자가 단지, 그들의 이름만으로 왔다 갔다 하는 바보가 아님을 깨달아야 합니다.

4.비방이 난무하는 선거판

한국의 선거의 가장 두드러진 특징은, 상대후보를 비방하고 공격함으로서 자신은 마냥 깨끗한 듯이 포장하는 게 특징이자 문제점이라 하겠습니다. 또한, 이러한 것이 먹혀 들어가는 한국사회도 문제입니다. 국민들이 이러한 것을 객관적으로 평가하지 못하고, 단순히 그들이 하는 말에만 비판성 없이 곧이곧대로(?) 믿고 받아들이기 때문에, 후보자의 경우에도 이러한 것을 이용하는 것입니다.

4-4.해결방안

후보자도 유권자도 멍청한 생각은 버리고, 좀 더 멋진 선거문화가 정착될 수 있도록 해야 합니다. 유권자도 후보를 바라보는 데 있어서, 자신이 지지하는 후보를 무조건 동조하기 보다는, 진짜 한국의 정치가 발전하기 위해서 그들의 행태와 가치관을 비판적으로 공정하고 냉철하게 바라볼 필요가 있습니다. 일단, 정치인의 부정부패 문제를 들 수 있겠습니다. 이것은 현실성이 없는 제도 때문이기도 합니다. 비현실적인 제도로 인해서, 정치인들이 음성적으로 정치자금을 모으게 되고, 이 과정에서 부정부패가 싹틀 여지가 생기게 되는 것이죠. 즉, 제도가 부정부패를 조장한다고 봐도 됩니다. 이것은 여야를 불문하고, 정치권에 몸담고 있는 사람은 어느 누구도 피해갈수 없다고 봐야합니다.

따라서 선거공영제를 통해 선거자금을 국가에서 어느 정도 지원하는 방향으로 나아가야하고, 모든 선거자금은 자금추적이 용이하도록 현금이 아닌 수표로 받도록 해야 하며, 부정부패 사범에 대해서는 공소시효나 국회의원의 면책특권이 작용되지 않도록 법을 개정하는 일이 필요할 것입니다. 게다가 이러한 부정부패 사범을 엄히 처벌하기 위해서는, 철저한 검찰의 독립을 실질적으로 보장하는 것 또한 필요합니다. 부정부패에 대해서는, 정치적 견해 차이를 떠나 한 치의 용납도 허용치 않는 국민의식 또한 필요하구요.

사실, 당파싸움이라는 것은 어쩔 수 없는 면이 있습니다. 정당의 목적은 정권쟁취입니다. 정권쟁취를 위해서 싸우는 것은 어쩔 수 없지요. 하지만 이것이 한국에서는 서구(西歐)와 달리, 정당한 정책대결이나 민의의 수렴이라는 형태로 나타나는 것이 아니라, 상대방에 대한 흠집내기나, 지역감정 부추기기 등의 형태로 나타나는 것이 문제라고 볼 수 있습니다.

이러한 지역주의를 좀 더 긍정적으로 바꿀 수 있는 방법은, 소선거구제를 기반으로 한 독일식 비례대표제의 도입입니다. 독일은, 정당별 득표율에 맞게 일단 국회의석을 나눈 후, 지역구에서 당선된 의원이 초과될 경우 초과의석으로 인정하고, 모자랄 경우 비례의원으로 채우는 방식을 채택하고 있습니다. 지역구와 비례의석의 비율은 1:1입니다. 즉, 100개의 의석이 있고, 50개의 지역구의석이 있는 상황에서, A당이 전국적으로 60%의 지지 율을 받고 20개의 지역구에서 승리했다고 보고, B당이 전국적으로 40%의 지지 율을 받고 30개의 지역구에서 승리했다고 봅시다. 그럴 경우, 100개의 60%인 60개의 의석을 A당은 일단 배정받게 됩니다. 하지만 지역구 의석이 20개밖에 없으므로, 40개의 비례의석을 갖게 됩니다. 반면, B당은 일단 40개의 의석을 배정받게 됩니다. 하지만 지역구가 30개가 있으므로 비례의석은 10개를 받게 됩니다.

반면, 우리나라의 소선거구제는 비례대표가 전체의석의 6분의1밖에 되지 않는 실정이어서, 상당수의 국민들의 의사가 무시되는 실정입니다. 과거 자민련의 경우 전국지지율은 3%도 되지 않지만, 국회의석은 10개가 넘는 것이 대표적입니다. 반면, 한나라당(국민의힘전신)의 경우 전국지지율은 40%가량이지만 국회의석은 50%가 넘습니다.

이런 철저한 지역구 중심의 국회의원제로는 국민의 의사를 반영할 수 없을뿐더러, 국회의원들이 자신의 지역구에서만 승리하면 된다고 생각하기 때문에, 손쉽게 지역감정을 자극할 수 있게 됩니다. 따라서 지역감정을 해소하기 위해서는, 독일과 같은 비례대표제를 전면 도입하는 것이 우선되어야 합니다.

따라서 이런 제도를 개선하기 위해서는, 프랑스와 같은 이원집정부제가 필요합니다. 즉, 대통령선거를 통해 국방, 외교 등 외치를 맡는 대통령을 뽑고, 총선을 통해 다수당이 된 당에게 총리자리를 맡겨 내치를 맡게 하는 것입니다. 우리나라의 경우 대통령이 모든 권한을 쥐고 있으므로, 여당과 야당이 서로 협의를 할 필요성을 느끼지도 못하고, 여당은 대통령의 정책을 무조건적으로 지지하고, 야당은 무조건적으로 반대하며 무한정쟁에 빠지게 되는 경우가 많습니다.

하지만 이원집정부제를 할 경우, 우리의 실정에서는 대통령은 야당 쪽에서 맡아 통일을 위한 외교작업을 펼쳐 한반도의 평화정책에 공헌하고, 여당 쪽에서는 경제성장을 위한 내치를 맡아 침체된 경제를 살리고, 경제성장을 위한 강력한 정책을 추진할 수 있게 됩니다. 또한, 분리된 권력구조를 가지고 있기 때문에 여야 간의 협력분위기도 조성될 수 있게 됩니다.

일본정치의 특징

자민당의 일당독재와 시민들의 무관심 때문입니다. 일본 내에서는 정치는 '제대로 배운 사람이 해야 한다는 인식과 분위기가 있다. 문제는, '제대로 배운 사람'의 기준이 상당히 애매하여 연줄에 의해 형성되는데다가, 이러한 엘리트주의로 인하여 특정 정치인 가문이 형성돼서 세습되고, 관료주의로 인해 폐쇄적으로 정치가 이루어지며, 이로 인해 국민들이 상대적으로 정치에 무관심해지기 쉽다는 것이다. 엔자이(冤罪)가 일본 사법계의 대표적인 문제점이고, 정치인의 지역구 세습과 국민들의 정치적 무관심이 일본정계의 문제점이라면, 일본사회의 뿌리 깊은 엘리트주의는, 이런 문제점들을 만들어낸 만 악의 근원이라고 할 수 있다.

최근의 추세로 볼 때는, 일본의 시민정치 참여는 말 그대로 취미생활의 연장선상으로 끝나며, 한국의 경우 자력으로 부패정권을 엎을 정도의 자생력과 폭발력을 보유하고 있기에 우열이 확실히 드러났다. 다른 건 몰라도 일본의 민주주의가 지극히 취약한 기반 위에 서 있다는 점 하나는 사실상 확실해졌다. 후쿠시마 원자력발전소 사고 이후, 정부가 도쿄전력에 사면권을 주는 상황이 그 예. 네, 걔네가 수 십 년 동안 거의 70년, 길게는 100년 동안 주류였고, 지금도 주류입니다.

애초에 일본국민들부터가 정치에 손 놓고 포기하고 관심 버린 이들이 대부분입니다. 무슨 일이 생기면, 그냥 상투적으로 욕하고 비난하고 끝이지 어떻게, 무엇이, 왜 그랬는지 제대로 이해하고 있는 이들도 많지 않죠. 그러니 주류 정치세력의 노예이자, 가축이 되어버린 중장년 특히, 노인층만 투표를 하고 그들에 의해서만 당선되는 게 그들일 뿐입니다. 그러니 물갈이도 제대로 된 처벌이나 변화도 없는 거죠.

대한민국에서는 정치인들을 대상으로 정치에 대해서 교육하고 있나요? 정치인이 되고 나서 그들을 대상으로 정치에 대한 교육을 시키는 곳은 없다.

한마디로 무주공산이라는 뜻입니다. 정계라는 빈산에 입성하게 되면, 입성하는 그 사람이 정치인으로서 정치를 하게 되는 행태로서, 매우 웃기지도 않는 이력의 사람들도 정치인이랍시고 정치를 할 수 있습니다.

어떻게 하냐하면 인맥이나, 중요 정치인 보좌하거나, 국회의원 공천 받거나 하여 선거를 통해서 입문하기도 하고, 전혀 정치를 할 준비가 안 된, 전문지식이 없는 사람들도 정치를 하면서 정치적으로 놀아나니 문제라고 봅니다. 정치인에 대해서 따로 교육을 하던가 하는 시스템은 없죠. 그게 한국사회 정치에서의 문제점이라고 생각합니다. 학교교육에서부터 여러 정치에 대한 시스템이나 여러 가지를 교육을 해야 한다고 봅니다.

통일 이후 독일의 정치교육

1990년 통일된 독일은, 옛 동독시민들에게 시장경제체제의 적응 및 정부기관의 업무와 절차 생활방식에 대해 교육하여야 할 필요성에 직면하였다. 이에 따라 서독의 정당재단과 교회 등 교육담당기관들은, 동독의 정치교육에 직접적으로 참여하게 되었고, 서독의 각 주정치 교육원은 동독지역에 주정치 교육원이 설치될 수 있도록 지원하였다. 연방정치 교육원은 출판물 등 정보제공수단을 추가 인쇄하여 전달하였고, 동시에 의회주의적 정부체제의 수립과 구조 등에 대한 세미나를 개최하기도 하였으며, 동독지역에 정치교육 전문가를 양성하고, 동서독 간 학생의 상호교환을 촉진하도록 재정지원을 실시하였다. 뿐만 아니라, 동서독주민 상호 상반된 지식을 중개하며, 공동의 학습과정을 조직화함으로써 상호간 이해증진을 도모하였다.

정치교육 체계

독일의 정치교육은 학교교육을 기본으로 국가, 정당재단, 지방자치단체, 시민단체, 기업 등이 성인교육을 담당함으로써 관·정·민이 하나의 시스템으로 연결되어 이루어지고 있다. 학교에서의 정치교육을 기초로 하여, 성인이 되어서는 현실 민주주의에 대한 평생교육으로 이어지는 시스템이다. 정치인들을 대상으로 정치에 대해서 교육을 하고 있지 않습니다. 하지만 대학교에서 정치외교학과가 있습니다.

대한민국 정치인들은 정치교육을 하기는 합니다. 정치아카데미라고 해서 합니다. 교육은 받아보지 않았지만, 가르치는 게 국가와 민족을 위해서 정치하라고 가르친다고 생각 안합니다. 그저 당내세력들에게 충성하고, 시키는 대로 잘하면 눈도장 찍어서 공천 받으면 당보고 찍는 국민들 땜에 정치인이 되는 겁니다.

정치인들은 말 바꾸기 천재들이다.

다시는 이런 정치인에게 표주지 말아야 하는 데, 국민이 더 썩었어요. 한곳을 바라보고 성심을 다하여 부끄럽지 않게 살고자 합니다. 정치인들을 대상으로 정치를 교육하고 있지 않습니다. 기본적으로 정치인이 되려면 정치전공을 한다거나, 정치적이고 사회적 법적에 통달하시고 뛰어나신 분들이 많이 선출됩니다.

정치인들을 대상으로 세미나를 열어 강의하는 전문가들은 있지만, 정치인을 대상으로 정치에 대해 교육하지 않으며 운영방침도 없습니다. 이미 정치인들은 정치의 전문가들이니 따로 누구에게 배울만한 인물들이 아니지요. 선진국 같은 데서는 나라를 다스리는 데는, 정치외교학과 나온 자들이 국민들에게 정치인으로서 환영을 받는다는 이야기를 들었어요.

ⅱ 한국정치의 문제점

1)몰 이념의 정당체제
-정당이란 기본적으로 이념조직이어야 하는 데, 한국의 주요정당들은 모두 지역주의에 기초한 이익집단임. 그래서 편 가르기에 사로잡혀 합리적 토론과 정책적 경쟁이 불가능한 상황임. 오직 권력투쟁이 있을 뿐임.

2)역사의식의 결여로, 구시대적 정책에서 벗어나지 못하고 시행착오를 반복하고 있음.
-경제성장과 일자리 창출에 매달려 있는 데, 이것은 바람직하지도 않고 또 가능하지도 않음. 국민소득이 2만 달러 이상이면, 그 상태에서 국민이 행복할 수 있는 방안을 강구해야 함. 경제성장과 일자리 창출에 매달릴 것이 아니라, 완벽한 사회보장 제도를 확립한 가운데, 자아실현이 가능한 경제체제를 강구해야 함.
-현 야당은 사이비 평등주의와 사이비 복지주의에 사로잡혀 있고, 현 여당은 이를 무조건 배격하면서 자유주의에 기초해 복지정책을 반대하는 데 빠져 있음.
-국민복지의 경우 이것이 시대적 요구인 데도, 이에 대한 철학적 인식이 없이 즉흥적으로 강구하다 보니, 이중 복지와 복지사각 지대가 생기면서 국민갈등과 재정파탄이 초래되고 있음.

3)편 가르기에 기초한 몰 이념적 이념공방으로 전략 수립이 어려운 상황임.
-자칭 진보세력인 야당 등은, 맹목적 친북에 사로잡혀 민족통일을 반대하면서 비현실적 평화정착에 집착하고 있음. 민족통일이 없고서는 평화정착이 불가능함.
 자칭 보수 세력인 여당 등은 맹목적 반북주의에 사로잡혀 통일비용과 통일 후의 혼란을 걱정하여 민족통일을 반대하고 있음. 통일비용은 분단비용보다 적고, 통일 후의 혼란은 막을 방안이 있음.
-현재 동북아시아는 새로운 질서가 수립될 상황을 맞고 있어, 이때 민족통일과 한민족 웅비를 이룰 비전과 전략을 제시할 정치세력이 있어야 하는 데, 자칭 진보도, 자칭 보수도 사이비 평화에 매달려 분단을 고착시키고 있음. 지금까지는 한·미·일 대 북·중·러 구도였으나 중국의 부상, 북한 핵문제를 계기로 한 북미관계의 개선 등으로 이 구도가 깨지고 새로운 질서가 수립될 전망임.
-북한의 입지가 강화되면 민족통일이 더 어려워지고, 남북한 관계에서 남한의 처지가 궁색해짐.
-북한의 핵무기 보유가 기정사실이 되면, 일본이 핵무장을 할 것이고, 한국, 대만도 핵무장을 하게 될 것임. 이렇게 될 경우 중국이 북한의 핵무기 보유를 싫어해서, 남한중심의 한반도통일을 지지할 수 있음.
-북한핵문제의 해결과 민족의 웅비를 위해서는 민족통일을 이루어야 하고, 민족통일을 이루면 중국, 일본, 러시아와 겨루는 부강한 나라가 될 수 있다는 비전을 제시해야 함.
 통일한국은 아시아태평양시대의 중심국가로서 세계적인 모범국가 될 수 있음.

한국정치의 근본적 개혁을 위해서는 어떤 전략을 구사해야 할까?
 한국정치를 근본적으로 개혁하기 위해서는, 오늘의 시대정신을 구현할 새로운 국정운영방안을 가진 정치세력이 나와야 함. 즉, 새로운 집권세력이 나와야 함.

1)집권세력형성을 위한 전략방침

-한국정치를 근본적으로 개혁하고, 오늘 우리사회가 당면하고 있는 대량실업, 소득양극화, 환경오염, 인간성상실 등의 문제를 해결하기 위해서는 새로운 역사의식에 기초한 정당이 나와야 하고, 이를 위해서는 새로운 정치인재가 양성될 필요가 있음.

-새로운 정치세력이 국민의 지지를 받아 성공하기 위해서는 대통령감이 있어야 함. 대통령감이 있는 정당은 국민의 지지를 받을 수 있지만, 그렇지 못하면 국민의 지지를 받지 못함. 이것은 우리나라만의 현상이 아니라, 전 세계적 현상임. 미국의 트럼프와 샌더스, 필리핀의 두테르테, 프랑스의 마크롱, 오스트리아의 쿠르츠 등.

-이런 현상은 우연한 현상이 아니라, 역사적인 현상임을 이해할 필요가 있음. 새로운 역사의식에 기초해 시대정신을 구현할 정치세력이 나와야 하는 데, 그것이 금방 이루어지기가 어려우니, 일단 정치지도자 개인을 통해 구 정치세력을 몰락시킴으로써 새로운 정치세력이 형성될 기반을 구축하려는 것임.

왜 대통령후보감이 있어야 하는가?

-한국정치를 바꾸려면 새로운 정치세력이 나와 국민의 지지를 받을 수 있어야 하겠는 데, 이 새로운 정치세력이 국민의 지지를 받아 성공할 수 있기 위해서는, 새로운 정치세력에 국민의 지지를 받을 수 있는 참신한 대통령후보감이 있어야 함.

-한국정치에서 국민의 광범한 지지를 받을 수 있는 대통령후보감이 없는 정당은 성공할 수 없음.

-지금, 전 세계적으로도 새로운 비전과 정책으로 국민에게 희망과 활력을 불러일으킬 만한 정치지도자가 나타나면, 국민의 열렬한 지지를 받아 집권하고 있음. 특히, 정치가 안정되어 있고 민주정치가 발전해 있는 구미 각국에서도 이런 현상이 나타나고 있음.

-미국의 경우 트럼프 한 개인의 힘으로 미국정치를 수백 년간 주도해온 공화당과 민주당 후보들을 이기고 집권했음. 미국과 전 세계 언론과 지식인들의 집요한 반대와 비난에도 불구하고. 프랑스의 마크롱 대통령, 오스트리아의 쿠르츠 총리, 필리핀의 두테르테 대통령, 뉴질랜드의 아던 총리(여성 37세) 등도 유사한 경우이고, 스페인의 포데모스, 이탈리아의 오성운동 등도 집권은 못했지만 유사함.

-이런 현상이 생기는 것은, 기존의 정당들과 기성정치인들이 시대적 과제와, 국민의 요구를 제대로 파악하지 못해 구태의연한 정책이나 제시하고 있기 때문임. 우리나라도 마찬가지임.

-그러나 이들이 집권은 했지만, 나라를 잘 운영할 능력을 갖춘 것으로 보기는 어려움. 결국 구시대 정치세력은 몰락하고 있지만, 새 시대에 부응할 정치세력은 형성되지 못한 상황임. 그래서 우리는 구시대 정치세력을 물러나게 할 뿐만 아니라, 새 시대에 부응할 비전과 정책을 갖춘 새로운 정치세력을 형성해내야 함.

2)제도적 개혁

(1)대통령과 전직대통령, 국무총리, 장관과 차관, 감사원장과 감사위원, 대법원장과 대법관, 헌법재판소장과 헌법재판관, 국회의원 등 차관급 이상의 모든 공직자 및 정부투자기관(공기업)의 장과 감사의 월급은, 도시근로자 가구당 월평균소득(4인의 경우 2017년 550만원)으로 해야 함.

-업무상 지출되는 경비는 국가재정으로 충당되기 때문에, 월급은 도시근로자 가구당 월평균소

득이면 충분함.

-직급이 높다고 해서 월급(생활비)이 많아야 하는 것은 아님.

-공직을 맡는 것은 돈벌이나 명예를 위해서가 아니라, 거기서 보람과 기쁨을 얻기 위한 것이어야 함. 이렇게 해야 그 분야에 정통한 사람이 공직을 맡게 됨.

(2)고위공직자의 범법행위와 부정부패를 엄벌해야 함. 공직자가 금고이상의 형을 받았을 때는, 사면과 복권이 되더라도 공직에 취임할 수 없게 해야 함.

(3)법치주의를 엄격히 확립해서 불법행위로 인한 사회적불안과 경제적 손실이 발생하지 않도록 해야 함.

-집회와 시위는 어떤 경우에도 법에 따라 보장하되, 법률을 위반한 집회와 시위, 농성 등은 엄격히 통제해야 함.

-민주화투쟁은 민주화투쟁이 필요 없는 사회를 건설하기 위한 것인 데, 민주화가 되어도 민주화투쟁이 있어야 한다면, 그것은 잘못임. 민주화된 사회에서는 민주주의를 일상적으로 실천해야 하고, 국민의 모든 권리는 합리적인 절차에 따라 보장되어야 함.

(4)분권 형 대통령제와 중선거구제를 채택해서 승자독식과 지역대결의 정치를 극복해야 함.

-권력분산 형 정부통령제와 1선거구 3-4인의 중선거구제를 채택하여, 대통령의 권한을 줄이고 지역주의 정치를 타파해야 함.

-대통령의 막강한 권한을 줄여 대통령 측근 인사들에 의한 온갖 부정부패가 반복되지 않게 해야 함.

-지금의 소선거구제도는 지역대결의 정치를 온존시킴으로써, 정책대결을 불가능하게 만들고 있다. 더욱이 국민의 다양한 이해와 요구가 수렴되어져야 할 선거가, 거대정당 후보에게 투표를 강요하는 결과를 초래하여, 국민의 다양한 의견을 대변할 정치세력의 등장을 가로막고 있음. 그래서 1선거구 3-4인의 중선거구제를 도입해야 함.

(5)선거는 완전한 공영제로 하고, 당비와 후원금을 모금할 수 있게 하는 대신, 정당에 지급하는 국고보조금은 없애야 함. 10% 내지 15% 이상 득표자에게 선거비용을 환급하는 일은 없어야 함. 당비와 후원금을 모금할 수 있게 하는 터에, 국고보조금을 지급하거나 선거비용을 환급할 필요는 없음.

(6)국가균형발전과 수도권 과밀해소에 오히려 역행하면서, 행정의 막대한 비효율과 엄청난 예산낭비를 초래하는'행정중심복합도시' 곧, 세종특별자치시를 폐지하고, 지방의 산업과 교육을 육성함으로써 실질적으로 국가균형 발전과 수도권 과밀해소가 이루어지게 해야 함.

-행정중심복합도시의 건설은, 선거에서 이기기 위해 저지른 망국적 행위인 만큼, 이것은 취소돼야 함. 다만, 더 이상의 낭비가 없도록 현재의 시설과 계획을 잘 활용할 방안을 강구해야 함.

-세종특별자치 시에 국립 대학교와 학술연구기관, 그리고 정보통신과 생명공학 등의 첨단산업 등을 유치해서, 인근 대덕연구단지와 연계해 세계적인'산학연클러스터(협력단지)'를 조성하여, 지식과 기술 및 첨단산업의 획기적 발전을 도모하고, 동아시아를 비롯한 세계 각국에서 많은 유학생이 올 수 있게 해야 함. 이렇게 하는 것이 행정기관의 분산으로 말미암은 국가적 낭비도 없애면서 충청지역의 발전도 도모할 수 있기 때문임.

-민족통일을 이루어야 할 엄중한 시기에 국가의 머리인 수도(首都)를 쪼개 놓아서는 안 됨. 중앙행정기관은 빠른 시일 안에 서울로 옮겨야 함.

한국정치의 근본적 개혁을 위한 전략

지역감정

대한민국의 국민총화를 깨뜨리는 가장 큰 원인중 하나. 그나마 위안이라면, 이렇게 지역감정이 심해도 원체 한반도 북쪽 남쪽 울릉도 제주도 등등 어딜 살든 간에 한국인들이 같은 유대감을 갖고 있기도 하고, 분리주의까지는 안 간다는 점이다.
[1]당장 가까운 민족주의 국가인 중국, [2]일본에도 분리주의가 있는 걸 생각하면 더 그렇다. 한국의 지역감정은 생각하는 것보다 심각한 수준이다.[편집]

한반도의 특수성을 생각한다면, 절대로 지역감정을 가볍게 넘길 수 없다. 일부 외국사례들에 비하면, 대한민국 내에서의 지역갈등 주체들은 운명공동체에 가깝다. 어디에서나 편 가르기와 갈등이 있지만, 한반도처럼 예민한 국제요충지에서 지역감정이 극한을 넘으면 위험천만하다. 게다가 지역갈등이 쉽게 우선 의제로 떠오르면, 이보다 더 중요하고 발전적 담론인 남녀갈등, 세대갈등, 노사갈등, 학력갈등 같은 중요한 이슈들을 가로막는 등의 악영향도 매우 크다.

지역감정을 조장하는 자들은, 어느 나라든 지역감정은 다 있다면서 입버릇처럼 지역감정을 정당화하는 데, 그들이 예시로 드는 외국의 경우는, 처음부터 다른 국가의 민족이었던 경우가 많다. 따라서 완전히 다른 민족의 지역이라서 처음부터 개념이 다르다.

이에 비하면 한반도는 국가적 통일체가 된 것은, 최초로는 통일신라의 삼국통일. 이는 비록 완전하진 않았기에 다시 후삼국시대로 갈라지긴 했지만, 아무리 늦어도 고려시대에 여몽전쟁 등을 겪으면서 단일의식이 분명히 완성되었다. 국가적 통일체의 기점을 고려의 후삼국통일부터로 잡는다고 해도, 이 또한 936년에 완성되었으므로, 현 시점에서 이미 1000년이 넘는다. 그렇기에 조선, 그 이후 대한민국의 역사까지도 모두 한민족의 역사로 내외적으로 분명히 인식되고 있다. 1000년이 넘게 그렇게 넓지도 않은 지역에서 단일국체를 유지해온 나라에서 거의 증오 수준으로 온갖 지역루머가 생겨나고, 이로 인해 실제 갈등과 피해가 발생하고 있는 상황은 분명히 부자연스럽고 비정상적이다. 대한민국은 운명공동체이며, 지역감정은 반드시 사라져야 되는 악습이다. 일부 이단이 웬수(원수)!   21.4. 서울vs개성/평양[편집]

고려⇒조선⇒일제강점기에 이르기까지 무려 500년이 넘게 지속된 대한민국 지역감정의 주축. 현재의 남북관계로 계승된 남북한 통틀어 지역감정의 끝판 왕. 이것과 비교하면 영호남은 친구다. 적어도 영호남은 기껏해야 정치엘리트와 지역 토호 몇몇의 이해관계와만 결부되었을 뿐이지만, 이쪽은 처음부터 적대 수준이었다.

백제멸망 이후 몰락해서 흔적이 옅어진 백제의 수도들이나, 옛 신라의 수도로서 많은 유물들과 사적들이 존재하지만, 영향력을 많이 잃었던 경주와는 달리 고구려의 수도였던 평양은, 고구려 계승을 내세운 고려왕조가 매우 아끼는 도시였으며, 이때부터 수도에 이은 제2의 도시로 발전하기 시작했으며, 조선시대 때도 제2의 도시로 번영하고 있었으며, 이 덕분에 그에 기인한 자부심이 강할 수밖에 없었다. 그러한 지역감정이 정치적인 감정으로 번지는 경우가 있었고, 결국 고려 때에 묘청의 난이 일어나기도 하였고, 조선시대에 서북지역은 중앙에서 벼슬임용 등에 차별 대우를 받았고, 결국 홍경래의 난 같은 극단적인 사태까지 발생하였다. 심지어 독립운동가들 끼리도 서북파와 기호파로 나뉘어서 갈등했다고 하니, 장난이 아닌 셈이다.

심지어 현대에는 해학으로 해석하는 봉이 김선달 이야기도 자세히 살펴보면, 이렇게 한양과 평양의 지역감정이 드러난다는 해석이 있을 지경이다.

그리고 개성은 서울과 같은 기호지방에 속하지만, 개성이 고려왕조의 수도여서 조선왕조가 개성의 왕족들을 많이 죽이거나 탄압했기 때문에, 조선시대 때, 개성사람들은 조선왕조에게 매우 적대적이었다. 심지어 조선 후기 때에도 여전히 적대적인 감정을 유지했을 정도였다.

이 지역감정은 일제강점기에 독립 운동가들까지도 단결하지 못하고, 편을 갈라 충돌하는 원인이 되었다. 사례 중 하나로, 도산 안창호 선생이, 만해 한용운 선생에게 "독립을 하면 나라의 정권은 서북이 가져야 한다."고 하기에, 만해가 왜 그러냐고 질문하니 "기호(서울·경기 권)사람들이 500년 동안 정권을 잡고 일을 잘못했으니 그 죄가 크고, 서북(평안도 일대)지역은 500년간 박대를 받아왔으니 그렇다."고 주장했다가, 만해 선생이 뒤도 안 돌아보고 인연을 끊어버렸다고 하는 일화가 전해질 정도.

분단 이후 북쪽과의 인적·물적 교류가 끊기면서, 지금은 상대적으로 잠잠해진 상태다. 하지만 남북통일 이후 경제적, 사상적, 문화적 가치관 차이 등으로 다시 부활할 가능성이 높으며, 오히려 위에 서술한 다른 지역감정과는 비교 불가할, 매우 심각한 지역감정으로 번질 수 있다는 점에서 상당히 우려되는 부분이다.

게다가 이 지역감정은 단순히 기호vs서북으로 끝나는 게 아닌, 남한지역 전체vs북한지역 전체의 지역감정으로 이어질 가능성이 높기에 더욱 그러하다. 하지만 오히려 지금의 서북지방이 너무 심각하게 못 살기 때문에, 그리 걱정할 필요가 없다는 사람들도 있다. 왜냐하면 투자를 많이 해서 평안도를 발전시켜주면 되니까. 게다가 오히려 인적·물적 교류가 너무 오래 끊기는 바람에, 오히려 서북 애들이 기호지방에 붙어버릴지도 모를 일. 적어도 일제강점기 때는, 서북지방이 경제적으로 상당히 잘 살기라도 했었지

부정부패

만약, 구태의연한 관료들이 남아 있어서 뒷돈 들어올 구멍 없나 찾는 사람이 있다면, 기업이나 민원인들이 합심해서 "돈 안 줘 보십시오. 어디서도 뒷돈 들어오는 데가 없다면, 모든 업무를 원리원칙대로 처리할 수밖에 없을 것입니다."

제 개인적인 생각으로는 집권한 정부의 비리들이 밝혀지는 과정자체가, 권력형 부정부패의 막을 내리는 신호라고 생각합니다. 여기에 더 박차를 가하려면 돈을 받은 사람이 아닌 불법자금을 제공한 측에도 책임을 확실하게 물어야 한다는 것입니다. 아무리 불법자금을 재촉하는 사람이 있더라도, 제공하는 측의 처벌이 무거워진다면, 누구라도 불법으로 정치자금을 제공하지 않을 것입니다.

한번 바뀐 물길은 다시 과거로 쉽게 돌아가지는 않을 것입니다. 단, 이번엔 물길이 확실하게 자리를 잡아야겠지요. 이제 남은 것은 돈 안 드는 정치구조를 만드는 것이고, 그건 국민들의 몫입니다. 그리고 기업인들은 정당한 방법으로 기업을 운영해 나가야 할 것입니다. 그것이 국가경쟁력과 기업의 경쟁력을 살리는 길입니다. 또, 과거에 정치자금 대느라고 씰(쓸)데 없이 쏟아 부은 돈을 합리적인 재분배에 사용한다면 강성노조도 사라집니다.

대책은 정말이지 순수하고 청결한 분들이 위에 계셔야 한다는 거겠죠? 정말이지 막연하지만, 이것이 가장 옳을 겁니다. 그리고 종교를 종교로서 받아들여야지, 개인의 욕구충족이나 사회시각으로 그것을 보고 받아드리는 것, 또한 굉장히 부정적인 일일 것입니다.

정치개혁의 과제

영零(숫자0)과 플랙탈(Fractal) 이론으로 살펴보는

한국정치 문화가 국민들로부터 지지를 얻어내지 못하는 것은, 바로 이 객관적인 보편성이 결여되어 있기 때문이다. 만일, 한국사회의 정치권이 국민들로부터 객관적인 보편성을 얻어낼 수만 있다면, 이 객관적인 보편성으로부터 정당성을 부여받을 수 있을 것이고, 그리고 또한 이를 바탕으로 정치권의 모든 정치적인 정통성을 확보할 수 있을 것이다. 그렇게 되면, 한국의 정치권은 국민들로부터 뜨거운 지지를 받게 될 것이다. 그런데 문제는, 이 객관적인 보편성에 대한 담론이 한국사회에서는 전무하다는 것이다.

현재 한국사회의 수많은 정치학자들은, 이 객관적인 보편성이란 단어가 무엇을 의미하는지조차 모르고 있다. 지금 한국사회의 정치학자들은, 대부분 정치를 주관적인 독점성으로만 이해하고 있다. 주관적인 독점성이란, 한마디로 탐욕의 산물이다. 그리고 이러한 탐욕으로 국민을 위한 정치를 한다는 것은 전적으로 거짓이다. 현재 한국정치권이 썩어빠진 그 근본적인 이유는 바로 여기에 있다. 즉, 서로가 서로를 향해 주관적인 독점성으로 항상 거짓의 정치를 하고 있는 것이다. 오직 거짓만이 통용되는 사회! 이것이 바로 한국사회의 썩어빠진 정치문화인 것이다.

상대를 속여 정치적인 승리를 쟁취한다는 것은 한마디로 미친 짓이다. 지금 한국의 정치문화는 미쳐가고 있다. 그런데 객관적인 보편성이란 무엇일까? 한마디로 객관적인 보편성이란 정치용어가 아니다. 바로 객관적인 보편성이란 과학용어이다. 즉, 정치를 객관적인 보편성이 넘쳐나는 정치과학이라는 관점에서 이해하여야만 하는 것이다. 그런데 우리들은 정치과학을 논하기에 앞서 먼저, 과학의 근본이 되는 수학이라는 학문을 살펴보아야만 한다. 왜냐하면 과학은 수학이 없으면 절대 성립할 수 없기 때문이다. 다시 말해 정치를 정치과학을 넘어, 정치수학이라는 관점에서 바로 해석해야만 한다는 것이다. 그래야만 정치문화에 있어서 객관적인 보편성이 확립되기 때문이다. 정치를 수학의 관점에서 한다. 정말로 멋진 이야기이다. 왜냐하면, 수학은 객관적인 보편성을 창출하는 유일한 학문이기 때문이다.

우리들이 모두 잘 알고 있듯이, 수학의 멋은 정답을 찾아내는 데에 있다. 즉, 정치에는 정답이 없지만, 수학에는 정답이 있기 때문이다. 정치에 정답이 없다는 논리는, 한마디로 국민을 속인다는 것이다. 이처럼 수학은 바로 정치인의 속임수를 방지하는 학문이다. 우리들이 왜 정치에 정치수학이라는 용어를 사용해야만 하는지를 잘 이해할 수 있는 대목이다.

이제는 정치도 변해야만 한다. 정치개혁과 정치혁신이란, 바로 모든 정치논쟁에 정치과학과 정치수학이라는 학문의 논리를 전개해야만 한다는 것이다. 우리들이 모두 잘 알고 있듯이, 과학과 수학은 객관적인 보편성을 확립해주는 학문이다. 이러한 과학과 수학은 모든 주관적인 독점성을 배제한다. 바로 주관적인 독점성은 탐욕과 독재성을 창출하는 괴물이다. 만일, 정치논리에 주관적인 독점성을 확보하기 위해 과학과 수학의 논리를 역 이용하려든다면, 국민들은 철저히 이를 응징하려 들 것이다. 즉, 잔 머리를 굴리며 국민을 속이려는 모든 정치인들의 정치생명이 끝난다는 것이다. 왜냐하면 모든 국민들은 주관적인 독점성이 아닌, 객관적인 보편성의 정치를 간절히 원하기 때문이다. 이제 국민들이 간절히 원하는 정치개혁과, 정치혁신의 모든 답이 나온 것이다. 그것은 바로 모든 국민들로부터 강한 지지를 받는, 객관적인 보편성이 확보된 정치력의 복원이다. 그런데 이 객관적인 보편성의 정치력을 어떻게 복원하고 논증해낼까? 우리들은 이제부터 이 점을 정확히 심각하게 논증해보아야만 한다. 왜냐하면 답이 없는 정치에 정확한 답이 있는 정치력을 바로 복원해야하기 때문이다.

우리들이 이러한 객관적인 보편성을 논증하기 위해서는 우선, 수학 속에 숨어있는 비밀의 베일을 먼저 벗겨내야만 한다. 그런데 현대수학에 숨어있는 비밀의 베일을 어디에 숨겨져 있는 것일까? 그것은 바로 우리들이 잘 알고 있는 다섯 가지의 숫자 속에 모두 숨겨져 있다. 그 다섯 가지 숫자란 바로 영(0), 무한대(∞), 미지수(x), 허수(i), 원주율(π)이다. 그리고 이들의 관계를 서로 풀어내는 다차원의 연립방정식이다.

우리들이 잘 알고 있듯이, 이들 숫자는 정말로 난해한 숫자들이다. 하지만 이들 숫자의 난해성을 우리가 풀어내기만 한다면, 바로 현대 정치사의 모든 어려운 점들을 풀어낼 수 있을 것이다. 그런데 우리들은 이들 숫자에서 어떻게 어려운 점들을 풀어낼 수 있는 객관적인 보편성들을 확립해낼까? 우리들은 짧은 지면에 이들의 특성을 모두 다 기술할 수는 없다. 즉, 간단히 말해, 이들 다섯 가지 숫자 속에 들어있는 공통점을 유도해내면 된다는 것이다. 따라서 우리들은 이들 다섯 가지 숫자의 특성을 분석해보면, 크게 두 가지의 공통점과 그에 따른 세부내용들이 들어있음을 알 수 있다.

우리들은 이들 다섯 가지의 숫자 중 두 가지의 큰 공통점은, 우선 이들 숫자에는 모두 영(0)의 개념이 들어있다는 것이며, 뿐만 아니라 이들을 수학적인 구조 원리로 살펴보면, 부분과 전체가 같은 플랙탈(Fractal)의 구조형태를 띠고 있다는 것이다. 즉, 모든 수학은 바로 숫자 영(0)과 플랙탈(Fractal)구조 원리로 구성되어 있다는 것이다. 다시 말해 현대사회의 모든 정치문화에 객관적인 보편성을 확보하기 위해서는, 바로 이 숫자 영(0)의 개념과 플랙탈(Fractal) 원리를 도입해야만 한다는 것이다. 우리들은 이제 이러한 세계를 살펴보기로 하자. 영(숫자0)과 플랙탈(Fractal) 이론으로 살펴보는 현대 한국정치문화의 문제점과 그 개선방안.

우리들이 이미 잘 알고 있듯이, 모든 수학을 지배하는 숫자는 숫자 영(0)이다. 그리고 숫자 영(0)은, 그 지배력을 플랙탈(Fractal) 구조 원리로 행사한다. 따라서 현대사회의 어려운 정치부재력을 풀어나가는 해법은 바로 여기에 있다고 볼 수 있다. 우리들은 지금부터 이에 대한 바른 혜안을 찾아보기로 하자. 그리고 그 바른 혜안은 숫자 영(0)의 빔(空)과, 또한 부분과 전체가 하나 되는 플랙탈(Fractal) 원리 속에서 찾아야 한다는 것이다. 즉, 한국사회의 정치부재력을 빔(空)의 마음으로 온 국민을 하나로 단합시키는 힘으로 복원하라는 것이다. 이제부터 세부적인 그 내용을 살펴보자.

첫째로, 숫자 영(0)은 한자리 수를 제외한 두 자리 수 이상의 모든 수에 붙어 있다는 것이다. 그리고 다시 숫자 영(0)은 모든 수의 마지막 끝자리수로 돌아오면, 영(0)은 소리도 없이 사라지고 만다는 것이다. 뿐만 아니라, 영(0)은 모든 숫자가 커짐에 따라 숫자 영(0)의 개수, 또한 계속 늘어남을 알 수 있다.

우리들은 이 말의 뜻을 이해하기 위해서, 숫자1과 1234와 같은 숫자가 있다고 가정해 보자. 우리들은 1과1234(1000+200+30+4)의 숫자에서 이들 숫자의 특성을 금방 알아낼 수 있다. 즉, 숫자 1과 같은 단 자리 수에는 숫자 영(0)이 없다는 사실이며, 또한 천 자리 숫자 1234의 끝 자리 수에도 숫자 영(0)이 없다는 사실이다. 하지만 숫자 1234의 두 자리 수 이상에는 모두 숫자 영(0)이 들어가 있음을 알 수 있다. 더욱이, 숫자가 계속 커짐에 따라 숫자 영(0)의 개수도 계속 더불어 늘어남을 알 수 있다. 우리들은 이와 같은 숫자의 특성에서 정치가 지향하는 권력에의 의지를 읽어낼 수 있다. 즉, 주관적인 독점성과 객관적인 보편성에 대한 담대한 담론이다. 다시 말해, 숫자가 1과 같은 단 자리 수에 숫자 영(0)이 없다는 것은, 그러한 수가 어떤 숫자(1, 2, 3.....9)이던 간에, 주관적인 독점성으로 모두 해석할 수 있다는 것이다.

이때 주관적인 독점성이란, 탐욕으로 변화가 일어나지 않는 독점성이다. 우리들이 이미 알고 있듯이, 숫자에서 변화를 일으키는 숫자는 오직 숫자 영(0)뿐이다. 따라서 단 자리 수에 숫자 영(0)이 없다는 것은, 변화가 일어나지 않는 주관적인 독점성을 나타낸다는 것이다. 즉, 주관적인 독점성을 띠는 단 자리 수는 모두 죽어있는 숫자라는 것이다. 하지만 천 자리 숫자 1234(1000+200+30+4)에서는 숫자가 커짐에 따라, 그 속에 숨겨져 있는 숫자 영(0)의 개수, 또한 계속 늘어남을 알 수 있다. 이때, 숫자가 두 자리 수 이상으로 커진다는 것은 상대성을 나타내는 말이기도 하며, 그리고 그 상대성은 숫자 영(0)이 계속 늘어남으로 만들어진다는 사실을 알 수 있다. 즉, 큰 수는 상대방을 위해 마음을 비우고, 비우는 가운데에서 만들어진다는 것이다. 왜냐하면, 숫자 영(0)은 바로 빔의 숫자이기 때문이다. 따라서 큰 수는 가장 많이 마음을 비워내는 숫자이다. 큰 인물이 되고자 하는가. 그러면 가장 많이 마음을 비우고 양보하라. 하지만 대한민국의 정치현실은 이와는 정반대로만 가고 있다.

우리들은 이와 같이 마음을 비우는 것을 객관적인 보편성이란 한다. 그리고 이러한 객관적인 보편성은, 모든 세상으로부터 보호와 존경을 받는다. 왜냐하면, 숫자 1234와 같은 숫자에서 마지막 끝자리수인 4는, 1234에 대한 상대성을 띠는 숫자이기 때문이다. 즉, 똑같은 숫자라도, 숫자가 그냥 홀로 단수로 존재하면, 주관적인 독점성을 띠지만, 큰 수(1234)의 마지막 끝수(4)에 붙어 상대성을 띠면, 그 끝수(4)는 객관적인 보편성을 띠기 때문이다. 우리들은 이처럼 아무렇지도 않게 늘 사용하는 숫자에도 모든 참 진리가 숨어있음을 알 수 있다.

진리란 먼 곳에 있는 것이 아니라, 우리들이 늘 사용하는 단순한 숫자 속에 모두 숨어있는 것이다. 인류의 정치행태는, 이처럼 숫자 하나로 독재와 민주로 갈리는 것이다. 지금 대한민국 정치권에서 벌어지고 있는 일들은, 유심히 살펴보면 정부와 여야 예외 없이 모두 다 독재 권력일 뿐이다. 이들은 단순한 숫자놀음도 모르는 자들이다. 이들이 활동하는 모든 시공간에는, 빔(空)이 없는 오직 탐욕만이 존재할 뿐이다. 이들은 한마디로 큰 정치란 마음을 비우는 것이라는 사실을 전혀 모르는 자들이다. 이들은 알아야만 한다. 큰 수는 바로 숫자 영(0)의 증가로 만들어진다는 사실을 말이다.

둘째로, 숫자 0은 빈자리를 나타내는 숫자라는 것이다. 이때, 숫자 0은 아무것도 없다는 것이 아니라, 단지 비어있다는 것이다. 그러므로 때가 되면 모든 것을 다시 창조할 수 있는 숫자라는 것이다.

우리들은 숫자 1.5와 1.05가 있다고 가정하자. 이 두 숫자는 같은 숫자인가. 아니면 다른 숫자인가. 물론, 우리들은 같은 숫자라고 말할 것이다. 그렇다면 '숫자 1.5와 숫자 1.05에서 같다.'라는 개념은 무엇으로 만들어지는가. 그것은 바로 숫자 영(0)이 결정한다고 볼 수 있다. 그리고 그 결정은 바로 빔(0)이 주관한다는 것이다. 우리들은 숫자 1.5와 1.05에서 숫자 1.5에는 숫자 영(0)이 비워져 있음을 알 수 있다. 그렇다고 숫자 0은 없다는 것이 아니라, 단지 보이지 않을 뿐이라는 것이다. 이처럼 모든 수에는 숫자 영(0)이 빈자리를 채워가며 지배한다.

그리고 그 빔은, 아무리 작은 소수점 이하의 세계라도 모두 지배한다는 것이다. 세상을 지배하려고 하는 자는 먼저 마음을 비우라. 그러면 세상은 그대를 추앙하며 받들 것이다.

과연 인류는 빈자리의 정치를 하는가. 그러나 우리의 정치현실은 이와는 달리, 전혀 다른 길로만 움직일 뿐이다. 지금 대한민국 정치는, 오직 탐욕으로 찌든 간교한 여우들이 행하는 치욕의 정치행태일 뿐이다. 이들은 항상 개혁과 혁신을 외치며, 국민을 위해서 무(無)에서 유(有)를 창출하는 정치를 하겠노라고 한다. 하지만 우리가 살아가는 세상에서는 무(無)는 존재하지 않는다. 있다면 그것은 빔의 시공간일 뿐이다. 이들은 이 빔(空. 0)이 자신들의 모든 정치세계를 움직인다는 사실을 전혀 모른다. 그리고 그 모름은 자기 자신을 해치고, 결국 국민들의 얼굴에 주름살을 만들어낼 것이다.

셋째로, 숫자 0은 모든 시작점을 나타내는 숫자라는 것이다. 뿐만 아니라, 숫자 0은 모든 수의 기준점이 된다. 그리고 그 시작의 기준점의 값은 바로 빔(空. 0)이라는 것이다.
우리들이 잘 알고 있듯이, 숫자 영(0)은 모든 시작점을 나타내는 숫자라는 것이다. 예를 들면, 우리들이 운동장의 트랙을 돈다고 하자. 이때 시작점을 어떻게 표기하며 뛰기 시작할 것인가. 우리들은 위치에 관계없이 시작점을 '0m'로 표기하고, 그 '0m'에서부터 출발하여 트랙을 돌기 시작할 것이다. 이때 '0m'을 시작으로 하여 앞으로 나아가는 것을 플러스(+)값이라 한다면, 뒤로 사라지는 값은 마이너스(-)로 이 두 값을 합치면 항상 서로 상쇄되어 같은 값으로 만들어질 것이다. 즉, 100m 앞으로 나아간 만큼, 실재 뒤로 사라진 값은 다시 100m로, 그 두 값을 합치면, 항상 영(100-100=0)이 된다는 것이다. 다시 말해 실재 우리들은 영(0) 값으로 운동장을 돌고 있다는 것이다.

우리들은 여기에서 시작점과 기준점이 모두 영(0)이라는 사실을 알 수 있다. 즉, 출발의 시작점(0)에서 일단 출발하면, 앞으로 나아간 만큼 뒤로 사라지는 것이 있기 때문이다. 그리고 앞으로 나아간 것과, 뒤로 사라지는 경계 값은 항상 0라는 것이다. 이 경계 값이 바로 모든 기준점의 값인 것이다. 이처럼 시작점과 기준점이 항상 영(0)이 되는 값으로 운동하는 것을, 우리들은 '뫼비우스운동'이라고 한다. 그리고 전기법칙에서는 이를 키르히호프의 전류법칙이라고 한다. 즉, 이것이 실재로 우리들이 살아나가는 모습이라는 것이다. 그런데도 인류는 항상 경쟁에서 승리의 산술 값을 만들어내려고 한다. 즉, 나는 제한된 시간에 100m을 뛰었는데, 당신은 80m 밖에 뛰지 못했다는 것이다. 그러니 내가 당신보다는 뛰어나다는 것이다. 사실 알고 보면, 그렇게 말하는 그 자신은 항상 0m밖에 뛰지 못하고 있다는 그 사실을 그는 전혀 깨닫지 못하고 있는 것이다.

모든 인류에게 있어서 진정한 경쟁이란 자신과의 경쟁이지, 타인과의 경쟁이 아닌 것이다. 그리고 그 자신과의 경쟁값은, 그 누구라도 항상 영(0) 값이라는 사실을 알아야만 한다. 이 자신과의 경쟁값을 바로 알 때, 타인과의 경쟁값도 바로 0값이 된다는 것이다. 사실, 그 타인도 알고 보면 0값으로 뛰고 있었던 것이다. 이렇게 우리는 서로 서로가 마음을 비우고 살아야만 한다. 하지만 우리의 정치현실은 이를 알지 못하고, 그저 항상 탐욕으로만 찌들어 있다. 즉, 다른 사람보다도 높은 수치를 만들려고 만하고, 그것을 '출세요, 승리자의 미덕'이라고 한다.
사실 알고 보면, 그들이 행하는 행위가 모두다 영(0) 값인 것을 이들은 전혀 모른다. 진정한 정치가는 바로 영(0) 값을 만들어내는 자이다. 위대한 정치가가 되고 싶은가. 그러면 마음을 비우고, 국민을 위해서 뛰고 또 뛰어라. 그러면 자신의 모든 정치역정의 시작점과 기준점이 왜 영(0)이 되는지를 알게 될 것이다.

넷째로, 숫자 0은 사칙연산을 통해 자신의 힘을 모두 들어낸다는 것이다. 그리고 그 힘은 바로 모든 탐욕의 욕망을 잠재운다는 것이다.

우리들은 사칙연산을 할 때, 숫자 0은 일반적인 수의 규칙에서 벗어남을 알 수 있다. 그러나 알고 보면, 숫자 0이 우리들을 지배하고 있다는 사실을 알 수 있다. 예를 들면 덧셈에서 같은 수를 더하면(1+1=2)1의 배수가 됨을 알 수 있다. 하지만 0은 같은 수를 더하면(0+0=0) 애초에 아무것도 더하지 않은 수와 같다는 것이다. 더불어 같은 수를 빼면, 그 값은 항상(1-1=0)0이 됨을 알 수 있다. 이와 같은 덧셈과 뺄셈에 숨은 뜻은 무슨 뜻을 나타내는가? 이때, 우리들은 덧셈을 탐욕이 늘어나는 것이라고 본다면, 뺄셈은 탐욕이 줄어드는 것이라고 볼 수 있을 것이다. 이는 못된 탐욕의 정치(1+1=2)를 계속한다면, 그 탐욕으로 인하여 결국 자신을 해친다는 뜻이고, 그리고 좋은 뺄셈의 정치(1-1=0)를 한다면, 그로 인한 편한 마음의 상태로 돌아온다는 것이다. 더욱이 항상 서로서로가 마음을 비우고 함께 털어놓는 정치를 한다면, 가장 좋은 정치행위(0+0=0)가 이루어진다는 것이다.

이와 같은 법칙은, 곱셈과 나눗셈에서도 그대로 적용된다. 대개 어떤 수에 곱하기 2를 하면(2x2=4) 그 수의 2배가 된다. 하지만 어떤 수(2)에 0을 곱하면 그 값(2x0=0)은 0이 된다. 이 말은, 곧 탐욕(2x2=4)의 결과는 배가 되는 고통이 따르지만, 그 탐욕을 모조리 지우면, 그 결과 값은 항상 0으로(2x0=0) 가장 좋아진다고 볼 수 있다는 것이다. 특히, 나눗셈에서는 탐욕의 결과가 얼마나 무상한지를 잘 나타낸다. 예를 들어 영(0)으로 나누기를 해보자.

우리들은 영(0) 나누기(0÷0=부정,5÷0=불능,0÷5=가치)를 해보면, 부정-불능의 혼돈상태에 빠짐을 알 수 있다. 즉, 영(0)은 절대로 쪼갤 수 없다는 것이다. 다시 말해 빈 것을 쪼갤 수 없다는 것이다. 이는 곧 영(0)은 아무리 나누어 쪼개도 본래 모습 그대로라는 것이다. 그런데도 인간은 한없이 쪼개어 이득을 나누려고 한다. 그러나 그 한없는 쪼갬의 값은 결국 무한대(12÷2=6, 6÷2=3, 3÷2=1.5.......∞)로 나올 것이다. 그리고 그 무한대의 값은 부정-불능의 값과 같을 것이다. 또한, 이 부정-불능이 나오는 원인은, 결국 쪼갤 수 없는 빔의 값이기 때문이다. 우리들은 나눗셈에서 탐욕의 무상함을 볼 수 있다. 이처럼 0은 사칙연산의 값을 통해 탐욕의 허상을 잘 보여준다. 그런데도 우리의 정치권은 탐욕에서 전혀 벗어나지 못하고 있다. 무엇을 얻어 무엇을 쪼개 그 이득을 본단 말인가. 우리의 인생은 본시 쪼갤 필요도 없이 본래 있는 그대로인 것을, 다만 우리의 정치권만이 모를 뿐이다.

다섯째, 숫자 영(0), 무한대(∞), 미지수(x), 허수(i), 원주율(π)에는 부분과 전체가 같다는 플랙탈(Fractal) 구조 원리로 작용하고 있다는 것이다.

우리들은 이미 앞서 숫자 영(0), 무한대(∞), 미지수(x), 허수(i), 원주율(π)의 특성을 파악함으로서, 이들 숫자 속에 공통적으로 들어있는 특성이, 바로 플랙탈(Fractal) 원리임을 알고 있다. 즉, 플랙탈(Fractal) 원리는 부분과 전체가 같은 모습을 이룬다는 뜻이다. 이때, 부분과 전체가 같은 모습을 이룬다는 것은, 숫자 0의 움직임을 기하학적으로 들어낸 것이다. 기하학적으로 같은 모습을 수없이 반복하는 힘은 모두 영(0)에서 나온다. 다시 말해, 부분과 부분이 서로 상대성을 이루며, 전체적으로 똑같은 모습으로 나타내도록 만든다는 것이다. 우리들은 이미 어떤 한 부분과 한부분이 똑같은 모습을 이루기 위해서는, 반드시 그 한부분과 한 부분이 서로 상대적인 대응관계를 형성하며, 숫자 0을 만들어내지 않으면 안 된다는 사실을 잘 알고 있다. 그리고 이러한 원리가 무한소에서 무한대까지 그대로 끝없이 이어지면, 그것은 바로 무한집합론이 된다는 것이다. 즉, 우리들이 알고 있는 전 우주는, 모두 하나의 집합체로서 플랙탈(Fractal) 구조를 이루고 있다는 것이다. 그리고 이러한 플랙탈(Fractal) 구조를 이루도록 만드는 힘은 모두 0의 원리에서 나온다는 것이다.

우리들은 언제나 세상을 살면서 한 마음(부분), 한 뜻(부분)으로 다함께(전체) 잘 살아보자고 말을 한다. 즉, 너(부분)와 내(부분)가 힘을 합쳐 하나(전체)로 잘 살아보자는 것이다. 바로 이 말 자체가 플랙탈(Fractal) 원리를 인문학적으로 나타낸 말이다. 우리의 수없이 많은 정치지도자들은, 사람들이 모이는 장소만 생기면 언제든지 그 자리에 가서 이와 같은 말을 한다. 하지만 이들의 속마음에는 언제나 나는 너보다 잘났다. 그러니 항상 나를 따르라는 것이다. 바로 편견적인 탐욕의 거짓이 들어나는 말이다. 그리고 이들은 이러한 탐욕을 성공적인 삶이라고 말한다. 한마디로 궤변을 주장하고 있는 것이다. 이들은 모두가 참다운 인간이 아니라, 하나도 빠짐없이(부분과 부분) 모두(전체)가 괴물인 것이다. 즉, 플랙탈(Fractal) 원리를 악용하여 세상을 탁하게 만드는 자들이라는 것이다. 한마디로 현재 대한민국사회는, 이렇게 썩은 자들이 정치를 한답시고 움직이고 있는 것이다.

인간은 그 누구도(부분과 부분)예외 없이 사회조직원(전체)으로 살아나갈 수밖에 없다. 이 말 자체도 플랙탈(Fractal) 원리를 설명한 말이다. 인간이 그 누구도 예외 없이 사회조직원으로 살아나갈 수밖에 없다면, 인간은 플랙탈(Fractal) 원리에 따라 이 세상을 살아갈 수밖에 없을 것이다. 우리들은 이미 플랙탈(Fractal) 원리 속에 숫자 영(0)의 원대한 힘이 들어있음을 알고 있다. 그리고 이러한 힘의 작용을 다섯 가지의 숫자인 영(0), 무한대(∞), 미지수(x), 허수(i), 원주율(π)을 이용하여 연립방정식으로 증명해 보았었다. 우리들은 이제 대한민국 조직사회를 어떻게 만들어가야만 하는지를 바로 깨우친 것이다.

그것은 바로 국민 한 사람 한사람(부분과 부분) 모두(전체)에게 빔(0. 空)의 위대한 정신문화를 전승하는 것이다. 그리고 그 위대한 정신문화로 대한민국을 통일국가로 만드는 것이다. 우리들은 이제 썩어빠진 한국정치 문화를 개혁하고, 혁신해내야만 한다. 우리들은 이제 주관적인 독점성을 추구하는 권력추구형의 정치문화를, 객관적인 보편성이 살아 움직이는 참다운 국민지향형의 정치문화로 반드시 바꾸어내야만 한다. 그리고 이러한 힘은 바로 플랙탈(Fractal) 사회구조를 전체적으로 움직이는 빔(空)의 위대한 정신문화에서 찾아내야만 한다. 또한, 이러한 힘을 강력하고 힘차게 밀고 나아가 위대한 대한민국을 건설해야만 할 것이다.

고소/고발/남발/고소공화국

공자는, "법령과 형벌로 다스리면 백성들은 그것을 피하려 하되 부끄러워하지 않지만, 도덕과 예의로 다스리면 부끄러워하면서 품격이 있다(道之以政 齊之以刑 民免而無恥, 道之以德齊之以禮 有恥且格)"고 지적했다. "근본이 어지러운 데, 곁가지만 치료하는 것은 안 된다(根本難而末治者否矣)"는 말도 있다

애빌린 역설이라는 게 있다. 한 집단 안에서 구성원 상당수가 원하지 않는 방향임에도, 자신의 생각과 다른 결정을 내리는 데 동의하는 것을 가리킨다. 애빌린 역설을 깨는 것은, '첫번째 펭귄'이다. 바다사자에 잡혀 먹힐 위험을 무릅쓰고, 바다로 뛰어드는 용감한 펭귄이 있어야 다른 펭귄들이 그 뒤를 따른다. 법을 만들어 시행하는 것은, 사람이 사람답게 사는 세상을

만드는 데 도움이 되기 위한 것이다. 법이 세상을 각박하게 만든다면, 그런 법이 만들어지지 않도록 하는 첫 번째 펭귄이 많아져야 한다.

[출처]'첫 번째 펭귄'들이 많아야 사회가 발전한다.|작성자 음봉선인
[출처]'애빌린 역설'과'법률만능주의' 한글전용'첫 번째 펭귄'이 되세요.|작성자 음봉선인

고소/고발/남발 억제해야

현재, 우리나라는 넘쳐나는 고소·고발로 인해 양질의 수사서비스를 받지 못하고 있는 실정이다. 경제사범에 대한 고소·고발 중 혐의가 인정되는 경우는 극히 일부에 불과하다. 그중 통상 사기, 횡령과 같은 고소사건의 기소의견 율은 20%에 불과하고, 약 80%가 무혐의로 사건을 종결 처리되곤 한다.

우리나라는 일본에 비해 인구대비 66.8배에 달하는 고소·고발이 이루어지고 있다. 이는 2008년도 기준, 우리나라는 43만6865건, 일본1만7382건으로 건수로는 25배, 인구1만 명당 66.8배이다. 그러한 고소·고발처리 때문에 수사 인력이 비생산적 운용돼, 국민이 진정으로 긴급하고 절실히 필요로 하는 아동납치·실종·절도사건 질 높은 수사 서비스를 받은 수 없게 되는 결과가 된다.

또한, 고소장을 제출하면 상대방은 경찰의 '범죄사건부'에 등재돼 '형사입건 피의자'가 된다. 형사상 혐의입증 가능성이 매우 낮음에도 상호간 입건되는 불쾌한 경험은, 서로에게 상처를 주고 더 큰 갈등을 초래하게 된다. 개인 간의 분쟁해결을 위한 형사고소가 최선의 유일한 방법은 아니다. 그러므로 고소 전에 다시 한 번 올바른 결정인지를 신중하게 생각해야한다.

개인 간의 갈등은 꼭 고소·고발로 해결하는 것보다, 다양한 법률상담과 민사제도를 이용하는 방법도 하나의 좋은 방법이다. 경찰은 근본적으로 국민의 생명·신체·재산을 범죄로부터 보호하는 기관이다. 시민들도 경찰수사가 적시에 정말로 필요한 곳에 사용될 수 있도록 협조를 해야 한다.   나주경찰서 남평지구대 박용균

고소/고발/남발…수사력 낭비

매년 우리나라 피고소인의 수가 50만 명을 상회할 정도로 고소·고발이 남용돼 수사기관의 업무 부담을 가중시킬 뿐만 아니라, 범죄혐의가 없는 사건에 불필요한 수사력을 허비함으로써, 정작 필요한 곳에는 국가수사력을 집중시키지 못하는 결과를 초래한다는 지적이 나왔다.

국회 행정안전위원회 소속 한나라당 김태원(고양시 덕양구을)의원은, 지난 7일 열린 경찰청 국정감사에서 우리나라가 전체 형사사건 중 고소사건이 차지하는 비율(21.5%)이, 일본(0.5%)에 비해 턱없이 높고, 인구10만 명당 피고소인원을 비교해 보아도, 우리나라(1068.7명)가 일본(7.3명)에 비해 146.6배나 되는 등 우리나라의 고소남발이 매우 심각하다고 밝혔다.

김 의원은, 최근 5년간 형사사건 기소율이 45% 안팎의 수준을 보이고 있는 것에 비해, 고소사건의 기소율은 20%에 미치지 못하고 있다며, 이는 고소사건의 경우 증거불충분이나 혐의가 없음 등을 이유로 불기소되는 비율이, 일반사건에 비해 상대적으로 높다는 점을 보여 준다고 설명했다.

김 의원은 특히, 일본의 경찰·검찰은 채무불이행 등의 민사 분쟁 형 사건은 고소를 접수하지 않는 것이 실무관행으로 정착돼 있지만, 우리의 경우 채무불이행 사안에 대해 특별한 비용을 들이지 않고, 수사기관을 통해 증거자료를 수집하기 위해 우선 고소를 함으로써 경찰·검찰 등 수사기관이 채권추심기관으로 전락하고 있다는 지적을 받고 있다고 강조했다.

이에 김 의원은, 고소남발을 막기 위해-채무자가 채무면탈을 목적으로 무상이나 저액으로 자기의 재산을 타인이나 자신의 친족에게 양도하더라도, 무죄가 됨으로써 피해자가 형사고소를 통해 채무변제를 받으려고 하는 '강제집행 면탈 죄'의 문제를 보완하고-일선경찰에서 고소접수단계에서 정식으로 사건을 입건하는 양을 줄이는 등의 방안을 적극적으로 검토할 필요가 있다고 제안했다.

김진호기자 kimjh@knnews.co.kr

인생의 의미

어느 제자가 스승님께 여쭈었습니다. "인생에 대한 말씀은 자주해 주시면서, 왜 인생의 의미에 대해서는 자세히 설명해 주시지 않으십니까?" 제자 하나가 불만스러운 표정으로 묻자 스승은 이렇게 되 물었습니다.

"만일, 내가 너에게 사과를 준다고 할 때에, 그 사과를 내가 먼저 씹어서 맛을 보고 너에게 준다면 너는 좋겠느냐?"

우리의 인생은 바로 우리 자신의 것입니다. 누구도 우리를 대신해서 우리의 삶을 살수가 없는 것입니다. 그러나 많은 사람들이 타인의 삶에 의존하여 사는 경향이 있습니다. 그래서 나름대로의 삶을 살고 삶의 의미를 깨달아 이해하겠다는 선제보다, 타인의 삶을 모방하려 하고, 타인의 처지를 부러워하는 것입니다. 그러나 자신의 처지가 가장 비참하게 여겨지더라도, 그런 삶을 체험하는 것은 오직 자신뿐이며, 그런 삶을 극복하고 앞으로 나가야 하는 것도 자신뿐이라는 것을 깨달아야 합니다.

물론, 우리는 모방해야 할 삶이 없는 것은 아닙니다. 역사를 초월하여 인류의 스승으로 살아 있는 분들이 바로 우리 삶의 모범이라 할 수 있을 것입니다. 그러나 우리가 결코 그들일 수 없듯이, 우리의 삶이 결코 그들과 같을 수는 없는 것입니다. 우리는 그들에게서 사과를 건네받았을 뿐, 그들이 씹은 사과를 받는 것은 아닙니다. 어쩌면 그들의 삶이 인류에게 가르침을 줌으로써, 그들 자신에게 의미가 있었듯이, 우리도 우리 삶을 통하여 우리 나름의 의미를 찾음으로써, 우리의 인생을 살아가야 하리라 생각해 봅니다. 우리는 가끔 자신의 삶을 돌이켜 보고 반성하면서, 자신의 삶이 주는 의미를 차분한 마음으로 음미해 보아야합니다.

자신의 인생을 살며, 그 주인이 되기 위해서 말입니다. 의미 있는 인생은 속도와 능률로 얻어지는 것은 아니며, 중요한 것은 어떤 일을 얼마나 빨리 하느냐가 아니라, 그 일을 왜 하느냐 하는 것입니다. 인생을 열심히 사는 것도 중요하지만, 어디를 향해 가고 있느냐가 더욱 중요하지 않을까요? 결국 인생의 의미는 자신만의 귀중한 존재가치를 스스로 찾아야만 하는 것이 아닐까요..

《지혜로운 삶을 위하여》中에서

《제2권》
《경제 편》

인생의 즐거움이란 과연 무엇일까?
바퀴벌레, 쥐 따위 동물들이 들끓는 환경에서 사는 사람은
아무리 긍정을 높인다 해도
그 자체로써는 행복과는 거리가 멀 수밖에 없다.
이런 절망의 환경에서의 탈출은 직업을 가져 수입원을 갖추는 것이다.
인류는 땅을 갈아 뿌린 씨앗농경!

《제2권》

《경제 편》

세계경제의 흐름-포스트 資本主義

저자 요시노리 히로이/이와나미 신서

「포스트 휴먼」과 전뇌(電腦)資本主義

『트란센덴스』라는 영화가 2014년에 공개되어 화제가 되었다. 남우 죠니뎁이 연기한 인공지능(AI) 연구자의 뇌가 그가 죽은 후에 처에 의해 컴퓨터에 장착돼, 이윽고 그 두뇌는 진화해 폭주를 시작한다는 황당무계한 스토리다(다만, 이영화의 끝부분은 "자연 혹은 우주적 생명에의 회귀"라는 필연적인 모티브도 등장하는 전체적으로 황당무계한 결말을 내기 어려운 측면도 갖고 있지만). 실은, 이영화의 개념의 토대중 하나로 된 것은, 미국의 미래학자 레이·카츠와일러가 이전부터 행하고 있는 「기술적 특이점(singularity)」을 둘러싼 議論이다.

카츠와일러는 가까운 미래에 다양한 기술(특히 유전학, 나노테크놀로지, 로봇공학)의 발전이 융합해 비약적인 돌파가 일어나고(=기술적 특이점), 거기서는 고도로 발달한 인공지능과 인체 개조된 인간이 결합된 최고의 존재가 생겨, 다시 정보소프트웨어로서의 인간이 의식이 영속화해 인간은 죽음을 초월한 영원의 정신을 얻는다는 논의를 행하고 있다.(카츠와일러(2007)). 컴퓨터의 "2045문제"로 불리는 화제다.

이상과 같은 비전은 앞의 영화 이상으로 황당무계하게 들릴지 모르지만, 카츠와일러에 한하지 않는 미국에서는 이런 논의-人間進化의 다음단계라는 것으로 「포스트·휴먼」논으로 불린다. -라는 다양한 문맥으로 넓게 議論되고 있다. 이 가운데 의료기술에 의한 인체개조에 관해서는, 부시정권시대에 나온 미국의 대통령 생명윤리 평의회 보고서生命倫理 評議會 報告書 『치료治療를 넘어서』(2003)에 있어서 이 종의 주제가 구체적인 생명윤리의 문제로서 논의되고 있다. 예컨대 그것은 정신과 의료영역에서 PTSD의 트라우마를 경감하기 위한 기억 둔마제鈍痲劑랑, 기분 명랑 제 또는, 기분에 대응하는 정조 오르간이라는 기계가 나올 것이다.

1970년대에는 환경이랑, 자원문제에 관심이 고조되어 「성장의 한계」도 논의되었다. 그러나 또다시 80년대 이래로 금융글로벌 화를 통해서 자본주의의 전개가 지구 규모로 진행된 것은, 다름 아닌(인터넷을 포함한) 정보관련 테크놀로지의 발전과 일체로 됐다. 그것은 예컨대, 일초 간에 수 천회나 금융거래가 이루어지는 인터넷상의 무한의 금융공간의 생성과 궤를 하나로 하는 것이다. 그런 방향의 취약성 혹은, 한계가 2008년의 리만쇼크로 노정된 것으로, 아베정권은 일관되게 금융정책 주도의 성장전략을 꾀하지만, 금융주도 성장전략에서 금융시장의 "무한의 전뇌電腦 공간"과 카츠와일러가 말하는 "意識의 無限 化"의 비전은 구극究極적으로 동질방향을 갖는다.

이상의 이론이 시사 한바와 같이 근대과학과 자본주의라는 양자는, 한없는 「확대성장」의 추구라는 점에서 공통되고, 그런 면에서 두 바퀴의 관계이다. 그러나 지구자원의 유한성이랑, 격차확대라는 점을 포함해 그런 방향의 추구가, 반드시 인간의 행복이랑 정신적 충족을 가져오지 않는 것을 카츠와일러가 말하는 「특이점」은, 오히려 역의 의미로 우리들이 사는 시대가 인류사 중에서도 꽤 특이한 즉, "성장확대成長擴大에서 성숙정상화成熟 定常化"에의 큰 이행기에 있지만, 하나의 긍정적인 가능성 혹은 희망으로서 부상되고 있다.

그 경우 자본주의라는 시스템이, 부단히 「확대·성장」을 불가피하게 전제로 하는 것으로 하면, 그런 이행은 어떤 의미에서 자본주의와는 이질적 원리랑, 가치를 내포하는 사회상을 요청하는 것으로 되겠다. 이런 문맥에 있어서 「포스트·資本主義」로 부를 수밖에 없는 사회의 구상이 새로운 과학이랑, 가치의 당위와 일체로 되어서, 사고의 근저에 거슬러 올라가는 형태로 지금 요구되지 않을까.

또, 행인지 불행인지, 인구감소사회로서"세계의 프론트 러너"인 일본은 그런 성숙사회의 새로운 풍요자체를 선도하는 위치에 있지 않을까.

서장序章 인류 사人類 史에 있어서 擴大·成長과 定常化

포스트 資本主義를 둘러싼 座標軸

(擴大成長과 定常 化를 둘러싼 3개의 사이클)

본장의 전반에서는 인류의 역사를 「확대성장擴大成長」과 「정상화定常化」라는 관점에서 되돌아보는 작업을 시도해 보자. 병행해서 후반에는 그것들이 포스트·휴먼 론이랑, 금후의 과학의 당위와 어떻게 관계가 되는지도 생각해보자.

다시 인류역사를 크게 부감하면, 그것은 인구랑 경제규모의 「확대성장」의 시대와 「정상화」의 시대의 교차로서 파악이 가능하고, 다음과 같은 3회의 사이클이 있다고 이해할 수 있다. 과학과 경제가 만발하면서, 처음으로 成長擴大에서 成熟 定常化에로 이행되는 것을 지적하고 싶다.

제1사이클은, 現生人類의 地球出現 이래로 생긴 수렵채집狩獵採集 단계, 제2사이클은 약1만 년 전에 시작된 농경시대 이래로, 제3의 사이클은 주로 산업혁명 이후의 200-300년의 확대성장기다. 우리들은 지금 「第3의 定常 化」은 시대를 맞아 분수령에 서있는 것이다. 世界人口의 超長 期 推移. 세계인구의 초장기 추이를 베이스로 GDP에 관한 「세계 GDP의 초장기추이 」를 본 것이다.

대충의 가정을 더해 결론적으로 말하면, 그것은 인간의 에너지 이용형태, 혹은 약간 강한 표현을 사용하면 「인간에 의한 "자연의 착취"정도 」로부터 온다고 생각할 수 있겠다.

행인지 불행인지 자연으로부터 영양분을 자기가 만드는 것이 가능한 것은 식물뿐이다-이산화탄소물과 태양에너지로부터 유기화합물을 합성하는 광합성의 시스템인 데, 그것을 인공적으로 행하는 「인공人工 광합성光合成 」에 관해서는 본장의 후반에서 다룬다. 그렇지만 인간이란 동물은, 그런 식물과(그것을 먹는 동물)를 먹는 것에 의해 생명을 유지하고 있다.

인간의 역사에 입각해서 본 경우, 그것이 더욱더 소박한 형태를 취한 것이 수렵채집 단계이고, 아프리카에서 태어난 호모사피엔스는 수렵채집의 장을 각지에서 구하면서 지구상에 흩어지게 된다(이것은 어떤 의미에서 최초의 '글로벌리제이션'으로 말할 수 있겠다.)

머지않아 아마 그런 수렵채집만으로는 충분한 식량 확보가 곤란한 것 같은(상대적으로 조건이 나쁜) 장소에 퍼지는 가운데, 인류는 약1만 년 전에 농경이라는 새로운 에너지의 이용형태를 시작하게 되었다. 비유적 혹은, 현대풍으로 말하면 농경이라는 행위는 논밭이라는 휠드에 거대한 태양광에너지를 부설하는 것같이, 식물에게 태양에너지를 흡수하게해서 영양분을 만들게 해, 그것을 관리 수확해서 먹고 자기의 영양분으로 만든다고 말할 수 있겠다. 그렇게 해서 사람들은 수렵채집보다도 구조화된 「시간적 질서」의 세계를 만드는 것으로 되었다.

이와 동시에 수렵채집狩獵採集 단계보다도 고차의 「집단」작업이랑, 공동체질서를 필요로 하는 것에서 거기에 계층이랑(부의 축적에 유래하는) 격차가 종종 생기는 것은 자연적으로 일어났다. 따라서 농경의 개시는 식량의 증산과 함께 인구랑, 경제활동의 규모를 비약적으로 확대시키는 계기로도 되었다.

이것이 인류사에 있어서 제2의 「擴大·成長 」이고, (동남아시아[감자-고구마 등], 중동[보리-밀 등], 중국의 장강유역[벼]등에서 생겼다) 농경이 지구상의 각지에 전파됐던 것은 "제2의 글로벌리제이션"이었다고 말할 수 있겠다.

농경은 그 擴大·成長의 과정 중에서 「도시」를 만들었지만, 이윽고 그런 농경단계도 뒤에 다루는 자원·환경적 제약에 부딪쳐서 성숙한다(그것이 대충 말하면 우리들이 "中世"로 부르는 세대에 겹친다). 그러나 인류는 다시 에너지의 이용형태를 고도화시켜, 바꿔 말하면 "自然의 搾取"의 경우가 강해져 가일층 擴大·成長期에 향하게 된다.

그것이 이제 200~300년의 공업화시대다-혹은, 「플로토 공업화工業化」 등으로 불리는 준비기를 포함하면, 그것은 400년 전후로 확장돼 「近代」라는 시대와 거의 중복된다(프로토 工業化 등에 관해서는 齊藤(2008), 水島(2010)參照)-석탄이랑 석유의 대규모 개발과 사용이 그 중심으로 된다.

생각해보면 이런 「화석연료化石燃料」는 글자 그대로 생물의 사해死骸가 수억 년이라는 긴 시간에 걸쳐, 지하에 축적된 것을 한번에 "연소"시켜 에너지를 얻는 것이라는 성격의 것이다. 다소, 전후의 폭은 있는 그런 수억 년의 蓄積을 200~300년이라는 단기간에 머지않아 소진해가고 있는 것이 현재의 인류다.

동시에 인간의 역사 중에서 이 第3의 擴大·成長과 定常化의 사이클 전체(근대)가 資本主義/포스트 資本主義의 전개와 겹치는 것이지만, 본서의 기본적인 문제의식으로 된다. 바꿔 말하면, 우리들이 맞고 있는 「第3의 定常化」의 의미랑, 거기서의 사회상을 생각해가는 것이 본서의 「포스트 자본주의」라는 주제와 그대로 호응하는 것으로 된다.

定常 期에 있어서 文化的 創造性

이상과 같이 인간의 역사에는(에너지의 이용형태 혹은, 자연의 착취의 경우에 유래하는) 「擴大·成長」과 「定常 化」의 사이클이 있지만, 여기서 특히 주목하고 싶은 것은, 인간의 역사에 있어서, 擴大·成長으로부터 定常化에의 이행기移行期에 있어서, 거기까지는 존재하지 않았던 것 같은 무언가 새로운 개념 아니면 사상, 혹은 가치가 생겼다는 점이다.

의론을 쫓아가보면 얼마 전부터 인류학이랑, 고고학의 분야에서 「心의 빅뱅(意識의 빅뱅)」 혹은, 「文化의 빅뱅」 등으로 부르는 흥미 있는 현상이 있다. 예컨대, 가공된 장식품裝飾品, 회화繪畵랑, 조각彫刻 등의 예술작품 같은 것이 지금부터 약5만 년 전의 시기에 단숨에 나타난 것을 가리키는 것이다. 현생인류 혹은, 호모사피엔스가 등장한 것은, 앞서 언급한 것같이 약20만 년 전으로 간주되는 데, 왜 그런 타임래그(시차)가 존재하는 걸까? 어떤 배경에서 그런 변화가 생겼을까 라는 그런 화제가 「心의 빅뱅」을 둘러싼 논의의 중심 주제로 되었다(內田(2007)), (海部(2005)), (클라인 외(2004)), (미즌(1998)).

한편, 인간의 역사를 크게 부감俯瞰했을 때, 또 하나 부상하는 정신적 문화적인 면에서 큰 혁신의 시기가 있다. 그것은 야스퍼스가 「구축시대驅逐時代」 과학사가인 伊東俊泰郎이 「정신혁명」으로 부른 기원전 5세기 전후의 시대다(야스퍼스(1964)). 伊東(1985) 이시기에 어떤 의미에서 기묘한 일로 현재에 계속되는 「보편적普遍的 원리」를 지향하는 것 같은 사상이 지구상의 각지에서 동시다발적으로 생겼다. 즉, 인도에서의 불교, 중국에서의 유교노장사상, 그리스철학, 中東에서의 구약사상舊約思想(그리스도교랑 이슬람교의 원류). 그들은 공통적으로 특정 커뮤니티를 초월한 「人間」이라는 觀念을 처음으로 갖는 동시에, 어떤 의미에서의 '욕망의 내적인 규제' 혹은, 물질적인 욕구를 초월한 새로운 가치를 설파한 점을 특징으로 갖고 있었다.

지금 「기묘한 것은」 이런 사상이 "동시다발적"으로 생겼다고 기술했지만, 그 배경 혹은 원인은 무엇이었을까. 흥미로운 것은 최근에 환경 사(environmental history)로 불리는 분야에 있어서, 그 시대중국과 그리스·인도 등까지 농경과 인구증가가 진행된 결과로서, 삼림의 고갈이나, 토양침식으로 농경문명이 특정 종의 멸종과(최초의) 자원·환경제약資源·環境制約에 직면하게 되면서 생겼다(石他(2001),폰팅(1994),広井(2011)參照).

이렇게 생각하면 이것은 다시 필자의 가설에 지나지 않지만, 구축시대驅逐時代 혹은, 정신혁명에서 생성된 보편사상(보편종교普遍宗敎)의 군은 그런 자원·환경제약資源·環境制約 중에서 말하자면 「물질적 생산의 양적확대에서 정신적 문화적 발전」이라는 방향을 이끄는 사상으로서, 혹은 생산의 외적확대에 대신하는 내적가치內的價値를 제기하는 것으로서 생겼다고 생각되지 않을까.

한편, 紀元前 5세기전후에 있어서, 驅逐時代의 제諸 思想의 생성이 농경문화의 이런 환경적 한계상황에서 생긴 것이라면, 앞서의 「心의 빅뱅」에 관해서 그것이 같은 형태의 메커니즘으로 狩獵採取 文明의 확대·성장으로부터 定常化에의 移行期에 생겼다고 생각해보는 것도 가능하지 않을까.

즉, 狩獵採取 단계의 전반에 있어서 狩獵採集이라는 생산 활동과(그의 확대)에 수반된 오로지 "外"에 향한 의식이 무언가의 형태로 자원·환경제약에 부딪친 중에, 말하자면 "內"에로 반전해서 거기에 「心」 혹은, (物質的인 유용성을 초월한)장식이랑, 광의廣義의 예술에의 지향, 끄는 것은(宗敎의 원형原形으로서의, 사死의 관념을 동반하는) 「자연신앙自然信仰」이 생긴 것은 아닐까.

다시 이런 「心의 빅뱅」이랑, 驅逐時代/精神革命과 定常期와의 관계를 생각하는 것은 「定常」이라는 개념의 재고를 해야겠다. 즉, 「定常」이라는 표현으로부터는 자칫하면 "變化가 멈춘 퇴굴退屈로 궁굴窮屈한 사회"라는 이미지가 수반될지도 모르지만, 그것은 물질적인 양적 성장의 개념에 사로잡힌 이해로 定常 期는 오히려 풍부한 문화적창조의 시대인 것이다.

이상을 마무리하면 狩獵採集 段階에 있어서 정상에의 이행기에 「心의 빅뱅」이 생겨 농경사회에 있어서 동양의 시기에 驅逐時代/精神 革命期의 諸 思想(普遍思想 혹은, 普遍宗敎)이 생성돼 양자는 어느 것이나 「物質的 生産의 양적확대로부터 精神的·文化的 發展에」라는 내용에 있어서 공통된 것이라고 생각되지 않을까(상세한 것은広井(2011)참조).

동시에 현재가 인류사에 있어서 제3의 정상화의 시대라면, 心의 빅뱅에 있어서 생긴 自然信仰이랑, 驅逐時代/精神 革命期에 생성된 普遍宗敎에 필적하는 것 같은 근본적인 새로운 무엇인가의 가치원리랑, 사상이 요청되는 시대의 입구를 우리들은 맞이하고 있는 것은 아닐까. 本書에 있어서 이렇게 더욱더 거시적인 틀을(後의 議論도 일부 포함한 형태로)정리한 것이다.

第4의 成長은 있는가?―초(슈퍼)資本主義vs포스트資本主義

인간은 여기까지 항상 다음의 「擴大·成長」에로 돌파해왔기 때문에, 오히려 지금부터의 21세기는 「第4의 擴大·成長」의 시대로 될 수밖에 없다. 「서문」의 내용을 갖고 있으면서 사회적 차원에서는 「초(슈퍼)資本主義」의 비전으로도 부를 것이다. 기술적 돌파의 가능성이 있는 후보는 「人工 光合成」「宇宙開發 아니면 地球脫出」, 그리고 제3이 「포스트 휴먼」이다.

제1의 인공광합성은 앞서 언급한 광합성을 인간자신이 행하는 것으로 요컨대, 근본적인 에너지혁명이라는 것이 된다. 노벨화학상을 수상한 根岸英一 씨가 이미 관련 프로젝트를 진행하고 있고, 실현되면 식량문제와 온난화문제(이산화탄소의 배출문제)를 단번에 해결할 수 있다고 말할 수 있을지 모른다.

제2의 우주개발이랑, 지구탈출은 영화랑 SF등에서도 반복해서 나온 주제다. 흥미로운 것은 최근에 『에리지움』이라는 영화랑, 『토탈·리콜』의 리메이크 판 등과 같은 부유층이 지구 밖으로 탈출하는 한편, 멸망한 지구에 빈곤층이 남는 등 사회의 이극화랑, 격차확대와 세트로 묘사되는 것이 많아지고 있다. 따라서 제3의 포스트휴먼은 「序文」에서도 다룬 것같이, 인간 그 자체의 개변에 의해 현재의 지구의 資源 的-環境 的-有限 性의 초월超越을 지향하는 것을 포함한다.

이런 주제에 여기서 간단한 답을 내는 것은 불가능하지만, 그러나 나 자신은 이런 방향에 대해서 전체적으로 회의적이다.

확실히 그것은 최종적으로는 「自然이랑, 生命은 어디까지 조절가능 할까」 또는, 「어떻게 사회랑, 생활이 인간에 의해 "풍요롭고" 행복할까」라는 기본적인 가치판단에 관한 것으로서 절대적인 답은 없을지도 모른다. 그러나 위에 열거한 것 같은 「제4의 擴大·成長」을 지향하는 방향은, 현재의 세계에 나타나고 있는 다양한 모순자체를 극복하고 있는 것보다는, 矛盾 그 자체는 방치된 위에 외적인 확대기술에 호소하는 것이라는 성격이고, 만약 그것이 실현돼도 같은 형태의 모순이 계속 생기겠다.

또, 사회구상이라는 차원으로 입각해서 말하면, 本書 중에서 여기서부터 생각하는 것같이, 그것은 우리들이 금후 실현해갈 사회가 현재 미국 같이 심대한 격차 「힘」에 의존하는 것과 함께, 한없는 자원소비랑 擴大·成長을 계속해서 추구하는 사회가 아닌, 유럽일부에서 실현되는 것 같은 「綠線의 복지국가」 혹은, 「지속가능한 복지사회」로도 부르는 개인의 생활보장과 환경보전이 경제와도 양립하면서 실현되는 것 같은 사회상이라는 인식도 중요해졌다.

어쨌든 우리들은 21세기에 있어서(第4의)擴大·成長과 定常 化간에서 수백 년 혹은 수천 년 단위의 역사의 큰 분기점 혹은, 양자의"대항하여 싸움의 시대에 서있는 것으로 생각하는 게 좋다. 그런 전망을 포스트 자본주의라는 주제를 축으로 하면서, 과학의 존재와 같은 관점을 중요한 단초로 생각하고 있는 것이 본서의 이하의 내용으로 된다.

機械와 生命-生命의 內發 性

AI의 개념자체는 1950년대로 거슬러 올라가지만, 「序文」에서 80년대에 약간 붐이 있었다고 기술했었다. 물론, AI붐을 말해도 당시로부터 AI에의 "과도한 기대"에 대해 회의론도 강해, 예를 들면 그런 저작의 하나가 철학자 휴버트·드레이퍼스의 『컴퓨터로는 무엇이 가능할까-철학적 인공지능 비판』(원저 1972년) 등이었다.

이렇게 말하는 나 자신도 원래 과학, 철학전공이라는 것도 있어, AI만능 론 같은 의론에는 거리를 두고 있다. 본서의 제2부의 주제로 돼있지만, 여기서 다소 철학적인 의론을 행하면, 우리들이 세계를 볼 때, 거기에 우리들은 다양한 「의미」를 동시에 인식하고 있어서, 단순한 정보의 무기적인 집적을 보고 있는 것은 아니다."

그럼 그런 세계의 「意味」는 대저 일체 무엇에 원천을 갖고 있는가를 생각하면, 그것은 우리들 인간이 생명을 갖고, 따라서 「생존」에 의해 가치가 있고, 중요한 물건을 세계에서 무력으로 빼앗거나, 혹은 무수한 정보 중에서 서열을 매겨 선별적으로 파악하고 있는 것에서 거기에 세계의 「意味」랑, 일정의 안정된 질서가 생겨난다.(파생해서 타자의 인식이랑, 타자와의 정서적인 관계 등도) 즉, 「世界」의 "意味"성은 그 근원을 더듬어보면 생명에 다다른다.

한편, 생명이 없는 컴퓨터는 이상과 같은 정보의 「意味부여」라는 것이 없기 때문에, 정보의 양적처리의 스피드랑, 메모리 용량에 관한 능력은 인간보다 확실히 높지만, 인간에 있어서는 자명한 극히 기본적인 일상적 동작이 가능하지 않는 등, 결국 중요한 장면에서 충분한 힘을 발휘하는 것이 가능하지 않다(広井(1994)參照).

당시부터 이러한 유의議論은 다양한 형태로 존재했다. 그래서 한때 과도한 AI만능 론이 언급됐던 반동도 있었지만, 크게 말하면 그 시대에 계속된 90년대 이후, AI에 관한 논의는 일시에 비교적 약간 정체된 것이 큰 흐름이었다고 생각한다.

그러나 일률적一律的으로 그렇게 말할 수 없다. 즉, 상기와 같이 만약, AI가 인간에게는 미치지 못하는 다양한 한계를 갖는다고 한다면, 소위 역이용을 해서 AI와 인간(혹은 생명)을 "융합"하면 좋지 않을까. 그래서 AI의 뛰어난 면(상기와 같은 정보처리 능력의 신속함이랑, 기억 용량의 크기)과, 인간의 뛰어난 면(생존에의 지향과 거기로부터 파생된 세계의 「意味」부여 혹은, 타자와의 공감능력共感能力 등등)을 조합하면 소위 "최강의 존재" 그것을 「人間」으로 부를까 어떨 까는 별도로 하고-가치가 있고 중요한 물건을 세계에서 무력으로 빼앗거나, 혹은 무수한 정보 중에서 서열을 매겨 선별적으로 파악하고 있는 것에서 거기에 세계의 「意味」 랑, 일정의 안정된 질서가 생겨난다(파생해서 타자의 인식이랑 타자와의 정서적인 관계등도). 즉,「世界」의 "意味"성은 그 근원을 더듬어보면 생명에 다다른다.

現實이란 腦가 보는(共同의)꿈일까?

한편, 이 주제에는 또 하나의 중요한 국면이 있다. 그것은 「의식의 공유(혹은 공동성)」이라는 화제로, 그래서 거기로부터 파생하는 것을 단으로 표현하면, "현실은 뇌腦가 보는(共同의) 꿈인가"라는 물음 혹은, 세계관을 둘러싼 論議다.

이는, 철학자 廣松渉이 「공동주체성共同主體性」이라는 말로 논한 것 같은 주제로, 그것은 개인이랑, 개체를 독립자존의 것으로 간주하던 근대적인 패러다임에의 비판이라는 성격을 갖는 것이었다(예를 들면 廣松(1972)).

실은, 이런 논의는 최근 뇌 연구 분야에서 화제가 되는 것은, 「소샬·브레인(社會 腦)」라는 성격의 문제다(등정(2009)등 참조). 소샬·브레인의 논의라는 것은, 인간의 뇌가 현재와 같은 형태로 고도로 발달한 과정에 있어서 타자 혹은, 타 자체와의(정서적인 면을 포함) 상호작용이 결정적으로 중요한 역할을 하는 것으로 이해하는 것에 있다. 이것은 「人間의 의식은 그 자체의 성립에 있어서 타자와의 상호작용이 불가피한 기반이고, 그 의미에 있어서 본래 「공동적」인 것이다」라는 앞서의 공동 주관성론共同 主觀性論과 공명하는 것으로 된다.

그래서 흥미 있는 것은, 이런 주제가 근래 영화 등에서 광범위하게 보다 리얼하게 느끼는 형태로 전개된다고 말할 수 있다. 쉽게 떠올리는 것은 역시 『매트릭스』(1999년)로 최근에는 레오날도 디카프리오가 주연하고 渡辺謙도 등장한 『인셉션』(2010년)이다. 이들에 공통된 것은, 어떤 방법으로 「意識」(혹은 꿈)의 공유라는 것을 행하고, 그 「世界」 중에 사람들이 또 상호작용하고 행동하는 점이다. 『인셉션』에서는 그것이 다시 복잡화해서 「꿈 중의 꿈」, 그리고 다시 그 중에(公同의) 꿈이라는 경우에 그렇게 공유되는 「意識(또는 꿈)」을 말하자면, 중층 화重層 化 혹은, 다차원 화多次元 化하고 있다. 이렇게 보면 이영화의 모티브가 앞서의 「공동주체성」론이랑, 「소샬·브레인」론의 세계관과 친화적인 것은 분명하다 하겠다.

그래서 여기서 자연스럽게 나오는 의문은, 「그렇게 생각하면 실은 우리들이 살고 있는 이 「現實」의 세계 그 자체가 공동으로 보고 있는 「꿈」은 아닐까」라는 의문통상, "꿈과 現實"의 경계 혹은 차이는 무엇일까라는 전자는 개인에 완결된 것이고(=주관적主觀的), 후자는 개인을 초월한 사회적인 것이다(=객관적客觀的)라고 생각된다. 그러나 그것은 이 세계자체가 「복수의 개인에 의해 공유된 의식」등이기 때문에 바꿔 말하면, 「소셜·브레인」론이 주장하는 것 같이, 복수의 뇌에 의해 공유된 「世界」라고 하면 그것은 「꿈」일까 「現實」일까라는 의문이다.

이것은 문자 그대로 "오래된 새로운"물음이고, 실제 이런 관심은 지금부터 2000년 이상 전에 쓰인 중국의 『장자莊子』 중에 유명한 「나비의 꿈」에 있어서 이미 논의되었다.

동시에 이 논의는 현실적 화제로서 경제에 있어서 "버블"라는 것은 도대체 무얼까-그것은 「환상幻想」일까, 「現實」일까-라는 논점을 포함해 본서중의 주제와 다양한 차원에서 관계된다. 요점만 여기서 기술하면, 거기서는 「우선 처음으로 腦가 있어서 세계가 생긴 것이 아니고, 世界가 있어서 그 일부에 뇌가 생겨, 거기서 意識=世界가 생기는 것으로 그 역逆은 아니다」라는 것이 중요한 시점이 되겠다(그러나 여기서는 어떤 종류의 순환이 포함돼있다).

또 하나 여기에 관해서는 「두 개의 소셜·브레인」이 있는 데, 하나는 「커먼 브레인(共同 뇌 普遍 뇌?)」이라 부르는 즉, 「近代的 개인」에 대해 앞선 것이다. 근년의 뇌 연구에서 소셜·브레인 론은 인간의식의 원초의 성립에 관한 것으로, 앞서 논의한 것 같은 철학 등에서의 공동주체 론과도 겹치는 그것은 말하자면, 「커먼 브레인(共同 腦)」로 부르는 것이다. 즉, 그것은 「近代的 人間」(=독립된, 반성적 의식을 갖는 개인)에 대해서 거기에 "앞선"것이다.

한편, 인터넷이나 SNS가 발달하면서, 개개인 간 "자각적인"소셜 「意識의 공유共有」-문자 그대로 「전뇌電腦」공간이 생성되고 있다. 이 양자는 당연히 확실히 구별돼야 하는데, 여기서는 이것을 「두개의 소셜·」에 있어서 이미 논의되었다.

제일의 소셜·브레인(혹은 커먼·브레인)은 진화의 과정에 있어서 인간의 원초적 「의식」의 성립과 그것에 관한 것이다, 제2의 소셜·브레인은, 근대의 후반기인 현대에 있어서 인터넷 등의 정보공간이 생성하는 중에 생긴 것이다.

물론, 후자가 이후 어떻게 展開를 보일까-오히려 그것을 소셜·브레인이나, 「意識의共有」라는 말에서 本書의 「電腦 자본주의로서 초(슈퍼), 자본주의vs포스트 자본주의」라는 주제가 나온다.

第1部 資本主義의 進化

資本主義의 意味-資本主義란 무엇일까?

「資本主義」란 말은, 실제 역사가 훼르낭·브로델도 「資本主義」란 말에 관해서 「많은 역사학자들이 지금까지 반복해서 바르게 지적해온 것 같이, 이 논쟁이 되는 단어는 애매하고 현대적인 의미에서 다시 시대착오적으로 말해지는 것 같은 의미까지 떠맡을 수밖에 없는 것은, 필자도 충분히 인정하고 있다」라고 서술하고 있다.(브로델(2009))

또, 그는 자본주의라는 단어가 사용되는 경위에 관해서 「資本主義라는 말은 넓은 의미에서 상용되기 시작한 것은, 20세기 초에 성립된 것이다」라고 「조금 자의적인 데, 그렇게 상용한 것은, 1902년에 출판된 베르나 존발트의 유명한 『근대자본주의近代資本主義』에서 시작되었다고 나는 간주하고 있다. 이 단어는 마르크스만이 몰랐을 것이다」라고 논하고 있다(동).

당시의 시대 상황을 살펴보면, 자본주의라는 단어는, 오히려 사회주의(혹은, 공산주의共産主義)라는 대항적對抗的 사회시스템의 대두를 받는 형태로 그 반대개념으로서 자각된 것같이 됐다고 말할 수 있을지 모른다(덧붙여서 정치공학사의 용어법에서는 사회주의의 대립개념은{資本主義는 아니고}, 오히려 自由主義liberalism랑, 保守主義conservatism로 된다).

資本主義의 起源을 둘러싸고

자본주의라는 말은 언제 어떻게 생겼는가? 라는 논의에 水野和夫는 그것을 ①12~13세기, ②15~16세기, ③18세기로 3개의 說이 있다는 山下範久의 지적을 인용하면서, 1215년의 제4회 라테나우公會議에서 로마교회가 금리(이자)를 붙이는 것을 인정한 것을 갖고 실질적인 자본주의의 성립으로서 하고 있다(병행해서 소유권이 인정된 合資會社, 銀行이 가능했다). 「자본의 증식이라는 것을 생각하면, 이자율을 인정하는 것이 더욱더 중요한 포인트로 된다.」라는 것이 그 이유지만(高橋·水野(2013)), 이것은 이후에 논의하는 「資本主義=市場經濟 프러스 擴大·成長」이라는 本書의 기본인식으로도 됐다(다시 이자의 기원에 대해서는 岩村(2010)参照). 덧붙여서 상기의 ②는 근대사회의 시동 혹은 월러스틴 적인 근대세계 시스템의 성립이라는 상황과 겹치고, 또는 ③은 産業化(工業化)라는 構造變化와 함께 마르크스적인 자본주의 이해(노동력의 상품화)와 관련되겠죠.

따라서 이상을 근거로 삼아서 「資本主義」의 의미랑, 내용 그 자체에 관해서 어떤 이해가 중요할까. 브로델의 議論은 우리들의 관심에 관해 많은 시사를 포함하고 있는 것으로 생각되는 데, 약간 그의 이론을 추구해보자.

브로델의 주장에서 더욱더 특징적인 하나는, 그가 「資本主義」와 「市場經濟」를 明確히 區別하고 있다는 점이다.

이 양자는 실질적으로 동의어로 사용되는 경우가 많고, 市場經濟=치열한 경쟁과 격차=資本主義(=바람직하지 않은 것)」로 이해된, 그러나 대저 시장경제라는 것은 무엇일까라는 것을 생각해보면, 그 원래 의미를 생각하면, 한번에 "시장경제=惡"이라고 말할 수 있는 것이 아닐까.

대저 「市場」이라는 것은 역사적으로는 공동체(커뮤니티)와 공동체 간의 있어서 교환으로 생성된 것으로 생각되었지만, 이것도 또 반드시 부정적으로 생각되는 것만은 아니고, 그것은 공동체를 밖에 대해서 "여는"것이란 의미도 갖고 있다. 이와 연관해서 『資本論』에서의 마르크스의 다음의 언명은 비교적 잘 알려진 것이다. 「商品交換은 共同體가 끝나는 곳에서 공동체가 다른 공동체 또는, 그 成員과 접촉하는 점에서 시작된다.」(마르크스(1972) [原著1867]).

市場經濟vs資本主義

월러스타인(1993)은 세계 시스템論에서 브로델의 資本主義를 다음과 같이 간명하게 요약했다.

①시장경제는 「명료하고 심지어 「투명」한 것이 현실」이고, 시장의 영역은 브로델이 때로 「마이크로 자본주의」라고 불렀지만, 「약간의 이윤」의 세계였다.

②「市는 하나의 해방·하나의 출구·별난 세계에의 入口」이다. 여기에 대해서 「反-市場」의 지대에서는 「거대한 약탈자가 배회하고, 약육강식의 논리가 버젓이 통용된다.」

③자본주의란 집중의 지대, 상대적으로 높은 독점화 즉, 「反-市場」지대의 일이다. 이상을 토대로 해서 월러스타인이 정리한 브로델의 議論-시장경제와 資本主義의 차이를 대비표의 형태로 한 것이다.

이런 논의의 기초로 된 경제에 관한 브로델의 「3층層 구조론」은, 맨 밑의 「物質生活」은 글자 그대로 우리들의 일상의 "의식주衣食住"를 영위하거나, 타자와 관계하는 일상을 지내는 수준을 지칭하고, 「관례慣例랑, 무 자각적無 自覺的 일상성」의 영역이고, 반드시 모두 합리성에 따라 움직이고 있는 것은 아니다. 또, 이 영역은 브로델이 「유럽에 있어서도 국민경제 계산에는 참작되지 않는 자가소비랑, 서비스가 보이는 장인의 점포도 적지 않다」고 기술한 것같이 가사노동이랑, 자급자족적인 운영 "장인들의 업무"로 된 것도 일부 포함되겠죠.

다음으로 「시장영역」은 일정한 투명성이랑, 공공성이 생기는 영역이다. 맨 위의 「資本主義」는 市場經濟와 대조적으로 不透明 性, 投機, 巨大한利潤, 獨占, 權力 等이 支配的으로 된다.

資本主義와 擴大·成長

資本主義=「市場經濟 플러스(한없는)擴大·成長」을 指向하는 시스템이라는 이해가 중요하다.

여기서 요점은, 우선 자본주의는 단순한 시장경제(혹은 시장경제가 사회전체를 넓게 덮은 시스템)와는 다른 것이라는 점으로, 이것은 브로델의 주장과 중복된다. 바꿔 말하면, 시장경제 그 자체는 고대로부터 존재하고 있는 것으로, 혹은 앞서 소개한 마르크스가 말한 것같이, 대략 공동체와 공동체가 접촉하는 장소에서 생성돼온 것이다.

그럼, 자본주의와 시장경제가 다른 점은 무엇일까. 그것은 최종적으로 「擴大·成長」이라는 요소에 향하는 것은 아닐까. 즉, 단순한 시장경제 혹은, 상품화폐의 교환이 아닌 어디까지나 그런 시장거래를 통해서, 자기가 보유한 화폐(그 통합된 형태로서의 자본)가 양적으로 증대하는 것을 추구하는 시스템(혹은, 그런 경제활동을 넓게 사회적으로 긍정하는 시스템). 이것이 자본주의에 관해서 더욱더 순화되어 파악된다고 생각된다. 바꿔 말하면 단순한 시장경제가 아닌 그것이 「擴大·成長」에의 강력한 드라이브(구동력驅動力)와 일체로 작동할 때, 처음으로 자본주의로서 나타난다.

　이와 관련하여 이상과 같은 자본주의는 말하자면, "수단"으로서 재정적인 강제력이랑, 중앙집권적인 통제력, 식민지배를 위한 군사력 등을 갖은 「(국민)국가」가 중요한 역할을 담당하지만, 어디까지나 그것은 수단이 된 장치에 불과하다. 그 형태랑, 「로칼-내셔널-글로벌」이란 차원에 걸친 공간적 넓이는 역사적으로 변용하는 것이다(이 화제에 대해서는 후에 또 되돌아가고 싶다).
　그런데 독자 중에는 알아챈 분도 있을지 모르지만, 이상의 논의는 결국 마르크스가 『자본론』 제1권에서 정식화한 「G(화폐)-W(상품)-G'(화폐)」라는 자본에 있어서의 단순한 정식화에 다다른다.

　즉, 원래 시장에 있어서 존재하는 것은 「G(화폐)-W(상품)-G'(화폐)」라는 형태로, 그것은 "상품을 팔고 거기서 얻은 돈으로 다른 상품을 사는"것이다. 예컨대 「주택을 팔고 그 돈으로 다른 주택을 사서 바꾸는」 예를 생각해보면 알 수 있듯이, 여기서는 주택이라는 구체적인 것의 획득이 목적으로 된 것인 데, 우선 그 구입에서 이 사이클은 완결된다. 그러나 「G(화폐)-W(상품)-G'(화폐)」의 경우는, 최초에 갖고 있는 것도 후에 얻은 것도 화폐라는 것은 변함이 없는 데, 후에 얻은 화폐가 최초의 화폐보다도 수적으로 큰 것에 의해 의미 있는 경제행위로 된다. 당연한 것이지만, 예를 들어 투기로서의 주택구입은 어떤 돈으로 주택을 구입하고, 그것을 보다 높은 가격으로 파는 만큼 의미가 있거나, 그 「양적증가」가 한결 같은 목적인 것이다(그러나 그것은 1회의 사이클로 끝나지 않고 반복된다).

　이런 인식을 밟아 마르크스는 다음과 같이 서술한다. 「단순한 상품유통-사기 위해 파는 것은 유통 외에 어떤 최종목적, 상품가치의 취득, 욕망충족을 위한 수단으로서 역할이다. 여기에 반해서 자본으로서의 화폐의 유통은 자기 목적적이다. 라는 것은 가치의 증식은 단지 그 끝없이 갱신되는 운동 중에서 만이 존재하기 때문이다. 그래서 자본의 운동에는 한도가 없는 것이다. 이운동의 의식 있는 담당으로서의 화폐소지자는 자본가로 된다.」(마르크스-1972)
　다시 마르크스는 이 「G-W-G'」라는 정식화는 상인자본, 산업자본, 이자생산 자본(금융자본)의 항상 공통된 일반적인 것으로 금융자본의 경우는 상품을 중개하는 것이 아닌, 자본을 금융시장에서 운용해서 보다 크게 돈을 불리는 것으로 「G-G'」로 된다.

資本主義 와 「무한無限」
　월러스틴은 「자본주의를 독자적 정의로 사용하는 데 즉, 「무한의 자본축적이 우선되는 시스템으로서 정의된 역사적 시스템」이라고 정의한다.」라고 논하고 있지만, 실질적으로 마르크스와 같은 파악으로 볼 수 있겠다.

　「자본주의는, 이윤획득을 목적으로 해서 시장에서 판매를 위해 생산을 행하는 혹, 개인 혹, 기업의 존재만으로 정의되는 것은 아니다. 임금과의 교환으로 노동을 행하는 개인의 존재도 정의로서 충분하지 않다. 임금노동은 또 수천 년 전부터 존재해왔다. 무한의 자본축적을 우선하는 것 같은 시스템이 나타나 처음으로 자본주의 적인 시스템의 존재를 말하는 것이 가능해졌다. 이 정의를 사용하면, 근대세계 자본주의적 시스템이라는 것으로 된다.」(월러스틴(2006))
이 논의는(어떤 독특한)「無限」의 개념자체가 근대의 본질이라는 파악을 생각하게 한다.

이 주제를 주체적으로 논하는 것이 下村寅太郎의 『무한론無限論의 形成과 構造』로 여기서 下村은, 고대그리스에 있어서는 「無限」의 상징은 '圓'이지만, 근대에 있어서는(끝없는直線)으로 형상화되는 것같이 돼(고대그리스의 무한이 말하자면 '질적인 무한'인데 대해) 이런 양적 무한의 확대를 적극적으로 지향하는 정신의 양식자체가 근대의 특질이라고 논했다.(下村-1979)). 본서의 「서문」에서 언급한'기술적 특이점'을 둘러싼 카츠와일러적인(포스트·휴먼) 논의는 마치 이런 사고의 정반대라 하겠다.

가치의식價値意識과 행동의 변용

앞서 자본주의에 있어서는, '양적확대를 지향하는 경제활동을 폭넓게 긍정하는 시스템'이라는 것 같은 중요한 점을 포함하고 있다.

역사적으로는 그런 개인의 이익추구 활동은 가능한 한 적극적으로 허용되지만, 경우에 따라서는 부정적으로 되는 경우가 많았다. 어떤 개인의 이익 혹은, '획득 분'이 확대되는 것은 우선 타인의 획득분이 감소되는 것을 의미하기 때문이다. 여기서는 오히려 「검약이랑 절약」자체가 긍정되는 사리추구랑, 확대는 부정적인 것으로 된 것이 일반적이다.

그렇다면 상기와 같은 자본주의 시스템이 사회에 침투하기 위해서는 거기에 상당히 근본적인 가치관 혹은, 윤리의 전환이 동반될 수밖에 없고, 동시에 그것은 사회전체의 부의 총량자체가 「擴大·成長」하는 것이라는(당시로서는) 새로운 상황을 불가분 동반할 수밖에 없다.

그때까지의 이해로부터 보면, '상식 파괴적'인 세계관이랑, 주장을 전개한 상징적 책으로 버나드 맨더불(1670-1733)의 『벌의 우화(The Fable of the Bees)』라는 작품이 있다.

맨더불은 화란의 로테르담에서 태어난 의사인 데, 런던에 이주해 개업했지만, 몇 편의 사회에 관한 논고를 발표한 문필가·사상가다. 벌의 우화는 1705년 이래 순차적으로 발표됐지만, 1723년판의 그'反道德的'인 내용이 세간에 크게 주목돼, 당시 미들섹스 주 대배심大陪審이 본서를 고발한 맨더빌이 변명을 행한 일이 있었다. 또, 그의 저작이랑 사상은 흄, 아담·스미스, 벤담, 밀, 베르테르 등에게 영향을 준 것으로 전해진다(이와 관련해 아담·스미스의 국부론國富論 간행1776년).

맨더불 저서의 요점은, 同書의 서브타이틀인 「사악 즉, 공익(Private Vice, Public Benefits)」라는 말에 의미가 집약돼있다. 예컨대, 질소검약質素儉約이라는 개인 레벨의'미덕'은, 사회전체의 이익에는 연관이 없다고 기술하고, 역으로 이제까지 도덕적으로 악으로 되어온 방탕이랑, 탐욕이라는 행위 한마디로 한없는 사리추구 행위가, 결과적으로는 그 나라랑 사회의 번영에 연관되고, 또 고용이랑 경제적부도로 산출된다는 이론이다. 거기에는 조악한 형태로 '자본주의의 정신'으로 말할 수밖에 없는 것이 응축된 형태로 표현돼있다.

파이의 總量의 擴大·成長이라는 條件

그런데 그것은 대저 왜 「개인의 악덕」혹은, 사리추구가 「공공적 이익」에 연결될까. 여기서 결정적인 힌트로 된 것이 다름 아닌 「富의 총량의 擴大·成長」이라는 점이다.

즉, 앞서 조금 언급한 것 같이, 경제 혹은, 자원의 총량이라는 것이 일정의 '유한한' 범위에 도달하면, 일인 강욕強欲 혹은, 취득분의 확대는 그대로 타자에 의한 취득분의 감소를 의미한다. 그러나 만약 그런 파이의 총량 자체가 擴大·成長하는 것이라고 하면, 상황은 일변해 오히려 경제의 파이의 총량 확대를 촉진하는 개인의 행동자체가(타자에 있어서도) 희망으로 되겠다.

「개인의 사리추구→경제의 파이 총량의 확대→(당사자 그리고 타자를 포함) 사회전체의 이익의 증대」라는 사이클의 개시로, 마치 앞에서 지적한 자본주의의 본질로서 「擴大·成長」을 지지하는 논리다. 자본주의라는 것은 「'사리의 추구'라는 것을 최대한으로(잘) 활용한 시스템」으로도 말할 수 있지만, 그 조건은 어떤 요인에 의해 경제의 파이 총량이 「擴大·成長」하는 것이라는 점에 다름 아니다.

이 「파이의 총량의 擴大·成長」을 가능하게 한 조건은, 16세기 영국에 있어서 농촌의 획기적인 공입화(모직물업의 발전 등에서 「프로토공업화」등으로 불리는)에서 시작됐다(村上 -1992)참조).

이윽고, 18세기후반 이래의 산업혁명을 통해 새로운 기술패러다임, 그리고 그것에 의한 지하자원 에너지활용 등 지구상 다른 지역 즉, 식민지에의 진출과 거기서의 대규모 자원개발이었다.

이것은 序章에서 기술한 인류 역사중의 「제3의 擴大·成長」과 겹치고, 우리들이 자본주의라고 부르는 것의 실질은, 이 역사적 국면과 대응하고 있는 것이다. 그것은 처음에는(유럽에 있어서 지리상의 발견 등을 통한 국제무역의 확대라는) '空間的'측면을 포함하는 것이지만, 그 중심은 자연자원의 압도적인 규모로 개발과 착취라는 식량에너지의 이용형태의 근본적 전환에 있다고 생각된다. 요약하면 여기서는 2개의 차원이 관계된다. 즉,
(1)「個人-社會」의 관계-개인이 공동체의 구속을 떠나 자유롭게 경제활동을 행하는 것이 가능한 한편, 그런 개인의 활동이 사회전체의 이익이 된다는 논리[개인의 독립]
(2)「人間-自然」의 관계-인간은(산업)기술을 통해서 자연을 얼마든지 개발하는 것이 가능하고, 그 위에 거기로부터 큰 이익을 인출하는 것이 가능하다는 논리[자연지배]라는 양자가 강고하게 결합되는 것과 함께, 그것을 통해서 經濟파이의 총량이 「擴大·成長」이 그때까지는 없는 대규모 형태로 추구되지만, 그 이래 현재에 이르기까지 300년 전후의 시대였다.

그런 점에서 앞서 기술한 「資本主義=市場經濟 플러스(끝없는)擴大·成長을 지향하는 시스템」이라는 파악에 호응해서 즉, 여기서의 「市場經濟」는 상기의 (1)「個人-社會」의 관계[個人의 獨立]에 대응해서 「擴大·成長」은 상기의 (2)「人間-自然」의 관계[自然支配]에 대응하는 것으로 된다.

科學과 자본주의
資本主義와 근대과학近代科學의 동형 성同型 性
자본주의의 의미를 전장에서 생각해봤지만, 실은 그것이 「科學」, 정확히는 「(서구)근대과학近代科學」의 기본적 세계관이랑, 태도와 같은 구조를 갖고 있는 것은 아닐까? 라는 것을 本章에서 부각해보자.

과학사적인 이해에서는, 17세기에 유럽에서 「科學革命」으로 부르는 현상이 생겨, 이것이 우리들이 현재 「科學」으로 부르는 기원으로 됐지만, 그것은 이하와 같은 기본적인 특질을 갖는 것이었다. 즉, 그것은
(1)「법칙法則」의 추구-배경으로서의 「自然支配」 혹은, 「人間과 自然의 절단切斷」
(2)귀납적인 합리성(혹은 요소환원 주의要素還元 主義)-배경으로서의 「共同體로부터 個人의 獨立」이라는 양자에서 전자는 자연 그것에 따라 움직이는 것의 「法則(law)」을 밝혀서 그것을 통해서 자연을 조절하는 것을 지향하는 데 있고, 후자는 여러 가지 사상을 中立的 제3자적

인 관점에서 실증적 혹은 귀납적으로 파악하고, 더욱 그것을 개개의 요소의 집합체로서 이해하는 것을 지향하는 것을 가리킨다.

이 경우 (1)의 배경에는, 인간과 자연을 분리한 위에서 인간은 자연을 지배 또는, 이용해 소진하는 것이 가능한 것이라는 세계관이 존재하는 것이라고 말할 수 있겠다. 한편, (2)의 배경에는 사회는 독립된 개인으로부터 성립된 것으로서, 그런 이질의 개인에 의해 설득력을 갖는 것 같은 설명양식은(예를 들면 전통적 공동체에 있어서 신화적인 설면 등은 아닌) 실증적·귀납적인 대상 파악에 있어 또(사회가 개인의 집합체로서 있는 것 같이) 자연현상도 또 개개의 요소의 집합으로서 있다는 이해가 존재한다.

이상의 논의는 거의 추상적인 반향일지 모르지만, 이런 近代科學이 갖는 世界觀이랑, 지향을 상징하는 인물로서 누차 거론돼온 영국의 정치가(왕실변호사=대법관)의 근대과학의 대변인적 존재였던 프란시스 베이컨(1561-1626)이 있다. 베이컨은, 저서『신기관(Novum Organum)』(1620년) 가운데 「知와 힘은 하나로 합일된다. 자연은 여기[知]에 복종하는 것에 따르고, 아니면 정복되지 않는다.」라고 논하고, 종래와 같은 觀照的 학문이 아닌 자연을 지배 활용해 그것에 의해 인간의 생활을 개선하는 것 같은 과학의 존재방식을 주장한다. 또, 능동적으로 자연을 조작하는 실험적 방법이랑, 경험적 데이터에서 일반법칙을 이끄는 歸納法을 강조하고, 그 위에 「자연은 자유로운 그대로 놓아두는 것보다도 기술에 의해 심문하고, 고문에 관여하는 것에 의해 보다 명료하게 그 모습을 나타낸다.」고 서술하고 있다(古川(1989)).

이렇게 보면, 결국 여기서 근대과학의 특질로서 거론된 두 개의 요소와 실은 중복되는 것에 신경이 쓰인다. 즉, 자본주의와 근대과학은 언제나 「共同體로부터 獨立된 個人」 혹은, 「自然支配」(自然과 人間의 切斷)」이라는 공통의 세계관이랑, 지향으로부터 파생된 운영이라는 면을 갖는 것으로 된다.

17世紀-「科學革命」과 資本主義의 本格的 始動

이상은 거의 개념적인 정리지만, 실제로도 베이컨이 새로운 과학의 방향을 제시한 17세기라는 시대-科學革命의 世紀는, 영국을 중심으로 자본주의가 마치 발흥 혹은, 본격적으로 전개를 시작하는 시기와 중복된다.

즉, 15~16세기에는 제노아, 베네치아 등의 이태리 도시국가가 해양무역을 발전시켜 상업자본 중심의 자본주의가 일정한 맹아萌芽를 보이지만, 이윽고 그 중심은 北西유럽으로 옮겨간다. 그것은 다름 아닌 보다 「個人」의 독립성과, 「自然支配」(人間과 自然의 分離)의 경향이 강한 지역-동시에 「近代科學」의 전개의 중심으로 된 지역이 세계사의 전면에 흘러왔다고 말할 수 있겠다.

구체적으로는 16세기 전후에는, 영국에서 모직물산업 등이 농촌의 수공업으로 생겨(전장에서도 언급한 「플로토 工業化」), 상급농민은 「資本家」로 되는 것과 함께 이어서 그것은 엘리자베스1세 시대(1558-1603)의 절대왕정·중상주의絶對王政·重商主義에 의한 비호와 일체로 돼 바꿔 말하면, 국민국가의 생성과 불가분의 중앙집권적인 '경제 내셔날리즘'으로서 식민지의 확대를 수반하는 문자 그대로 「市場經濟 플러스 擴大·成長」이라는 자본주의를 가속화하는 것으로 됐다.

그래서 또 「科學革命」의 세기이기도한 17세기가, 「資本主義」의 본격적인 시동기도 되는 것을 가리키는 상징적인 사실로서는, 이 시기에 있어 소위 동인도회사東印度會社의 성립 (영국[1600년], 화란[1602년], 프랑스[1604년])가 있고, 더욱이 앞의 엘리자베스에 의한 「救貧 法Poor Law」의 제정(1601년)을 열거해야겠다(다시 救貧法은 16세기 전반부터 여러 번 제정 되었다).

후자는 근대에 있어서 福祉政策 혹은, '生活保護'의 기원으로도 불리지만, 자본주의의 생성 에 수반되는 빈곤의 발생과 격차확대(이 경우는 농촌을 떠나 浮浪하는 농민이랑, 직업을 잃은 일부 도시민 등)에 관한 최초의 대응-어떤 의미에서 자본주의 최초의 '수정修正'으로 부르는 것으로, 여기에 관해서는 本書의 후단에서 보다 큰 시각으로 다룰 것이다.

近代科學을 둘러싼 3개의 段階

지금 서술한 17세기에 있어서 「科學革命」 근대과학의 성립과, 자본주의의 본격적 시동이 라는 단계를 포함해, 그 이후의 근대과학의 역사적 전개를 과학에 있어서 기본개념으로 함께 크게 개관해보면, 그것은 우선 형으로 정리되겠다.

우선은 앞서 기술한 17세기에 있어서 「科學革命」과 자본주의의 본격적인 시동의 시대이 다. 이윽고 18세기 후반에는 산업혁명이 일어나 19세기 이후, 그것이 사회전체의 산업화 혹 은, 공업화로서 급속히 전개되는 중에 「科學」과 「技術」의 결합으로 강고强固하게 된다. 구체적으로는 섬유 등 경공업을 중심으로 하는 18세기후반의 '제1차 산업혁명'에서는 과학과 기술의 연관은 희박했지만, 19세기이후의 에너지 혹은, 중공업을 중심으로 하는 '제2차 산업 혁명'에 있어서는 「科學」 연구가 그런 기술혁신의 베이스로서 중요한 역할을 하는 것으로 돼, 실제로(뉴턴 역학에서는 충분히 다루지 않았던) 열 현상이랑, 전자기 등에 관한 물리학적 연구 등이 공업화의 진전과 마치 평행하게 발전했다.

동시에 그 시대는, '시장경제 플러스 擴大成長'으로서 자본주의의 전면적 전개시기로, 유럽 을 중심으로 한 각국이 식민지 획득이랑, 패권·자원을 둘러싼 글자 그대로 壯絶한 싸움이 시 작된 가운데, 산업기술의 강화, 그리고 군사기술의 개발이라는 점에서도 국책으로서 과학연구 의 진흥을 본격화하게 된다.

그런 가운데 국가에 의한 연구기관이랑, 「大學」이라는 시스템-중세적 대학과 다른 실험실 을 구비한 자연과학 혹은, 공학적 연구부문을 확대한 대학의 정비, 그리고 또(종래와 같은 패 턴에 의해 비호되는 직인 적 존재와 다른) 분과된 전문 직업으로서의 「科學者」의 성립 현 재에 줄지어있는, 학문분야의 형성·제도화 形成·制度化가 확립된 시기였다. (이런「科學의 制 度化」로 부르는 일련의 전개에 관해   古川(1989)吉田(1980)參照

最初의 定常經濟론과 에콜로지

19세기 후반에는 근년에 활발한 「定常經濟論」 혹은, 「脫成長論」의 원류로도 말해지는 쥰·스튜어드·밀의 「定常狀態」론이 나온 것에 주목하고 싶다.

즉, 밀은 저서 『경제학 원리經濟學 原理』(1848년)는 고전경제학을 집대성한 서물書物로 돼 있는 데, 그중에 인간의 경제는 머지않아 성장을 멈추는 定常狀態(stationary state)에 도달한 다는 이론이다. 현대의 우리들에게 있어서 흥미로운 것은, 사람들은 오히려 이(정상상태에 도 달한 사회)에 있어서 진정한 풍요와 행복을 얻는다는 긍정적 이미지를 예시로 제기하고 있는 점이다. 이와 관련하여 본서의 후단에서 새롭게 다루지만, 독일의 생물학자 헥켈이 「에콜로 지」라는 단어를 만든 것도 이미 同時代(1866년)이다.

그럼, 현대에도 통하는 것 같은 그런 논의가 왜 이 시대에 나타났을까. 기본적인 배경으로서 산업화 혹은 공업화가 시동되었던 당시는, 다시 농업의 비중이 크고 밀의 의론도(일국내의) 농업이 「토지의 유한 성有限 性」을 의식한 것이었다. 즉, 경제는 성장해도 이윽고 土地一「自然」으로 환언하면 좋은-의 유한성에 막혀서 定常 化에 이른다고 지적한 발상 혹은 논리다.

그렇지만 이윽고 공업화가 다시 가속화하고, 농업으로부터 공업에로 경제구조가 이동하는 것과 함께, 식민지 확대를 통한 자연자원의 수탈이 본격화하는 가운데, 밀의 定常狀態론은 경제학의 주류로부터 망각되게 됐다. 바꿔 말하면, 경제 혹은 자본주의가 「토지」 혹은, 「自然」의 제약으로부터 '이륙'하고 있다는 것이었다.(농업부터 공간 가운데) 수요와 공급의 관계를 통해서 균형이 이뤄진다는 신고전파 경제학이 대두되고」(1870년대), 그 의미에서도 밀의 이론은 고전파의 유물로 되었다. 이런 의미에서는 밀의 정상상태 론定常狀態 論은 「근대과학을 둘러싼 3개의 단계」에 있어서, (1)부터 (2)에의 이행기에'일시정지(무도장)'으로 생긴 것으로도 말할 수 있다. 어쨌든 밀의 의론이랑, 헥켈의 「에콜로지」를 외적·공간적으로 초월한 형태로 「擴大成長」된 것이, 당시의 자본주의에 있어 과학이었다. 후에 논의되겠지만, 그로부터 100년 이상을 거쳐 밀의 定常狀態론에 인류가 지구규모로 직면하고 있는 것을 지적한 것이 로마 클럽의 「成長의 限界」라고 말한 것이다.

資本主義의 '修正'과 經濟成長

근대과학을 둘러싼 제3의 단계는, 20세기후반 이후 특히, 2차 대전부터 21세기 초에 걸쳐 반세기 남짓의 시대다. 이 시기는 과학이 보다 명확히 국가정책 중에 조직화된 시대로-그것을 '과학의 체제화'로 부르는 科學史家(廣重 徹)도 있다. 그와 동시에 뒤에서 보는 것같이, 자본주의가 공전의 성장을 질주한 '資本主義의 黃金時代'로 부르는 시기(1950~70년대 경)를 포함한 시대였다. 다만, 그 전사로서 1929년의 세계대공황이 있어, 거기부터 제2차 대전으로 흘러가는 파국적 시대였다.

세계대공황은 크게 보면, 자본주의가 어떤 「생산과잉生産過剩」에 빠져 대량의 실업자가 발생한 상태로, 이것을 근거로 마르크스주의 쪽은 생산의 국가적 혹은, 계획적 관리로서의 사회주의에의 길이 불가피하다고 논했다.

여기에 대해서 제2차 세계대전을 포함해, 소위 '자본주의의 구세주'로서 나타난 것이 경제학자 케인지 이었다고 말할 수 있다. 여기서 케인지는 경제성장을 최종적으로 규정하는 것은(생산성이 아닌) 사람들의 「수요需要」에 있고, 더욱이 인간의 수요는 정부의 다양한 정책(공공사업등 공공재의 제공, 社會保障 등의 소득재분배)에 의해 유발 혹은 창출되는 것이 가능하고, 이것에 의해 부단한 경제성장이 가능하다(실제 그것은 70年代경까지 성공을 거두었다). 1500년 이래 서유럽 12국의 GDP 추이를 본 것이지만, 특히, 20세기후반의 신장이 큰 것으로 나타났다.

이것은 사람들의 需要랑, 고용이라는 시장경제 혹은, 자본주의의 '근간부분根幹部分'을 정부가 관리하는, 또 창출하는 것이 가능하다는 것으로 어떤 의미에서 자본주의의 근본적인 '수정'으로 불린 이념이다. 실제 이런 케인지 정책은 특히, 유럽의 경우 社會保障의 충실 혹은 「福祉國家」의 전개와 직결된 것으로(「케인지 주의적 福祉國家Keynesian Welfare State」)이다. 그것은 「수정자본주의修正資本主義」로도 불린다.

이 용어는 주로 마르크스주의 측으로부터 비판적 의미로 사용되는 단어로, 福祉國家는 社會主義(혹은 共産主義)에의 이행이라는 道를 채택하지 않고, 소위 자본주의와의 타협적인 산물 혹은, '資本主義의 연명책延命策'으로서 부정적으로 파악되고 있다. 다른 측면에서 보면, 이 시대는 즉, 미소 냉전시대로 '순수純粹한 資本主義'인 미국과, '純粹한 社會主義'인 소련의 틈새에서 그 어느 쪽도 아닌 「중간의 길the middle way」로서의 福祉國家를 선택한 것이 유럽이었다. 擴大成長을 중심축으로 하는 미국식 자본주의와, 소련의 사회주의 간의 중간의 길로서의 복지국가를 선택했다. 이것을 '修正資本主義'라고 부른다.

GNP의 起源

資本主義의 擴大成長에 연관된 지표로서의 GNP(국민 총생산) 아니면, GDP(국내 총생산)는 더 나아가 「GNP의 기원으로서의 세계공황」이라는 파악이 가능하겠다. 즉, 사람들의 인식이랑, 행동을 방향지우는 영향력을 가진다는 것은, '진공眞空' 가운데 생긴 것이 아닌, 특정시대의 경제사회적 혹은, 정치적 문맥 가운데 생성된 것이다.

생각해보면 근년에 국가의 행복 도를 둘러싼 지표로 부탄의 GNH(Gross National Happiness)로 「GDP를 대신하는 지표」다. 프랑스의 사르코지 대통령의 위탁을 받아, 노벨 경제학상을 수상한 스티글리츠랑 센이라는 경제학자가 「GDP를 대신하는 지표」에 관해 보고서를 간행하는 등(Stiglitz et al(2010)), 「풍요豊饒」의 지표에 관해 활발하게 움직이기 시작했다.

이것은 무엇을 의미하는 것일까? 현재 「포스트·리만쇼크」라는 시대상황에 있어서, 마치 세계 대공황이 GNP라는 새로운 지표를 요청하고, 그것이 케인지 정책과 연동한 것이 평행하게 현재의 세계상황을 근거로 하는 진정한 풍요랑, 발전에 관한 새로운 지표랑 개념 결론은 「한없는 擴大成長」이라는 틀로, 이는 「無限大의 擴大成長」을 추구하는 패러다임을 근본적으로 바꾸려는 시대에 우리들이 들어가는 것은 아닐까.

科學國家와 福祉國家

20세기 후반을 특징지은 것은 케인지 정책에 관련해서 「科學國家와 福祉國家」라는 시각에 주목해보자.

케인지 정책은, 앞서 다룬 것같이, 정부가 시장에 다양하게 개입해 그것에 의해 수요가 창출돼 경제성장을 꾀하는 생각이지만, 그러나 구체적으로 어떤 영역에 정부가 관여 하냐는 나라마다 다른 형태를 갖는다. 교과서적으로 말하면 市場에 政府가 개입하는 것을
(a)「시장의 실패」의 시정是正-예를 들면 「공공 재公共 財」의 제공(도로 등의 공공사업, 과학의 기초연구에의 투자 등)

所得 再分配-특히 사회보장이랑 세제

언젠가 형식적으로 말하면 (a)는 '市場原理의 보완補完'이고(市場의 失敗가 일어나기 쉬운 영역에 있어서 그것이 생기지 않게 개입을 행해 시장기능을 잘 작동시킨다). (b)는 '市場原理의 修正'이라는 것으로 된다. 그중 (b)에 관해서는 대저 왜 社會保障 등의 所得 再分配 정책이 (케인지 정책의 목적인)需要增加와 經濟成長에 결부됐을까.

그것은 저 소득자보다도, 고소득자의 경우가 소득 가운데 소비로 돌리는 비율이 낮기 때문

에-말하자면'한계소비限界消費 성향의 체멸遞減'-고소득자로부터 저 소득자에게 소득의 재분배를 행한 경우가 사회주의의 소비 혹은, 총수요가 증가해 그것이 경제성장에 연결된다는 생각이다. 거의 단순화해서 말하면, '일부 부유층만이 자동차를 보유하는 것 같은 사회보다는, 모든 사람 혹은, 세대가 자동차를 갖는 사회 쪽이 경제의 규모는 커진다.'라는 발상이다.

이런 「所得의 平均化와 經濟成長의 同時成立」이 나타나 실현되는 것이 1960-1970년대 경까지의 시대로, 앞서 거론한 쿠즈넷츠의 逆U字 커브가설假說(경제발전의 어느 단계 이후에 이르면 소득격차가 축소된다)은 이런 상황을 근거로 삼은 것이다.

이상과 같은 케인지 정책적 틀에 있어서 타국에 비교해서 「科學硏究」에의 公的投資에 압도적인 힘을 들여온 제2차大戰 後의 미국은 한편, 사회보장을 통해서 재분배에 우선순위(프라이오리티)를 준 것이 유럽이었다. 라고 말할 수 있다. 상징적으로 전자를 「과학국가science state」, 후자를 「복지국가welfare state」로 부르는 것이 가능하겠다.

물론, '資本主義의 黃金時代'로 된 이시기의 구동력驅動力으로 된 것은, 결코 그런 정부의 개입만은 아니다. 말할 것도 없이 이 시기는 자동차, 다양한 가전제품의 내구 소비재 등이 단숨에 보급된 시기로, 그것은 「산업사회·후기産業化社會·後期」로 부르는 것 같은 넓은 의미에서의 에너지 관련기술의 사회적 보급단계와도 겹쳤다.

동시에 그것은 사회학자 見田宗介가 『現代社會의 理論』에서 인상 깊게 논한 것같이, 단순한 물건의 소비(물질적 소비)가 아닌, 오히려 디자인이나 모드 등에의 관심으로 유도된 「정보의 소비」라는 성격을 짙게 띠고 있었다. 여기서의 「情報의 消費」란 IT와 인터넷이란 의미에서의 그것이 아닌, 예컨대 옷을 사는 경우에 그것을 '추위를 참고 견디기 위한 소재'로서 구입하는 것이 아닌 그 디자인이랑, 패션성에 주목해서 구입하는 것이라는 의미다(見田(1996)).

이런 「情報의 消費」는 어떤 의미에서 '주관적主觀的'인 것이고, 또한, '비물질적非物質的'인 요소를 포함하고 있어 그럴듯이 그것은 「無限無限」으로 확대되는 포텐샬을 갖고 있다.

이렇게 과학의 기본개념과 자본주의의 진화를 큰 관점에서 보면, 「에너지/정보」가 양론으로 된 이시기의 소비확대와 성장을 지지했다고 말할 수 있겠다. 케인지 정책을 축으로 하는 20세기 후반에 관해 봐 왔지만, 그 후의 논의도 포함해 전체적인 전망을 보기 쉽게 하기 위해서는, 여기서 17세기 전후부터의 자본주의의 진화進化와 금후의 전망을 정리해보자.

70年代의「成長의 限界」論과 現在

케인즈 정책적인 대응이 일정 이상의 유효성을 갖고, '자본주의의 황금시대'가 실현된 것이 제2차 세계대전 이후로부터 1960년대 전후까지의 시대였지만, 70년대 경부터 이런 상황은 크게 변용돼 새로운 국면에 들어가게 된다.

우선, 그 상징적 사건으로서 거론된 것은, 1973년의 오일쇼크로 무진장, 게다가 값싼 존재로 상정된 석유등의 자연자원의 유한성이 '자원 내셔날리즘'의 대두와 함께, 세상에 나와 앞서 19세기에 있어서 존·스튜어드·밀의 「定常狀態」론에서 상정된 자원의 유한성이라는 점이 지구규모로 인식되게 된다.

기묘하게도 로마클럽에 의한 「成長의 限界」는 전년의 1972년에 간행돼 큰 화제話題가 됐다. 밀이 상정한(농업에 의한) 토지의 유한성을 공업화와 식민지화가 일단 극복한 것으로 보였지만, 이번에는 그 공업화 자체가 자원 적 한계에 직면하는 것으로 됐다.

이것은 큰 관점에서 보면, 인류사 중에 「제3의 擴大成長」기로서의 근대자본주의의 전체과 정에 있어서(밀의 定常狀態 論에 이어) 소위 제2단계의 定常經濟 論이고, 그것은 공업화의 자원 적 한계限界라는 역사적 국면과 호응한다.

동시에, 이런 자연자원의 유한성이 「擴大成長」에 관해 소위 '外的인 限界'라면 어떤 의미에서 보다 근원적인 다음의 것들이다. 즉, 그것은 케인지 정책이랑, 각종의 기술혁신의 침투를 통해 「고도대중 소비사회高度大衆 消費社會」가 현실로 된 가운데, 바꿔 말하면 '물건物件이 넘쳐나는'것 같은 사회가 침투해 오는 중에, 사람들의 수요기 서서히 成熟 혹은, 포화돼 더욱이 이런 소비가 한없이 증가를 계속하는 것이라는 상정이 유지될 수 없다는 것이라는 소위 '내적 한계內的限界'로 부르는 상황이 되었다.

이런 중에 재분배를 통한 「擴大成長」과 일체로 된 유럽의 복지국가도 그 기반이 흔들리기 시작하여, 1981년의 OECD 보고서 『복지국가의 위기welfare state in crisis』가 나오는데 이르렀다. 더군다나 앞서 거론한 근년의 움직임과도 공조하는 것이지만, 이 시대에는 이상과 같은 상황도 받아들이는 형태로 「GNP를 대신하는 지표」를 작성하는 시도가 다양한 형태로 제기되었다.   (福士(2001)參照).

이런 「경제성장經濟成長」에의 회의론이 다양한 각도에서 제기되-그것이 최근의 「탈 성장脫 成長」론이랑, 「定常經濟」論에의 관심을 고조시키고 공감하고 있다. 또, GNP(혹은 GDP)에 대신하는 「풍요豊饒」랑, 새로운 지표 만들기 시도가 적극적으로 행해지고 있는 점에서도 다시 「남북」간의 경제격차를 둘러싼 논의가 활발해지는 점을 포함해, 70년대 전후와 현재와는 일정 유사한 측면도 갖고 있다.

역으로 말하면, 70년대에 한번 비등한 「成長의 限界」론이 그 이후 근년까지 일단은 "후퇴"한 것같이 보이는 것은, 아마 80년대 이후의 두 개의 움직임 즉, ①情報技術의 전개와도 일체로 된 미국이 주도하는 금융의 자유화와 글로벌화, ②소위 BRICs로 상징되는 것 같은 신흥국의 대두와 공업화에 의한 면이 크다하겠다.

①은 선진 자본주의국에 있어서 「포스트 공업화」로서의 '情報 化·金融 化'의 역사적 국면이고, ②는 공업화의 소위 空間的擴大의 국면으로도 말할 수 있다. 물론, ①과 ②는 긴밀히 연동해 즉, 선진국에서는 위에 서술한 것 같은 국내시장이 성숙해 종래와 같은 소비확대가 기대할 수 없기 때문에, 과잉 머니가 새로운 시장과 투자 선을 찾아서 신흥국에 유입되고, 그것이 그들 나라에(한 바퀴지연) 공업화와 소비확대가 호응하는 관계다.

그러나 그런 새로운 전개(특히 ①)가 적어도 일단 명확한 형태로 파탄한 것이 2008년의 리만·쇼크였다. 그 영향은 심대했지만, 한편, 「序文」에서 기술한 것 같이, 최근에는 리만·쇼크는 이미 '과거'의 것으로 됐다는 논의도 나타나고 있다.

電腦 資本主義와 超(슈퍼)資本主義vs포스트 資本主義

資本主義 혹은 工業化의 空間的 擴大

새롭게 정리해보면, 前章에서 80년대 이후의 전개로서 기술한 두 가지 점은 각각 소위 자본주의 시스템에 관한 경제활동의

①時間的 擴大

②空間的 擴大 라는 것이 가능하겠다.

비교적 내용이 보기 쉬운 ②에 관해 우선 확인하면, (①의 「시간적」의미는 후에 설명하고 싶다). BRICs(브라질·러시아·인도·중국)이랑, 거기에 이어서 공업화 등을 축으로 하는-경제발전을 가속화한 국가들을 이끄는 것은, '자본주위 최후의 프런티어'로서의 아프리카-교묘하게도 그것은 호모사피엔스가 20만 년 전에 탄생한 장소도 되고-등등의 논의가 돼온 것같이, 자본주의 혹은, 공업화(산업화) 정보화의 파도가 지구 전체에 넓게 흘러 금후 당분간은 계속되겠다.

그렇지만 지구자원의 유한성이라는 논점은 물론, 이 주제를 생각하기 위해서는 다음과 같은 사실에 주목하는 것이 중요하다고 생각한다.

그것은 우선 「地球規模의 小子 化·高齡 化의 展開」라는 현상으로 동아시아 각국의 합계특수 출생률(1인의 여성이 생애 낳는 평균자녀 수)은 일본보다도 낮은 것으로 되었다. (일본의 1.43(2013년)에 비해 한국1.24(2011년), 대만1.07(同), 홍콩1.20(同) 싱가포르1.20(同)으로 모두 일본보다 낮다) 또, 거대한 인구가 한결 증가하는 것 같아 보이는 중국도(한 자녀 정책의 영향도 있어) 인구는 2025년경에 13.9억 인으로 피크에 달하고, 이후는 감소로 돌아선다고 예측된다.(유엔=World Population Prospects2010年 版). 따라서 세계전체에서는 인구는 서서히 증가가 완화되어, 2011년에 70억인 명에 달한 세계 인구는, 2100년에는 109억인 정도에서 거의 안정되는 것으로 예상된다.(유엔"World Population Prospects"2012년에서의 중위추계).

2050년 시점에서의 인구추계가 96억 명인데, 21세기 후반은 오히려 세계인구의 成熟·定常 期에 들어선 것으로 된다.(西川(2014)參照) 이와 연관하여 고령화에 관해서는, 2030년까지 세계에서 증가되는 고령자(60세 이상) 가운데 그 약3할(29%)이 중국의 고령자이고, 같은 29%가 중국을 제외한 아시아의 고령자로 추계된다(World Bank(1994)). 다시 나머지는 「그 외의 발전도상국」이 28%로 일본을 포함한 선진제국(OECD 가맹국)은 14%에 불과하다. 즉, 「高齡化」라는 것은 선진국 특유의 현상으로 생각하는 것이 많지만, 21세기는 오히려 '高齡化의 地球的進行(global aging)'이 이루어진 시대로, 그것은 스스로 인구의 成熟 혹은, 감소減少를 의미한다.

定常 化와 새로운 中世

인구 학자 루츠는, 「20세기가 인구증가의 세기—세계 인구는 16억에서 61억까지 증가했다라면, 21세기는 세계인구 증가의 종언과 인구고령화의 세기다라고하겠다」(Lutz et al.(2004)).

21세기후반까지 시야를 확대해보면, 「글로벌 定常 型 社會」라고 부르는 사회가 올 것이다. 이와 관련하여 국제 정치학자 田中明彦은, 1996년에 출간된 著書『새로운 中世』에 있어서 「현재의 세계 시스템은 새로운 中世」에 향하는 이행기다」라고 주장하고, 다음과 같이

기술하고 있다.

「현재의 인구폭발이랑, 환경파괴가 파국적인 귀결을 가져오지 않기 위해서는 「새로운 中世」도 또, 유럽의 중세와 같이 인구에 있어서는 정상적인 것으로 되지 않으면 안 되겠다.라고 한다면, 장기적으로 말하면, 「새로운 中世」는 결국 근대세계 시스템을 특정 지운 확대·심화擴大·深化하는 경제적 상호의존을 또 정지된 세계로 될지도 모른다. 그러나 이런 일이 일어나는 것은, 또 상당히 앞선 석어도 전 1세기 정도는 앞의 것이 되겠다. 다시 말하면, 이런 定常狀態가 완전히 파국 없이 실현 가능할까?는 알 수 없다. 현재의 세계 시스템의 경향이 큰 틀에서 「새로운 中世」로 향하고 있다고 해도 그것은 필연이 아니고, 구체적으로 무엇이 일어날까를 확정하는 것은 아니다 」(田中(2003)).

어떤 의미에서 이것은 현재 세계의 상황에 관해서 냉정한 진단이라고 말할 수 있겠다. 덧붙여 田中의 「새로운 中世」론의 요점은, 국민국가가 중심으로 움직인 근대세계 시스템과 달리, 이제부터의 시대는 주체가 다양화 하는(마치 중세에 있어서 교회랑, 길드 도시국가등 다양한 주체가 폭넓게 활동한 것 같이) NGO·NPO랑, 기업 등 여러 가지 비국가적 주체가 활약하는 점에 있다.

내가 관심을 두는 것은, 대저 왜 세계가 「새로운 中世」로 향하는가? 또, 그 주체가 다원화하고 있는 것의 배경 혹은, 근거를 생각하면 그것은 본서에서 봐온 것 같은 16-7세기부터 계속된 「市場經濟 플러스 擴大成長」으로서의 자본주의 시스템이 成熟 化, 혹은 定常 化하는 시기를 맞는 때문은 아닐까. 즉, 소위 擴大成長의 '가파른 언덕'을 오르는 시대에는, 국가를 중심으로 한 중앙 집권적인 일원적인 벡터의 토대에서 사회가 움직이지만, 그런 벡터가 후퇴하는 定常 化의 시대에는 활동주체도 다원적으로 되고, 또 지구상의 각 지역도 하나의 방향으로 향하는 것이 아니고, 오히려 다양화하고 있다. 이것은 「포스트資本主義」를 둘러싼 本書의 第Ⅲ部의 논의와도 관련된다.

金融化와 情報聯關技術-情報文明의 포화飽和와「포스트情報化」

80년대 이후에 자본주의의 擴大·成長을 지지하는 요인 두 개가, (①「時間的 擴大」=정보기술의 전개로 일체화한 것. 미국주도의 금융의 자유화와 글로벌화, ②「空間的 擴大」=BRICs로 상징되는 신흥국의 대두와 공업화) 가운데 주로 ②에 관한 것이지만, 어떤 의미에서 자본주의/포스트 자본주의라는 주제를 생각하는 것보다 본질적 의미를 갖는 ①에 관한 것은 어떨까.

우선, 이런 금융의 글로벌화와 이 시기에 있어서, 과학기술의 새로운 전개가 문자 그대로 '兩輪두 바퀴'의 관계로 있다는 것을 확인해보자. 즉, 여기서도 「科學과 資本主義」는 불가분의 관계를 갖고 있다.

지금 「科學技術의 새로운 展開」로 기술된 것은, 다름 아닌 「情報」관련 과학기술을 가리킨다. 다만, 여기서 조금 주의할 필요가 있는 것은, 이런 정보관련 기술 분야에서의 기본개념 혹은, 기초 연구자체는 꽤 이전인 1940년대 경으로 거슬러 올라간다는 점이다.

즉, 그 중요한 기원은, 클로드샤론의 정보이론의 정식화定式化(1948년)이고, 샤론은 정보 량(비트)의 개념을 도입해 기초를 구축-이에 의해 이진법二進法을 사용하면, 모든 정보가 0 혹은, 1로 이론상 표현이 가능하다는 세계관이 생겼다. 또, 같은 시기(1947년)에 수학자 노바위너가 「통신과 제어의 이론」으로서의 사이버네틱스의 생각을 제기했다.

위너의 연구를 촉구한 하나의 배경으로는, 제2차 대전 때 레이더의 개발이 있고, 여기서 위너는 전시戰時에는 종래의 것보다 확실히 고도의 계산기가 필요할 것으로 예상하고, 그런 계산기를 위해 충족시킬 조건으로서, 디지털형인 二進法의 사용 논리적 판단과 기억을 기계에 시키는 것 등을 거론했다(廣重(1979)). 말할 것도 없이, 제2차 대전 후 이런 계산기는 에렉트로닉스 기술의 발전과 더불어 비약적으로 고도화해가고, 이윽고 통신기술이랑, 인프라 장비와 일체로 90년대 이후의 인터넷시대에 들어와 현재에 계속되는 것이지만, 그 이론상 기반 자체는 상당히 오래된 1940년대 전후에 만들어진 것이라는 것을 지금 새삼스럽게 확인할 필요가 있다.

그래서 일반적인 과학적 탐구에 기반 한 기술의 전개가
①基礎科學 혹은, 理論의 확립確立→②기술적 응용혁신應用·革新→③기술 면技術 面에서의 발전과 사회적 보급→④사회적인 成熟 혹은, 포화로 진전되면 정보관련 기술에 관해서 이상과 같은 큰 것은 「 ①=1940년대 前後②=1960～70년대 전후前後(대형컴퓨터의 개발開發 등) ③ 1980～2000년대 前後」로 보는 것이 가능하고, 현재는 ④의 단계에 들어가는 시기다.
그런 의미에서 나중의 논의를 앞서 말해보면, 우리들이 지금 살고 있는 시대는 소위 「情報文明의 成熟 化 아니면 飽和」 혹은, 「포스트情報 化」라는 국면에의 이행기라고 생각되고, 금후의 방향으로서 "IT革命과 글로벌화"라는 것을 지나치게 강조하는 것은 곡해라고 할 수밖에 없겠다(이 話題에 대해서는 과학 그 자체의 내용이랑, 「生命」과 관련해서 第Ⅱ部에서 생각해보자.)

「기대의 착취」와 자본주의의 자기모순

다시 80년대 이후 현저해진 미국주도의 금융의 자유화와 글로벌化 그 자체에 관해 보면, 거기서 작용하는 중요한 논리로서 「기대와 착취」로 부를 수밖에 없는 구조가 있다고 생각된다. (이와 관련하여 水野和夫에 의하면, 미국금융업의 전체산업 이익에 점하는 비중은 1984년 9.6%에 불과했지만, 2002년에는 30.9%까지 상승했는데(水野(2014)), 앞서 말한 자본주의의 「時間的 擴大」라고 부른 점에 연관이 있다.

즉, 대개 금융이라는 영역이 수익을 올리기 위해서는, 어떤 의미에서 「실물경제」 면에서의 생산이랑, 소비의 확대가 필요하고, 앞서 기술한 신흥국의 공업화에 의한 경제발전에 관해서는 그것이 마치 꼭 들어맞는 것이었다. 즉, 선진국의 국내시장이 만약 포화가 돼도 그들 신흥국의 공업화랑 소비확대에 말하자면, '기생寄生'하는 형태로 선진국의 자본주의는 당분간 연명이 가능하겠다. 「프론티어」 자체도 서서히 축소되고 있지만).

여기에 대해서 선진국의 국내시장에 관해서는, 어느 정도 이상상품이 골고루 퍼져 종래와 같은 擴大成長은 바랄 수 없게 되어, 수십 년에 선진제국이 실제 그런 것 같이 이미 구조적인 저성장에 들어가고 있다.

자본주의의 최종 단계로서의 금융확대 국면

이런 점에 관해, 시스템 론 자의 한사람인 죠바니·아리기가 다룬 브로델의 의론을 원용해 자본주의의 역사적 사이클은 「物的 生産擴大의 局面과 金融的 擴大의」에 의해 구성된다는 의론을 20세기를 중심으로 전개하고 있다. 즉, 브로델은 「자본주의적 발전은 금융적 확대단계에 달하면, 어떤 의미에서 성숙에 달했다고 생각된다. 그것은 가을의 징조다.」라고 말했다 (아리기(2009)). 작금의 세계에 있어서, '금융완화'정책의 확대는 이런 관점으로부터 파악될 수밖에 없겠죠.

이런 경제의 구조적 成長狀況에 있어서 금융업이 이익을 내기위한 하나의 유효한 방법으로 생각되는 것이 「기대의 착취」라고 부르는 것인 데, 그 상징적인 예시가 소위 「서브프라임·론」이었다고 하겠다.

「서브프라임·론」은 이름이 示唆하는 바대로 (「서브」는 「下」「프라임」은 「優良」의 의미) 중간소득자 이하를 대상으로 한 서브프라임 모기지가 당초에는 비교적 낮은 이자였는데, 후에 일시에 반제이자返濟利子가 올라가서 차금借金 지옥에 빠져, 머지않아 주택버블붕괴崩壞 中의 시스템 전체가 파산하는 것으로 됐다. 미국은 90년대부터 주택버블이 생겼지만, 거기에 그늘이 보이는 상황에서 본래는 주택을 구입할 여유가 없는, 저소득층을 대상 삼아 그런 구조가 만들어졌지만, 그러나 상기와 같은 내용으로부터 차용인은 차금지옥에 빠져, 이윽고 주택버블 붕괴로 시스템 전체가 파탄하는 것으로 됐다. 이래서 2008년의 리만쇼크 혹은 금융위기의 원인이 된 것이다.

「期待의 搾取」는 어느 정도 물질적 풍요가 실현된 선진국에서 소득격차는 존재하지만, 그 격차가 클수록 상대적 격차의 불만으로 특히, 중산층 이하는 현재보다 더 소득이 오르는 것을 바라는 것이 통례인데, 이런 소득격차를 메우는 상황을 「再分配」 즉, 稅랑 社會保障에 의해 고소득자로부터 저 소득자에게 소득이 이전됨으로서 시정되고, 게다가 그것에 의해 사회전체의 소비 없이 수요를 확대하는 경제성장을 의도하는 것이 케인지 주의적 복지국가의 생각이다.

근본적인 모순은 금융기관에 있어서 「시스테마틱·리스크(=시스템 자체의 리스크)」인데, 혹은 대마불사大馬不死"too big to fail"라는 이유로, 종종 정부와 국가에 의해 구제된다는 점이다. 이 경우 「시스템」이란 마치 「자본주의라는 시스템」으로 불리지만, 이런 구제책은 경제학자 西部 忠도 논한 것 같이, 「資本主義의 自己矛盾」이라고 부르는 성격이라고 말할 수 있겠다.(西部,2014)

본래 資本主義는 적어도 표면적으로는 '자유 시장, 경쟁, 자기책임'이라는 원칙에 입각하는 시스템 일터인 데, 상기와 같은 구제는 역설적으로 자본주의의 중추부분中樞部分(여기서는 금융기관)에서는 그런 원칙이 적용되지 않는 것이라는 모순을 나타내고 있기 때문이다. 中樞에 있는 者는 「自己責任」의 원칙에서 역으로 구제되고, 말단에 있는 자는 자기 책임원칙이 관철되면, 그것은 지극히 '불공정한' 시스템으로 되겠죠.

브로델은 資本主義는 「反―市場」의 地帶로 「거대한 약탈자가 배회하는 양육강식의 논리가 버젓이 통용된다.」라고 말했다. 저자는 모두冒頭에서 브로델의 「자본주의는 반일시장이다」라는 논의는 현대적인 리얼리티로의 회귀라고 한 바 있다.

금융시장의 無限의 電腦공간과「의식의 無限 化」의 비전

케인지의 정책에 관해 「修正 資本主義」라는 얘기를 한 바 있는 데, 資本主義의 내용에 순차적인 수정을 가한 역사가 있었고, 더욱이 그것은 자본주의보다 근본적인 부분에 대한 정부의 개입을 하는 말하자면, 資本主義의 단계적인 '社會化'의 발걸음으로 말할 수 있다.

그래서 80년대 이후의 금융자본주의의 전개에 관해서 상술한 것 같은 상황을 받아 뒤이은 자본주의 혹은, 포스트 자본주의의 존재를 그 「분배分配」(혹은, 격차)라는 측면과 「擴大成長」이라는 쌍방으로부터 다룰 구상이 본서의 후반과제지만, 그런 음미하기 이전에 지금 논하는 주제가 근저에 부족한 깊은 의미에 대해서도 조금 고찰해보죠.

그것은 앞서 조금 다룬 전개에 인간의 「기대期待」라는 것에 관한 것이다.

실은, 논자 중에는 인간의(주관적인) 「期待」라는 것은 어떤 의미에서 '無限'하고, 더군다나 경제 혹은, 자본주의가 글자 그대로 '무한의 「擴大成長」'이 가능하다고 생각하는 사람들이 있다. 근대 자본주의가 최초부터 '無限'이라는 것과, 불가분의 관계를 갖는다는 점을 여기서 상기한다. 그것은 오히려 자본주의의 본래 이념에 충실한 생각도 된다.

글로벌 금융시장에 있어서 '無限의 電腦 空間'은 어떤 의미에서 그 상징으로 볼 수 있고, 그것은 本書 「序文」에서 언급한 바 있는 캇츠와일러의 견해—최고도로 발달한 AI와 인체개조가 융합해서 '意識의 無限 化'가 시도된다는 비전—에 공감하게 된다.

이런 점에서 투철한 논의를 진행하고 있는 한사람이 앞서 거론한 경제학자 西部 忠이다(西部(2014)).

대저 화폐라는 것은, 어떤 합의나 혹은 신뢰에 의해 성립된 것이라는 점에서는 새삼스럽게 지적할 것까지도 없겠다. 즉, 지금 사용하고 있는 「돈」 그 자체는 단순한 '종잇조각'에 불과하지만, 그러나 그것이 경제적 가치가 있는 것으로서, 사람들이 이 사회에서 이해하고 사용하고 있는 것이라는 전제가 있어, 처음부터 그것은 의미 있는 것으로 되었다.

이것은 화폐라는 존재지만, 원초적으로 곡물이랑, 가축 등으로부터 귀금속(金·銀), 주화, 지폐, 수표, 예금통화 그리고 전자머니랑, 최근의 비트코인 등등으로 진화해온 흐름을 보면 보다 명료해지는(西部는 이것을 화폐의 「情報 化(脫 物質 化)」와 「信用貨幣 化」로 부르고 있다).

이런 의미에서 「환상인 동시에 현실」이라고 말할 수 있다. 여기서 序章에서 제기한 '현실은 뇌가 보는(공동의)꿈일까'라는 주제가 구체적인 리얼리티를 갖는 것으로서 나타나는 것으로 된다.

經濟貨幣를 둘러싼 「幻想과 現實」의 교차

그러나 西部가 논한 것 같은 것의 실질은 좀 더 앞에 있다. 여기서 단서가 되는 흥미로운 예로서 그가 거론한 것이 「태양흑점설太陽黑點說」을 둘러싼 케이스다. 「太陽黑點說」이란, 원래는 영국의 경제학자 제뷔온스가 제창한 황당무계하다 라고도 말할 수 있는 설을 가리킨다(제뷔온스는 이설을 1875년부터 82년에 저명한 과학 잡지『네이처』에 몇 회간 투고하고 있었다.)

太陽黑點의 數는 태양의 복사활동輻射活動의 활발함과 관계가 있고, 그것이 많을 때는 지구상에 내리쬐는 에너지가 증대돼, 기온상승 등의 기상변동으로부터 농업생산성이 올라가, 그 결과로서 곡물가격이 떨어지는 것이라는 것이 太陽黑點 說의 내용이다. 일본인이라면 '바람불면 통장수가 돈을 번다.'는 이야기를 연상하는 것 같은 「인과관계」 상기의 제뷔온스는, 이것을(10-11년의 주기로 변동하는 태양흑점 수가 경기순환에 영향을 주고 있다는 것)을 통계데이터에 근거해 주장했다.

그래서 이이야기의 포인트는 다음과 같은 것이다. 그것은 太陽黑點說 그 자체가 사실로서 바를까 어떨까? 와는 별도로 만약 잠정적으로 많은 사람들이 「믿었다」면 어떤 일이 일어날까라는 점이다.

만약, 太陽黑點이 있을 때 증가되겠죠. 곡물가격은 이윽고 떨어지겠죠. 太陽黑點說에 의한 예측에 근거해 생산자의 경우는(가격이 하락하기 전에 팔 것이라는 생각에) 급매 역으로, 소비자의 경우는(가격이 하락할 때까지 기다리는 쪽으로 생각해) 구매를 기다리고, 마치 그런 양자의 행동에 의해 실제로 곡물가격은 하락하게 된다. 즉, 太陽黑點說이 객관적으로 옳은가 아닌가는 별도로, 그 설을 「믿는」 사람들의 주관적인 인식 그 자체에 의해 太陽黑點說이라는 법칙은 "실현實現"가능한 것으로 됐다.

西部는 이것을 「觀念의 자기실현自己實現」이라는 단어로 표현하고 있지만 실은, 이것은 일반적으로 '예측(혹은 예언)의 자기실현'으로 부르는 현상과 실질적으로 공통의 메커니즘이겠죠.

'豫測의 自己實現'이란 단순히 예를 들면, 「중국이 머지않아 일본을 공격해온다. 라고 만약 많은 사람들이 예측하고(또는 누군가 예언하고 그것을 사람들이 믿는) 일본이 군사력을 대폭 강화하면, 그것을 본 중국이 위협을 느껴 일본에 공격을 해온다」라는 예에서 나타난 것 같이, 「중국이 공격해온다」라는 '豫測'이 마치 그 예측과 거기에 의해 생긴 「現實」의 변화에 의해 '自己實現'이 된 것이다.

「觀念의 自己實現」에 관한 西部의 논의에 돌아가면, 그는 다시 이런 太陽黑點說에 한하지 않고, 「리얼」하다고 생각하는 經濟世界 전반에 있어서 「환상관념幻想觀念과 현실, 실제 간에 명확한 선을 긋는 것이 곤란」하다는 것을 근본적으로 논의하고 있다.

예를 들면 주가랑 위채 상장에 있어서 생산성, 기업이익, 이자율 등 경제의 기초적 제 조건(펀더멘탈즈)으로부터 이론적으로 계산되는 가격은 「펀더멘탈즈 가격」으로 부르고, 일종의 '客觀的'인 상장으로 생각된다. 그러나 西部는, 그렇다면 이런 「펀더멘탈즈 價格」이 확고한 「現實」일까 라고 말하는 것도 그렇지 않다고 할 수 없고, 왜냐하면 그런 펀더멘탈즈 가격산정算定의 베이스로 된 企業利益이랑, 利子 率의 계산을 가능하게 하는 「화폐」 그 자체가 앞서 논의한 것 같이 「가상현실」이기 때문이라고 논하고 있다. 에서 그는 「모든 것의 기초로 될 터인 貨幣자체가 幻想이라는 동시에 現實이기 때문에, 버블이 幻想과 現實의 양 측면을 갖고 있어도 결코 불가사의한 것은 아니다」라고 총괄하고 있다.

이것을 끝까지 파고 들면, "인간의 경제 혹은, 貨幣現象은 모두 일종의 버블이다."라는 파악에 이르겠죠. 바꿔 말하면 인간의 경제라는 것은, 그 기반에 있는 화폐를 포함해 주관적인 (共同)幻想이라는 것으로 되고, 마치 서장에서 기술한 '뇌가 보는(共同의)꿈'으로 된다.

여기서 급히 덧붙이면, 西部는 이상의 의론을 현재의 화폐랑, 자본주의 시스템을 옹호하기 위해 행하기 위한 것이 아니고, 오히려 앞에서 언급한 것같이 「資本主義의 自己矛盾」도 지적하면서, 그것을 초월하기 위한 불가피한 작업으로서 행하고 있는 것이다.

즉, 현재의 시스템을 개혁하기 위해서는 화폐 그 자체의 존재이유를 변경해가는 것이 원리적으로 필요하고, 그것을 근거로 삼아 「커뮤니티 통화通貨」(로칼 지역을 베이스로, 자립순환형自立循環 形의 지역경제를 확립하는 것 같은 이자를 만들지 않는 貨幣)등의 제안을 행하고 있는 것이다(이것은 本書의 第Ⅲ部「커뮤니티 經濟」의 議論에서 연결된다).

逆으로 말하면, 경제에 있어서의 이상과 같은 인식을 다른 방법으로 전개하고, "버블을 포함한 경제란 궁극적으로 假想現實이고, 그러나 사람들의 「期待」랑, 「觀念」이 어떻게 경제는 무한으로 확대성장해가는"것으로 생각하는 것을 채용하면, 아베노믹스的 방향은 오히려 타당한 것일지도 모른다. 그것은 카트와일러적인 "의식의 無限 化"의 비전과 實質에 있어서 공통되는 세계관이다.

그래서 실은, 아베노믹스와 같은(인플레 목표를 수반하는 양적 금융 완화정책金融 緩和政策)의 평가를 둘러싼 찬부贊否는, 궁극적으로는 지금 논의하는 것 같은 「經濟」랑, 「貨幣」에 관해서(그것이 어디까지 '주관적' 혹은 '가소 적可塑 的'이고, 또 「無限의 擴大·成長」을 가능하게 하는 것일까를 둘러싼) 원리적 이해의 다름에 있는 것은 아닐까.

커뮤니티·自然에의 착륙着陸

하나의 있을 수 있는 비전으로서 그렇게 시장경제를 무한히 '이륙'시켜가는 방향이 아닌, 오히려 그것을 그 근저에 있는 「커뮤니티」랑, 「자연」이라는 토대에 더 한번 연결해 '착륙着陸'시키는 것 같은 경제사회의 존재를 우리들은 지향하고 실현해 나가야되지 않을까.

이것은 인간사회와 자연을 둘러싼 전체적인 구조를 간단하게 정리한 것이지만, 제일 위의 「개인個人」은 처음부터 독립된 존재로 있는 것이 아니고, 그 베이스는 공동체 혹은, 커뮤니티가 존재하고 있다. 또, 그런 共同體 혹은, 커뮤니티도 '진공眞空' 중에 존재하는 것이 아닌 그 기반에는 「自然」의 영역이 존재하고, 그런 自然-그것은 식량이랑, 에너지源도 있다. 이런 만큼 共同體·커뮤니티랑, 個人은 존속하는 것이 가능하다.

이런 구조에 있어서 (1)「個人」의 영역이 그 자유로운 활동, 그리고 시장경제 이런 구조에 있어서 (1)「個人」의 영역이 그 자유로운 활동, 그리고 시장경제의 확대와 함께 기반이 되는 「共同體」로부터 크게 독립해 '이륙離陸'함과 동시에 (2)그중에서 工業化라는 사회변동 혹은, 거기서의 산업 테크놀로지의 전개와 自然資源의 개발착취開發搾取를 통해 「個人」(혹은 人間)의 영역이 「自然」의 영역을 그 기반에는 「個人」—「共同體(커뮤니티)」—「自然」의 전체적인 구조에서 가장 상층의 「個人」은 「共同體」로부터 독립해서 '離陸'함과 동시에, 工業化라는 사회변동에 의해 산업기술과, 자연자원의 開發·搾取를 통해 「個人」의 영역이 「自然」의 영역을 강력하게 제어하는 형태로 '離陸'하고 있으나, 여기까지 보아온 16세기이후부터 근대사회, 그리고 자본주의의 발자취라고 말할 수 있겠다.

즉, 「共同體」로부터 「個人」의 독립 혹은, 「自然」으로부터 인간의 독립이라는 이중의 離陸을 통해서 전개돼 온 것이 「市場經濟 플러스 擴大成長」을 기본적 원리로 하는 자본주의의 전개였다.

그것은 구체적으로는, (1)16세기 전후의 이태리 도시국가에 있어서 해양무역의 발전을 전조로 한(市場 化), (2)16세기 전후의 영국에서의 플로토 공업화의 萌芽에서 보는 특히, 18세기 후반 이후의 産業革命을 거처 본격화한 工業化·産業化를 중추로 하는(産業社會·前期), (3)그 위에 20세기후반의 케인지 정책과 고도대중 소비사회를 통해 전개된(産業化 社會·後期), (4)80년대 이후 미국주도의 금융자유화·글로발화(그 후의 리만쇼크와 金融危機)에 의해 그 맨 끝에 다다른 것 같은 일관된 「擴大成長」의 방향성이었다.

저자는, 그런 사회의 구체적 비전을 「綠色의 福祉國家/持續可能한 福祉社會」라는 관점에서 봐야 된다고 제기하고 싶다.

意識 혹은「思考하는 나」의 근원根源에

그런데 앞서 '無限의 電腦 空間'과 일체로 된 금융자본주의와 포스트 휴먼적인「意識의 無限 化」의 비전의 同型 性에 관해서 지적했다.

지금 말한「市場經濟를 그 토대로 한 커뮤니티랑, 자연의 연결」이라는 방향은,「腦」를 그 토대로 하는「身體」에 '착륙'시키는 방향이라고 말할 수 있겠다.

뇌 과학자 안토니오·다마시오는, 저서 데카르트의 오류』에서 데카르트의「나는 생각한다, 고로 나는 존재한다.」로 상징되는 근대적인 자아 관과 같은 자아와 의식, 사고라고 말하는 것을 그 기반으로 하는 신체 성으로부터 분리되어 자존하는 것과 같이 파악할 수 있다는 견해에 근본적으로 이의를 제기하고 있다. 다마시오는 자기랑 의식의 근저에는 안정된 유기체의 내부 환경으로부터 생겨난「원 자기(protoself)」가 있듯이, 그것을 빼고 자기의식이랑, 사고, 감정感情이라는 것을 생각하는 것은 불가능하다고 주장한다(다마시오 (2010)).

이 이론을 人間社會에서 조금 각도를 변경해서「나의 중층구조重層構造」라는 시점으로 파악해 보자. 각각의 층에 대응하는 것은 거의 單純化해서 서술하면
A-개인차원='사고하는 나'(=반성적 자기反省的 自己 아니면 자아自我)
B-共同體의 차원=커뮤니티적인 존재로서의 나'(=타자와의 관계성에 있어서 自己) C-自然의 차원:신체적인 나'(=비 反省的 自己 아니면 個體 性)로 파악 가능한 것 같은「나」라는 존재의 '중층 성重層 性'으로 이해된다(広井(1994)).

여기까지 봐온 자본주의랑, 근대과학의 세계관이랑, 진보가 그렇듯이, 근대 이래의 우리들은, A의 차원을 B랑 C로부터 독립된 것으로 보지 않고, 더 나쁜 건 그 영역을 비대화해왔다. 자기랑 자아에 의거해서 논의하면 말하자면,「독아론獨我論」이라는 근대특유의 사고방식(타자의 의식의 존재는 확증하지 않고, 세계에 존재하는 것은 나의 의식 밖에 없다는 생각)은 이상의 A의 領域(사고思考하는 나)이지만, B랑 C의 次元으로부터 獨立된 存在가 可能하다고 생각하는 점이 핵심이라고 생각한다.

따라서 나의 본질이 '思考하는 나'에 있다고 한다면, 게다가 그것이 타자와의 關係 性이랑, 身體 性을 떠나 독립해서 존재하는 것이 가능하다면, 내 기억등과 함께 그것을「스캔」해서 컴퓨터상에 재현하는 발상은 자연히 생길 수 있다.

이렇게 해서 고도로 발달한 AI랑, 정보관련 기술·생체공학등과 함께 그런 개인의 의식이랑, 사고, 기억, 감정 등을 전부「情報化」해서「人間의 腦를 업로드 하는」것이 가능해지는 것이 다름 아닌 카트 와일러의 논의였다(캇트 와일러(2007)).

그것은 '無限의 電腦空間'과 함께, 금융자본주의가 無限擴大하는 것으로 생각하는 論者와 같이「뇌와 커뮤니티·身體」혹은, 시장경제와 커뮤니티·自然의 관계에 관해서 전도顚倒된 견해가 아닐까.

한편, '貨幣랑 經濟는 모두 가상현실假想現實'이라는 논의랑, 序章에서 제기된 '現實이라는 것은, 腦가 보는(共同의)꿈'이라는 파악은 인간의식의 공동(주체)성이라는 점에 관해서는 일정한 진리를 포함하는 것이지만, 그것은 다시 根底에 있는 자연 아니면, 생명의 차원을 간과해서 앞의「腦랑 意識이 신체를 떠나 독립해서 存在하는」것이라는 시각과 같은 오진誤診를

포함하고 있다.

　이렇게 해서 우리들은 論議를 통해서 자본주의의 현재까지의 발자취와, 그 임계점─지구레벨의 資源·環境 制約이라는 '外的인 限界'라는 수요의 成熟·飽和라는 '內的 限界'를 확인하고, 그 모순을 극복해 가는 社會構想의 입구에서 서있는 것과 함께, 그런 構想이 과학이랑 情報, 生命등에 관한 原理的인 考察을 불가피한 것으로서 요청하는 것에 전적으로 동의했다.

제Ⅱ부 科學·情報·生命

社會的關係性/美國의 醫學·生命科學 研究政策

미국 연방정부의 연구개발 예산의 반 이상(51.9%)은 국방(군사)분야의 연구개발에 점하고, 다음이 의료 아니면 의학·생명, 과학 분야에 배분된다. 그 상징적인 존재가 세계최대의 醫·生命科學 연구기관인NIH(National Institutes of Health, 국립보건연구소)로, 예를 들면 2015년도 정부예산 중 국방예산을 제외한 부분의 4할 이상(44.9%)을 NIH의 예산이 점하고 있고, 게다가 기초연구 분야만 보면, NIH는(군사 분야를 포함한)미국정부 전 연구개발 예산의 실로 약 반(49.8%)을 점하고 있다.

즉, '두개의 M' 말하자면 Military(군사)와 Medical(의료)의 두 분야가 미국과학 기술정책의 중심축이다. 실은, 이런 미국에 있어서 의료분야 연구예산이 두드러지게 큰 하나의 배경은, 다음에 서술한 것 같이 「공적 의료보험」의 정비라는 면에서 정부지출이 대단히 적다는 점도 거론된다.

그 배경의 하나는, 2차 세계대전 후에 미국과학기술 정책고문 바네바 부시(Vannevar Bush)에 의한 『과학 그 끝없는 프론티어(Science: the Endless Frontier)』라는 부시의 보고서에 의해 「질병에 대한 전쟁(War against disease)」을 과학정책의 큰 기둥으로 삼고, 정부에 의료분야의 연구에 대한 지원을 미국국민의 건강 향상을 위해 크게 기여하는 것을 호소하였다.

研究支援과 公的醫療保險-醫療에 있어서 政府의 役割은

상징적으로 말하면, 미국에 있어서 '世界 最高의 醫學'이 연구기술 면에 있어서 실현되고 있는 것을 정부는 적극적으로 지원하고 있지만, 그 성과의 수용여부는 각 개인의 자조노력(실질적으로는 의료서비스의 대가를 지불하는 능력)에 맡겨진다는 생각이다.

이것은 제1부에서 서술한 20세기 후반에 있어서 「科學國家(미국)」와 「福祉國家(유럽)」의 分岐라는 把握과 있는 그대로 겹친다. 그 이후에 NIH를 중심으로 미국의 醫學 生命科學豫算은 비약적으로 증가했다. 1948년에는 신설 국립심장 연구소 또는, 국립치과 연구소를 더해 확대되고, 다음해에 다시 국립 정신보건 연구소가 생겼다.

이런 2차 대전 후의 흐름 속에서, '의학연구 대국 미국'이 생겨났다. 그 후 1960년대 후반부터 80년대 초경까지 기간 등 NIH의 연구예산의 증가가 거의 둔화하는 시기도 있었지만, 80년대 이후 미국의 의학생명과학연구 예산은 다시 크게 증가를 시작하게 된다.

2000년대의 부시정권시대에는(군사관련과 나란히) 의학생명 과학연구 분야의 대폭 적인 예산증가가 행해지고, NIH의 연구예산을 '배증'하는 것이라는 계획이 실행되었다.

오바마 정권에서는 뇌 연구의 중점 프로젝트가 거론됐지만, 어쨌든 미국이 NIH를 중심으로 하는 의료분야의 연구개발 정책을 다시 강화하고 있는 것은 확실한 사실이다.

醫療시스템의 全體的 評價

미국은 주요선진국의 醫療費 규모와 평균수명을 조사한 바에 따르면, 미국의 의료비는 GDP 대비 의료비의 규모가 가장 높은데도 불구하고, 평균수명은 역으로 낮은 상황을 표시하고 있다.

즉, 미국은 연구비를 포함한 의료분야에 막대한 자금을 투입하지만, 그럼에도 불구하고, 그 성과는 없고, 실적은 오히려 상당히 열등한 것으로 나타나고 있다. 물론, 어느 나라나 사회의 건강수준은 여러 가지 요인에 의해 규정되는 데, 경제격차, 범죄율, 공공보험의 정비 상태 등, 복잡한 요인의 결과로서 귀결된다.

그렇지만 이상과 같은 상황이 가리키는 것은 적어도 "연구개발이랑, 핀 포인트의 개별기술의 향상을 행하는 것이(혹은 그것에 우선적인 예산자원 배분을 행하는 것이) 병의 치료랑, 건강수준을 높이는 것도 유효한 방책이다"라고 반드시 말할 필요가 없다는 점이다.

그러므로 그런 주제를 생각하고 있는 것에 해당하는 것은, 좁은 의미에서의 과학기술을 초월한 醫療保險制度 等의 사회시스템을 포함해 포괄적인 시점이 요구된다.

일본의 작금의 상황을 보면, 아베정권이후 의료분야가의 중요한 기둥으로서 자리매김해 또, '일본 판 NIH구상'이라는 것이 거론되는 것으로 돼(2015년)4월에는 일본 판 NIH인 「국립 연구개발법인 일본의료연구 개발기구(AMED)」가 발족하는 것으로 되었다(다만 예산은 1250억 원 정도로, 미국의 NIH가 3조원이 넘는 규모의 예산인 것과 비교하면 안 된다).

이런 방향에서 걱정은, 이런 움직임이 소위 TPP와 일체로 돼(醫療保險分野의 규제완화規制緩和랑, 民間保險의 참여參與 擴大) 또는, 아베정권이 적극적으로 진행하는 것인 「혼합진료混合診療의 擴大」(公的醫療保險과 私費醫療 組合 診療形態의 擴大)와도 連動해 더욱이 상기 「성장전략成長戰略」에 있어서 '醫療産業의 擴大成長'이라는 발상과 결합해 전개되고 있는 것을 초래하는 마이너스의 귀결이다. 이미 미국의 현상이 그런 것같이, 사비의료私費醫療의 擴大와 醫療費의 고등의료에 있어서, 格差擴大와 계층화, 평균수명 혹은 건강수준健康水準의 열화劣化 等, 소위 미국의료시스템의 '나쁜 점만이 惡いとことり'라고 말할 수밖에 없는 사태가 되는 것이라는 강한 위구 감이 든다.

어쨌든 의료랑, 건강을 둘러싼 주제를 생각하는 데 있어서는 연구면 혹은, '기술정책'만을 분리해 議論하면 안 된다는 것으로, 그것은 사회시스템 전체와의 관계에 있어서 파악하는 것이 필요하다.

「사회적社會的 관계 성關係 性」에 주목注目

따라서 이상에서 기술한 점, 즉 의료랑 건강을 둘러싼 주제를 생각해가는 데 있어서, 다양한 「社會的(쏘샬)」인 요소랑 측면이 중요해 진다는 점은, 의학이랑 과학의 존재방식 그 자체에도 관계되는 것이다.

현대의학은 「특정 병인론特定 病因論」 즉, 「하나의 질병은 하나의 원인 물질이 원인으로 그것을 제거하면 병은 치유된다.」는 질병관인 데, 감염증이나 외상 등에서는 절대적인 효과를 보여 왔지만, 현재는 어떨까.

「현대병」이라는 표현이 있지만, 우울증 등의 정신질환을 포함 만성질환 등에선 이런 「特定 病因論」만으로는 해결되지 않는 질병이 오히려 일반적으로 되었다.

이런 상황에 있어서는 병은 신체내부의 요인뿐만 아니라, 스트레스 등 심리적 요인, 자연과의 관계를 포함 환경적 요인 등 무수한 요인이 복잡하게 연결된 귀결로서, 심신의 상태로서 생긴다는 시각에서 지극히 중요해진다. 따라서 실제 근년에 발전하고 있는 사회역학(social epidemiology)으로 부르는 분야는, 「건강의 사회적 결정요인(social determinants of health)」라는 기본개념으로 상징되는 것 같은, 마치 그런 병이랑, 건강을 둘러싼 「社會的」인 요인에 주목하고 대응책이랑, 정책의 존재방식을 포함하는 연구랑 분석을 행하는 것이다.

예를 들면, 이 분야에서 대표석인 연구자의 한 사람인 윌킨슨은, 서서 『格差社會의 충격衝擊』 중에서 비만 등 옛날에는 사치 병奢侈 病으로 간주되는 것의 사회적 분포가 역전되어, 빈곤층의 질병으로 된 사실을 지적하면서 소득격차와 사람들의 사회적 관계의 질, 그리고 심리사회적 요인을 개입한 건강과의 관련 전체를 밝히는 것이다. (윌킨슨(2009))은 다시 사회역학에 관해서는 近藤(2005년)參照).

關係性을 둘러싼 諸 科學의 展開 科學의 변용變容 배경背景에 있는 것

이렇게 개인을 단순히 독립된 개체로 보지 않고, 타자와의 상호작용을 包含한 社會的인 관계성의 가운데 인되어지거나 혹은, 他者와의 협조행동協調行動이랑 공감, 이타적 행동 등에 관한 초점을 맞춘 연구가 근래 활발히 이루어지고 있다.

그 예로
①건강이나 질병에 영향을 주는 사회적 요인에 관한 「사회역학社會疫學」분야
②「소샬 브레인(社會 腦)」이랑, 소위 「미러 뉴론(타자의 고통을 자기 고통으로 인식하는 기구에 관한 뉴론 등의 연구)」
③사람과 사람간의 신뢰랑, 커뮤니티 아니면 관계성의 質에 관한 소위 「소샬 캐피탈(社會的 關係資本)」론.
④人間의 利他的 행위랑, 협조행동協調行動에 관한 進化 生物學的 研究
⑤經濟學과 心理學 아니면, 腦 研究가 結合된 소위 행동경제학行動經濟學 아니면, 神經 經濟學의 일부 그 중심은 애정에 관한 腦內 化學物質로 간주되는 옥시토신에 관한 신경 경제학자 神經 經濟學者 폴 쟉크의 研究 等도 포함된다.
⑥경제발전과의 관계를 포함해 인간의 행복감이랑, 그 규정요인에 관한 「幸福研究」등이 전개되고 있다. (여기에 관해 돕·발(2010), 가자니가(2010), 푸트남(2006), 內田(2007), 友野(2006) Bowles & Gintis(2011). 參照) 근대과학은, 「獨立된 個人」이라는 '이윤의 극대화'를 추구하는 개체중심의 모델에서, 개인이나 개체간의 「關係 性」이랑, 協調行動, 利他 性 等에 주목하는 것이 근래 諸 科學의 展開다.

科學의 변용變容 배경背景에 있는 것

미국의 신경과학자 폴 쟉크는, 옥시토신이라는 腦內 화학물질—모친이 수유할 때 분비되는 애정에 관계하는 것으로 간주되는 물질에 주목하고(마치 "chemistry of love"), 거기에서 인간에 있어서 애정행동愛情行動이랑, 이타적 행동利他的 行動의 중요성을 논하고, 최근에는 『경제는 경쟁으로 번영하지 않는다.』(原題는 바로 The Moral Molecule, 道德性의 分子)라는 저작著作도 나왔다.

그러나 극단적인 빈부격차가 확대되면, 인구 당 형무소 수용인구가 격증하고, 거의 순수한 자본주의가 지배하는 것으로 말해지는 미국에 있어서, 이런 주장이 나오는 것의 모순 아니면 빈정거림을 보다 강하게 느낄 수밖에 없다.

또, 現象이랑, 對應의 방책을 腦內 物質로 설명하는 것이라는 그 世界觀 자체가 미국적이고, 그것은 일보 차이로 '愛情이랑, 道德性의 것으로 되는 化學物質을 주입注入해서 인간을 현재보다도 利他的으로 개조하고 조절하는'것이다. 포스트 휴먼論 的인 방향에 중복되는 가능성은 충분히 있겠죠. (실은「序章」에서 다룬 부시정권 시대의 생명윤리 평의회生命倫理 評議會가 취한 정신의료에 있어서「기분 명랑제氣分 明朗劑」와 상기의 腦內 物質의 議論은 연속적이다).

크게 보면 인간이라는 생물은, 오로지 이기적이거나 '이윤의 극대화'를 지향하는 것이라는 이유가 아니고, 그렇다고 순수하게 이타적 아니면, 협조적이지도 아닌, 개인차는 엄연히 존재해도, 그 양면을 그래디에이션(단계-점차적 이행(移行)적으로 갖는 존재라도 말할 수 있겠다. 그것은 인간의 지금까지의 역사 전체에 시사한 것으로 말할 수 있다(이 話題에 관해서(広井(2011)参照).

그런 인간의 양의성兩義性 혹은, 전체성全體性에 관해서, 그 일면만 주목해서, "인간은 본래 00이니까 00이란 처방전이 옳다"라고 주장하는 것은 일면적인 데 지나지 않을까.

현실에서는 일 측면만 강조하는 경향이 강하지만, 개인의 독립성이나 利潤 極大化라는 모델조차 어떤 의미에서 근래에는 정반대 방향의 인간이해가 강조되는 것 같이 되고 있다.

「知」에 관한 에콜로지칼 理解

관계성이랑, 인간의 협조 성 등에의 주목이라는 점點 자체를 포함해 그런 과학이랑, 知의 존재방식(연관된 것은, 여기서 제시된 人間觀이랑, 自然觀 等等)의 전체가 그 시대의 경제사회의 구조변화랑, 환경 등에 의해 크게 규정되는 것은 아닐까 라는 것이 여기서의 포인트다.

여기서 말로 표현하는 것은 인간의「知」에 관한「에콜로지칼」한 파악 혹은, 이해로 부르는 것이 가능하다(私的 唯物論과 에콜로지의 관계에 관하여廣松(1991)参照).

이런 관점은, 실은 본서의 여기까지의 논의와 다양한 레벨에서 관계가 있다. 예를 들면 第1部에서 본 것 같이, 18세기 초의 화란출신의 사상가 맨더불은, 저서에서「사적인 악이 공적인 이익에 연결된다.」라는 '상식 파괴적인 의론'을 행했다. 새삼스럽게 그 취지를 확인하면, 그때까지는 절약이 미덕으로 간과됐지만, 모두가 절약하고 만다면 경제는 발전하지 않고, 오히려 적극적으로 낭비하는 것은 소비확대에 힘쓰는 것이고(경제 전체의 파이 확대를 통해서) 사람들에게 은혜를 가져오는 선이라는 논리다.

맨더불이 살았던 시대는, 다름 아닌 유럽이 세계에 식민지를 넓힌 시기로 즉, 인간의 경제 활동이 종래의 자원제약을 초월해서 거의 무한으로 확대되는 상황이 나타난 시대였다. 사리의 추구가 선善이라는(자본주의 정신으로도 말해지는) 사상은, 이런 시대상황과 불가피한 것이었다.

또, 서장에서 기원전 5세기 전후의 추축시대樞軸時代에 생성된 보편사상普遍思想에 언급한 때에, 당시 진행된 삼림파괴랑, 토양침식 등 농경문명이 자원 적 환경적 제한에 직면한 것과의 연관을 지적했지만, 여기서 또 새로운 논리랑, 사상·관념이라는 것은 '진공眞空'의 상태에서 태어나는 것이 아니고, 오히려 그 시대의 歷史的 狀況이랑, 經濟構造, 혹은, 풍토적 환경을 기반으로 그것들과 불가분의 것으로서 생성된 것이라는 이해였다.

이렇게 생각해보면 대개 人間의 관념觀念·사상思想·윤리倫理·가치원리價値原理라는 것은, 궁극적으로는 어떤 시대 상황에 있어서 인간의「존재存在」를 보장하기 위한 '수단'으로서 생성되는 것은 아닐까 라는 발상이 떠오른다. 「知에 관한 에콜로지칼 理解」는 이런 意味다.

역으로 보면, 앞에서 본 것같이, 근년의 제 과학諸 科學에 있어서, 인간의 利他 性이랑, 협조행동協調行動 등이 강조되는 것은, 그런 방향에 行動이나 價値의 力點을 변용變容하지 않으면, 人間의 存在가 危險해지는 狀況으로 現在의 經濟社會가 되어가는 것을 반영反映한다고 말할 수 있겠다.

포스트 資本主義 아니면 「擴大成長에서 定常에의 이행」이라는 시대상황에 호응하고 있다. 「포스트 資本主義/포스트 成長」이라는 시대상황에 적응한 과학이랑, 지知, 가치원리價値原理가 추구되고 있다.

情報/커뮤니티로부터 生命에

화제를 다시 「社會的 관계성關係性」이란 주제로 돌아가면, 여기까지의 論議의 흐름을 우선 정리하면 構造가 부상한다. 즉, 앞서 논의한 것 같이 近代科學은(他者와 自然에 대해서)「獨立된 個人」이란 것을 전제로 서고, 그런 객관적인 관찰자의 시점에서 자연 혹은, 세계를 외재적外在的으로 把握하는 것으로 해왔다. 第1部에서 본 것 같이, 17세기의 科學革命이래 물리적 세계의 이해에 해당되는 우선 「物質」이랑, 「力」이란 개념이 서고, 이윽고 工業化라는 상황에 있어서 대상이 熱 現象이랑, 電磁氣 等에 미치는 가운데서 19세기에는 「에너지」 概念도 도입됐지만, 다시 탐구가 생명현상生命現象의 해명에 미치는 중에, 혹은 정보를 둘러싼 이론이랑, 기술이 발전하는 중에 「情報」가 중요한 槪念으로서 도입돼 전개되는 것으로 됐다.

이 경우 「情報」라는 개념은, 「커뮤니티」란 개념과 깊게 연관되고, 즉 정보라는 개념은, 복수의 主體 間에 「意味」의 인식과 공유, 그리고 그 전달 혹은 소통이라는 것과 불가분의 것으로 주의할 필요가 있다.

그래서 본장本章 중에서 근년의 諸 科學이 개인을 단순히 독립된 존재로서만 취급하는 것은 아닌, 타자와의 관계성이랑 상호작용, 이타성이랑 개인 간의 協調行動 等에 주목하는 방향에서 새롭게 전개되고 있다고 논했지만, 「情報」를 포함한 과학의 흐름은 피라미드에 있어서 近代科學이 상층의 「個人」의 레벨에서부터 그 관점이랑, 관심을 中層 레벨로(정보랑 커뮤니티, 개체간의 관계성에 관한 레벨)에 시프트해온 것으로 취급하는 것이 가능하겠죠.

그러나 연구探究는 여기서 끝나지 않는다. 상기 「物質」 혹은, 「力」→「에너지」→「情報」라는 흐름에 관해 말하면, 第3章에서 「포스트 情報化」라는 주제에서 언급한 것같이 「情報」 개념에서는 다시 충분히 해명할 수 없는, 다시 그 근저에 있는 「生命이랑 自然의 內發性」이란 영역에 탐구가 진행되는 것이 현재이다.

자연의 내발성內發性
世界全體를 어떻게 이해할까-非 生命-生命-人間

여기선 우선 근대과학의 기본인 自然觀·生命觀을 둘러싼 큰 전망을 얻기 위해, 이 세계에 생기는 여러 가지 현상을 어떻게 틀을 짤까라는 점에 관해 복수의 사고방식 아니면, 입장을 정리해 보면 「物理的 現象—生命現象—人間」의 전체를 어떻게 볼까 라는 질문에 관한 시각으로 부르는 것이다.)

非 生命과 生命-엔테레히와 부負의 엔트로피

非 生命과 生命간의 본질적인 경계선을 긋는 후자(생명)는, 전자의 '환원還元'될 수 없는 고유의 특질을 갖는다는 사고방식이다. 예를 들면, '신생기론 자新生氣論 者'로 알려진 독일의 생물학자 한스·드리슈(1867—1941)의 자연관이 여기에 해당된다고 말할 수 있겠다.

드리슈는, 생명현상生命現象의 고유의 「엔테레히」라는 개념을 창조하고, 그것은(아리스토텔레스의 「엔텔레케이아(목적인目的因)」에서 유래하는 조어造語. 생물의 '목적 성目的 性'에 주목하는 것이지만, 여기서는 生命以外의 自然現象-인과론 적因果論 的 파악이 가능.

生命-因果論的 把握이 환원될 수 없는 '目的性'을 가짐이라는 형태로 因果論的 결정 여부가, 生命과 非 生命을 나누는 본질적인 분수령으로 생각된다.

드리슈의 「엔테레히」 개념은, 生命科學 중에서 이단적異端的으로 취급되고 잊혔지만, 그러나 위와 같이 非 生命과 生命 간에 있는 어떤 種의 불연속이 존재한다는 生命 현상은, 非 生命과는 다른 무언가의 고유한 원리에 의해 움직인다는 견해는 반드시 진기한 것은 아니다.

그 상징적인 예로서 물리학자 슈레딩거는 그의 저서 『生命이란 무엇인가』(1944년)에서 전개한 비교적 잘 알려진 다음과 같은 논의가 있다. 그의 논의의 포인트는, "생물은 負의 엔트로피(네겐트로피)를 먹고 산다."라는 것이지만, 원래 엔트로피는 크게 말하면, 여러 가지 현상의 '무질서'의 경우를 지칭하는 데, 세계 혹은 우주는 내버려 두면, 모든 무질서가 증대增大되는 방향으로 향하게 되고, 그것이 즉, 「엔트로피 增大의 법칙」(=熱力學 의 第二 법칙)으로 되었다.

그렇지만 생명은, 이런 엔트로피의 증대 측에 '역逆으로' 존재하는 것으로 즉, 「無秩序로부터 秩序를 생성한다.」는 것이 생명현상의 본질인 데, 그것을 슈레딩거는 비유적으로 '생물은 負의 엔트로피(네겐트로피)를 먹고 산다.'라고 논했다.

그것은 熱力學이라는 그 자체는, 非 生命 的인 현상을 취급하기 위해 전개해온 분야에 관한 개념을 사용해 生命現象을 해명하고 있는 하나의 어프로치를 示唆하는 것이고, 그런 연유로 20세기 후반에 있어서 生命現象에 관한, 分子生物學的 探究의 展開를 뒷받침하는 영향을 갖는다고 간주되지만, 그러나 그 實質的인 착안은, 非 生命과 生命간의 전혀 다른 원리가 작용한다고 생각하는 점에 있어서 실은, 앞의 드리슈적인 世界觀과도 공통된다고 할 수 있겠다.

自己 조직성組織 性 또는 生命/自然의 內發 性

최후로 D지만, 이것은 非 生命-生命-人間을 모두 연속적인 것으로 보고, 그 限에 있어서 그것의 전체를 포함하는 어떤 종種의 통일적統一的 自然觀 혹은, 世界觀을 갖는 것이다. 自然科學의 영역에서 이런 입장의 중요한 예로서, 벨기에 화학자 일리야·프리고진의 非 平衡熱力學에 관한 논의를 우선 거론하는 것이 가능하다.

요점을 확인하면, 프리고진은 평형상태로부터 떠난 불안정한(非 平衡의)계에 있어서 일정한 조건의 어떤 종의 질서적인 패턴이 자연 중에서 생기는 것에 주목하고, 이것을 산일구조散逸構造로 명명해서 분석했다(1977년에 노벨화학상化學賞 수상受賞). 「자기 조직화組織化」의 현상으로도 불리는 것이지만, 이것은 自然現象은 내버려두면(엔트로피 증대 측增大 側의 것으로) 다만, 「無秩序」가 늘어날 뿐이라는 종래의 이해와는 다른 自然觀으로 말할 수 있겠다. 즉, 그것은 「非 生命」의 영역에 있어서도 "혼돈으로부터 질서"가 생성하는 것을 나타내는 것으로, 앞서의 C와 같은 「生命-非 生命」간에 명확한 일선一線을 긋는 견해와 다른 世界觀이다.

실제 프리고진은, 저서 『혼돈으로부터의 질서』 중에서 반복해서 論하는 것도 자연을 그렇게 이해하는 것에서 근대과학의 틀이 생겨났다는 「人間과 自然」간의 분단分斷에 무언가 연결하는 그런 모티브였다(프리고진 他(1987)).

그것은 自然 그 自體 中에 질서형성秩序形成에 향향한 포텐샬이 內在해서, 그것이 전개해 가는 중에 生命, 人間(혹은 精神)인 存在가 生成했다고 보는 소위 일원론적一元論的인 世界像으로도 말할 수 있다.

지금 '秩序形成에 향한 포텐샬'이 자연에 內在하고 있다고 말했지만, 어느 意味에서는 그것은 「現代科學에 의한 정치 화精緻 化한 애니미즘적 自然觀」 혹은, 애니미즘의 현대적 복권이라는 측면을 확실히 갖고 있겠죠.

이와 관련해서 철학자 大森莊蔵은 近代以前의 世界觀을 「략화 적略畵 的 世界觀」 근대과학의 世界觀을 「밀화 적密畵 的 世界觀」으로 크게 구분하는 위에, 전자의 복권은 반드시 후자의 파괴에 직결되지 않고 계속되고, 近代科學과 「활 자연活 自然」과의 공생, 혹은 공空이랑, 정庭을 「유정有情의 것」으로 하는 自然觀의 회복에 관해서 논하고 있다(大森(1985)). 또, 과학사가인 伊東俊太郎은, 각 문화권의 「自然」 개념의 비교를 딛고 일어서 '自己 形成的인 自然'이라는 자연관의 중요성을 강조하고 있다.(伊東(1985)同(2013)參照).

機械論과 애니미즘의 접점接點 一元論的 世界像
近代科學의 앞에 있는 것.

이상 「세계 전체를 어떻게 이해할까」라는 주제로 다뤄보면, 그것을 A에서부터 D의 입장에 구분해서 개관했지만, 거기로부터 어떻게 볼까. 우선 신경 쓸 것은, 현대과학이 출발점으로서 한 A와 같은 기계론적 자연관과, 자연의 自己 조직성組織 性이라는 점을 중시하는 '애니미즘의 現代的 復權'으로 부르는 것 같은 성격을 갖는 D와 같은 입장은, 어느 면에서는 對極的으로 부를 성격을 갖는 것도 실은 의외의 유사 성類似 性을 갖고 있는 것이라는 점이다.

유사성이라는 것은 한마디로 세계 혹은 자연이랑, 인간을 포함 '삼라만상森羅萬象'에 관해서의 「一元論的」인 견해라는 점이다. 뉴턴 적인 자연 이해에서는 이 세계의 모든 현상은, 기계론적 혹은, 역학적인 物理法則에 의해 모두 파악하는 것이 가능하다. 다만, 이미 보아온 것같이, 그 배경에는 모든 구동 인驅動 因으로서의 「神」이 상정되어 있다.

한편, 프리고진에 의해 상징되는 것 같은 근년의 自然科學의 展開는, 오히려 자연 그 자체의 가운데 일정한 질서를 만들어가는(自己 組織的인)힘 혹은, 포텐샬이 內在해있는 것이라는 自然觀에 이르게 된다.

즉, 世界 혹은, 自然의 '구극 적究極 的인 구동 인驅動 因'으로 부르는 것을, 누톤 적인 世界像에서는 자연의 「外部」에 프리고진的인 世界像이랑, (애니미즘적인 例解)에서는 自然의 「內部」에 나타난 때문이지만, 그러나 非 生命이랑 生命, 그리고 人間을 包含한 모든 것을 一元的으로 把握하는 것이란 點에 있어서 兩者는 共通된다. 바꿔 말하면 「生命과 非 生命」간에 切斷 線을 가르거나(B의 경우), 「人間과 人間이외」를 절대적으로 구분하는 것(C의 경우)을 하지 않는 것이다.

이상은 다음과 같은 전개의 귀결로써 다루는 것이 가능하겠다. 즉, 근대과학의 프로그램은, 자연 혹은 세계의 소위 현상을 기계론적으로 즉, 비생명적인(物理 化學的인) 현상으로서 파악하는 것을 목적으로 출발했다(生命 現像 고유의 드리슈의「엔테레히-」와 같은 概念도 부정했다).

　그것은 또 自然 혹은, 삼라만상이 '살아가는' 것으로 취급되는 것 같은 애니미즘적인 世界觀과는 對極的으로 존재하는 것이지만, 그러나 탐구가 진행돼 가면서, 생명과 非 生命 間에 절대적인 環境 線은 없고, 오히려 양자에 일관된 秩序形成의 원리가 존재하는 것이 차차 밝혀지고(프리고진의 非 平衡 熱力學 等), 또 인간이랑, 그 정신에 관해서도 더욱 그런 自己 組織化의 일환으로서 把握돼 가면, 그 귀결로서 어떤 의미에서 "모든 것을 기계론 적 혹은, 非 生命 的인 현상으로서 파악하는"것이 실질적으로 가능해진다.

　그렇지만 생각해보면 「生命」이란 개념은, 「非 生命」이란 개념과 대조에 의해 성립되기 때문에, "모든 것은 非 生命 的인 현상으로서 把握될 수 있다"는 찰나에, 그것은 역설 적逆說 的으로도 "모든 것은 생명적인 現象으로서 把握 가능하다"라고 말하는 것이 변함없는 것으로 되고 마는 二元論的인 견해가 아닌 一元論的인 견해기 때문에, 그 限界에 있어서 機械論과 애니미즘과는 어떤 의미에서 구별되지 않는다. '機械論으로 모든 것을 설명하려는 때문에 인간과 인간 이외 혹은, 생명과 非 生命의 境界 線이 없고, 새로운 애니미즘에 회귀回歸해 가는'것이 현대의 과학에 있어서 생기는 상황은 아닐까.

近代科學의 두 개의 軸/近代科學의 앞에 있는 것.
　무릇 近代科學-17세기의 소위 科學革命을 통해서 유럽에서 생성된 과학의 존재방식에 관해서는, 그 본질적인 특질로서 다음 두 개의 柱가 확인될 수 있겠다.
(1)「法則」의 추구, 背景으로서의 「自然支配」 혹은, 「人間과 自然의 切斷」
(2)歸納的 合理性(혹은, 요소 환원주의要素 還元主義)-배경背景으로서의 「共同體로부터 個人의 獨立」
　이중 (1)은, 自然現象 中에 어떤(因果的인) 法則law를 고안해 내는 그런 태도를 가리키지만, 이런 자세가 유대=그리스도敎 的인 自然觀과 깊은 연관을 갖고 있는 點은, 科學 史의 領域에 있어서 이전부터 종종 지적돼 온 것이다. 예를 들면, 영국의 저명한 科學史家 파트·홀은 다음과 같이 기술하고 있다.
　「이 '自然의 法則'(law of nature)이란 개념은, 고대그리스에 있어서도, 또 극동에 있어서도 볼 수 없었던 발상으로, 그것은 중세유럽에 특유의 宗敎的, 哲學的, 그리고 法學的 槪念의 상호작용相互作用으로부터 생긴 것이다. 이 '自然의 法則'이란 사고는 분명히 社會的·道德的인 의미에 있어서, '自然法'(natural law)이란 생각-이것은 中世의 법률가가 잘 사용한 개념이다-와 결부돼 있고, 이런 생각은 그리스적인 自然에 대한 태도로부터 크게 다른 것이다. 이런 형태로 '法則'이란 단어를 사용한 것은, 고대그리스의 사람들은 이해하지 못하겠다. 그것은 유대=그리스도교 적인 神이 세계를 창조하고, 게다가 거기에 '法則'을 설정하는 그런 발상에서 유래하는 것이다.」
(Hall(1983))

　그런데 이런 「自然의 法則」의 추구라는 자세의 배경에는, (神-人間-自然이라는 계층적인 질서를 전제로) 自然과 人間 間에 명확한 절단 선을 긋고, 자연은 인간에 의해 지배 혹은, 제어될 수밖에 없는 것이라는 自然觀이 존재하고 있는 것으로 생각하는 것이 가능하다.
　한편, 앞서 近代科學의 특질의 또 하나의 柱로서 지적된 (2)의 「歸納的 合理性」에 관해서는, 그것은 역사적으로는 고대그리스 적인 사고양식에 연원淵源하는 것으로 취급되겠죠. 즉, 그리스의 경우 그 지중해적인 혜택 받은 풍토적 환경이라는 배경위에 유대=그리스도교의 토양으로 된 것 같은 「(지배될 수밖에 없는) 적대적 自然」이라는 觀念은 희박하고 한편, 폴리스적인 시민사회의 전개에서 조명한 바와 같이, 거기서는 근대 민주주의의 맹아萌芽적 형태로 말할 수 있는 것 같은 공동체로부터 일정의 독립성을 갖는 「個人」이라는 관념이 생성됐다.

　이것은 과학의 존재방식이랑, 자연관에 관해본 경우 특정 共同體만에서 통용되는 것 같은 신화적 전통적인 설명의 양식은 퇴색되고, 도시에 있어서 다양한 배경을 갖는 다양한 개인이 對話를 통해서 납득하는 것 같은 것으로서 經驗的 혹은, 實證的인 합리성이 중시되는 데 도달하기 때문에, 그것이 古代그리스에 있어서 과학의 基盤으로 된 것이다.

　다시 이런 思考樣式은, 自然觀의 내용으로서는 소위 요소 환원주의적인 파악에 친숙한 것이라고 말할 수 있겠다. 「共同體로부터 個人의 獨立」이란 점에서, 자연이랑 사회에 있어서 諸현상을 그 요소(혹은 개체)의 집합체로서 파악하는 것이라는 발상이 쉽게 유도 되겠죠.

　그래서 近代科學은, 그 엣센스를 더욱더 순화해서 유출하게 되면 이상 두 개의 요소, 즉, (1)「法則」의 추구, (2)歸納的 合理性의 兩者를 각각 유대=그리스도교 적인 전통 그래서 그리스적인 사고방식으로부터 추출抽出돼온, 더욱이 통합된 형태로 성립된 것으로 말할 수 있다고 생각된다.

　게다가 이들은 本章에서 論해온 機械的인 自然觀 혹은, 生命觀이라는 話題와 그대로 중복된다. 즉, 어떤 물건을 '기계機械'에 동일시할 때 거기에는 實質的인 다음의 2개의 要素가 있겠죠.

　하나는 그것이 합리적·객관적인 존재로 중립적인 관찰자 눈에는 접근 가능한 것이라는 점이다. 또 하나는, 그것이 무언가에 의해 '제작製作'된 것으로 더군다나 '제어制御' 혹은, 지배 가능한 존재라는 점이다. 近代科學은, 자연이랑 생명에 대해서 전자의 태도를 그리스로부터 후자의 태도를 유대=그리스도교의 전통으로부터 받아 계승돼 온 것은 아닐까. 따라서 이 두개 요소의 결합으로서 성립된 것이 다름 아닌 「機械論的 自然觀·生命觀」이다.

近代科學의 앞에 있는 것.

　17세기의 과학혁명 이전에 전개해온 근대과학에 관해서, 우리들은 그 '앞'에 있는 과학의 존재방식을 꽤 근본적인 차원에서 거슬러 올라가 생각하면 구상하고 있는 시기에 가고 있다. 물론, 근대과학에 관한 비평은 여기까지도 무수히 다양한 형태로 행해져왔고, 또 단순히 근대과학에 대해 「反-科學」의 방향을 제기하면 거기서 매사가 해결되는 것은 아니다.

　이런 점을 딛고 일어서 여기서 생각해보고 싶은 것은, 본장에서 여기까지 논해온 것 같은 自然觀이랑, 生命觀으로 말한 차원에 거슬러 올라간 위에 여기까지의 새로운 과학의 존재방식인 것이다.

　하나의 단서는, 앞서 近代科學의 두 개의 柱 혹은, 軸으로서 논해온 點에 관해서 再考에 있겠다. 즉, 그것은
(1)「法則」의 추구-背景으로서의 「自然支配」 혹은, 「人間과 自然의 切斷」
(2)歸納的 合理性(혹은, 要素還元主義)-[背景으로서의 「共同體로부터 個人의 獨立」]라는 두 點에 있었지만, 이 두개의 차원에 관해서 다만 단순히 말해보면, 양자에 있어서 近代科學이 전제로서 한 것 같은 방향은 아닌 것 같은 존재방식 즉,
(1)에 관해서는 人間과 斷絶된 더욱이 단순한 지배의 대상으로서의 수동적인 自然이 아닌, 인간과 相互作用하는 더군다나 무언가 내발 성內發 性을 겸비한 자연이라는 이해. 또 一元的 법칙에의 還元이 아닌, 대상의 다양성이랑 차별성, 혹은 사상의 일회성에 주목하는 것 같은

把握의 존재방식.

(2)에 관해서는 個人 혹은, 個體를 共同體的인(혹은 타자와의) 關係性에 관한 것과 함께 世代間의 계승성繼承性(generativity)을 포함해 긴 시간 축 가운데 위치하는 것 같은 이해. 또, 要素還元主義 的이 아닌 요소 간要素 間의 연관이랑, 전체성에 주목하는 것 같은 把握의 존재방식으로 부르는 것 같은 과학의 방향이 하나의 가능성으로서 부상하고 있다.

따라서 이상과 같은 방향은, 自然觀이랑 生命 觀에 대해 논해온 본장에서의 論議의 가운데 이전에 관련된 것으로서 나타난 論點이었다고도 말할 수 있다. 즉, 近代科學의 出發點에 있어서, 그 중심적 존재였던 뉴턴의 古典力學은, 그 내용 자체는 「機械論的 自然觀」의 상징적 언명인 동시에, 그 외부에 세계전체를 지지하는 '감춰진 神'을 두었다. 여기서는 「自然全體=죽은機械」이고, 그것을 그 외부에 위치하는 神이 지지하고, 구동驅動하는 것이라는 구도構圖였다.

그 후의 近代科學의 걸음은, 시각에 따라서 그런 世界全體(=機械)의 외부에 놓인 「主體」혹은, 驅動 因을 또 다시 世界 혹은, 自然 중에 순차적으로 되찾아가는 걸음이라고 생각하는 것은 아닐까. 즉, 데카르트의 경우는 이미 보아온 것 같이(精神을 가진) 인간은 세계에 있어서 주체로, 그러나 인간이외의 존재는 다른 생물을 포함해 모든 「機械」의 영역에 위치되었다.

한편, 19세기에 있어서 新 生氣論 者 드리슈랑, 20세기후반의 「負의 엔트로피」를 논한 슈레딩거 등의 경우는, 생명과 비 생명 間에 본질적 경계선을 두고, 생명현상에 관해서는 고유의 主體的 原理를 발견해가고, 비 생명의 영역에 관해서는(機械論的인) 物理化學 法則이 타당한 것이다.

다시 本章에서는 다룰 여유가 없었지만, 19세기부터 20세기에 걸쳐서 독일에 있어서 예를 들면(第2章에서도 다룬) 「에콜로지」라는 단어를 만든 生物學者 헥켈(1834-1919)랑, 「에너지 一元論」을 제창한 호스트 발트(1853-1932. 1909년 노벨화학상수상)이란 연구자는, 진화론이랑, 에너지 개념에 새로운 해석을 시도하고, 人間, 生命, 非 生命을 포함 자연전체에 내재하는 驅動 因을 생각해 一元論的인 세계상을 제기했다(상세한 것은 広井(2014)참조). 따라서 앞서 다룬 非 平衡熱力 學의 프리고진에 이르면, 비생명적인 영역에 있어서 어떤 種의 자기조직화적인 현상이 생긴 것에 주목하고, 自然一般 중에 秩序形成에 향한 內發 的인 포텐샬이 존재하는 것을 분명히 했다.

이렇게 뉴턴 이후의 近代科學의 걸음은 「自然은 모두 機械」라는 양해로부터 출발하고, 어떤 의미에서 逆說的이게도 그 外部에 놓인 '뉴턴 적'인 神=세계의 驅動 因을 또다시 世界의 內部에 순차적으로 되찾는 즉, 그것을 「人間→生命→非 生命」의 영역으로 확장한 흐름에 있는 것도 이해할 수 있지 않을까.

그것은 실은, 近代科學 成立 時의 機械論的 自然觀이 일단 버려진 애니미즘的 요소-'살아 있는 自然'혹은, 자연의 內發 性을 世界內部에 새로운 형태로 되찾는 흐름으로 把握하는 것이 가능하겠죠. 그 결과 앞서도 논한 것 같이, 近代科學은 어떤 의미에서 '새로운 애니미즘'으로도 부를 수밖에 없는 自然象에 접근하고 있는 것으로도 말할 수 있겠죠(아인슈타인이(引力을 중력장重力場에 作用하는 것으로 자리매김한) 스피노자的인 범신론에 다다르는 것도 관련될지도 모른다). 그것은 또, 「自然 혹은, 世界全體의 주체화 혹은, '生命化'」로도 부르는 방향이겠죠.

다만, 그것은 옛날의 애니미즘적인 자연관에의 단순한 回歸는 아니다. 사분면(四分面)(近代科學의 機械論的自然觀)이 展開를 얻은 그 앞에 즉, 자연이랑 생명에 관해서 보다 분석적 혹은, 부감 적俯瞰 的인 把握을 한 위에서, 左下의 사분면(四分面)(애니미즘)과 고차 레벨에서 순환적으로 융합해가는 것으로 말할 수밖에 없는 모양이다.

동시에 이상의 것은 앞서 근대과학의 두개의 요소에 대해서 여기부터 과학의 방향을 논한 내용 즉, 「人間과 自然」 혹은, 「個人과 共同體」라는 두 개의 방면에 있어서, 近代科學의 世界觀에 있어서 切斷된 관계성을 더 한번 이어가는 것이라는 방향과 겹치는 것이겠다.

그런 과학의 새로운 방향과 포스트資本主義 라는 주제를 축으로 여기까지의 사회의 구상은, 상호 접속하고 있다. 本書의 후반에 있어서 그런 考察을 진행해보죠.

제Ⅲ부 綠의 복지국가/持續可能한 福祉社會

資本主義의 現在

주요 선진국의 經濟格差(所得 隔差)를 보면, 격차의 정도를 나타내는 지표인 지니係數(수치가 클수록 격차가 큰 것을 나타냄. (덴마크 등의 北歐북유럽) 諸國이 가장 經濟格差가 작다. (즉, 평등도가 높다). 다음으로 화란·오스트리아·독일·프랑스 등 유럽대륙 諸國이 비교적 평등하고, 그러나 그리스·스페인 등 南歐(서유럽) 諸國에 이르면 경제격차는 커진다.

'자본주의의 다양성'면에서는 제2장에서 서술한 것 같은 「복지국가」적인 재분배를 적극적으로 행해 일정이상의 평등을 실현한 국가도 있고, '순수한 자본주의'로도 부를 수밖에 없는 미국 같은 나라도 있다.

이에 반해 순수한 자본주의로 간주되는 미국이 가장 큰 소득격차를 보이고, 실제로 미국의 도시에는 슬럼화한 지역이 산재해 있는 데, 각국의 인구10만당 刑務所-在所者의 국제 비교에서, 미국은 글자 그대로 두드러지게 높은 비율을 보이는바, 이는 빈부격차의 실태를 보다 정확히 반영하는 것이라고 생각한다. (刑務所收容人口는 명확히 把握할 수 있기 때문에, 이와 관련하여 犯罪 率과 經濟格差는 이미 相關關係가 있다).

이 경우, 일본은 선진국 중에 비교적 평등한 나라다. 라고 생각하는 사람이 있을지도 모르지만, 그것은 오해다. 근년에는 일본은 OECD가맹국 중에서 격차가 큰 그룹에 들어가 있다. 되돌아보면, 일본은 1980년대 경까지는 대륙유럽과 같은 정도로 평등했지만, 그 후 서서히 경제격차가 확대돼 현재와 같은 상태에 이르렀다.

한편, 이런 격차의 경우는 나라마다 크게 다르지만, 「왜 불평등은 擴大를 계속하고 있을까」라는 부제가 달린 근년 OECD의 보고서는, 선진국의 반수에서 1980년대부터 2000년대 후반에 걸쳐서 경제격차가 확대된 사실을 지적하고 있다.

그럼 왜 先進國에 있어서 格差의 擴大가 생기고 있을까.

所得隔差의 背景에는 무수無數히 많은 여러 가지 要因이 작용하는 데, 예를 들면 技術革新, 글로벌리제이션, 高齡 化, 勞動이랑 家族構造의 變化, 상속을 통한 格差의 누적, 社會保障 제도의 存在 등—복합적인 시각으로 볼 필요가 있지만, 하나의 중요한 요소로서 고용 없는 실업을 둘러싼 狀況變化가 있는 게 확실하다.

慢性的 失業과「生産過剩」

젊은이의 높은 失業率이 선진국에 있어서 구조적으로 된 것은, 대저 어떤 원인에 귀결될까? 이점에 있어서 論議는 부족하다고 생각한다. 현재의 선진국은, 공업화를 거친 후에 資本主義 諸國에 있어서 구조적인 '생산과잉生産過剩'이 생겨, 그것이 젊은이를 중심으로 慢性的 失業의 形態로 基底에 있는 것이 원인이라고 생각된다.

그 요지는 간단한데 다음과 같은 것이다. 과거에 물건이 부족한 시대에는, 企業이 생산 활동을 행한 生産物(혹은 財·서비스)을 市場에 제공하면, 그것은 저절로 판매되고 현재 같이 물건이 넘쳐서 사람들의 수요의 대부분이 충족된 시대에는, 생산물을 만들어도 팔리지 않는 것이 적지 않았다. 더욱이 거기서 生産性(勞動生産性)을 높이면, 그것은 '보다 적은 사람 수로 많은 생산을 올리는 것이 가능하다'는 것을 의미하기 때문에, 필요한 노동력은 다시 적어져 한층 실업이 늘어나는 것으로 된다.

生産性을 둘러싼 패러독스와 "過剩에 의한 貧困"

옛날에는 그런 잉여剩餘 노동력은, 다른 새로운 생산에 종사하고, 거기서 순차적으로 새로운 需要가 생겨 전체적으로 사회가 보다 豊饒로워지는 사이클이 작동했지만-나는 이것을 「勞動生産性 上昇과 經濟成長의 無限 사이클」로 부른(広井(2015))것이 현재는 제한 없이 새로운 수요가 생겨나는 상황이 아니고, 결과적으로 빈정대는 말로, '生産이 오르면 오를수록 失業이 늘어나는' 역설적인 사태가 일어나고 있다.

이것은 第2章에서 언급한 『成長의 限界』(1972년)를 잭성한 로마클럽이 1997년에 공언한 『雇用의 딜레마와 노동의 未來』라는 보고서에서 논한 내용과 중복된다. 이 보고서는 그것을 '낙원의 패러독스'라는 표현으로 다음과 같이 기술하고 있다.

즉, 기술혁신과 그 귀결로서 노동생산성의 대폭적 향상은, 우리들이 이전보다 땀을 덜 흘려서 일해도 되는 '낙원樂園'의 상태에 조금씩 가까워져가고 있다. 그렇지만 곤란한 것은, 「모든 것을 일하지 않고 손에 넣을 수 있는」 낙원에 있어서는 성과를 위한 급여가 누구에게도 지불되지 않는 것으로 되어, 결과적으로 그런 낙원은 사회적인 지옥상태地獄狀態―현금수입現金收入 제로 100%의 만성적慢性的 실업률로 되고 만다(田中(2008)參照).

要는 「生産性이 최고조最高潮에 달한 사회에 있어서는 소수인의 노동으로 大量生産이 가능해져, 사람들의 需要를 만족시키는 것이 가능해져, 그 결과 저절로 많은 사람들이 失業狀態로 된다.」는 것이다. 하나의 「패러독스」에 처하는 동시에, 마치 현재 先進國에서 일어나는 사태이다.

그러나 이 富는 업무가 있는 일부 층에 집중되기 때문에, 그것은 동시에 分配의 편재 아니면 격차의 문제로 증폭된다. 즉, 실업은 저절로 빈곤에 연결되고, 예컨대 일본의 경우 생활보호의 수급세대는 그 요인에 따르면 「고령자세대」, 「상병·장애자세대傷病·障碍者世帶」, 「모자세대」, 「그 이외세대以外世帶」로 분류되지만, 전체적으로 생활보호 수급자가 근년에 증가하고 있는 가운데, 젊은이를 많이 포함하는 「그 이외 世帶」의 비율이 현저히 증가하고 있다. (「그 이외 世帶」가 生活保護 全體에 점하는 비율은 1997년 6.7%에서2012년 18.4%로 증가).

이것은 어느 의미에서 '과잉에 의한 貧困'으로 부를 수밖에 없는 상황이겠죠. 옛날에는 '결핍에 의한 貧困' 즉, 생산의 부족 아니면 생활에 필요한 물질의 부족이 단순히 貧困을 의미한 이유지만, 현재의 선진국 아니면 발달한 자본주의 국가들에서는 오히려 이상과 같은 메커니즘을 통해서 過剩→失業→貧困이라는 새로운 사태가 생기고 있는 것이다.

그러나 여기서 '過剩에 의한 貧困'이라고 부르는 상황은 그것만이 아니다. 이런 사태가 강해지면 강해질수록 고용을 둘러싼 경쟁은 격화되고, 한정된 雇用의 의자倚子를 일단 얻은 자도 불안에 사로잡혀 과중한 노동을 행하고, 스트레스랑, 과로랑, 건강악화에 고민하게 된다. 현재 일본에서 현저히 나타나고 있는 사태로, 이것 역시 '過剩에 의한 貧困'의 한 형태라고 말할 수 있다. 전체적으로 일방에 있어서 「실업」은 다른 쪽에서는 「과로」가 공존하고, 더욱 격차가 擴大되는 것이라는 逆說的인 사태로 된다.

여담이지만, 서장에서도 언급한 최근의 SF계 영화에서 근 미래사회에 있어서 이런 分斷이랑, 이극 화二極 化가 극한까지 진행된 모습을 묘사한 것을 많이 볼 수 있다. 동시에 거기에는 한없는 「擴大成長」을 추구하는 자본주의는 스스로 '지구탈출-우주개발'에로 향하는-「擴大·成長」의 한 요소이다-부유층이 지구 밖으로 이주하고, 남은 자가(황폐荒廢한) 지구에 남아

생활하는 것이란 모티브가 종종 묘사된다(『에리지움』等). 현재의 지구사회는 여기까지 오지는 않았지만, 앞서 언급한 OECD의 보고서의 타이틀(Devided We Stand-분단된 사회)에서도 示唆하는 것처럼, 구조로서는 이런 방향에 향하는 요소는 충분히 존재한다고 말할 수밖에 없겠죠.

本書에서 언급해온 맨더빌의 '개인의 사리추구가 사회전체의 富로 확대에 연결되고, 결과적으로 公的인 善이 된다.'라는 사고가 성립되는 조건은, 사회전체의 富 아니면, 파이의 총량이 확대를 계속하는 것이라는 전제가 있을 때다. 그러나 本章에서 서술한 것 같이, 현재는 사람들의 수요가 成熟·飽和되 다른 쪽에서는, 지구자원의 유한성이 현저해져 한없는 파이 총량의 확대라는 전제는 성립될 수 없는 상황이 되고 있다. 그런 중에 擴大 期와 같은 행동을 계속하면, 플레이어끼리 목을 조르는 사태가 일층 강화될 것이다.

過剩의 抑制와 時間政策

여기서는 '過剩'이라는 富의 생산의 總量의 문제와 빈곤이랑, 격차라는 富의 分配 問題의 쌍방이 서로 연결된 형태로 존재하고 있다. 따라서 우선 크게 말하면 추구하는 대응의 중요한 축으로서
⑴過剩의 억제抑制―富의 總量에 관해서
⑵再分配의 강화·재편강화·再編―富의 分配에 관해서 라는 두 개가 거론되겠죠(그중 ⑵는 다음 章에서 주제화하고 싶다).
⑴은, 상기의 '한없는 「擴大成長」의 추구'라는 방향의 전환과 관련된 것으로, 우선 가장 심플한 것으로선 勞動時間(정확히는 賃勞動時間)의 단축이라는 점이 있다.

물건이 부족한 시대에 있어서는, '勞動'이라는 말이 가리키는 것은 노동은 그 자체가 「善」이고, 그것은 勞動이 사회전체의 生産擴大와 편익便益 增大에 기여했기 때문이다. 즉, 勞動은 그 자체가 '利他的'인 성격을 갖는 것이다. 그러나 本章에서 敍述한 것같이, 현재와 같은 '過剩'의 시대에 있어서는, 그런 발상은 적어도 부분적으로 修正할 필요가 생긴다.

즉, 앞서 로마클럽의 '樂園의 패러독스'로 언급한 것같이, 노동생산성의 상승만을 추구해가면(社會全體의 需要는 그것과 동등하게 증가를 계속하지 않는 것이란 狀況에 이르는 것으로) 그것은 결과적으로 실업의 증대를 초래하는 역설적인 사태가 생기게 된다.

그렇지만 生産性向上이 있는 分은 오히려 노동시간을 감소시켜, 그 이외의 여가(餘暇 等) 활동시간에 돌려서 생활전체의 「풍요」를 높여가는 것이라는 방향이 중요해진다. 이런 점에서 근년 유럽에서는 「時間政策(time policy)」이라는 정책전개가 社會的으로 진행되고 있다. 시간정책이라는 것은, 사람들의 노동시간을 줄여서 그 분分을 地域이랑, 家族, 커뮤니티, 自然, 社會 公憲 等에 관한 활동에 할애 즉, '시간을 再 配分'하고, 그걸 통해서 생활의 質을 높이는 정책이다(OECD(2007)).

그 배경엔 현재 선진국에 있어서는 실업이 만성화 돼있고, 더욱이 그 근본원인에는 구조적인 生産過剩이 있다는 인식이 작용하고 있다. 개개인의 노동시간을 감축시킨다는 생각에서 생활전체의 「풍요」를 높이는 생각과 함께(말하자면 워크쉐어적인 효과를 통해서) 사회전체의 실업률을 감소시킨다는 생각에서 「時間政策」이 채택된 것이다.

예를 들면, 독일에서는 「생애 노동시간 구좌口座」라는 기구가 90년대 말부터 도입되어 많은 기업에 확대되고 있다. 이것은 한 사람 한사람이 生涯 勞動時間 口座라는 口座를 만들어,

예를 들면 초과근무를 한 경우에는, 그 초과 시간 分을 시간 포인트로서 '저축貯蓄'하고, 그렇게 저축한 시간 분을 후에 합쳐서 유급휴가로서 사용하는 것이 가능해진다는 구조다.

(田中(2008)参照)

마찬가지로 화란은, 2006년부터 「라이프—코스·세이빙·스—킴」이라고 부르는 제도를 도입했지만, 이것은 개인(피 고용자被 雇傭者)은, 매년 給與의 최대12%를 '貯蓄'하고—그 부분은 비과세로 하는—그것을 나중에 休暇 時間에 해당하는 生活費에 적용하는 것이 가능하다는 것이다(저축상한은 년 급여年 給與의 2·1年分).

時間政策의 效果와 社會的 合意

일본의 직장은 「空氣」가 지배하고 있는 데, 다른 사람에 있어서 자기만 노는 것은 꽤 어렵다. 유급휴가를 제대로 쓸 수 없는 것이 그 반영이다. 「國民축일배증祝日倍增 정책은
①여가소비를 증대시키고
②창조성에 기여하고
③무엇보다 健康에 플러스—현재 일본사회에 있어서 만성피로상태慢性 疲勞狀態를 개선할 수 있다.
④워크셰어를 통한 실업률 감소와 빈곤 시정에 기여
⑤지역에서 지내는 시간이 증대되면, 커뮤니티 재생에도 기여-즉, 시간정책은 실은 공간적 효과를 갖는다.
⑥필시 出生率 개선에도 공헌한다.

현재 일본에서 小子化와 低 出産率의 원인으로서 큰 것은, 「노동시간이 길면 아이를 낳아서 기를 여유가 없는 것」이란 점을 거론하고 논하는 학생이 예상 외로 많다는 것이다. 예를 들어서, 어떤 학생은 「小子化의 배경으로서 미혼 화, 만혼 화가 거론되고 있지만, 그 근본의 요인은 일본의 노동환경에 있다고 생각」한다고 기술하고, 小子 化 문제의 대책으로 워크셰어의 필요성을 지적했다.

「時間 環境政策」이라는 發想

『코끼리의 시간 쥐의 시간』의 저명한 생물학자 本川 達雄은, 최근의 저서 『생물학적 문명론』 가운데 「時間을 환경문제로 인식한다.」는 인상 깊은 논의를 하고 있다.

그 베이스가 되고 있는 것은, 本川이 여기까지 전개해온 다음과 같은 논의다. 즉, 「비지니스business」는 문자 그대로 'busy+니스(바쁜 일)'가 원의原義지만, 그 본질은 「에너지를 대량 생산해서 시간을 단축하는 것과(스피드를 높이는 것)」으로 바꿔 말할 수 있다. 예를 들면 동경에서 후쿠오카까지 출장을 열차가 아닌 비행기로 가면, 그것은 에너지를 보다 많이 사용하는 그만큼 빠른 시각에 목적지에 도착하는 것이 가능하기 때문에 즉, 그것은 「에너지→시간」이라는 변환이 되는 것이다.

이런 상태로 인간은 생활의 스피드를 무제한으로 빠르게 할 수 있고, 현대인의 시간의 흐름은 승문인繩文人의 40배의 스피드로 되었다(동시에 繩文人의 40배의 에너지를 소비하고 있다). 그러나 그런 시간의 빠름에 현대인은 신체적으로 갖고 있지 않으면 안 되는, 「시간환경문제」의 해결만이 인간에 있어서 과제라는 것이 本川의 주장이다.

즉, 時間環境을 여유하게 하면 에너지랑, 자원소비도 줄어든다. 氏의 언어를 빌리면, 그것은

「시간을 좀 더 여유하게 하면, 社會의 時間이 몸의 시간과 그만큼 떨어지지 않게 된다.」라는 것이다.   (本川(2011))

　話題를 확장하면, 이것은 대저 인간의 병은 무언가라는 점에 관해 進化醫學(evolutionary medicine)으로 불리는 영역의 지견과 함께 연관된다. 즉, 인간이라는 생물의 유전자 아니면, 生物學的 조성 그 자체는 호모사피엔스가 생긴 약 20만 년 전부터 거의 변화되지 않았다. 그러나 인간이 만들어온 문화랑, 사회적 환경은(상기의 '스피드의 빠름'이라는 점을 포함해서) 대폭 변화해 왔고, 그래서 말하자면, 「유전자遺傳子와 문화文化」의 갭—인간의 신체가 적응 불가능할 정도로 인간이 만든 환경이 크게 변화한 것이 많은 병의 근본적 원인으로서 이해된다.(진화의학에 관해 Nesse et al(1994) Stephen C. Stearns(ed.)(1999)井村(2000)等 參照).

　우리들은 소위 「時間環境政策」이라고 부르는 공공정책을 생각할 수밖에 없는 시기에 오고 있다고 생각되고, 그것은 본章에서 논의해온 「과잉의 억제」라는 주제와 겹친다.
　「O/t」의 증대增大로부터 「시간時間」그 자체에 經濟成長이라는 것은, 어느 단계까지는 물질의 풍요가 증대되는 형태로 된다. 그러나 어느 단계를 지나면, 앞서 本川의 논의도 있었지만, 경제성장은 거의 「스피드가 빨라지는」 것과 끝없이 겹치는 것은 아닐까. 그렇다면 경제가 성장한다는 것으로 말해져도 풍요해지기 보다는 「바빠진다」는 감각만이 늘어나는 것으로 생각해보면, 대부분의 경제지표는 부의 생산이랑, 경제활동의 「단위單位 시간당時間当의」양으로 측정된다. 라는 것은 「경제성장률」이 조금 떨어진다는 것에 다름 아니다. 이 경우, 단위시간당單位時間当이라는 것은 정식 화定式 化하면, 「O/t」라는 것이지만, 현재에 있어서는 사람들의 소비지향은 오히려(여기서는 분모分母로 된) 「t(時間) 자체自體」로 향하고 있는 것은 아닐까.
　第2章에서 과학의 기본개념이 「物質→에너지→情報」로 진화해온 것을 기술했지만, 이것은 동시대의 사람들의 소비가 「物質의 消費→에너지의 消費→情報의 소비」라는 형태로 변화해 온 것과 평행한다. 현재, 그리고 금후는 다시 그 앞의 「時間의 消費」라는 形態가 본질적 의미를 갖겠죠.   (広井(2001)參照).

　그것은 예를 들면, 카페 등에서 혹은, 自然 속에서 한적한 시간을 지내는 것 자체에의 欲求랑, 歡喜에 있고 즉, 「O/t」의 양적 증가가 아닌 「t(時間)」 그 자체의 향수에 있다. 그런 방향에의 전환이 포스트 資本主義 아니면, 定常型 社會라는 사회 상社會 像과 겹치는 것이다.

「생산성生産性」개념概念의 재고再考
　이상과 같은 시간정책과 연관해서, 또 본章에서 서술하고 있는 「過剰의 抑制」라는 화제와 관한 논점으로서 「生産性」개념概念 의 전환이라는 주제가 중요해졌다. 그것은 「노동생산성에서 환경 효율성(아니면 자원 생산성)에」의 전환으로 부르는 것으로 그렇게 표현하면 어렵다는 반향이지만, 그 중심은 이하와 같이 단순하다.
　즉, 옛날에는 '사람손이 부족하고 自然資源은 충분하다'는 상황으로 됐는데, 「勞動生産性」(적은 일손으로 많은 생산을 올리는)게 중요했다. 그러나 현재는 전부 逆으로 오히려 '사람 손이 남고(만성적慢性的 실업) 자연자원이 부족'이라는 상황이 됐다. 그러므로 거기에는 「환경 효율성環境效率性(資源 生産性)」 즉, 사람은 오히려 적극적으로 쓰이고, 역으로 자연자원의 소비랑, 환경 부하를 억제하는 방향이 중요해져, 生産性의 개념을 이런 방향으로 전환하고 있는 것이 과제로 됐다.

　　그렇지만 방치하기만 해서 그런 방향으로의 전환은 꽤 진행이 안 되고, 경제적인 인센티브
에 의해 「勞動生産性에서 環境 效率性에」라는 방향으로 기업의 행동을 유도하고 있는 것이
포인트다. 그를 위한 정책으로서, 1990년대 경부터 유럽에 있어서 「노동의 과세課稅로부터
자원소비·환경부하資源消費·環境負荷에의 과세에」라는 정책이 채택되고 있는 것으로 됐다.
그 상징적인 예시가 독일에서 1999년에 시행된 것이 「에콜로지 세제개혁稅制改革」이라고
부르는 개혁이다.

　　그것을 통해서 '사람을 적극적으로 사용하고, 資源消費·環境負荷를 억제하는' 그런 방향에의
企業의 行動의 전환을 유도하는 것은, 生産性 槪念의 轉換을 촉진하는 것이 진짜 목적이다.
이런 발상을 따르면 일본에서는 꽤 잘 알려지지 않았지만, 환경세를 도입하고 있는 유럽국가
들 대부분이 이런 의외의 環境稅 징수의 상당부분을 社會保障에 사용하고 있는 것이다.

(広井(2001)).

　　생산성의 의미에 있어서 다시 생각해보면, 「勞動生産性」이라는 생산성 개념은, 앞에서도
언급한 것같이 「0/t」 즉, 시간당의 생산량 등이라는 발상의 개념으로 말할 수 있겠다. 한편,
「環境 效率性(資源 生産性)」이라는 개념은 資源 當 아니면 土地 當이라고 말하는, 크게는
「공간空間」을 분모로 한 개념(0/空間)을 파악하는 것이 가능해(이와 관련하여 環境 정책의
분야에서 잘 알려진 「에콜로지칼 후트 프린트(어느 지역 아니면, 국가가 행하고 있는 生産消
費活動을 위해 필요한 토지가 그 지역 아니면, 나라의 토지의 몇 배의 면적에 상당한 것일까
라는 지표指標)도 토지 아니면 공간을 分母로 한 개념이다.)

　　그러므로 이 주제는 「生産性」이라는 기본의 "분모分母"를 시간으로부터 空間 아니면, 資
源土地라는 指標로 轉換하고 있는 것이라는 경제사회의 근간에 관한 주제도 있겠죠.

生産性의 "尺度"를 變更하라.

　　「勞動生産性에서 環境 效率性(아니면 資源 生産性)에」라는 생산성 개념의 변경을 근거로
하면, 흥미롭게도 이만큼 '生産性이 낮은' 것의 상징象徵 같이 말해져온 福祉랑, 교육 등의(對
人서비스의) 영역領域이 오히려 더욱더 '生産性이 높은' 영역으로서 부상하게 된다.

　　즉, 이 領域은 기본적으로 「勞動集約的」인 분야로 즉, 「人」의 비중이 아주 큰 영역인
데, 「勞動生産性」(적은 인원으로 많은 생산을 올리는 그런 척도로 계량해서 '生産性이 낮다'
는 것으로 되는 원인이다. 그러나 뒤집어보면, 勞動集約的인 것은 '人手'를 많이 필요로 하는
즉, 그만큼 '고용을 창출하기 쉬운'것을 의미하는 데 있고, 실제경제 산업성 등의 보고서 등에
서도 이런 복지 등의 분야가 금후 더욱 더 큰 '고용창출' 분야로서 자리매김할 것이다. (예를
들면 「經濟社會 비전」 「성숙成熟」과 「다양성多樣性」을 힘으로—)(2011년6월)

　　생각하면 경제의 「擴大成長」期에 있어서는, 대량의 자원을 사용하는 「자원 집약적資源
集約的」인 활동이 生産性을 높여왔다. 따라서 그것은 대저 인간의 역사에 있어서 확대성장기
가 에너지 이용형태의 고도화(자연착취의 경우를 강화하는 것)에 의해 실현돼 왔다고 말할 수
있고, 서장에서의 논의와 부합한다.

　　그러나 資源의 有限 性이 현재 화顯在 化하고, 더군다나 生産過剰이 기조基調로 실업이 만
성화하는 成熟·定常 期에 있어서는 사람들의 관심은, 서비스랑 사람과의 關係性(아니면 케어)

에 점차로 옮아가고 사람 중심의 「勞動集約的」인 영역領域이 經濟의 전면前面에 나오는 것으로 됐다. 그런 구조변화에 관해서 생산성의 概念을 再考하고, 轉換할 필요가 있는 것이다.

이런 점에 관해서 다양한 기술혁신이 진행되고, '기계와의 경쟁' 등도 말하는 것 같이, 기계가 인간의 노동을 일부 대체하는 영역도 늘어 그것에 의해 勞動生産性이 의외로 상승하는(=보다 적은 인수로 생산을 올리는) 생각했던 것보다, 실업률이 별로 극단적으로 상승하지 않는 것은 왜 그럴까.

실은, 그 중요한 요인으로서 고령화 등의 배경도 더해서 마치 이런 「노동집약적勞動集約的」인 領域(福祉, 敎育, 醫療 等의 分野보다 넓게 對人서비스 아니면, 소샬·서비스)이 현대사회에 있어서 증가하고, 게다가 그런 영역이 「勞動集約的」인데 있기 때문에, 상대적으로 많은 고용이 생겨 그것에 의해 사회전체의 실업률의 악화가 환화되고 있지 않을까.

즉, 단순히 말하면 종래의(勞動生産性이라는) 척도를 그대로 적용하면 '生産性이 낮은'領域에 의해 어떤 의미에서 사회전체가 구제되는 것으로 된다. 실제, 북유럽 등 복지교육 등의 분야 「케어」 아니면, 소샬·서비스 관련분야로 부르는 것이 가능하다—에 많은 자원을 공공적인 정책으로서 배분하고 있는 나라에 있어서, 경제의 패러독스도 대체로 높은 것은 이상과 같은 배경과 연관이 있다고 생각된다.

그래서 本章에서는 「過剩의 抑制」라는 주제에 관해서 생각하고 있지만, 이런 資源 集約的인 영역에서 勞動集約的인 領域에의 변경을 잘 기획하는 것이, 앞서 지적한 '過剩에 의한 貧困'(生産過剩→失業→貧困)이라는 상황을 시정하는 중요한 정책으로 될 것이다.

이와 관련하여 이 주제는, 環境政策의 領域으로 「서-비사이즈」로 불리는 개념이랑 실천에 이른다. 서-비사이즈란, '물건을 파는 경제활동에서 서비스를 파는 경제활동으로 전환해가는' 그런 취지의 생각으로 예컨대, 살충제라는 물건을 파는 서비스에서 해충구제害蟲驅除 서비스라는 비즈니스에 전환하면, 사업자로서는 보다 많은 양의 살충제를 파는 게 아니라, 오히려 보다 적은 살충제 사용으로(보다 적은 자원소비資源消費로) 해충구제가 되는 방향에 사업목적이랑, 인센티브가 변환되는 資源消費량, 環境負荷에 관해 보다 바람직한 경제활동으로 된다는 생각이다. (지구환경 관서포럼 순환사회기술부회 편(2006)).

이런 「서-비사이즈(物件에서 서비스에의 轉換)」를 행하는 경우 그 「서비스」를 제공하거나, 여러 가지 창의創意 공부를 행하는 것은, 다름 아닌 '人'으로 그것은 마치 앞서 논한 「資源 集約的」인 경제활동에서 「勞動集約的」인 經濟活動에의 轉換으로 되어 고용창출에도 연결된다. 여기서 서-비사이즈 라는 「環境政策」에 유래하는 개념은, 「雇用政策」으로서도 큰 의미를 갖게 된다.

또다시 중요한 점이지만, 이런 방향에의 전환은 시장경제에 맡겨서만 그 노동의 가치가 아주 낮게 평가돼 유지할 수 없게 되는 때문이다. (왜 그렇게 「낮게 평가評價」된 구조에 관해서는 종장終章에서 시간을 둘러싼 고찰考察과 함께 알아볼 것이다).

따라서 그런 분야의 가치를 공적인 재정으로 무슨 형태로 지원하는 정책—예컨대 개호介護랑, 敎育 등의 분야에 公的財政의 지원, 자연에너지에 관한 가격지지價格支持 정책 등 이 특히 중요해지는 것을 확인해 놓고 싶다

資本主義의 社會化 또는, 소샬한 資本主義

社會的 세이프티 네트의 進化

이후에 올 수밖에 없는 방향의 두 개의 축으로서 지적한 「(1)過剩의 抑制 (2)再分配의 강화 재편強化再編」가운데 전자에 대해서 논의했지만, 후자 즉, 격차가 확대되는 중에 「분배分配」의 존재랑, 그 평등을 둘러싼 주제에 관해서는 어떨까?

이에 관해서는 우선 「사회적社會的 세이프티네트」라는 시점으로부터 논의를 진행해보죠. 이것은 현재 일본이랑, 선진국에 있어서 「社會的 세이프티 넷트(안전 망安全 網)」의 구조構造를 간단히 정리한 것이다.

우선, 피라미드의 제일 위에 「고용雇用이라는 세이프티네트(C)」의 층層이 있다. 이것은 어떤 의미에서는 당연한 일이지만, 자본주의 시스템 아니면, 市場經濟를 기조로 하는 사회에 있어서는 업무에 취업하고, 거기서 수입을 얻는 것이 생계生計를 세워 나가는 게 당연하고, 더욱 더 기본적인 전제로 된 기반이 되는 것이라는 의미죠.

그러나 人間은 병에 걸리거나, 실직하거나, 고령으로 퇴직 후에 수입원을 잃게 된다. 거기서 중요한 것이 피라미드의 정 가운데 「社會保障이라는 세이프티네트(B)」가 있어 건강보험이랑, 실업보험, 년금年金 등이 여기에 해당된다.

또, 여기서 주의해야할 것은, 이런 社會保險은 미리 업무에 취업하고, 거기서 수입의 일정 부분을 「사회보험료社會保險料」라는 형태로 사전에 지불하고 있는 것이 전제로 되어 즉, 앞의 「雇用」이라는 세트로 되고 있는 것이다.

그러나 원래 업무에 취업하지 못했거나, 병이나 失業狀態가 길어지면, 사회보험의 세이프티네트는 받을 수가 없게 된다. 여기서 등장하는 것이 '最後의 세이프티네트'인 生活保護다. 이것은 稅에 의해 주어지는 최저한最低限의 生活保障(현금급부現金給付)시스템이다.

이상이 社會的 세이프티네트의 일반적 구조지만, 실은 여기서 논하고 싶은 내용은 다음과 같은 것이다. 그것을 歷史的으로 보면 이런 社會的 세이프티네트는, 資本主義의 進化의 과정 중에서 지금 기술한 것과는 역순 즉, 피라미드의 아래에서부터 위로 걸쳐서 순차적으로 정비돼온 것이라는 점이다.

즉, 제2장에서 논의됐던 것이지만, 이런 사회적 세이프티네트의 최초의 상징 예象徵 例는 마치 자본주의의 발흥기의 영국에 있어서 엘리자베스1세에 의해 제정된 「구빈법救貧法」이다(1601년). 기이하게 1601年이라는 해는, 영국 동인도회사가 창설된 해(1600년)의 다음 해다. 제2장에서도 다룬 것 같이 당시 영국에서는 모직물毛織物이랑, 農村工業이 발흥해 시장경제가 급속히 발전했지만, 그러나 동시에 그 負의 측면으로서 도시에 빈곤층이 발생 확대되고, 그의 자선적인 구제책으로서 구빈법이 제정된 것이다.

그러나 머지않아 18세기 후반에 산업혁명이 일어나고, 공업화가 진전돼 대량의 도시노동자가 생겨나는 시대로 접어들면서, 소위 救貧法과 같은 사후적 구제책救濟策으로는 도저히 '맞지 않게'되어, 거기서 노동자가(病이나 失業에 빠지기 전에) 사전에 돈을 적립해서 공동으로 풀링 하는, 사전에 빈곤에 대비하는 그런 기구가 고안되게 이른다. 이것은 마치 국가에 의한 강제가입보험強制加入保險으로서의 「사회보험社會保險」의 탄생이고, 그것은 잘 알려진 것

같이, 당시 급속히 공업화를 달성한 영국의 지위를 위협해왔던 독일(프러시아)에 있어서 재상宰相 비스마르크가 실시한 기간적 정책으로 되었다(1870년대에 질병보험疾病保險, 산재보험産災保險, 연금보험年金保險이 창설됨). 이것은 사회적 세이프티네트의 圖의 한가운데(B)에 該當되는 것이다.

시스템의 근간根幹에의 개입介入과「사회화社會化」

그러나 여기서 끝이 아니다. 그 후 공업화는 가속되고, 자본주의는 다시 전개되지만, 그것은 머지않아 1929년의 세계공황을 맞는다.

이때 마르크스주의 진영은, 자본주의는 생산과잉에 빠지게 되고, 따라서 국가에 의한 생산의 계획적 관리가 불가피하다고 주장하고 있지만, 여기서(第2章에서 기술한 것 같이) 마치 자본주의의 구세주로서 등장한 것이 케인지 이었다. 그래서 케인지는 정부가 공공사업이랑, 사회보장을 통해서 시장에 개입하는 것에 의해(經濟成長의 엔진) 새로운 수요를 창출하는 것이 가능하고, 그것에 의해 피라미드의 즉,「雇用」그 자체를 創出하는 것이 가능한 것으로 된다.

「雇用」그 자체를 정부가 만드는 것은 마치 자본주의의 근간에 관한 '수정修正'이고, 제2장에서 논한 것 같이 이런「케인지 주의적 福祉國家」의 이념과 정책은「修正資本主義」라고 불렀지만, 이런 정책에 의해 자본주의와 공황과 전쟁으로부터 재출발한 20세기 중반(특히, 1970년대 경까지)에 공전空前의 성장을 이뤘다.

이상의 흐름을 보면, 앞에서 지적한 것 같이, 자본주의는 그 사회적 세이프티네트를 피라미드의 하로부터 상의 순으로 정비하고 있는 것으로 된다. 따라서 여기서 주목하고 싶은 것은, 그런 자본주의 시스템의 歷史的인 進化의 過程 중에 정부에 의한 市場經濟에의 介入이 소위資本主義 시스템의 말단 적末端 的 부분部分으로부터 보다 근간 적根幹 的인 部分에로 나아가고 있다는 점이다.

즉, 최초는 救貧法 같은 사후 적 구제로부터의 시작에 이어서 社會保險이라는 '사전적事前的'인 개입으로 되어, 다시 20세기 후반 이후는 케인지 정책적인 시장개입에 의한 고용 그 자체의 創出로 진화해왔다.

이것은 거시적으로 보면, 각각의 단계에 있어서 分配의 불균형이랑, 성장 추진력의 고갈로 부른 '위기'에 처한 자본주의가 그에 대응 아니면,「修正」을 '事後 的' 아니면, 말단적인 것에서 순차적 '事後 的' 아니면, 시스템의 더욱더「根幹」(아니면 中樞)으로 거슬러 올라가는 것으로 擴張돼 왔다는 그런 하나의 큰 벡터로서 인식하는 것이 가능하지 않을까.

이「修正」의 내용은 정부 아니면, 公的부분에 의한 시장에의 개입의 확대에 있기 때문에 그것은 바꿔 말하면, 자본주의가 그 시스템을 순차 적으로 '社會化'해왔다-아니면 시스템 중에 '社會主義的 요소'를 도입해왔다-스텝도 있다는 것이다. 따라서 2次 大戰 後에 크게 성장한(부분적으로 社會化된) 자본주의가 70년대 경부터 서서히 저성장에 빠져 第2章에서 본 것같이, 금융 화·정보화와 글로벌化에 의해 일정의 再 復興을 계속해도 2008년의 금융위기에 이르렀다.

거기에는 여기부터 우리들이 展望, 혹은 구상하는(할 수밖에 없는) 사회 시스템은 어떤 성격의 것으로 될 것인가.

資本主義 社會主義 에콜로지의 交差-시스템의 근간根幹에 있어서 社會化란

앞서 서술한바 있는 "자본주의는, 진화의 과정 중에서 그 수정修正 아니면, 사회화를 시스템의 말단부분으로부터 根幹부에 향하는 형태로 행해져왔다."라는 큰 방향이 있다면, 이후 전망되는 것은 논리적으로는 「시스템의 더욱 더 根幹(아니면 중추)으로 거슬러 올라가는 社會化」라는 성격의 것이 되겠죠. 그것은 피라미드의 입각에서 말하자면, 선단부분에 있어서 사회화 아니면, 새로운 사회적 세이프티네트의 창출이라는 것도 있겠죠.

나 자신이 이미 이전에 졸저拙著에서 논해온 것 같은 내용과 겹치는 것이지만(広井 (2009b))同(2011), 결론부터 말하면, 다음과 같은 점을 특히 중요한 축축軸으로 하는 것이다.
(1)「人生前半의 社會保障」등을 통하게 하다. 인생에 있어서 '共通의 스타트라인' 아니면 「機會의 균등均等」의 보장강화
(2)「스톡(stock)의 社會保障」혹은, 資産의 재분배(토지·주택土地·住宅, 금융자산金融資産 等)

(3)커뮤니티라는 세이프티네트의 재 활성화

이중에 (1)과 (2)는 '社會化'라는 방향에 관한 것으로 한편, (3)은 그것과는 거의 성격이 다른 시장(私)과 정부(政府)라는 二元論을 초월한 「共」적인 영역에 관한 것으로, 또 지속 가능성이랑, 에콜 로지라는 이념과 연결된 내용이다(여기에 관해서는 다음 장의 「커뮤니티 經濟」에서 전개할 것이다).

다시 (1)에 관해서 우선 서술하면, 이 내용은 교육이랑 고용, 주택 등을 포함 젊은이랑, 아이들에 관한 사회보장 아니면, 공적지원을 강화해(그 재원으로서 상속세 등을 활용) 개인이 인생의 처음에 있어서 '공통共通의 스타트라인'에 서는 것을 충분히 보장하는 것이다.

그럼 왜 이것이 「資本主義 시스템의 근간에 거슬러 올라간 社會化」로 되는 걸까.

근대적인 이념에 있어서는, 이 사회는 「독립된 균질의 개인」에 의해 성립된 것으로 그런 개인이(계약을 통해서) 사회를 구성한다. 근대 역사의 1막부터 생성된 「福祉國家」도 또 같은 모양의 사회관을 공유하고, 그러므로 복지국가의 기본은, 개인이 시장경제의 가운데 자유로운 경제활동을 행하는 것을 전제로 한 위에서, 거기로부터(格差 등의 문제가 생긴 경우에) 사후적으로 수정을 가하는 경우로 됐다.

그러나 이런 사회관에 있어서 의외로 누락되고 있는 것은, 현실사회에 있어서는, 개인은 '나의 개인'으로서 균등히 세상에 태어나는 것이 아니라, 가족 혹은 가계家系라는 것이 존재하고, 그런 소위 세대 간의 계승 성繼承 性의 가운데 있어서만큼 개인은 존재한다는 어떤 의미에선 당연한 사실인 것이다.

그러므로 이런 세대를 통한 繼承 性(친자親子에의 바통터치)의 부분에 어떤 형태로 '社會的인 介入'을 행하게 되면, 아니면 「상속相續」이라는 사적인 영역에 관해서 무언가 再分配 아니면, 社會化를 행하지 않으면, 前의 세대의 개인차에 관해서 생긴 격차는 그대로 다음 세대에 계승되는 것으로 된다.

근본적인 물음에는 이것을 대저 옳은 것으로 볼까 아닌 것으로 볼까에 있다. 이 주제는 기본적인 인간관이 아니면, 사회관에 관한 것으로 하나의 정답이 있다고 생각하지는 않지만, 포인트가 되는 것은 社會를 構成하는 基本的인 '단위(유닛)'을 「個人」으로 볼까 「가족(아니면)家系」로 볼까라는 점에 있겠죠.

個人의 기회균등機會均等과 自由主義·社會主義

즉, 전자에 있어서는 개인은 태어나서 성장단계에 가능한 한 평등한 환경에 처해 「個人의 機會均等」이 확보될 수밖에 없는 그런 생각이 들 때, 후자라면 오히려 부모가 성취한 성과 아니면, 유산을 그 자손도 향수享受하고 인계받는 것은 당연한 데, 이 일만큼 침해된 정부에 의해 개입될 수밖에 없는 그런 생각이 들 것이다..

앞서 확인한 것같이, 근대적인 이념은 본래는 「個人」을 기본적인 사회의 단위로 생각하는 것으로, 단순히 말하면 전자 같은 방향에 기울지만, 그러나 실제로는 相續 혹은, 부모로부터 자식에의 繼承 性이라는 점은 최후까지 더욱더 '私的'인 영역으로서 남겨져, 公的인 관여는 (相續稅라는 제도는 一定한 것의 그것은 한정된 범위에 머문다) 최소한으로 억제된 것이다.

그러나 어떤 의미에서 그런 대응의 귀결로서 현실에는 점차로 「格差의 相續 혹은, 누적(아니면 貧困의 연쇄連鎖)」라는 점이 무시될 수 없는 형태로 부상되기에 이르고 있는 것이 현실이다. 근년 일본에서도 다양하게 논의된 것으로 된 「아동의 빈곤」문제랑, 대학진학율과 부모의 소득이 상관관계가 있다는(태어난 가정의 소득이 높을수록 대학 진학률이 높다)라는 사실도 이런 점과 연관돼 있다. 따라서 이점에 관해 공적개입 혹은, 재분배를 강제하는 것이야말로 「기회機會의 均等」이 보장되는 동시에(각 개인에 균등히 '찬스'가 보장된다는 그런 의미에 있어서) 사회랑 경제의 활성화에도 연결된다는 그런 시점이 중요해진다.

여기서 재미있는 것은 다음과 같은 점이다. 졸저拙著에서도 이전에 논의한 내용이지만(広井(2001)), 각각의 개인이 인생의 초기에 있어서 '共通의 스타트라인'에 서는 것이 가능해 상기와 같이 균등한 '찬스'가 주어질 수밖에 없다는 것은 그것 자체로서는 「自由主義」적 혹은, 「資本主義」적으로 부를 이념이겠다. 그러나 현실은 그런 상황을 실현하는 것은 市場經濟 혹은, 자본주의 시스템을 '放任'하고 있는 것에 지나지 않는—거기에는 오히려 格差의 相續이랑, 累積이 생기는—여기서 논하고 있는 것과 같은, 상속의 一定의 社會化랑, 人生前半의 社會保障의 강화라는 정책대응政策對應이 중요해진다.

즉, 개인의 「찬스의 보장」이라는 그 자체는 자본주의적인 이념을 실현하기 위해서 어떤 意味에서는, 社會主義的으로도 말할 수 있는 대응이 필요해진다는 근본적인 패러독스가 여기에는 존재하고 있다. 바꿔 말하면, 역설적으로 개인의 「自由」의 보장은 '자유방임自由放任'에 의해서는 실현되지 않고, 오히려 그것은 적극적 혹은, 社會的으로 「만들어」지고 있는 것이다.

인생전반人生前半의 社會保障과 세대 간 배분

지금 논하고 있는 「人生前半의 社會保障」에 관해서 좀 더 구체적인 레벨에서 보충을 해보죠. 기본적인 사실관계로서 일본에 있어서는 「人生前半의 社會保障」이 국제적으로 봐도 아주 낮은 수준으로 돼있다.

또, 「교육」은 인생전반의 사회보장으로서 지극히 중요한 역할을 담당하고 있지만, GDP에 점하는 공적교육지출의 비율을 국제 비교하면, 1위의 덴마크(7.5%), 그 외에 노르웨이·아이슬란드 등 북 유럽제국이 상위를 점하고 있는 한편, 일본의 그것은 3.6%로, 선진국(OECD 가맹국)중 최하위라는 상황이 5년 연속 계속되고 있다(OECD 가맹국 평균은 5.3%).

특히, 일본의 경우 소학교 입학 전의 취학교육과 대학 등 고등교육에 있어서 사비부담이 높은 것이 특징적인 데, 이것은 「機會의 均等」을 크게 해치는 요인이 되겠다(취학 전 교육에 있어서 사비부담 부분은 5.5%(OECD가맹국 평균은 19%). 고등교육에 있어서 사비부담 비율은 66%(OECD 평균은31%). (이상 2011년 자료. OECD, Education at a Glance 2014에서)

전후 일본을 되돌아보면, 종전직후(점령군의 주도에 의해) 행해진 대규모 개혁은 「농지개혁農地改革(土地의 再分配)」과 「중학교육의 의무화」이었지만, 實은 이 2개는 어느 것이나 여기서 논하고 있는 인생의 초기에 있어서, '共通의 스타트라인'을 강력히 실현하게 하는 성격의 것이다(전자의 農地改革은 그 후에 닿는 「스톡(資産)의 再分配」에도 관여된다. 이상은

広井 주석註釋(2009a)參照).

현시점으로 되돌아가면, 이런 급진적 개혁이 있었던 만큼 비슷한 시스템이 장기에 걸쳐 계속되는 중에 격차의 누적이랑, '세습世襲'적인 성격이 강해지고 있는 것이 현재 일본사회이다. 일본사회는 소위 방임하면 '고착되기 쉬운' 사회로 후에 새삼스럽게 정리하지만, 상속세 등을 강화해 그것을 교육을 포함한 「人生前半의 社會保障」에 충당하는 것이란 정책을 펴나갈 필요가 있다.

한편, 인생전반의 사회보장이라는 화제에 관해서는 또 하나 무시할 수 없는 중요한 논점이 있다. 그것은(사회보장 등의)「世代 間의 配分」의 존재방식이라는 주제다. 이것은 사회보장 지출의 전체 규모와, 그중 고령자 관계의 지출(여기서는 年金)의 규모와 각각 국제 비교한 것이지만, 몇 가지의 특징적인 점이 부상되고 있다.

주목할 것은 일본은 社會保障 전체 규모는 이들 나라 중에서도 더욱 「작은」 부류에 있는 것에 대해서 高齡者關係支出(年金)의 규모는 더욱 크다는 점이다. 이점은 예컨대 일본과 덴마크를 비교하면 현저해지는 데, 사회보장 전체의 규모는, 덴마크가 일본의 1.5배 가까이 되는 데 반해, 고령자 관계의 지출(연금)은 일본의 경우가 덴마크보다 큰 것으로 돼있다. 또, 덴마크에 한하지 않고, 스웨덴·핀란드 등의 북유럽제국은 사회보장 전체의 규모는 일본보다 아주 크지만, 의외로 연금의 규모에 있어서는 일본보다 작다. 역으로 말하면, 이들 나라들은 고령자 관계 이외의 社會保障(자녀와의 관계, 젊은이 지원, 雇用, 住宅 等)이 지극히 넉넉한 것으로 된다.

모순적인 것은 일본과 유사한 구조에 있는 그리스랑, 이태리 등의 남유럽제국南歐諸國에 있어 이들 국가들은 社會保障 全體의 規模는 相對的으로 낮지만, 年金의 규모는 크다는 특징이 있다. 그래서 그리스의 경제위기(2010년~)의 주요배경의 하나가 연금문제였다는 것이 기억에 새롭다.

年金制度와 世代 內·世代 間 공평公平

이렇게 보면 일본의 경우, 사회보장의 世代 間 配分에 있어서 상당히 편중되지 않고, 왜곡되지 않게, 크게는 高齡者關係부터 「人生前半의 社會保障」에의 配分의 쉬프트를 행할 필요가 있다. 다만, 여기에는 다음과 같은 좀 더 복잡한 요소가 포함돼 있다.

이것은 연금, 혹은 高齡者와 한마디로 말해서 고령자간에 상당한 차이가 있어, 이점을 간과해서는 안 된다는 점이다. 극적으로 말하면, 현재의 일본의 연금제도에서는 고령자에의 給付에 있어서 「과잉過剩」과 「과소過小」의 공존共存이라는 상황이 생겨났다.

즉, 한편에서는 고령자 중에 비교적 고소득층(고소득자라서 그에 따라서) 상당액의 연금을 수급하고 있을까라고 생각하면, 한편에서는 국민연금 아니면, 기초연금은 만액滿額(40년 가입 약6만5천원(2015년도)지만, 현실에서는 예컨대 여성의 연평균 수급액은 4만 원대로 그런 보다 낮은 층도 많이 존재하고, 실제 65세 이상의 여성의 「(상대 적相對 的) 빈곤 률貧困 率」은

약 2할로, 단신자單身者에서는 52%에 달한다는 사실이 있다.   (2009년의 내각부집계).

　이렇게 한편에서는 「過剩」으로 말할 수밖에 없는 연금급부年金給付가 있고, 다른 쪽에서는 '진짜로 필요한 層'에 충분한 年金給付가 되지 않고 있다는 것이 일본의 현상이고(게다가 일본의 社會保障 給付는 2012년도에 108.6조원이지만, 그중 年金給付는 전체의 약 반(49.7%)을 점하는 54.0조원에 이른다).

　그럼 왜 이런 사태가 생기는 걸까? 그것은 현재 일본의 연금제도가 「보수비례報酬比例」로 부르는 부분을 많이 갖는(厚生年金의 2층으로도 불리는 부분) 이 부분은, 제도의 성격 그 자체가 「高所得者일수록 높은 연금을 받을 수 있는」 그런 구조로 돼있기 때문이다. 더욱이 일본의 연금제도는, 실질적인 부과방식賦課方式(고령자에의 연금급부를 현역세대現役世代가 갹출醵出하는 보험료로 준다)인데, 그 부담을 현역세대에 부과하는 형태다.

　역으로 기초연금은(기초적인 생활을 보장하는 것이라는) 성격에서 하면 세稅에 의해 받을 수밖에 없지만, 그것이 실현되지 않고(반이 보험료) 상기와 같은 저소득층만큼 충분한 연금이 지급된다는 상황이 생기게 된다.

　전체로서 일본의 연금은 「世代 內」 또는, 「世代 間」의 쌍방에 있어서 어떤 의미에서 '역진 적逆進 的'인 즉, 「格差를 오히려 增大시키는」 그런 제도로 되고 말았다. 여기에 대해서 앞서 일본과 덴마크의 대비를 행했지만, 덴마크의 경우 일본과는 역으로 연금제도는 오히려 「基礎年金」이 중심으로(재정財政은 모두 稅) 그 부분은 비교적 넉넉하고 평등하게 역으로 報酬비례 부분은 지극히 한정적이다. 그러므로 저 소득자에의 보장은 확실히 되는 한편, 연금전체의 급부 규모는 일본보다도 작은 그런 정반대의 상황이 생긴다.

　나는, 대저 공적인 연금의 基本的인 역할은 고령자에게 일정 이상의 생활을 평등하게 보장하는 것이라는 점에 있을 수밖에 없다고 생각한다. 그렇다면 큰 방향성으로서(덴마크가 그런 것 같이) 기초연금을 세에 의해 넉넉하게 하고, 역으로 보수 비례 부분은 슬림화해가는 그런 개혁을 행할 수밖에 없지 않을까. 이것이 고령자간의 「世代 內 公平」에도 함께 젊은 세대 아니면, 현역 세대와의 관계에 있어서 「世代 間 公平」에도 도움이 된다고 생각된다.

　具體的으로 말하면, 상속세의 경우(고령 소득자의)보수 비례 부분에 관한 연금과세를 강화하고, 그 세수를 「人生全般의 社會保障」에 충당하는 정책을 금후 진행할 것을 제안하고 싶다.
　이런 정책을 통해 상기와 같이, 연간50조원을 초과하는, 더욱이 착실히 증가하고 있는 연금급부 가운데, 예를 들면 보수 비례 부분에 관한 2,3조원을 젊은이랑, 아동 관련의 지원에 재분배하는 것으로 큰 意義가 있다고 생각된다.

「스톡의 社會保障」과 再分配
　자본주의 진화의 귀결로서 금후 전개될 수밖에 없는 「시스템의 根幹에 역행逆行한 社會化」의 제1의 축으로서 인생전반의 사회보장 등을 통해서, 인생에 있어서, '共通의 스타트라인'의 보장이라는 논점에 관해서 기술했지만, 제2의 축으로서 열거한 「스톡의 社會保障」 혹은, 資産의 再分配(土地·住宅, 金融資産 等)에 관해서는 어떨까?
　이 주제에 관해서는 최근에 졸저拙著 중에 다양한 각도에서 논해왔는데(広井 (2009b))동同(2011), 여기서는 간결하게 다루는 데 그치고 싶지만, 이것은 다른 게 아닌 2013년에 프랑스의 경제학자 토마·피케티가 출판하고, 이듬해 2014년에 영역英譯되어 큰 화제가 됐던 저작

『21세기의 자본(Capital in the Twenty-First Century)』의 중심 주제와 겹친다 (Piketty(2014)).

상기의 拙著(『커뮤니티를 묻는다.』)에서 내가 논의한 것은 다음과 같은 점이었다. 즉, GDP가 급속한 확대성장을 계속하는 시대-전형적으로는 제2장에서 '資本主義의 황금시대黃金時代'로 예시한 1940년대 후반~1960년대 경-에 있어서는 GDP 즉, 「유동성」의 증가가 현저해져 그만큼 「스톡」 즉, 토지랑 금융자산 등의 비중은 상대적으로 낮아졌다. 그런데 우리들이 현재 맞고 있는 경제성장기 혹은, 「정상 형定常型 社會」에 있어서는, 프로의 증가는 지극히 적어지기 때문에, 스톡이 갖는 의미가 상대적으로 크게 되어, 특히 그 「격차」랑, 「분배」의 당위성이 사회에 있어서 큰 과제로 되었다.

일본에서 격차를 둘러싼 주제가 논의 되는 경우, 그것은 대체로 「소득所得」 즉, 유동성의 격차에 관한 것이다. 그렇지만 실은, 그런 격차가 그렇게 크지 않은 것은 다름 아닌 「스톡」 혹은, 資産(金融資産이랑, 土地住宅)에 관한 격차로 실제 격차의 정도를 표시하는 소위 지니계수를 보면, 年間收入(2인 이상의一般世代)의 지니계수가 0.311인데 대해 저축에 있어서 그것은 0.571, 주택·택지 자산액에 있어서, 그것은 0.579로 돼있다(전국소비실태조사(2009년)). 소득보다 오히려 금융자산이랑, 토지 등의 격차가 아주 컸다.

생각해보면, 스톡 혹은 자산은 프로 아니면 소득이 '누적'된 결과로, 이런 점은 어떤 의미에서 충분히 상상할 수 있는 사태로, 또 이경우의 '누적'에서는 앞서 논한 부모로부터 자식에의 상속을 통해 세대적인 계승도 포함된다. 그래서 이런 「스톡」 혹은, 자산을 둘러싼 영역은 앞서 논한 「相續」과 같이 근대 자본주의 또는, 복지국가에 있어서 소위 '맹점盲點'으로 더욱더 私的인 영역으로서 남아 公的인 개입介入의 밖에 놓여있다.

실제 지금까지의 복지국가 아니면, 사회보장은 「유동성流動性」의 재분배再分配(所得 再分配)를 기본적인 임무로서 해왔다. 다시 예외적으로 「공적주택公的住宅」은, 스톡에 관한 사회보장이지만, 일본에서의 이 영역은, 유럽에 비해서 지극히 미발달돼 주택전체에 점하는 공적주택의 비율이 낮고, 더군다나 「고이즈미 改革」이래로 그런 공적주택은 다시 삭감돼왔다 (이 화제話題에 관해서 상세한 것은   (広井(2009b)參照)).

그렇지만 상기와 같이 현재 같은 성숙화, 혹은 定常化 社會에 있어서는 유동성의 증가가 거의 보이지 않게 된 만큼, 이런 「스톡」 혹은, 자산의 分配·再分配라는 것이 社會全體에 있어서 과제로 돼 말하자면 「스톡의 社會保障」이라는 새로운 발상이랑 대응이 중요해졌다.

「資本主義의 中心的 모순矛盾」?

그래서 이것은 마치 여기서 논하는 자본주의라는 시스템의 根幹에 거슬러 올라가는 社會化라는 주제와 겹치게 된다. 즉, 스톡 아니면 자산을 「사私」의 영역에 취급할까, 거기에 일정 부분의 公的인 規制랑, 공적소유公的所有라는 대응을 도입하는 것이, 資本主義와 社會主義의 더욱더 기본적인 분기점分岐點으로 생각돼 왔기 때문이다.

이것이 특히 현저한 것이 토지소유에 관한 것이다. 단, 이점도 주의가 필요한 데, 토지의 태반이 사적 소유인 일본이랑, 미국에 대해서 유럽의 경우는 토지에 있어서 공적소유의 비율이 상대적으로 크고, 특히 북유럽 등에서는 예를 들면, 헬싱키市 등에서는 토지의 65%가 시유지

市有地(국유지國有地도 포함하면 75%)에 달하고, 스톡홀름 시내에서는 토지의 70%가 시유지에 해당하는 등 실은 토지공유가 일반적이고, 스톡 혹은 자산에 있어서도 상당한 社會化가 진행돼있다.   (日笠 1985) 日瑞(2008) (広井 (2009b)参照)).

어쨌든 금후는 이상과 같은 인식을 밟아서 자산의 再分配 아니면, 「스톡의 社會保障」이라는 관점에서의 대응이 중요하고, 구체적으로는 주택보장의 강화랑, 토지소유 방식의 재음미(共有地 혹은, 「커먼즈(共有地)」의 강화랑 적극적 활용) 그래서 金融資産·土地課稅의 강화와 그것에 의한 스톡의 再分配랑, 社會保障에의 충당이 새로운 과제로 된다. 화제를 확대하면, 이런 土地·住宅의 公有·共有에 관해서는 근년에 다양한 형태로 展開되고 있는'쉐어(혹은 쉐어經濟)'를 둘러싼 논의도 취할 수 있겠다.   (三浦(2011)).

이런 주제에 관해서 앞서 다룬 피케티의 『21세기의 資本』에 있어서 「자본주의의 중심적 모순(central contradiction of capitalism)」이라고 지적되고 있는 것이 「r>g」라는 사실 즉, 「r(土地랑, 金融資産 등의 자산으로부터 얻은 평균적平均的인리턴)」의 경우가 「(經濟의 成長率 또는, 所得의 增加率)」보다도 크다는 점이다.

요컨대 노동에 의한 임금보다도, 소유한 자산을 운용해서 얻은(不勞) 수익의 경우가 큰 점에 있고, 이런 지적의 근거로서 피케 티는, 예를 들면 다음과 같은 사실을 가리키고 있다. 그것은 독일·프랑스·영국의 3개국에 관해서 「私的인 자산의 總額이 國民所得 全體에 대해서 점하는 比率」의 추이를 본 경우 1910부터 1950년에 걸쳐 감소하고, 거기에서 다시 증가한다는 일종의 'U자 커브'를 나타내고 있는 점이다.

이 증가 국면의 배경에 관해서는 피케티는, 「相對的인 저성장低成長 레짐(체재)에로의 회귀回歸」에 의한 것으로서, 「經濟成長의 速度가 弱化되는 시대에 있어서는 저절로 과거의 資産이 불균등하게 큰 중요성을 갖게 된다.」라고 기술하고 있다. 따라서 그런 상황에서는 「企業家는 金利生活者로 전신轉身하는 것이 불가피해진다」라고 그는 논한다(주注:rentier는 불어로 「불로소득不勞所得 생활자生活者」라는 의미다).

기업가가 없어지면, 자본주의는 종언終焉 아니면 자살행위이겠다. 그것을 회피하기 위해 「資産의 再分配」라는 여기서 논하고 있는 「자본주의의 더욱 더 根幹에 거슬러 올라간 社會化」가 요청된다. 즉, 자본주의적인 이념을 존속시키기 위해서, 社會主義的인 對應이 필요해진다라는 이런 모순적 구조는 앞서의 「人生 前半의 社會保障」과, 기회의 平等을 둘러싼 논의와 동질의 것이다.

혹은, 여기서 또 한 번 第1章에서 취급한 브로델의 「資本主義와 市場經濟는 對立한다.」 「자본주의는 「反-市長」이다」라는 논의를 생각하면 피케 티의 이론을 포함해 여기서 서술하고 있는 방향은, 소위 '자본주의(抑壓)에서 市場經濟 혹은, 個人의 自由를 지킨다.'는 것을 말할지도 모른다.

第3章의 끝에서 경제학자 西部 忠이 서브라임 론 같은 상품을 팔아넘긴 금융기관을 「시스테믹·리스크」란 이름의 기원으로 구제하는 현재 자본주의의 存在方式을('自由競爭'이랑, 「自己責任」원칙자체가 부정되고 있다는 그런 의미에서) 「資本主義의 自己矛盾」으로 논하고 있는 이론을 널리 알렸다. 이것은 모두 브로델적인 「資本主義와 市場經濟의 對立」의 다른 국면은 아닐까.

'부富의 원천源泉'과 稅의 의미-資本主義·社會主義·에코로지의 교차交差

그런데 피케티의 말 중에 「相對的인 저 성장 레짐에의 회귀」라는 표현이 나오지만, 「스톡」이 갖는 비중이 크게 되는 그런 상황은 틀림없이 미지의 영역에로 이행되기 보다는, 高度成長 시대(혹은, 급속한 공업화시대) 보다도 전의 시대에의 회귀라는 측면을 갖고 있고, 실은 이점은(富의 再分配의 더욱더 중요한 툴의 하나로서)「稅」의 존재보다도 깊게 관련돼있다.

이 화제도 여기까지 拙著에서 반복해 논의해온 점인데, 간단하게 지적하고 싶지만(広井(2006)同(2013)等) 흥미가 깊은 것으로 원래 일본의 경우 명치기明治期를 통해서 稅收의 최대 부분은 「지조地租」즉, 토지에 대한 과세였다(明治 10년도에 세수稅收 전체全體에 실로 82%).

이것은 왜 그럴까를 생각해보면, 대개 稅金이라는 것은 상기와 같이 「富의 再分配」의 중요한 툴로서, 당연히 그 시대에 있어서, 소위 '富의 원천源泉'에 의존하게 된다. 그래서 工業化가 본격화하기 이전의 농업중심의 시대에 있어서는 '富의 源泉'은 압도적으로 「土地」가 되고, 따라서 토지에 대해 課稅가 세의 중심부분을 점하고 있는 것이다. 머지않아 공업화사회로 돼 기업 등에 의한 생산 활동이 '富의 원천'이 되면서, 所得稅로서 법인세가 稅收의 중심을 점하게 되고(소위 産業化社會·前期)실제 일본에서도 대 정기 중간에 소득세가 地租에 대신해서 세수의 1위로 됐다. 다시 시대가 진전하면서 물건부족 시대가 끝나고, 소비사회 즉, 생산(공급)보다도 소비(수요)가 경제를 구동驅動 혹은, 규정하는 주요인으로 되어, 또 고령화라는 요소도 가해져(소득이 없는 퇴직자도 일정한 稅를 부담하는) 소비세가 표면에 등장하게 되고(産業社會·後期), 消費稅를 최초로 도입한 것은 1969년의 프랑스다.

그러나 현재는 본장에서 논해온 것 같이 경제가 성숙·포화成熟·飽和로 되는 중에 「스톡」의 중요성이 다시 크게 되는 것과 함께 環境資源 制約이랑, 그 有限 性이 顯在 化하고 環境혹은, 自然이라는 구극究極의 '富의 源泉'이 인식되었다. 여기에 있어서 스톡(자산)에 관한 課稅랑 앞서 「勞動生産性에서 환경효율성環境效率性」의 영역에서도 취급한 環境 稅(다시 自然 스톡으로서 중요한 土地課稅)가 새로운 문맥에서 중요해져 더욱 그 「分配 (再分配)」의 존재가 큰 주제로 된 것이다.

이와 관련하여 에콜 로지 적인 흐름에 속하는 영국의 경제사상가 로버트슨은, 「공유자원共有資源(common resources)에의 課稅」라는 생각의 시작 토지랑, 에너지 등에의 과세를 논하고 있다. 그는, 「인간이 더한 가치」보다도 「인간이 끌어낸 가치」에 대해서 과세하는 그런 흥미 깊은 논의를 행하고 있지만, 거기에 있는 것은 '富의 源泉'은 인간의 노동이랑 활동보다도, 우선 자연 그 자체라는 것이라는 근본적인 인식의 변화다.

(로버트슨(1999)Fitzpatrick and Cahill(2002).

마르크스적인 노동가치관과 다른 소위, 「자연가치 세自然價値 稅」로 부르는 세계관으로 말할 수 있겠죠. 즉, 自然資源은 본래 인류고유의 재산이기 때문에 그것을 사용해 이익을 얻는 자는 소위 그 '사용료'를 「稅」로서 지불해야 한다는 이해다. 노동이랑, 생산에의 과세가 아닌, 인간이 자연을 사용한 것에 의한 과세課稅라는 발상. 이것은 본장에서 기술하고 있는 「資本主義·社會主義 에코로지의 크로스오버」라는 테마-자본주의의 사화화가 진행 아니면, 그것이 資源·環境制約의 顯在化와 需要의 成熟飽和라는 상황을 배경으로 展開하는 構造-로 되면, 稅 그리고 '富의 源泉'에 관해서 究極 的인 이해의 수단이겠죠.

　이상의 槪要를 要約한 것이, 여기서 논의해온 자본주의의 진화進化에 관한 시점-자본주의라는 시스템이 그의 수정을 시스템의 주변 부분으로 부터 根幹부분에 향하게 順次的으로 행해온 것이라는 議論과 호응呼應하고 있다.

커뮤니티 經濟/2개의 座標 軸

　여기까지 자본주의의 進化라는 관점을 토대로 특히, 「자본주의의 根幹에 거슬러 올라간 社會化」라는 방향성에 주목하고, ⑴人生 전반前半의 社會保障 等을 통해서 「機會의 均等」의 보장이랑, ⑵「스톡의 再分配」라는 과제에 관해서 논해왔다. 그렇지만 그런 논의에 있어서 다시 누락된, 그러나 여기까지의 사회의 구상에 있어서 지극히 본질적인 의미를 갖는 주제가 있다. 그것이 「커뮤니티」와 「로칼」이라는 두개의 주제 혹은, 관점이다. 거의 개념적 논의지만, 여기서 좌우로 나란히 있는 것은, 「로칼-내셔널-글로벌」이라는 소위 空間에 관한 축이고, 위에서 밑으로 나란히 있는 것은, 「共」적 原理(호혜성互酬性)〜커뮤니티, 「公」적 原理(재분배再分配)〜政府 「私」적 原理(교환交換)〜市場이라는 사회를 구성하는 主體, 혹은,＝사람과 사람과의 關係 性 에 관한 3개의 原理에 관여하는 축이다.

　이 경우 괄호 안에 들어가 있는 「互酬 性」·「再分配」·「交換」의 3개는 經濟思想 家 포라니가 인간의 經濟行爲의 3개의 기본 유형으로 제시한 것으로(포라니(1975)) 「互酬 性」이 커뮤니티(공동체)에 대응하고, 「再分配」가 정부에 대응하고, 「交換」이 시장에 대응하고, 있는 것이라는 비교적 보기 쉽게 한 것이죠. 그런데 여기서 생각해 볼 것은, 지금 기술하고 있는 「共-公-私」의 3자가 앞서의 「로컬-내셔널-글로벌」이라는 공간 축과 어떻게 관여하는 가라는 점이다. 우선 일반적으로는

「共」〜커뮤니티→로컬
「公」〜政府→내셔널
「私」〜市場→글로벌이라는 대응이 생각하기 쉽겠죠.

　즉, ①호혜 성互酬 性 혹은, 상호부조相互扶助를 원리로 하는 커뮤니티는, 그 성격에서부터 본래적으로는(소위 "익숙한"관계 성關係 性의 무대다) 「로칼」과 쉽게 연결되는 ②再分配를 원리로 하는 정부 혹은, 「公」은 그런 個 ,個의 로컬 적(지역) 커뮤니티의 일단一段 위의 레벨(＝내셔널)에 있어 마치 그 지역 간地域 間의 再分配를 행하는 것에 있고, ③한편 교환을 기조로 하는 「市場」은 그 본래의 성격에서 하나의 地域 커뮤니티랑 국가의 내측內側에 머무르지 않고, 그런 '경계'를 초월해서 展開하는 것이고, 스스로 「글로벌」(世界市場)에 가고 있는 것으로 이해된다.

　그런데 第2章에서 논한 내용을 포함하는 것이 현실의 역사에 있어서는, 다음과 같은 의미로 사태는 반드시 이상과 같이 전개되지는 않았다. 즉, 16세기 후반부터(제2장에서 거론된 플로토 공업화라는 초기적인 工業化와 중상주의重商主義를 통해서) 資本主義의 展開. 그래서 産業革命 期 이후의 본격적인 산업화 혹은, 공업화를 리드해온 영국의 예시가 상징적으로 나타내는 것 같이 거기서 생긴 것은 '「共」적인 원리(政府)도, 「私」적인 원리(市長)도 모두가 내셔널 레벨＝국가에 집약되는'그런 사태로 됐다.

「國民國家/國民經濟」의 意味

어떤 것인가 말하면 우선 「共」적인 原理(커뮤니티)에 관해서는 「큰 공동체로서의 國家(= 國民·國家)」라는 발상 혹은, 관념이 강고한 것으로 되고 즉, 커뮤니티라는 것의 주요한 '단위'가 로칼한 공동체를 초월해서 오히려 내셔날 한 차원에서 집약돼 있다(왜 그렇게 됐는가의 이유는 바로 뒤에 생각해보자).

이와 관련해서 경제학자 村上泰亮은, 「커먼 웰스」라는 개념과 함께 이런 국민의식이 영국에 있어서 선구적으로 형성된 과정을 논하는 중에 「영국은 분명 타에 선구로서 國民國家로 되었고, 16세기에는 영국인은 國家라는 존재를 의심하지 않았다. 스페인·프랑스·독일·오스트리아 등등에 있어서 이런 유의 의식을 갖고 있는 나라는 눈에 띄지 않는다.」라고 서술하고 있다.
(村上(1992)).

한편, 「公」적인 기능(再分配의 主體로서의 政府)는 스스로 내셔날 레벨이 중심으로 되(예를 들면 救貧法의 제정制定) 그 위에 「私」적인 원리로서의 「시장」에 관해서도 앞서 논한 것 같은(그 본래의 모양으로서의) 「世界市場」은 부분적으로 성립되지 않고, 오히려 國內市場 혹은, 「國民經濟(national economy)」라는 의식 혹은, 실체가 전면에 나오는 것으로 돼, 국가가 각각의 영역 내에서 市場經濟를 다양한 형태로 컨트롤하는 것으로 됐다(무역의 관리를 포함).

이것은 본래는 '국경'이 없을 수밖에 없는 시장이 국가라는 주체에 의해 共同體(=國家라는 커뮤니티)에 '구분區分됐다'라고 보는 것도 가능하고, 동시에 그것은 「經濟 내셔널리즘」의 형성으로 되었다. 이상에 대해서 歷史家 브로델은 다음과 같이 인상 깊게 기술하고 있다.

「유럽에 있어서 世界=經濟의 推移에 관해서는, 대대로 世界=經濟를 탄생시킨 활기가 작용해온 「中心」을 주제로 해서 이전에 기술했다. 거기서 하나 지적한 것은, 1750년대에 이르기까지 이런 지배적인 중심은, 항상 언제나 都市로 都市國家에 해당되는 것이다.

암스테르담, 18세기 중반까지 경제의 세계를 지배한 암스테르담은 最後의 도시국가다. 역사상 최후의 폴리스에 해당된다고 말할 수 있겠죠. 그러나 계몽의 세기(인용 자리用 者 주注:18세기)의 중반부터 새로운 시대가 막이 열렸다. 새로운 지배자 런던은, 都市國家가 아닌 영국 제도의 首都로 그 자격에 있어서 강대한 國民市場의 힘을 갖고 있었다.」「國民經濟라는 것은, 물질생활物質生活의 필요성과 개혁을 촉구하는 국민에 의해 통합된 하나의 정리된 經濟空間으로 된 政治空間이고, 거기서의 활동은 전체로서 같은 하나의 방향에 향하는 것으로 된다. 영국만이 일찍부터 이런 방향을 진전시켰다.」
(브로델(2009))

즉, 「市場經濟 플러스 擴大成長」이라는 자본주의를 당초부터 견인한 것은(國民)國家이고, 중앙 집권적인 통솔에 의해 그것은 강력히 '같은 하나의 方向'으로 추진됐다. 영국이 그것에 선구로 약간 늦게 프랑스가 이어서 식민지 지배에도 편승했지만, 오히려 「로컬」한 分權 性이 강한 국가들-이태리·독일, 그리고 일본도 여기에 해당하는-것은 '출발이 늦은'것으로 된 한편, 그런 「世界 資本主義의 발흥勃興」 레이스에 추구할 수밖에 없는 사상 면思想 面을 포함해, 돌관突貫 공사 같은 국가의 통제를 강화해 오고 그만큼 많은 모순을 낳았다.

經濟構造의 변화變化와 최적最適 공간적空間的인 유닛의 변용變容
金融 化·情報 化와, 그 앞 로칼리제이션 혹은 '地域에의 着陸'

「커뮤니티 經濟」의 重要性/경제經濟의 지역 내地域 內 순환循環

어느 쪽이든 이상과 같이 「共」적인 원리原理(커뮤니티), 「公」적인 原理(政府), 「私」적인 原理(市場)의 어느 것이나 내셔날 레벨에 집약된 것이지만, 近代 자본주의 그중에서도 産業化(工業化)의 시대 이전의 전개였다.

그럼 왜 그렇게 됐을까. 그것은, 그 時代의 구조를 기본에 있어서 규정하고 있는 「産業化(工業化)」라는 현상의 소위 '空間的인 넓이(아니면 空間的인 유닛)'지만, 그때까지의(農業時代의) 「로칼」한 지역단위 보다 큰, 그러나 글로벌(地球)보다는 좁은 그런 성격의 것이라는 점이다. 이것은 징수하기 어려운 것을 말하는 게 아니라, 오히려 단순한 사실관계에 관한 것이다. 즉, 농업생산에 있어서 대부분은 비교적 소규모의 로칼한 지역단위로 완결되는 것이지만, 産業化(工業化) 이후의 단계를 생각하면, 예를 들면 철도의 부설, 도로망의 정비공장이랑, 발전소·댐 등의 배치 등등 그 대부분은 로컬한 지역 단위를 초월한 계획이랑, 투자를 필요로 하는 것이고, 그런 소위 「經濟의 最適한 空間的 유닛」으로서 부상하는 것은 내셔널·레벨로 되겠죠. 역으로 그것은(금융시장金融市場과 같은) 글로벌이라는 정도의 空間的 넓이를 갖지 않으면 안 된다.

이렇게 「産業化(工業化)」라는 현상 아니면 구조변화가 갖는 空間的 성격(아니면 空間的 사정事情)이 시대에 있어서, 「公-共-私의 어느 것이나가 내셔날·레벨=國家에 集約되는」 그런 狀況을 만든 基本的인 要因의 하나로서 지적될 수 있지 않을까요.

金融 化·情報 化와 그 앞

그래서 시대는 머지않아 「金融 化=情報 化」의 시대로 들어가고 있다. 여기서는 내셔널·레벨이라는 왜 일정한 지역적·공간적地域的·空間的 범위에 한정되는 공업화의 시대로부터 다시 근본적인 변용이 생겨, 글자 그대로 소위 국경 없는 혹은, 국경을 초월한 「世界市場」이 성립되고 있다. 이것은 시장이라는 것이 본래 마지막에 도달한 모습과 동시에, 經濟構造의 변화와 第3章에서 논한 것 같은 정보관련 테크놀로지의 발전을 배경으로 해서, 경제의 「최적最適 空間的 유닛」이(産業化 時代로부터 변화變化해서)글로벌 레벨에 移行된 것을 의미하겠죠.

한편으로 「共」적 原理(커뮤니티)랑, 「公」적인 原理(政府)에 관해서는, 글로벌 레벨에서 그런 의식이랑, 실체- '지구地球 공동체共同體' '글로벌 빌리지'란 의식이랑, 세계정부 등은 다시 지극히 취약하거나 부재하다. 그러나 그 귀결로서 「모든 것이 「世界市場」에 수렴되어 그것이 支配的으로 된다.」는 그런 상황이 80-90년대부터 진행돼온 사태에 다름 아니다.

그럼 금후는 어떻게 전망될까. 지금부터의 시대(=「포스트 情報 化·金融 化」 혹은, 定常化의 시대)의 기본적인 방향으로서, (1)각 레벨에 있어서 「公-共-私」의 총합 화總合 化, (2)로칼·레벨로부터의 出發이라는 두 가지 점이 중요한 것으로 생각되겠죠. 그중 (1)은 「世界市場」즉, (「글로벌」과 「市場」의 組合)이 강력해지는 현재와 같은 상황으로부터 각 레벨 즉, 로칼-내셔널-글로벌이라는 레벨의 각각에 있어서 「共(커뮤니티)-公(政府)-私(市場)」이라는 3자 각각의 확립과 總合 化를 진행하고 있는 것이다. (2)는 그런 점을 밟아서 각 레벨 상호관계로서는 어디까지나 로칼·레벨에서 출발하고, 그 기반 위에 내셔널(리저널) 글로벌이라는 레벨에서의 정책대응政策對應이랑, 지배구도(거버넌스) 구조를 쌓아가는 그런 방향이다.

왜 그럴까. 포스트 産業化, 그리고 다시 그 앞에 전개돼 온 포스트 情報化·金融化. 그리고 定常化의 시대에 있어서는 소위 「시각時刻의 소비消費」라고 부르는 것 같은 커뮤니티랑, 自然에 관해 현재 충족적인 지향을 가진 사람들의 욕구가 새롭게 전개되고, 福祉·環境·도시계획都市計劃·文化 等에 관한 영역領域이 크게 발전해 가게 된다. 이들 영역은 그 내용에서 로칼한 커뮤니티에 기반을 둔 성격의 것이고(공업화시대에 있어서 내셔널 레벨의 인프라 정비랑, 金融化의 시대에 世界市場에서의 금융취인金融取引 等과 다른) 그 「최적最適의 空間的 유닛」은 다른 게 아니고, 로칼 한 레벨에 있다고 생각되기 때문이다.

더구나 중요한 것은, 이런 구조변화는 第1部에서 고찰한 것 같이, 근대과학近代科學 성립이후 과학의 기본 개념이 「物質→에너지→情報」로 변천變遷해온 위에서, 다시 다음 단계로서의 「生命(life)」에 이행移行해 가는 그런 근본적인 변화에도 대응하고 있다. 第3章에서도 논의한 것 같이 과학도 또 「포스트 情報 化」의 시대에 이행하고 있다.

그래서 이것은 第Ⅱ部에서 논의된 것이지만, 거기서의 「生命」은 기계론 적機械論 的으로 파악된 수동적인 성격은 아니고, 소위 內發 的 혹은, 창발 적創發 的 성격의 것인 데, 덧붙여 영어의 「life」가 「生命」과 동시에 「生活」이라는 의미를 담당하는 것 같이, 그것은 더욱더 로칼 한 커뮤니티란 自然에 확고하게 뿌리내린 성격일 것이다. 이런 생명이랑, 자연의 內發性이라는 주제와 로칼·레벨로부터 출발하는 지역의 「內發的 發展」이라는 과제는, 다른 위상의 것은 아닌지 깊은 차원에서 통찰하고 있는 것이라고 말할 수 있죠(이 話題에 관해서 鶴見中村(2013)參照).

第3章의 끝에서 시장경제의 영역을 그 토대로 한 커뮤니티랑 자연에 '착륙'시키고 있는 그런 비전에 관해서 기술했지만, 여기서 논의하고 있는 방향성은, 그런 本書의 여기까지의 論議와 호응하는 것이다.

로칼리제이션 혹은 '地域에의 着陸'

이상의 것을 일본에서 전개되고 거론되지만, 조금 구체적으로 확인해 보죠. 明治 以後의 일본에 있어서 다양한 사회자본의 정비를 본 것으로서, 철도랑 도로 등의 사회자본이 서서히 보급되고, 머지않아 성숙단계에 달하는 그런 「S자 커브」로서 표시되고 있다. 최초로 정지된 것은 「철도鐵道」로 당시는 '鐵은 國家다'라고 말해지던 시대로 공업화가 크게 전개되는 가운데, 철도가 동경 등의 도시에서부터 이윽고 지방을 포함해서 부설되었다. 이어서 '제2의 S'의 대표는 제2차 대전 후의 고도 성장기를 대표하는 「도로道路」의 정비이고, 물론 이것은 자동차의 보급과 겹치고, 또 石油化學 等의 擴大와 함께 일체로 되었다. 다시 高度成長 期 後半의 '第3의 S'에 이르면, 약간 경향이 변해 폐기물 처리시설廢棄物 處理施設, 도시공원都市公園, 하수도下水道, 공항空港, 고속도로高速道路 等 다양한 것으로 되지만, 이것도 모두 성숙단계에 도달하고 있다.

본장의 논의와 관련해서 주목하는 것은, 이상과 같은(3개의 S자 커브에 나타나는) 工業化時代 혹은, 高度成長 期의 社會資本 정비는 항상 「내셔널」한 空間 범위에 관한 것으로, 국가 레벨의 혹은 중앙집권적中央集權的인 플래닝에 더욱 중요한 친숙하기 쉬운 성격의 것이라는 점이다.

단순한 얘기로 철도망이랑, 도로건설은 개개의 로칼 한 지역을 초월하는 것으로서 하나의 지역 혹은, 지자체에서 단독으로 계획하거나 정비할 수 있는 것이 아니다. 本章에서 논의해온 것 같이, 工業化(産業化) 시대에 있어서 「經濟의 空間的 유닛」은 내셔널한 레벨에 친화 적인 것으로 스스로 集約的인 플래닝 이랑, 意思決定이 중요해진다. 공업화를 축으로 「擴大成長」의 시대에 있어서, 東京을 중심으로 하는 계층 적階層 的 구조가 강화되는 것은 이런 배경부터 오는 것이다.

그렇지만 마치 「S자 커브」라는 형태가 가리키는 것같이, 이상과 같은 工業化 關聯의 사회자본 정비는, 현재 이전에 成熟·飽和 단계에 달하고 있다. 금후 크게 부상하고 있는 '제4의 S'가 있다면-정확히는 이상의 3개의 S자 커브 후에, 90년대부터 2000년대에 걸쳐서 情報 化·金融 化의 파도가 있고, 거기에는 「글로벌」의 한 성격을 갖는 것으로, 그것을 '제4의 S'로 부르면 '제5의 S'라는 것이 된다. 그것은 앞서 서술한 것 같은 복지(케어 혹은 대인對人 서비스) 환경·문화·도시계획·농업 등도 있다. 「로칼」한 性格의 領域이겠죠.

「커뮤니티 經濟」의 重要性
'地域에의 착륙着陸'이라는 방향으로 나아가고, 또 「經濟의 空間的 유닛」이 로칼 한 것에로 전환해가는 시대에 있어서 중요해지고 있는 것은, 지역에 있어서 사람·물건·돈이 순환하고, 거기에 고용이랑, 커뮤니티 적으로 연결도 생기는 것 같은 경제의 존재가 있고, 나는 이것을 「커뮤니티 經濟」로 부르고 있다(広井(2013)). 그것은 제3장의 끝에서 서술한(資本主義 시스템에 있어서는 오로지 '이륙'하고 있다.) 市場經濟의 영역을 그 토대로 하는 커뮤니티, 그리고 自然의 차원次元으로 돼가는 경제라는 주제와 겹치는 것이다.
구체적인 이미지를 갖게 만들기 위해서 예를 열거하면, 내가 이해하는 한에서 이런 로칼 한 경제가 비교적 잘 기능하고 있는 것은, 독일이랑 덴마크라는 나라들이다. 이와 관련하여 양국은 자연에너지의 보급에 있어서도 선도적이고, 잘 알려진 것 같이, 독일은 2022년까지 탈 원전脫 原電을 선언하고, 덴마크는 原電을 갖고 있지 않다.

독일의 뉴른베르그 郊外에 있는 에어랑겐이라는 지방도시의 중심부의 모습이 인상적인 것은, 독일의 많은 도시가 그렇듯이, 중심부부터 자동차를 완전히 배제하고, 보행자만을 위한 空間으로 하고, 사람들이 「걷고 즐기는」 것이 가능한, 게다가 느긋한 커뮤니티적인 연결이 느껴지는 그런 거리로 되었다. 나아가 인구 10만 이상의 중규모의 도시에 있어서, 중심부가 활기차고 번성하는 것을 보여주는 것이 인상 깊었다. 이것은 여기 에어랑겐에 국한되지 않는 독일도시 모두가 그런데, 유감스럽게도 일본의 같은 규모의 지방도시는 소위 사타거리를 포함해 한산한 공동화空洞化가 돼가고 있는 것에 다름 아니다.
바이에른 주의 바트라이엔할이라는 온천溫泉 거리지만(인구1.7만인), 1킬로미터 이상에 걸친 긴 상점가가 있고, 고령자를 포함해 걷고 즐길 수 있는 커뮤니티 空間으로 되어있다.
이전 저서에서 썼지만, 일본을 방문한 외국인에의 앙케트에서 "日本에 와서 불편한 점"의 1위에 「거리 중간에 앉는 장소가 적다」는 점이 열거된 것을 보고 다소 놀랬던 것이 생각난다. 반드시 일본에서도 충분히 논의되지 않으면 안 된다고 생각하지만, 이런 점은 대략 미국의 도시와 유럽의 도시가 크게 다르다.

미국도시의 경우, 거리가 완전히 자동차 중심으로 되어, 걷고 즐길 공간이랑 상점이 적다.

게다가 빈부 차가 큰 것을 배경으로 한 치안악화도 있어, 중심부는 황폐한 지역이 많이 보이고-창유리가 깨어진 채 방치되고, 먼지가 날리는 등-정확히 살 곳이 못되는 말하자면 「새드·플레이스」도 적지 않고, 가로의 '즐거움'이랑, '느긋하고 차분한'것은 턱없이 부족한 경우가 많다.

　유럽의 街路는 상기와 크게 달리 중심부부터 자동차 배제와 보행자 中心의 커뮤니티 空間이랑, 가로의 활기라는 점에서는 특히, 독일 이북의 유럽에서 그것이 명료해지고, 이것은 70년대 전후부터 그런 정책을 의식적으로 전개해온 결과이다. 전후 일본의 경우, 도로성비랑, 유통업을 포함해 압도적으로 미국을 모델로 도시랑 지역을 만들어온 면이 크고, 유감스럽게도 미국 같이 가로가 완전히 自動車 中心으로 되어, 또 中心部가 空洞 化하는 경우가 많은 것이 현실이다.

　여기서 포인트가 되는 것은, 지금 기술한 것같이 ①都市計劃 혹은, 地域의 空間構造의 당위성(자동차규제랑, 교외의 대형점포 등의 규제를 포함)과 ②지역에서의 로칼 한 경제순환經濟循環, 즉 여기서 말하는 「커뮤니티 經濟」라는 것으로 되겠죠.

경제經濟의 지역 내地域 內 순환循環

　②의 經濟의 地域 內 循環 즉, 사람·물건·돈이 지역 내에서 잘 循環하는 것 같은 경제에 관해서는 이전에 拙著에서 언급했지만, 『스몰 이즈 뷰티풀 』로 알려진 「地域 內 승수효과乘數效果」라는 흥미 깊은 개념을 제창하고 있다.

　이것은 經濟가 거의 한결같이(내셔널)레벨에서 생각돼온 케인지 政策的 發想에의 비판 혹은, 반성을 포함한 제안으로 「地域再生 또는, 地域經濟의 活性化=그 지역에 있어서 자금이 많이 순환하고 있는 것」에 잡혀 ①「관개灌漑(irrigation, 資金이 해당 지역의 구석구석까지 순환하는 것에 의해 경제효과가 발휘되는 것이랑, ②「새는 곳을 막고(plugging the leaks, 資金이 밖으로 나가지 않고, 내부에서 循環하는 것에 의해 그 기능이 충분히 발휘되게 하는 것)」이란 독자의 개념을 도입하고, 地域內部에서 循環하는 경제의 당위當爲랑, 그 지표指標를 제언提言하고 있는 것이다.　　　　　　　　　　　(New Economics Foundation(2002)).

　사견으로는 이런 커뮤니티 經濟의 예로는 (a)복지 상점가福祉 商店 街, 혹은, 커뮤니티 상점가(앞의 獨逸 등의 예) (b)자연에너지·環境關聯(후술後述의 「진수鎭守의 삼森<서낭신을 모신 神社가 있는 숲> 자연에너지-커뮤니티 構想」을 포함) (c)農業關聯, (d)地場産業, 혹은 전통傳統 공예工藝 관련關聯, (e)福祉 혹은 「케어」 관련 등 여러 가지가 생각될 수 있다. 이런 가운데 지역 내의 경제순환이란 것이 더욱더 명확히 나타나기 쉬운 것은, 후에 다루는 自然에너지 관련된 것이겠죠.

　한편, (e)의 福祉 혹은, 「케어」관련하는 최근의 흥미 깊은 사례의 하나로서 치바 현의 「사랑하는 돈豚 연구소」의 시도를 소개해 보고 싶다. 「사랑하는 豚 硏究所」는 양돈장養豚場에서 豚을 사육하는 것과 함께 그 가공이랑, 유통-판매 등도 일괄해서 행하는 "福祉(케어)와 農業과 아트를 조합해 시도하는 것으로 부를 수 있다.

　「아트」라는 점은, 유통과 販賣에 해당하는 크리에이터들이 적극적으로 참가하고, 디자인성 혹은 부가가치가 높은 상품을 신경 쓰는 것을 가리킨다. 또, 복지적인 성격을 갖고 있는 것은, 상품의 유통이랑 판매에 있어서는 전면에 나오지만, 어디까지나 그 질과 맛으로 승부하는 데 있다.

흥미로운 것은, 이사업을 중심으로 해서 진행하는 것을 이 사업 전체를 「케어의 6次 産業化」라는 개념으로 파악하고 있는 점이다. 농업의 6차 산업화라는 것은 잘 말하지 않는 이유가, 이사업의 경우 「케어」를 축으로 해서 생산·가공·유통·판매生産·加工·流通·販賣를 연결해 그것을 사업화하는 데 있다. 그러나 양돈養豚뿐만 아니라, 햄 등을 만들 때에 사용하는 소금 등도 現地 産으로 한정해서(이와 관련하여 지바 현의 양돈두수가 전국3위) 경제의 地域 內 순환이라는 것을 의식한 사업으로 된다.

이상은 일례지만, 産業構造가 크게 변화하는 중에 다양한 사업을 새로운 형태로 연결해 로칼 한 經濟循環을 實現하고 있는 것 같은 시도가 금후 일층 중요해질 것이라고 생각된다.

젊은 世代의 로칼志向

일정한 物質的 豊饒가 達成된 「포스트 成長」의 시대에 있어서는 高度成長 期를 중심으로, 「擴大·成長」의 시대에 있어서는 工業化라는 벡터를 중심으로 세계가 하나의 방향으로 향해 나아갔지만, 그 결과 대저 각 지역이 '빠르다-늦다'는 단선적인 시간 축時間 軸으로 자리매김하는 것으로 되었다. (서울은 발전하는데 지방은 늦다는 식)의 퇴조하고, 역으로 각 지역의 個性이랑, 역사 문화적 多樣性에 사람들의 관심이 쏠려 單純化해서 말하면 포스트 成長 아니면, 定常化 社會에 있어서는 時間 軸보다도 「空間 軸」이 전면에 나오게 되는 그것은, 앞서 '地域에의 着陸'이라는 것과 중복된다.

다시 이런 젊은 세대의 지방에의 U턴 혹은, I턴은 그것에 대한 政策的 支援 策 自體가 중요하다. 稅收를 활용해 젊은이의 지방에서의 雇用과 生活支援 等의 정책-현행의 「地域 行次행차 協力 隊」의 大幅 擴充 等을 포함한다.

福祉都市-고령화랑 죽음을 포함한 지역 커뮤니티

커뮤니티에서의 經濟循環과 나란히 또 하나의 중요한 것이, 도시계획 혹은, 도시랑 街路, 集落의 空間的 存在方式이다. 여기에 관해서는 成熟社會 혹은, 人口減少 社會의 都市 像으로서 「福祉都市」라는 시점이 중요하다고 생각된다.   (広井(2011)參照))

「福祉都市」는 그다지 어려운 것을 의미하는 것이 아니고, 포인트는 두갠데, 앞서 독일 등의 예에서 다루고 기술한 것같이, 중심부로부터 단념해서 자동차교통을 배제하고, 상점가 등의 보행자가 「걷고 즐길 수 있는」 공간으로 하는 것-전국에 600만인으로 추산되는 '구매(쇼핑)난민'의 감소에도 기여 한다-第2로 가능하면 중심부에 케어 부착 주택이랑, 젊은이·자녀양육 세대를 위한 公的住宅, 保育院 등을 유도하고, 世代 間 교류랑, 커뮤니티라는 시점을 포함한 넓은 意味에서의 福祉的 기능을 충실하게 하는 것이다.

이런 의미에서 宮崎駿 씨는 『虫眼とア=眼?』「保育院과 호스피스와 會社를 街路의 가장 좋은 곳에」라는 내용의 것이다.

自然에너지-와 鎭守의 森-커뮤니티에서 循環하는 經濟에

原發이랑, 금후의 에너지 정책을 둘러싼 展開는 다시 혼미가 계속되고 있지만, 다음과 같은 흥미로운 사실이 있다. 일본전체의 에너지 자급 율은 4%대에 지나지 않지만, 도도都道 부현府縣 별로 보면10%를 초과하고 있는 곳이 14군데, 베스트 5는 ①大分 縣(26.9%) ②秋田 縣(19.7%) ③富山 縣(17.6%) ④長野 縣(15.4%) ⑤鹿兒島 縣(14.7%)로 돼있다(2014년).

이것은 환경정책이 전문가 倉阪秀史 千葉大學 교수가 진행하고 있는 「영속지대永續地帶」 연구의 조사 결과로, 大分 縣이 발군拔群으로 높은 것은 벳푸온천의 존재와 같은 지열발전이 큰 것에 의한 것이다. 富山 縣이랑, 長野 縣 等은 산으로부터 풍토를 배경으로 한 수력발전이 큰 것이 에너지자급 율이 높은 요인이다. 한결같이 '自然資源이 부족하다'라고 말해온 일본이지만, 의외로 이런 자연에너지에 관해서는 일정한 포텐샤를 갖고 있다.

이와 관련하여 독일에서는 에너지의 지역자립을 꾀하는 「자연에너지 100% 지역」 프로젝트가 진행되고 있고, 2012년 현재 그런 자연에너지100% 지역은 74개로 확대 중에 있다.

(환경에너지 정책연구소 자료).

그런데 자연에너지 거점의 정비라는 주제는, 좁은 의미에서 에너지 政策이라는 틀을 넘어서 로칼 지역 커뮤니티의 再生이라는 관점이 불가피하겠죠. 즉, 앞서 「커뮤니티經濟」와 마치 중복되지만, 자연에너지를 축으로 사람·물건·돈이 地域 內에서 순환하고, 거기에 고용이랑, 커뮤니티적인 연결이 생긴 것 같은 구조 만들기가 과제로 된다. 이런 관점을 포함해 내가 생각하는 것 같은 것이 「鎭守의 森· 自然에너지 커뮤니티 構想」이다.

물론, 지역 커뮤니티의 거점으로 되는 장소는 鎭守의 森뿐만아니다. 이 시대에 커뮤니티의 중심으로 특히 중요한 장소로 거론되는 것은, 많은 순부터 ①學校 ②福祉·醫療施設 ③自然關係(公園 等) ④상점 街商店 家 ⑤神社·절 등이다(広井(2009b)參照). 이런 장소를 자연에너지 등과 어떻게 연결해, 커뮤니티에서 순환하는 경제를 구축하는 것이 포스트 成長時代의 일본에 있어서 중심적 과제겠죠.

다시 이 경우 경제시스템 전체의 당위로서 다음과 같은 「로컬부터 글로벌에의 全體構造」를 구상하고 실현해 나갈 수밖에 없다고 생각된다. 즉,

(1)物質的 生産, 특히 食料生産 혹은, 케어(대인서비스)는 가능한 로칼 한 地域單位에서-로칼 ~내셔널, (2)工業製品이랑, 에너지에 관해서는 보다 광범위한 地域單位로-내셔널~리져널(다만 자연에너지에 관해서는 가능한 로컬에), (3)情報의 生産, 消費 혹은, 流通에 관해서는 더욱 더 광범위하게-글로벌 (4)時間은(커뮤니티랑 자연 등에 관해서 指向 혹은, 시장경제를 초월한 영역) 로칼 로라는 방향이다.

(広井(2009a), 同(2009b)參照).

이것은 本書 中에 기술해온 「物質의 消費→에너지의 消費→정보의 消費→시간의 消費」라는 經濟 構造 혹은 科學의 基本 概念의 進化와도 對應하는 것이다.

地域의「自立」은-不等價 交換과 都市·農村의「持續可能한 相互依存」

東京과 같은 대도시는 食料랑, 에너지를 상당히 싼 가격으로 지방이랑 농촌으로부터 조달해 오고, 거기에는 어떤 「부등가 교환不等價 交換」이 생기는 것에 관해서는 「시간時間」이라는 주제와 함께 종장終章에서 생각해보자. 그런데 2011년에 시작된 재생가능再生可能 에너지의 고정가격固定價格 구매제도購買制度랑, 다양한 농업지원農業支援, 지역의 젊은이 지원 같은 「再分配」의 構造를 도입한 만큼 都市와 농촌農村은 「지속가능持續可能한 상호의존相互依存」의 관계를 실현할 수 있다.

綠의 福祉國家 또는 持續可能한 福祉社會

마무리해보죠. 第Ⅲ部 전체의 論議를 반복해보면, 현재의 자본주의가 다양한 레벨의 格差

擴大와 過剩이라는 構造的 問題를 포함하고 있는 것이라는 인식認識에서부터 출발하고 거기에의 대응으로서,

(1)過剩의 抑制-時間政策이랑, 「生産性」概念의 轉換
(2)再分配의 강화 재편强化 再編-자본주의 시스템의 더욱더 根幹에 거슬러 올라간 社會化(「人生前半의 社會保障」이랑, 「스톡의 再分配」)
(3)커뮤니티 經濟의 展開-市場經濟를 토대로 하는 커뮤니티랑, 自然에 着陸하는 것이라는 3개의 方向에 관해서 생각해온 것이다.

형식적으로 말하면, (1)은 「富의 總量(혹은 規模)」에 관한 次元이고, (2)는 「富의 分配」에 관한 次元이고, (3)은 「富」라는 單語가 통상 함의含意하는 市場經濟의 사정 그것 자체로부터 초과된 위상(=커뮤니티와 자연)을 포함하는 차원으로 말하는 것이 가능하다.

따라서(1)~(3)의 방향을 포함한 전체를 여기서는 「綠의 福祉國家」 혹은, 「持續可能한 福祉社會」라는 사회구상으로 자리매김하고 싶다. 본서의 第1部에서 언급해온 것 같이 원래 「福祉國家」라는 개념은, 資本主義와 社會主義의 '中間의 道'라는 측면을 갖고, 더군다나 그것은(케인지주의的 福祉國家라는 표현이 가리키는 것같이) 成長擴大에의 지향을 강하게 내포하고 있다.

그러나 포스트 成長의 시대를 맞이하는 중에 그런 한없는 擴大成長을 전제로 하지 않는 복지국가의 당위성이 추구되는 것으로 됐다. 그것은 '「에콜로지」와 결합結合된 福祉國家'혹은, '脫 成長의 福祉國家'모델로도 불리고, 더군다나 상기와 같은 福祉國家 自體가 이전에 資本主義와 社會主義의 일종의 결합 형태로 그것은 전체로서 「資本主義·社會主義·에콜로지의 크로스 오버」로 把握하는 것이 당분간 가능하다.

이것은 나 자신이 여기까지 「定常型 社會」 혹은, 「持續可能한 福祉社會(sustainable welfare society)=개인의 생활보장이랑, 분배의 공정이 실현되는, 그것이 資源·環境制約과도 양립해 가면서 장기간에 걸쳐서 持續可能한 社會」로 불려온 社會 象과 실질적으로는 겹치는 것이지만, 특히 (3)의 내용(커뮤니티 經濟)에 주목하는 경우가 크다고 말할 수 있다.
왜 이런 점이 중요한 것인지는 자본주의적인 「擴大成長」은 아니고, 오히려 「(地域 內)循環」에 보족補足을 단 커뮤니티 경제가 발전해 가면, 그것은 그 자체로 (1)의 「過剩의 抑制」에도 연결되고, 또 거기서 다양한 고용이랑, 커뮤니티적인 연계 등이 생겨나면, 그것은 격차의 시정(혹은 실업의 감소랑 社會배제의 시정)에도 일정하게 기여하고, 결과적으로 (2)의 再分配의 전제조건을 완화하는 것으로 되기 때문이다.

그런 「綠의 福祉國家/持續可能한 福祉社會」의 기본적인 특징을 새삼스럽게 쓰면 여기까지 기술해온 것같이, 그것은 로칼 한 經濟循環으로부터 출발하고, 지역 간의 再分配(도시-농촌 간의 不均衡을 包含)의 구조를 중층 적으로 조직하면서 내셔널, 글로벌로 쌓아가는 그런 사회다. 동시에 거기에는 勞動時間의 단축이랑, 「時間政策」이 도입되는 것과 함께 「人生前半의 社會保障」이랑, 「스톡의 再分配」를 포함한 다양한 社會保障이랑, 再分配 시스템이 채택되고, 이것을 통해서 過剩의 抑制랑, 개인의 生活保障 아니면 分配의 공정公正이 기도된다.

「綠의 福祉國家指標」-環境과 福祉의 통합統合

이상과 같이 서술하면 일종의 이상론으로 볼 수 있고, 그 위에 추상적 이념에 그치는 것으로 받아드릴지 모르지만, 내 자신은 앞서 커뮤니티 경제의 부분에서 약간 다뤘듯이, 독일이랑, 덴마크 등의 나라들은 적어도 부분적으로 그것에 꽤 근접한 모습을 실현하고 있다고 생각된다.

이런 전체적인 이미지를 나타내는 것이 개별적인 사회지표社會指標랑, 정책에 관해 검증되고 음미될 필요가 있다. 여기서는 「福祉」와 「環境」에 관한 지니係數 등 格差關聯指標랑, (소셜·캐피탈 等) 커뮤니티 관련지표 혹은, 노동관련 지표 「環境」에 관해서는 식량에너지 등의 自給 率이랑 에콜로지칼 후트 프린트, 이산화탄소 배출이랑, 개소린 소비 등의 지표가 열거돼, 이것을 總合 的으로 보는 접근이 중요하겠죠. 그런 關心에서 作成된 것으로 「綠의 福祉國家指標, (또는 持續可能한 福祉社會指標, 環境福祉指標)」로 부르는 시도다.

도의 종축縱軸은 지니 계수로 격차를 表示하는(위의 수치數値가 클수록 格差는 크다). 한편, 도의 횡축은 환경퍼포먼스에 관한 지표로, 여기서는 「環境퍼포먼 지수(EPI :Environmental Performance Index)」라는 예일대학에서 개발된 총합지수總合指數를 사용하고 있다(환경오염, 이산화탄소 排出, 생태 계 보전 등에 관한 指標를 總合 化 한 것). 따라서 축의 우측이 環境퍼포먼스가 높은 것을 표시하고 있다.

이렇게 通常은 함께 論議된 것은 적지 않은 「福祉」와 「環境」을 總合 的으로 認識할 때, 흥미 깊은 것은 양자 간에는 일정한 관계가 있는 것을 간파할 수 있다.

즉, 左上에는 멕시코·터키(튀르키예)·美國·韓國·日本 등의 國家가 존재하고, 이들은 대체로 格差가 크고, 또 環境 面에서 퍼포먼스가 양호하지 않은 국가들이다.

한편, 右下의 그룹은 격차가 相對的으로 적고, 또 환경 퍼포먼스가 양호한 국가들로 스위스랑, 독일·북 유럽들이 해당된다. 마치 여기서 논하고 있는 「綠의 福祉國家」 또는, 「持續可能한 福祉社會」의 像에 가까운 국가들이라고 말할 수 있다(좀 더 자세히 말하면 이들 국가 가운데, 소위 북 유럽국은 「福祉」의 퍼포먼스가 높고, 독일 등은 「環境」의 퍼포먼스가 높은 경향이 있다).

그것은 왜 「福祉」(여기서는 격차의 정도)와 「環境」의 존재는 일정一定 정도 상관관계가 있을까.

이것은 종래 그다지 논의되지 않은 그 자체는 흥미 깊은 주제지만, 아마 다음과 같은 구조(메커니즘)가 작용하고 있는 것은 아닐까. 즉, 격차가 상대적으로 큰 나라 혹은, 사회에 있어서는 그 정도가 큰 만큼, ①(흔히 말하는 '패자 조敗者 組'로 된 경우 곤궁의 정도가 크기 때문에) 스스로 「競爭(혹은 上昇)壓力」이 크고, ②그렇지만 격차가 크다는 것은 「再分配」(에 의한 平等 化)에의 社會的 合意가 낮은 것을 의미하기 때문에 이들①②의 결과 스스로 「파이의 확대=經濟成長에 의한 解決」이라는 지향이 강해져 환경에의 배려랑, 持續 可能性이란 政策課題의 優先順位가 相對的으로 낮아지게 된다. 역으로 일정 정도 이상의 평등이 실현된 사회에 있어서는 경쟁(상승)競爭(上昇) 압력(壓力)은 상대적으로 약하고, 또, 再分配에의 사회적 합의도 일정정도 존재하기 때문에 「經濟成長」 즉, 파이 全體를 擴大하지 않으면 풍족해지지 않는다는 발상 혹은 '壓力'은 상대적으로 약해진다.

그것은(가족집단을 초월한)「서로 나누어 가지다」에의 합의가 침투해있는 것도 있어, 즉 이들 「福祉/環境」관련 지표랑, 社會 象의 배경에는 그런 사람과 사람과의 관계성(예를 들면 사람과 자연의 관계성)의 당위가 작용하는 것이다.

동시에 거기에는 애초에 자신들이 「어떤 사회」를 만들어 갈까(갈 수 있을까)라는 점에 관해서 비전의 공유라는 것과 관계되겠죠. 이후에 서술한 것같이 현재 일본의 경우 그런 '실현해 나가야할 사회'랑, 「풍요」의 모습이 보이지 않고, 정치 혹은, 정당도 그런 것을 나타내지 않고, 사람들은 도리를 지켜 생활하는 상황은 아닐까.

어쨌든 여기서 논하고 있는 「綠의 福祉國家/持續可能한 福祉社會」는 단순히 추상적인 이념에 그치지 않고, 이런 주제 군에 의해서도 표현되는 구체적인 사회의 모습이랑, 정책과 깊게 연관돼있다. 그렇지만 그것은 양적 혹은 마크로 적인 차원에 그치지 않고, 예컨대 각국의 위치관계는 나 자신이 그런 나라들에 체류하고 실감한 인상이랑, 앞서 도시계획 등에서 서술한 사람들의 표정 혹은 '가로의 분위기'등도 어느 정도 합치된다.

日本의 位置와 現在

일본에 관해서는 미국과 나란히 「非 環境指向·非 福祉國家」로 분류되고 있다. 일본의 경우 애석하게도 경제격차는 선진제국 중에서 이미 큰 부류에 들어있고, 노동시간도 길고, 또 과로사란 것도 있고, 「社會的 고립도(가족이랑 집단을 超越한 사람과의 연결의 적음)」도 선진국 중에서 가장 높고(世界 가치관 조사에서의 國際 比較)년 간 자살자가 다시 25000人 정도 존재하고(2014년), 「人生前半의 社會保障」도 불충분한 한편, (세稅 부담에 대한 사람들의 저항이 강한 것도 있고) 국의 차금借金은 천조 엔을 넘어 선진국 중에서 돌출된 규모인 점 등 마이너스의 요소가 열거된 면은 부정할 수 없다.

그런 근본적인 배경으로서 일본에 있어서는(工業化를 통한) 고도성장기의 '성공체험'이 선명하기 때문에 「經濟成長이 모든 문제를 해결해준다」라는 발상에서(단괴團塊 세대를 중심으로) 빠져나가지 않고, 사람과 사람과의 관계성이랑, 노동의 존재방식, 동경-지방의 관계 稅랑, 공공성에의 意識, 거론되는 것은 국제관계(「미국-일본-아시아」라는 서열의식)등등. 이런 면에 있어서 구래 형舊來 型의 모델과 세계관을 인도해내는 것이라는 점이 열거되겠죠.

「아베노믹스」는 그런 잔재殘滓의(어떤 의미에서 최후의) 상징은 아닐까. 그렇지만 한편에서 앞서 기술한 젊은 세대의 로칼 지향이라는 점과도 연관되지만, 일본 각 지역에 있어서 현재 지역의 재생이랑, 새로운 관계에 향하는 움직임이 '백화요란'같이 생성되고 있는 것은 확실한 사실이다.

때마침 일본은 2009년부터 人口減少 社會에 이행돼 가고, 이것은 명치유신明治維新 이래, 백수십년 계속된 「擴大成長」의 벡터와는 역방향으로 展開=回轉의 시작이기도하다.

그것은 「擴大成長」이라는 일원적인 尺度랑, '義務로서의 上昇'으로부터 사람들이 해방되고, 새로운 창조의 시대인 동시에 많은 곤란을 동반하는 과정이지만, 본장에서 논의해온 '人口減少社會의 후론트런너'로서의 일본사회가 진정한 풍요를 실현하는 사회상으로서 자리 잡게 되겠죠.

終章 地球倫理의 可能性-포스트 資本主義에 있어서 科學과 價値

長 時間과 로컬리티-지진地震 예지予知와 地域의 신사神社

　東 日本 大地震의 津波에 있어서, 진파(津波)가 도달한 경계선 상에 많은 神社가 세워져 있었다는 사실이 있다. 이 화제는 2011년 8월에 방영된 TBS의 보도특집에서 취급되어, 또 다른 곳에도 여러 가지 장면에서 언급된 것으로, 들은 적이 있는 사람도 많을지 모르겠다.

　상기 프로의 취재와 관련해서 원래 대학원에서 해양환경을 연구하고, 후에 공저로『神社는 경고한다.』라는 책을 정리한 1인인 熊谷航은, 福島 縣 南相馬 市로부터 新地 町에 걸쳐서 津波의 영향을 받아 바다 쪽에 있는 神社 84社를 방문 피재被災 상황을 확인했다. 이들 84사는 '村社'로 부르고 지역 사람들에 의해 신앙, 운영돼온 작은 사祠였지만, 17사가 유출·전괴流出·全壞의 피해를 받은 것 외의 67社는 모두 무사한 것으로 알려졌다. 또, 전체적으로 古 神社일수록 津波의 피해가 초래 예가 많고,『연희식延喜 式』으로 부르는 문서(927년)에 기재된 신사들을 「식내사式內 社」로 부르지만, 福島, 宮城, 岩手의 式內社 100 가운데, 전괴·반괴全壞·半壞된 것은 3사뿐이었다. 平安시대에 소위, 貞觀 大 津波가 일어난 것이 869년이라는 것을 생각하면, 貞觀 津波가 그 시대의 신사의 입지에 영향을 주었다고 보는 것이 불합리하지 않다고 생각된다.
(高世他(2012)).

　神社의 立地와 津波의 침수 역이 꽤 겹치고 있다는 점이랑, 그 배경에 관해서는 당시 사람들이 "津波一는 여기까지 오는 두려움이 나와서 뭔가 있을 때는 이 장소에 피난하세요." 아니면, "여기보다 바다 쪽은 위험하다"라는 메시지를 後代사람에게 부탁하면서 지었다는 것을 충분히 알 수 있죠. 이렇게 보면 약간 과장해서 말하면, 地震研究 等 현대의 과학이 행하는 地震 予知랑, 警告를 쫓기보다 「무언가 있을 때 가능하면 가까운 神社佛閣에가라」는 예부터 소박한 警告를 준수한 쪽이 津波피해를 적게 받았을 가능성도 있다고 말할 수 있다.

　이와 연관해서 상기의 熊谷은 마무리 문장에서 다음과 같이 기술하고 있다. 「보도 등에서 주지하는 것처럼, 이런 규모의 津波 災害는 수백~천년 주기로 일어나는 것이 과학연구로 알 수 있다. 그러나 천년 후에 전해줄 방재는 무엇일까? 금회의 진파피해를 겪고 방재체재防災體制랑, 방재교육防災教育을 모두 시작하긴 했지만, 과연 그것은 천년후의 사회에까지 살아 계속되는 것이 가능할까요. 우리들 주변을 멀리 바라보는 게 좋다. 천 년 전부터 받아 계속되어 온 것을 찾는 것은 쉽지 않다.」 「이번 조사를 통해서, 지역의 神社에 관해서 우리들이 잊어버린 모르는 것이 많다는 것을 통감했다. 천 년 전부터 일정지역의 神社에 대한 생각을 쫓고, 다시 천년후의 地域社會에 뭔가를 전해줄까에 대해서 생각하는 것은 지역 만들기의 根幹이라고 생각한다.」

未來미래의 수탈收奪

　「천년 후에 전해질 防災」라는 熊谷의 말부터 연상된 것으로서, 덴마크에서 제작된『10萬 年 後의 안전安全』(2009년)이라는 영화가 있다.(원제는 Into Eternity로 '영원永遠에') 이것은 핀란드에서 原發로부터의 방사성放射性 폐기 물廢棄 物의 최종 처분장處分場 건설형태를 담담히 터치한 것을 영상화한 다큐멘터리 작품으로, 제목은 그런 廢棄 物이 10만년 후에 안전해진다는 점에서 유래하고 있다. 뒤집어서 말하면, 10만년 앞의 미래까지 위험을 수반하는 것을 우리들은 후세 사람들에게 남기고 갔다는 것이고, 그것은 상기와 같은 후대에의 메시지와 함께 지역의 작은 神社를 만든 사람들의 관심의 방향은, 어떤 의미에서 진역眞逆의 것으로도 말할 수 있죠. 이후에 정리하는 것같이 市場經濟 혹은, 그것을 축軸으로 하는 資本主義 시스템은 「短期」의 시간時間 軸만으로 물사物事를 다루지 않아 그런 「긴 시간」은 처음부터 관심 밖으로 치부해버린다.

이런 것의 의미를 경제학자 水野和夫는, 「未來의 收奪」이라는 말로 정확히 표현하고 있다. 즉, 近代 資本主義가 「3億 年 前부터 지구상에 퇴적堆積돼 온 화석연료化石燃料를(18세기말의 에너지 혁명革命 이래의) 고작 200년 동안에 탕진蕩盡했다」는 것이 「과거의 수탈」이라고 하면, 화석연료라는 유한한 자연자원에 대신할 '인공적人工的 무한無限'의 작성의 시도로서의 原子力 發電은 실제로는 위에서 기술한 것 같은, 放射性 廢棄 物을 포함해 後 世代의 생활을 크게 손상해서 그것은 「미래未來의 수탈收奪」은 아닐까하는 것이다. 동시에 리만·쇼크의 배경이 된 금융공학에 의한 주택버블과 거기의 서브프라임·론은, 또 교묘하게 低所得層의 원망을 이용해서 「未來의 收奪」을 했다라고 水野는 論하고 있다.   (水野(2012))

「市場의 失敗」를 둘러싸고
그런데 第2章에서 조금 다룬 것 같이, 경제학에 「市場의 失敗」라는 기본개념이 있다. 효율성(혹은 효율적인 자원배분)은 「市場」에 있어서만큼 실현가능實現可能 하지만, 그러나 시장이 충분히 기능하기 위해서는 일정한 조건이 필요한 데, 그런 조건이 만족되지 않은 경우에는, 시장은 효율성을 實現할 수 없고, 즉, 「실패」하는 것으로 생각된다.
이런 시장의 실패에 관해서는 실은 시장이라는 것은, 「情報의 완전성完全性」이라는 것을 전제로 하고, 그러나 실제로는 이 조건은 만족되지 않는 경우가 많은데(情報의 不 完全 性 혹은, 비非 대칭 성對稱 性) 정보를 둘러싼 「市場의 실패失敗」가 여러 가지 형태로 생기고 있다는 논의를 제기한 것이 죠지·아카로프랑 죠셉·스티그리츠 라는 경제학자이고, 그는 그런 '情報의 經濟學'에 관한 공헌으로 2001년 노벨經濟學賞을 수상했다.

정보를 둘러싼 市場의 失敗의 예로서는, 의료보험 등에 있어서 '역 선택逆 選擇'으로 부르는 현상-단순화해서 말하면, 자신은 비교적 건강하다고 인식하는 자가 民間保險에 가입하지 않고, 결과적으로 保險市場이 성립되지 않는 수가 있다. 第4章에서 미국의 醫療시스템을 언급했지만, 이런데서 醫療서비스를 민간에 위탁委託하는 것은, 병의 위험도가 높은 자가 보험가입을 거부당하는 「공평성」의 문제만이 아닌 「효율성」이라는 관점으로부터도 문제가 크다는 결론이 도출된다.

이상을 다른 점에서 말하면, 「情報」라는 槪念을 經濟學에 도입하는 것에 의해 「市場의 失敗」를 다루는 범위範圍가 광범위廣範圍해지고, 바꿔 말하면, '市場이 萬能이 아닌 영역領域'이 종래 생각해온 것보다 더 넓은 것으로 인식되는 것으로 된다. 逆으로 그만큼 「效率性」을 위해(=市場의 失敗를 是正하기 위해서) 정부의 대응이 필요한 경우가 늘어나고 있고, 이것은 本書에서 논의해온 「資本主義의 社會化」를 둘러싼 패러독스-資本主義는 그 存續을 위해 정부의 介入이라는 社會主義的인 요소를 필요로 하는 것도 연관되겠다.

市場經濟와 時間
情報를 둘러싼 市場의 失敗에 대해서 記述했지만, 여기서 내가 주장하고 있는 점은 그 앞에 있다. 그것은 情報라는 개념 앞에, 시간이라는 개념을 市場이라는 것의 이해에 도입할 수밖에 없는 것은 아닐까라는 점이다. 바꿔 말하면, 市場經濟에 있어서는 '시간을 둘러싼 「市場의 失敗」'가 다양한 형태로 생긴다는 것이 중요하다.

이것은 확립된 어려운 것을 말하고 있는 것이 아니고, 내용은 극히 單純하다. 즉, 市場이라는 것은 지극히 '단기短期'의 시간 축으로 物事를 평가하기 때문에, 金融市場 등은 그 전형이다-보다 긴 시간 軸으로 평가할 수밖에 없는 財랑, 서비스는 충분히 그 가치가 평가되지 않고, 낮은 가격으로 매겨져 용도가 다하는 것으로 되는 것이다. 지금 「보다 긴 시간 軸으로 평가될 수밖에 없는 재財랑 서비스」란 것은, 예컨대 농림수산물이랑, 삼림 등 자연환경의 가치에 관한 것이다. 또 장면은 다르지만, 개호介護 등의 서비스도 거기에 해당된다.

이도는 「個人-共同體-自然」의 관계를 나타내는 데, 그것을 이중에 피라미드의 上層에 「市場經濟」에 있어서는 時間 軸의 사정射程이 짧고, 비유적으로 말하면 시간이 더욱 더 "빨리 흐른다." 그러나 개인과 시장경제의 토대에 있는 共同體 혹은, 커뮤니티의 次元에서는 세대 간의 계승 성繼承 性이라는 것을 포함해 시간 축의 사정은 더욱더 길고, 다시 自然의 차원에서는 그것은 다시 길어진다. 거기서는 시간은 "천천히 흐른다."

예를 들면 介護라는 행위는 부모의 개호를 자식이 행하고, 그 자식이 해가 가면서, 또 그 자식이 介護를 행하는 그런 경우로 세대간 繼承 性의 가운데, 커뮤니티적인 일로서 행해진다. 그러나 그것이 시장에 있어서 「介護 서비스」라는 상품으로 되면 그런 요소는 사라지고, 개개의 행위를 소위 단편화하는 형으로 평가하는 것으로 돼, 그 「가격」은 낮아지게 되는 것은 아닐까. 현재 日本에 있어서 젊은 세대를 중심으로 介護 종사자의 이직 율이 많고, 社會的으로는 지극히 중요한 영역이지만, 介護가 안정된 고용의 장으로 되지 않는 것은, 근본적으로는 그런 구조에 유래한다고 나는 생각하고 있다.

따라서 그런 연유로 이들 영역에 있어서는 공적인 틀(구체적으로는 公的 介護 保險)에 있어서, 그 가격을 시장보다 높게(본래의 가치가 평가되는 것같이) 설정해 즉, 공적인 프라이인(價格 매김)을 통해서 '시간을 둘러싼 市場의 失敗'를 시정할 필요가 있다.

이렇게 생각해 보면, 일견 하나도 연관되지 않은 것 같은 농업 등의 분야도, 지금 기술한 介護랑, 福祉分野에 의외로 공통성이 보인다. 즉, 농업 등의 분야에서도, 상당한 노동을 행해 만든 농산물이 낮은 가격으로 평가되지 않고, 충분한 수입이 얻어지지 않는 이유로 이농하는 사람이(젊은 세대를 포함해) 뒤를 잇는다. 이것은 앞서의 피라미드에서는 더욱더 토대로 되는 위 「自然」의 영역에 관한 것으로, 결국 그 가격은 시장경제에 있어서는 충분히 평가되지 않고, 종사자가 감소하는 이유지만, 그 구조는 실은 앞서의 介護 等과 共通된다.

이와 관련하여 도농 간에 「부등가不等價 교환交換」에 대하여 기술했지만, 이것도 또 이상과 같은 시간을 둘러싼 「市場의 失敗」에 유래하는 것으로 생각되겠죠. 또 거기서 언급한 자연에너지의 固定價格 買取制度는, 자연에 관한 가격이 낮게 평가된 것을 공적인 프라이씩을 통해서 시정하는 틀로서 파악하는 것이 가능하다.

다시 약간 개념적인 정리를 하면, 이 피라미드의 중층中層(B의 차원)의 「커뮤니티」는 실은 「情報」로 부르는(=복수複數의 主體로 된 「커뮤니티」에 있어서 의미의 共有랑, 유통이 「情報」라는 개념으로 표리表裏의 관계에 있다). 그러나 앞서 거론한 '情報의 經濟學'은, 실은 이 피라미드의 최상층(市場經濟)으로부터 출발해 탐구의 사정을 中層(=情報/커뮤니티의 차원)에까지 미치지만, 여기서의 '시간을 둘러싼 市場의 失敗'의 생각하는 방법이라는 것이 된다.

그런데 이상과 같은 이론에 대해서는 다음과 같은 반론도 있겠죠. 그것은 본래 시장이라는 것은, 마치 '短期의 時間 軸으로 物事를 평가하는 것은 「市場의 失敗」는 아니고, 시장이 그 본래의 기능을 발휘하는 것-오히려 「市場의 成功」-의 증좌證左는 아닐까라는 비판이다.

형식적으로 말하면 그대로지만, 그것은 「市場의 失敗」의 저의底意에 관해서 또, 애초 시장경제라는 것을 어떻게 다룰까라는 기본 이해와 관계된다. 즉, 앞의 市場經濟는 그것 자체에 있어서 독립자존自存하는 것이 아닌, 그 베이스에는 커뮤니티 自然(보다 장기의 시간 축에 관한 영역)이 존재하고 있다. 第3章에서 논한 것같이 市場經濟가 그런 토대에서 떠나 '이륙하고' 한없이 「擴大成長」을 지향해온 것이 자본주의의 행보였다. 그러나 시장이 그 토대土台에 있는 그 영역을 충분히 평가하지 않고, 혹은, 그 존속을 위협하면 그것은(자연이랑 커뮤니티가 있는 만큼 成立된다)자기의 존재를 잊어버린다.

이것을 여기서는 궁극 적인 의미에서 「市場의 失敗」로 부르는 것이고, "市場이 세계의 모든 것을 뒤엎는 순간에 시장자체의 존속이 불가능해진다"는 패러독스를 포함한 표현이겠죠.

「긴 時間」에의 視座-民俗學的인 知와 近代 科學的인 知의 융합融合

앞서의 震災와 지역의 神社의 이야기로 돌아가면, 資本主義의 軸으로서의 市場經濟도, 근대 과학도, 단기의 시간 축 혹은, '균질均質에 흐르는 추상적抽象的 시간'이 기본으로 돼있고, 예를 들면 地震 予知랑, 防災라는 장면에 관해서도 옛날부터 존재하는 지역의 神社가 나타내는 메시지란 것에 관심이 향하지 않는다. 그렇지만 현재 추구하고 있는 것은, 自然科學에서 상징하는 近代 科學的인 接近과 소위 「民俗學的·歷史學的 接近」으로도 부르는 역사성이랑, 風土, 宗敎랑, 자연신앙自然信仰 文化랑, 커뮤니티 등에 착안해 접근한 양자兩者를 큰 시야로 통합해가는 새로운 「科學」아니면 知의 존재방식은 아닐까요.

통상의 의미의 학문적 著作은 아니지만, 水塚治忠의 『火의 鳥』에서는 邪馬台國의 무렵이랑, 인류의 創世라는 확실한 과거와, 西曆 3404等이 인류가 한번 멸망하기까지 또, 생명의 진화가 시작된 이래로 확실한 미래를 왕복하면서 각각의 시대에 어느 정도 독립된 이야기가 진행된다. 다만, 그 시대의 이야기에도 「火의 鳥」가 등장한다.

이야기의 중심적 주제는 생명 혹은, 「生과死」 혹은, 「死와 再生」이란 주제지만-특히, 「未來 編」이라는 데서 나오는 「宇宙生命」이라는 개념이 중요한 핵으로 생각되고-내가 인상적으로 느낀 것은, 그 시간의 사정이 지극히 길다는 것으로 게다가 단순히 시간 축으로서 양적으로 긴 것만 아니고, 말하자면 「時間의 깊이」란 차원 혹은, 현상적인 시간의 근저根底에 흐르는 「심층深層의 時間」으로 부를 수밖에 없다는 점이다(「宇宙生命」도 여기에 관한 것이다).

그래서 앞서 서술한 것같이 먼 과거랑 토착적인 것에의 관심, 바꿔 말하면 民俗學的·歷史學的 關心과 미래랑, 과학이랑, 우주에의 近代 科學的인 관심이 兩者는, 어느 의미에서 상당히 異質的인 것으로 생각되지만, 『火의 鳥』에 있어서는 그 兩者는 융합融合해 있다는 점이다.

로칼 한 科學/다양성多樣性의 科學

그런데 종래의 과학의 틀을 超越한 이런 새로운 방향은 다른 측면에서 보면, 보편적인 법칙에도 불구하고, 특정 장소랑, 공간의 個別 性이랑, 多樣性에 관심을 향하는 것에 있어서도 그것은 단순히 각각의 장소랑, 對象의 특징을 망라해서 기술하는 것 만에 그치지 않는다. 오히려 왜 그런 개별성이랑, 多樣 性이 생겨났을까 라는 그 배경까지를 포함한, 전체적인 構造를 파악해 이해하는 것이 여기서의 「로칼 한 科學/多樣性의 科學」의 취지다.

이점에 관해서 「文化의 多樣性은 무엇인가」라는 주제에 있어서 生物 人類學者의 海部陽介는 다음과 같은 흥미 있는 論議를 행하고 있다. 「우리들의 문화가 다양한 기원은 구석기시대에 시작됐다. 조선祖先들의 아프리카로부터 세계에로 확산된 역사 중에 있다. 이때 각 지역의 문화가 발전하는 속도와 방향성에 영향을 준 인자因子에는, 사람들의 자유의사라는 것이 있었지만, 압도적으로 컸던 것은 지리와 자연환경, 그리고 집단이 걸어온 그때까지의 역사에 있다. 예를 들면 아보리진의 祖先이, 5만 년 전에도 인류최초의 대 항해大 航海를 키운 것은, 그들이 진출한 동남아시아 연안부가 해의 문화의 발달을 자극하는 것 같은 토지였기 때문이다.

한편, 그들은 북 유라시아 지역의 주민과 같은 훌륭한 옷이랑, 주거住居를 만들지 않았지만, 그것은 만들 능력이 없었던 것이 아니고, 분명히 그 필요가 없었기 때문이다. 이렇게 環境에 대해 적응해서 발전해온 개개의 문화에 대해 우열을 생각하는 것의 정당성이 얼마나 있을까. 각지에 흩어진 조선祖先들의 집단은, 각각의 土地 環境에 적합한 문화를 발전시켰다.」(海部 (2005))

이렇게 지구상의 각 지역의 환경의 다양성이(그것에의 적응의 귀결歸結) 문화의 多樣性을 만들었다는 관점을 기술하는 위에 海部는 다시 다음과 같은 인상적인 지적을 한다.

「이렇게 보면 각 地域集團이 성취한 역사적 위업은, 그 지역의 사람들만이 가능하지 않은 것이 아니고, 오히려 호모사피엔스 종으로서 우리들이 공유하고 있는 잠재력을 나타내는 것을 알 수 있다. 어느 지역문화에도 호모사피엔스의 문화로서의 공통요소와 독자요소의 양방이 인정된다. 이들 독자요소는, 원래는 민족의 우수성을 재는 척도 등이 아닌 外的因子에 대한 우리들 種種의 행동의 유연성을 반영하고 있는 것으로 봐야 할 것이다. 호모사피엔스가 세계의 다양한 환경에 진출하고 있었기 때문에, 그 다양한 행동을 보는 것이 가능해졌다.」

19세기에 「에콜 로지」라는 단어를 만든 독일의 생물학자 에른스트·헥켈은, 그 정의를 「유기체有機體와 그 環境 間에 제諸 關係의 학문」으로 했다(1866년의 『一般 形態學』이라는 저작). 「關係」에 주복하는 과학이라는 발상은 近代 科學 중에서는 특이할 수밖에 없지만, 상기의 海部와 같은 파악은 마치 「에콜 로지」적인 것이다. 여기서의 포인트는(主體를 둘러싼) 「環境의 다양성多樣性」이라는 것을 전제로 하면서, 거기서의 主體(혹은 生命)가 어느 종의 「內發 性」을 갖고, 그 환경과 「關係」혹은, 相互作用하면서 새로운 多樣性을 만들어내고 있다고 把握된다. 生命의 內發성과 環境과의 關係-近代 科學의 변용變容과 포스트 資本主義.

화제를 다른 영역으로 넓히면, 이런 발상은 근년 생명과학에서 대두되고 있는 「에피제네틱스」로 불리는 연구 분야의 生命觀과 아주 유사하다. 「에피 제네틱스」라는 것은, 종래와 같은 DNA에 기록된 유전암호遺傳暗號에 의해 생물의 특성이 모두 결정되는 것이 아니고, 오히려 環境과의 相互作用에 의해 형성되는 부분이 一定以上 존재 한다는 생각 그 構造를 탐구하는 분야다. (「에피제네틱스」의 「에피」는 「에필로그」와 같은 「後」의 의미. 에피제네틱스에 관해서는   太田(2013)仲野(2014)參照).

이것은 앞서의 지구상의 「文化의 多樣性」은 전부 이질적 얘기로 보이지만, 주체 혹은, 생명이 內發 性을 갖으면서 환경과 「關係」에 相互作用이 행해져 거기서 다양한 레벨에서의 多樣性이 생기는 것이란 把握은 실로 共通的인 것이다.

「環境科學」으로서의 宇宙論

화제를 다시 넓히면 재미있는 것이 같은 형태의 패러다임은 우주론의 분야에서도 생기고 있다. 즉, 근년의 우주론에서는 빅뱅 혹은, 인플레이션을 통해서, 우주의 창생蒼生이 몇 번이고 (무수히)일어나고 있고, 더군다나 우주는 다수가 존재하고 있어-「유니버스」에 대해 「멀티버스」-우리들 인간은 무수히 있는 우주의 가운데, 우연히 자기 자신이 존재하는 것 같은 우주에 존재하고 있는 것 만이라는 把握이 유력해진다(이 화제에 관해서 松原(2012), 佐藤(2010) 等 參照) 바꿔 말하면, 우주도 또 「로칼」이 존재하고, 「모두를 포함해 하나의 것」으로 될 수밖에 없는 「宇宙」지만, 로칼 한 「環境」에 지나지 않았다」(靑木 (2013))이라는 이해가 생겨 이런 인식을 받아 「宇宙論은 環境科學으로 됐다」라는 표현도 되는 것이다(크라우스 (2013)). 즉, 우주론은(복수의 우주환경 중에서) 말하자면, 인간의 존재를 가능하게 하는 환경적 조건을 탐구하는 학문이라는 성격을 갖고 있는 것이라는 이유로, 그런 이해의 틀은 앞서의 문화의 다양성이랑, 에피 제네틱스의 발상과 구조적으로 공통되는 것이 있겠죠.

그런 사고의 방향성은 第5章에서 정리한 近代科學의 기본적인 세계관과는 상당히 이질적인 벡터를 포함하고 있는 것에 유의하자. 즉, 근대과학에 있어서는 생명이랑, 자연을 포함한 세계는 '機械論的'으로 즉, 수동적인 존재로서 이해되고, 거기에는 ①일의적一義的·보편적인 법칙을 관철하는 또 ②각각의 요소는 독립하고 있는 「關係」에 주목하는 것이라는 발상은 이차적인 것이었다(이①②는 116항에서의 「2개의 주柱」로 대응하는) 결과적으로 그것은 소위 '외길의 科學'이고, 대상對象이랑, 地域이랑, 空間의 「多樣性」이라는 것에의 관심은 背景으로 됐다. 따라서 여기가 중요한 점이지만, 그런 近代科學의 '외길'로서의 성격자체가 本書에서 논해온 資本主義(=市場經濟 플러스 擴大·成長)이라는 經濟社會 시스템의 단위로서 불가분의 것은 아닐까.

자본주의는 市場 化·工業 化·情報 化라는 각 단계를 통해서 소위 「하나의 비탈길」을 오르면서 강력한 추진력과 함께 세계를 「하나의 方向」으로 움직이고, 균질 화되고, 서열 화序列化 돼간다. 거기에는 '時間軸'이 우위로 되어 지구상의 모든 지역은, 그 좌표 축座標 軸 중에서 '앞서거나-뒤처지거나'라는 일원적인 척도로 자리매김 된다.

그럼에도 資本主義의 그런 一元的인 방향이 다양한 모순과 함께 한계에 도달하고, 本書에서 기술해온 것 같은 「포스트資本主義」 사회구상이 추구하고 있는 것과, 本書의 第2部이랑, 여기서 서술해온 것 같은 생명의 內發 性이랑, 「關係 性」 다양성·개별성多樣 性·個別 性 등에 관심을 향하는 새로운 과학의 존재방식이 다양한 영역에서 '동시다발적'으로 대두되고 있는 것은 패러럴한 현상인 것이다.

로칼/글로벌/유니버설

그런데 앞서의 「文化의 多樣性」의 議論의 시작에서 각각의 지역의 個別 性이랑, 多樣性에 눈을 돌리면서 동시에 「왜 그런 개별성이랑, 다양성이 생겨났을까 라는 그 背景까지를 포함한 전체적인 구조를 파악하고 이해하는」 그런 점을 서술했다. 이것은 우리들이 통상 사용하고 있는 「로칼/글로벌/유니버설」이란 단어를 어떻게 이해할까라는 그런 주제와 연관된다.

확인하면 「로칼」은 '地域的·個別的'이라는 의미이고, 통상은, 그런 「로칼」에 대해서 「글로벌」과 대치된 것이 많다. 그러나 그런 로컬과 본래 대치되는 것은 「유니버설」로 이것은 기이하게도 '보편적'인 동시에 문자 그대로 '우주적'인 것이라는 의미다.

이상을 밟아 가면, 「글로벌」이라는 것은 원래(globe에서 유래由來하는) '지구적'이라는 의미라고하면 통상 말해지는 것과 같은 「글로벌」(혹은 글로벌리제이션)은 전혀 다른 어떤 의미에서 그 본래의(바람직한) 의미가 부상되는 것은 아닐까. 그것은 앞서 確認한 것같이 「로칼=個別的·地域的」과 「유니버설=普遍的·宇宙的」의 양자를 중개仲介 하는 것 같은 의미에서의 「글로벌=地球 的」이고 즉, 그것은 지구상의 각 지역의 個別 性이랑, 문화의 다양성에 큰 관심을 향하면서 동시에 그런 다양성이 어떻게 생성-전개됐을까를 그 배경이랑, 構造까지 거슬러 올라가 이해하는 것 같은 사고의 틀에 다름 아니다.

바꿔 말하면 世界를 맥도날드 的으로 均質 化하고 있는 것 같은 方向이 「글로벌」은 아니고, 오히려 地球 上의 각각의 地域이 갖는 個性이랑, 풍토적風土的 文化的·多樣性에 일차적인 關心을 가져가면서 상기와 같은 그런 多樣性이 생성한 構造自體를 이해하고, 그 전체를 부감적俯瞰 的으로 파악把握하고 있는 것이 本來의 「글로벌」일 것이다.

지구윤리地球倫理의 가능성可能性

이렇게 생각해 보면, 序章에서 기술한 것 같은 人間의 歷史 중에서 '第3의 定常 化'의 시대로서의 포스트 자본주의 시대에 부상하는 世界觀이랑, 거기서의 「가치價値」의 존재가 어렴풋이 보이겠죠. 序章에서의 논의를 확인하면, 인간의 역사는 크게 「擴大·成長」과 「定常 化」라는 사이클을 더듬어왔지만, 定常期에의 移行의 時代에 있어서는 그때까지는 異質의 새로운 개념이랑 倫理, 價値 等이 生成됐다.

즉, 狩獵採集 段階에 있어서 定常 化의 시대에는 「心의 빅뱅(또는, 意識의 빅뱅/문화의 빅뱅)」으로 부르는 현상이 생겨(약 5만 년 전) 또, 農耕文化의 의 시대에는 기원전 5세기경에 야스퍼스가 「枢軸時代」 科學史家 伊東俊太郎이 「精神革命」으로 부른 사건이 생겨 불교(인도), 유교랑 老莊思想(中國), 그리스도교의 원류源流도 있는 舊約思想(中東), 그리스哲學도 있어 현재에 연결된 보편적인 思想 혹은, 普遍宗教가'同時多發 的'으로 생겼다.

그래서 또 그런 生成의 배경에는, 各各의 단계의 生産技術 혹은, 에너지의 利用形態가 高度化하고, 그 결과로서 어떤 종의 資源·環境 制約에 직면하고, 그런 상황에서 「生存」을 확보하기 위한 원리로서 바꿔 말하면, 「物質의 生産의 外的 擴大로부터 內的 文化的 發展에로」라는 방향을 적극적으로 수로水路를 만드는 것으로서 上記와 같은 새로운 觀念이랑, 思想이 생긴다는 이해를 행한 것이었다.

이런 파악을 밟아가는 위에서 제3의 定常 期에 있어서 추구되는 사상의 존재를 생각하는 수단으로서, 나 자신은 近年에 몇 개의 책에서 「地球倫理」라는 把握에 관해서 논해왔다(広井(2009b)), (2011),(2013). 중간은 다시 미숙한 것에 그치고 있지만, 본서 전체의 주제에 관련되는 한에서 중요하다고 생각되는 논점을 간결하게 써보고 싶다.

枢軸時代/精神革命과의 對比

여기서 論議의 수단이 되는 것은, '第2의 定常 化'의 시대에 생성된 枢軸時代/精神革命의 제사상과의 대비에 있다. 앞서 이것을 「普遍思想」 혹은, 「普遍宗敎」라는 단어로 표현하는 것 같은 이 시대에 생성된 佛敎도, 儒敎·老莊思想도, 舊約思想도, 그리스哲學도, 共通되는 것은 특정 민족이랑, 共同體를 초월한 「人間」 혹은, 「人類」라는 槪念을 처음으로 갖는 그런 人間에 있어서 普遍的인 가치원리를 제기한 것이라는 점에 그 본질적인 특징이 있다.

이 경우 그들 사상이랑, 세계관의 「내용內容」은 각각 생겨난 지역의 風土的 環境을 반영하면서 극히 대충 말하면, 구약사상舊約思想(~그리스도 교)의 境遇-'초월자超越 者 원리原理' 儒敎랑, 그리스哲學의 경우境遇-'人間的 原理' 佛敎의 境遇-'宇宙的 原理'로 부를 수밖에 없는 世界觀으로서 상호 크게 다르지 않지만, 「普遍性」의 指向이라는 점에 있어서 공통된 것이 있다(風土와 宗敎의 相關에 관해서 鈴木(1976)參照).

이와 관련해서 近年에 GDP에 대신하는 「豊饒」의 지표에 관한 연구와 병행하는 형태로 「幸福硏究」로 부르는 분야가 발전하고 있는 것을 本書 中에 서술해온 바 있지만, 이런 普遍思想 혹은, 普遍宗敎는 어떤 의미에서 어느 것이나(生産이랑, 慾望의 외적인 擴大를 초월한)「幸福」의 의미를-예를 들면 그리스도교의 사랑, 불교에 있어서 慈悲, 유교랑, 그리스思想에 있어서 「德」이란 형태로-설파한 것으로도 말할 수 있겠다. 즉, 現在라는 時代 狀況에 유사성類似性을 거기서 볼 수 있는 것이다.

다시 이런 상황 전체를 一步밖에서 보면, 다음과 같은 점이 지적된다고 생각된다. 즉, 이들 諸 思想은 상기와 같은 특정 민족이랑, 공동체의 이해랑, 이념을 초월하는 것으로서, 그런 複數의 民族文化 間의 對立을 超越해 융화하고 있는 思想으로서의 역할을 갖는 반면, 자기의 「普遍性」을 '자인自認'하는 만큼 상호공존 하는 것은 곤란한 성격을 갖고 있는 점이다.

즉, 무릇 思想이라는 것은 자기 생각의 「普遍性」을 자부하고 주장하는 경우가 강하면 강할수록 상호 양립이 곤란하겠죠(이것은 象徵的으로는 '복수의 보편'은 가능할까라는 물음의 형태로 표현하는 것도 가능하다) 현재 세계에 있어서 그리스도敎 이슬람敎와의 대립을 포함해서 普遍宗敎 동지가 相互 그 대로의 형태로 共存하는 것은 지극히 곤란한 상황이 되고 있다.

「地球倫理」가 등장하는 제1의 포인트는 이점에 있다. 즉, 그것은 앞서 「글로벌」의 본래 의미에 관해서 논한 것 같이, 普遍思想/普遍宗敎를 포함해 지구상의 각 지역에 있어서 思想이랑, 宗敎, 혹은, 自然觀 等等의 多樣性에 積極的인 關心을 갖고, 그러나 그런 背景이랑, 環境, 風土까지 包含해서 이해하는 것 같은 사고의 틀이다.

枢軸時代의 普遍宗敎/普遍思想을 각각의 보편적인 '宇宙(코스모스)'를 갖고 있다는 의미에서 「코스모로지칼」이라고 하며, 地球倫理는 思想이랑, 觀念을 그것이 生成한 背景이랑, 風土, 環境에 거슬러 올라가서 파악하는 것이라는 의미에서 「에콜로지칼」이라고 말할 수 있겠죠. 동시에 그것은 개개의 普遍宗敎를 멘탈 레벨에서 부감하면서 가교하는 의미에서 「地球的 公共 性」으로 부르는 側面을 갖는다.

로칼한 自然 信仰과의 聯關

한편, 지구윤리地球倫理가 요청되는 또 하나의 포인트는, 지구상의 각 지역에 존재하는 「애니미즘」으로 부르는 것 같은 더욱더 원초적인 자연신앙과의 연관에 관한 것이다. 그것은 자연의 구체적인 사상 중에 단순히 물질적인 것을 초월한 무엇인가를 발탁하는 것 같은 自然觀 혹은, 世界觀이고 「自然의 스피리츄어리티」로 부르는 것도 가능한데(제1의 정상기에 있어서) 「心의 빅뱅」과 깊이 연관돼 있는 것으로 말할 수 있겠다.

(「自然의 스피리츄어리티」에 관해서 広井(2015)参照).

이것은 상기와 같이 지구상의 각지에 더욱더 원초적인 자연관, 혹은 신앙의 형태로 어떤 의미에서 모든 '가치의 원천'으로 부르는 차원이지만, 枢軸時代 혹은, 精神革命에 있어서 생성된 제사상에 있어서는, 개괄적으로 그런 자연신앙은 불합리하고, '原始的'인 것으로서 否定的으로 인식될 수 있다.

사생 관死生 觀에 관해서 말하면, 自然信仰에 있어서는, 생과 사를 연속적으로 인식해 자연의 구체적인 사물 중에 생과 사를 초월한 무언가를 발견한 것이라는 발상을 한다. 예컨대, 그것은 수백 년을 걸쳐서 세운 한 그루의 큰 나무를 보고, 거기서 시간을 초월한 무언가를 발견했다는 감각 혹은 세계관이다.

여기에 대해서 普遍宗教 혹은, 普遍思想에 있어서는 생과 사는 명확히 구분되고, 개념화돼 더욱이 사는 「永遠」이나 「空」으로 추상화한 이념과 함께 파악되는 것으로 된다. 그것은 어느 의미에서 세련된 死生 觀의 체계에 있지만, 동시에 거기에 자연과의 하나의 「절단切斷」이 작용하고 있는 것도 확실하다.

이런 문맥에서 「진수의 삼」의 화제도 갖고 있으면서, 지구윤리에 있어서는 원초에 있는 自然信仰-그것은 본래적으로 「로칼」한 성격의 것이고-의 가치를 재발견하고, 거기에 대해서 적극적인 평가를 부여한다. 왜냐하면 지구윤리의 시점에서는 「자연신앙/자연의 스피리츄어리티」는 오히려 소위 종교랑, 신앙의 근원根源인-아인슈타인이 「宇宙的 宗教感情(cosmic religious feeling)」으로 부른 것과 통할지도 모르겠다. 보편종교를 포함한 다양한 종교에 있어서, 다른 「神들)이랑, 신앙의 모습은 그런 근원에 있는 것을 다른 형태로 표현하는 것과 생각하기 때문이다.

이것은 앞서 地球倫理에 있어서 「에콜로지칼」로 표현한 세계관, 즉 어떤 사상이랑, 신앙, 관념 등을 그것만을 독립시키는 것이 아니고, 그것이 생성한 풍토랑, 환경과의 관계성에 있어서 파악하는 시점으로도 연결돼있다.

이렇게 생각하면 지구윤리는, 한편 환경의 다양성에 눈을 뜨고 관념이랑, 사상이, 환경이랑 풍토와의 관계성 가운데 생성되는 것으로 인식되는 동시에, 自然信仰이 중시하는 생명이랑, 자연의 내발성에 관심을 기울이는 것이라는 두 점에 있어서, 앞서(생물인류학, 에피 제네틱스랑 우주론 등)에 몇 갠가의 근년의 과학 분야에 관해 지적된 방향과 共鳴하는 것도 말할 수 있겠죠.

이와 관련하여 일찍이 프랑스의 精神 醫學者 민코프스키는, 그의 저서 『살아갈 시간』에 있어서 現代社會의 병은 사람들이 「생명과의 직접적인 접촉」으로부터 이탈된 것에 유래한다고 논하고, 어떤 형태로든지 생명의 차원과의 연결을 회복하는 것의 필요성을 설파했다(민코프스키(1972)). 지구윤리에 있어서 적극적인 의미를 갖는 「自然信仰/자연의 스피리츄어리티」는 그런 차원과도 중복된다고 생각된다.

　어쨌든 이상과 같이 지구윤리는, 한편 개개의 보편종교와 관계하는 것과 함께 더욱더 근저에 있는 「自然信仰/자연의 스피리츄어리티」와 직접 연결된 것으로 된다.
　그런데 최후에 더 한발 사고思考를 전개하면, 앞서의 「로칼/글로벌/유니버설」의 議論과도 연결되어 「生命/自然의 內發性」을 둘러싼 고찰도 관여되지만, 근년의 제 과학이 빅뱅 혹은, 인플레이션으로부터 우주의 창성創成, 지구시스템의 형성, 생명의 탄생, 그리고 인간과 의식의 생성이라는 일련의 사건을, 생명 혹은, 자연의 내발성內發性과 중층 적重層 的인 자기 조직화自己組織化라는 하나의 일관된 과정으로서 인식할 수 있는 방향으로 향하고 있으면(伊東(2013)參照) 이도의 가운데 더욱더 「로칼」한 장소에 있는 자연신앙은, 그 근원에 있어서 우주적(유니버설)인 생명의 차원과 연결돼 그것은 글로벌한 地球 倫理를 포함하는 위치에 있다고 말할 수 있을지도 모른다.

　「포스트 資本主義」라는 주제로부터는 너무 먼 지점까지 걸어왔을까. 그렇지만 근년에 있어서 이상의 기술과도 연관되지만, 우주의 역사로부터 시작된 지구의 역사, 생명의 역사, 그리고 인간의 역사를 일관된 논점의 가운데 인식된 것을 되돌려 고찰하는 것 같은 「빅·히스토리」라는 문명횡단 적文明 橫斷 的인 시도가 대두되고 있는 것 같이(대표적인 것으로서 Christian(2004) Spier(2011))등. 또, 같은 형태의 문제의식으로서 伊東(2013)얀츠(1986)參照) 개별분야의 구획을 초월한 초장기의 시간 축으로 物事를 인식해 생각해보면, 앞에 나타나는 사태의 의미랑, 금후의 전망이 보이지 않는 것 같은 큰 시대의 분기점에 우리들은 서있는 것은 아닐까.

　냉정하게 보면, 21세기는 다시 한없이 「成長·擴大」를 지향하는 벡터와 成熟, 그리고 定常化를 지향하는 벡터와의 깊은 레벨에서의 대립 혹은, '대항하여 싸움'의 시대로 되겠죠. 그것이 本書에서 기술해온 인류사의 「第3의 定常化」에의 이행을 둘러싼 분수령과 겹치고, 또 「超(슈퍼)資本主義」와 「포스트 資本主義」의 길항拮抗과도 호응한다. 그것은 무수한 創造의 生成과 함께 다양한 갈등을 동반하는 곤란을 극대화하는 과정에 틀림없다.
　유감스럽게도 우리들 인간은 『火의 鳥』와 같은 超越的 혹은, 俯瞰的인 시각으로부터 미래를 통찰하는 것은 못하지만, 세계의 持續 可能性이랑, 人間의 幸福이라는 가치를 기준으로 취한 경우 定常化 혹은, 「持續可能한 福祉社會」에의 길 자체가 우리들이 실현해 나가야할 방향은 아닐까. 이것이 本書의 중심에 있는 메시지다.

자본주의資本主義의 종언終焉과 역사歷史의 위기危機
세계경제의 흐름

미즈노 가즈오/슈에이샤 신쇼(집영사신서)

서론-자본주의가 죽을 때

자본주의가 죽음이 가까워 진 것은 아닐까. 그 이유는 본서 전체를 통해서 밝혀지겠지만, 단적으로 말하면, 이미 지구상의 어디에도 프론 티어는 남아있지 않기 때문이다.

자본주의는 중심과 주변으로 구성되고, 주변 즉, 소위 프론 티어를 넓히는 것에 의해 중심이 이윤율을 높여 자본의 자기증식을 추진하고 있는 시스템이다. 미국이 글로벌리제이션을 부르짖는 현재, 지리적 시장 확대는 최종 국면에 들어섰다고 말할 수 있겠다. 또, 지리적인 프론 티어는 남아있지 않다. 또, 금융자본시장을 봐도 각국의 증권취급소는 주식의 고속거래를 진행하고, 백만분의 일초 혹은, 일 억분의 일초에 거래가 가능한 시스템투자를 하고 경쟁하고 있다. 이것은 전자금융 공간 가운데에서도 시간을 쪼개 일억 분의 일초단위로 투자하지 않으면, 이윤을 올리는 것이 불가능한 것을 시사示唆하는 것이다.

일본을 필두로 미국이랑, 유로 권에서도 정책금리는 거의 제로. 10년간 국채금리도 초 저금리로되 점점 자본의 자기증식이 불가능해져 왔다. 즉, 지리적 물적 공간에서도 전자금융공간에서도 이윤을 올리는 것이 불가능해졌다. 자본주의를 자본이 자기 증식하는 과정에 있는 것을 받아들이면, 그 과정에 있는 자본주의가 종착에 가까워져 간다는 것을 알 수 있다.

다시 더욱 중요한 점은, 중간층이 자본주의를 지지하는 이유가 없어진 것이다. 자기를 빈곤층으로 떨어뜨리고 마는 자본주의를 유지하려는 인센티브는 이미 생길 수 없기 때문이다. 이런 현실을 직시해보면, 자본주의가 머지않은 장래에 종말을 맞는 것은 필연적인 일이 될 것이라고 말할 수 있다. 자본주의의 종말의 시작, 이역사의 위기로부터 눈을 돌리고 대증요법에 지나지 않는 정책을 계속하는 국가는 그 앞에 큰 고통을 지게 되겠다.

제1장 자본주의의 연명책으로 변화에 고뇌하는 미국

경제성장이라는 신화

정재계는 물론 사람들도 자본주의가 끝났다, 혹은 근대가 끝났다. 라는 것은 꿈에도 생각할 수 없는 것 같았다. 그 증거로 미국을 시작으로 어떤 선진국도 경제성장을 지금껏 추구해오고, 기업은 이윤을 추구해왔기 때문이다.

근대는 경제적으로 보면 성장과 동의어이다. 자본주의는 더욱더 효율적으로 행하는 시스템이지만, 그 환경이랑, 기반을 근대국가가 정비해온 것이다. 내가 자본주의의 종언을 지적하고 경종을 울리는 것은, 이런 성장교成長敎에 매달려왔지만, 도리어 많은 사람들을 불행해지고 말았고, 그 결과 근대국가의 기반을 위협하고 말았기 때문이다.

이미 이윤을 올리는 공간이 없는 데서 무리하게 이윤을 추구하면, 그 여파는 격차랑, 빈곤이라는 형으로 약자에게 집중된다. 그래서 본서를 통해서 설명하는 것같이, 현대의 약자는 압도적 다수의 중간층이 몰락하는 형으로 나타난다.

이런 설명에도, 혹자는 그래도 경제성장하고 있는 나라는 있잖아요? 이익을 계속 올리는 기업도 있지 않나요? 라고 반론하겠죠. 그러나 그것은 국소적인 현상에 그치고 말죠.

역사가 훼르낭 브로델은, 중세 봉건시스템에서 근대자본주의 시스템에의 전환기를 긴16세기라고 불렀지만, 우리들은 같은 역사의 고비에 서있는 것이다. 현재가 종세에서 근대에의 전환기에 필적하는 500년에 한번, 아니면 13세기에 이자율이 로마교회에 의해 공인된 자본가가 탄생한 이래 대전환의 시기에 있는 것이다. 그것을 단적으로 가르쳐주는 것이 이자율의 이상한 움직임이다.

이자율의 저하는 자본주의의 죽음의 징후

작금의 선진 각국의 이자율을 보면, 단기금리는 세계적으로 사실상 제로금리가 실현되고 있다. 1997년까지의 역사를 보면, 가장 국채금리가 낮았던 것은, 17세기 초의 이태리 제노아였다. 따라서 16세기말에서 17세기 초 즉, 긴16세기 후반의 제노아가 마치 그런 이자율 혁명에 의해 사회대변혁의 세례를 맞았다.

그리고 현재 선진각국의 초저금리 상태가 계속되는 것을, 나는 21세기의 이자율 혁명으로 부르고 있다. 반복하지만 이이자율 혁명은, 이윤을 얻는 투기기회가 이미 없어졌다는 것을 의미한다. 왜냐하면 이자율이란 장기적으로 보면, 실물투자의 이윤율을 나타내는 것이다.

자본이윤율이라는 것은 ROA(사용 총자본 이익률)로서 파악되는 데, 이것은 차입 코스트(사채이율, 차입금리)와 ROE(주주 자본 이익률)의 가중 평균이다. 총자본에 점하는 비율은 부채가 크기 때문에, 결국 ROA는 국채이자에 연동하는 것으로 된다.

10년간의 국채이자가 2%를 하회한다는 것은, 자본가가 자본투자를 해서 공장이랑, 오피스빌딩을 만들어도 자본가랑, 투자가가 만족할 수 있는 소득이 없는 것을 의미한다. 2013년 일본의 10년 국채금리 이자는 0.6~0.8%로 다시 자본이윤율은 낮아져 신용 위험도가 현재화顯在化 한때는 마이너스로 될 가능성이 높다. 미국·영국·독일도 각각 1~2%의 이자율이다.

이렇게 자본이윤율이 현저하게 낮은 상태가 장기화되면, 기업이 경제활동을 하고 있는 위에 설비자산을 확대하는 것이 불가능하게 된다. 이윤율의 저하는 안을 뒤집어 보면, 설비투자를 해도 충분한 이윤을 생산해내는 설비 즉, 과잉설비를 하고 만다는 것을 의미한다.

이런 점에서 긴16세기에 있어서 제노아의 「산꼭대기까지 포도밭」에 21세기의 일본에 필적하는「산꼭대기부터 땅 끝까지 퍼진 것이」양변기(온수세척)이다. 일본은 세계가 부러워하는 투자가 구석구석까지 퍼져있다고 말할 수 있다.

이자율의 저하는 자본주의의 죽음의 징후

이런 이상한 이윤율 저하는 1974년부터 시작됐고, 그해 영국은 10년 국채이자가 정점에 달하고, 1981년에는 미국의 10년 국채이자가 정점을 찍었다. 그 이후에 선진국의 이자율은 확실히 하락해왔다. 1970년대에는 오일쇼크, 월남전 종결 등이 있었다. 이들 사건의 발생은「더 앞으로」와「에너지 코스트의 불변성」이라는 근대 자본주의의 대전제 두 개가 성립되지 않는 것을 의미하는 것이다.

「좀 더 전진」을 지향하는 것은 공간을 확대하는 것이, 계속되는 것이 근대자본주의에 있어서는 필수조건이다. 미국이 월남전에서 승리하지 못한 것은「지리적·물적 공간」을 확대하는 것이 불가능한 것을 상징적으로 나타내고 있다. 그리고 이란의 호메이니혁명 등의 자원내셔널리즘의 발흥과, 오일쇼크에 의해 에너지 코스트의 불변성이 붕괴되고 말았다. 즉, 선진국이 에너지량, 식량 등의 자원을 후려쳐서 싸게 구입하는 것이 70년대부터는 불가능해졌다.

「지리적·물적 공간」을 확대하는 것도 불가능하고, 자원도 고등高騰하기 때문에, 1970년대 후반 이후의 자본 이윤율의 저하는 당연한 결과였다. 그리고 브로델의「긴16세기」가 되면서 현대의 대전환기를 나는「긴21세기」라고 부른다.「긴21세기」의 시작을 1970년대로 두는 것은, 이윤율의 저하가 이제까지 세계를 규정해온 자본주의라는 시스템의 죽음에 연관되기 때문이다.

교역조건의 악화가 가져온 이윤율의 저하

「교역조건」변화의 최대요인인 원유가격의 고등高騰 과정은, 1973년 제1차 오일쇼크 때까지는 1배럴당 2~3불에 산 원유가 1974년에는 1배럴당 11.2 불까지 고등했다. 2004년 7월에는 40불을 돌파하고, 리만쇼크 직전의 2008년 7월 11일에는 일시적으로 1배럴당 147불까지 달했다. 현재도 100불 전후로 2002년까지 평균 20불 초반의 범주로 돌아갈 기미는 없다. 이런 원유가격의 고등에 의해, 1970년대 후반 이래 선진국에서는 투입 코스트(비용)가 상승하고, 조 이익粗 利益이 압박을 받았다. 즉, 선진국의「이윤율=이자율」의 분명한 하락이 시작된 것이다.

미국의 자본주의 연명책「전자금융 공간」의 창조

이런「지리적·물적 공간」에서의 이윤저하에 직면해 1970년대 후반부터, 선진각국은 자본주의의 대안구축을 모색해 왔는데, 미국은 별도의「공간」을 만들어 자본주의의 연명을 기도했다. 즉,「전자·금융 공간」에서 이윤의 기회를 모색하고,「금융제국」화의 길로 나아가 IT(정보기술)와 금융자유화가 결합돼 만들어진「전자·금융 공간」공간을 형성한다.

IT와 금융업이 결합되어, 자본은 순식간에 국경을 넘어 캐피탈 게일을 거두는 것이 가능한 것으로 되었다. 그 결과 1980년대 후반부터 금융업에의 이익 집중이 진행되었고, 미국의 이윤과 소득을 생산하는 중심적 장으로 되었다.

미국 전자금융공간의 원년은 1971년이다. 그해 닉슨쇼크로 달러는 금과 분리돼 페이퍼머니로 되었다. 족쇄를 벗은 달러는 자유롭게 눈금이 신축되고, 버블이 쉽게 생겼다. 또 같은 해,

인텔이 지금의 PC랑, 스마트 폰에 필수적인 CPU를 개발했다. 극단적으로 말하면 지구상의 사람들이 모두 「전자·금융 공간」에 참가하는 것이 가능해졌다. 그리고 미국의 금융제국 화를 수자로 확인할 수 있게 된 것은 1985년 이후다. 그 전해에 금융업의 전체 산업이익에 점하는 비중이 9.6%에 지나지 않았지만, 그해 이후 상승기조로 전환되어 2002년에는 30.9%까지 달했다. 이런 금융업의 비중확대는 금융의 글로벌리제이션과 궤를 같이한다.

미국이 금융제국을 확고하게 한 것은 1995년이다. 그해 국제자본이 국경을 자유로이 넘나드는 것이 통계적으로 밝혀지고, 그 이후에 채권의 증권 화 등의 여러 가지 금융기법을 개발하는 것에서 세계의 잉여머니를 「전자·금융 공간」으로 불러들여, 그 과정에서 IT버블이랑, 주택버블이 일어났다. 미국은 세계의 머니를 월가에 집중시키는 것으로 터무니없는 금융자산을 만들어냈다. 이렇게 원유가격 고등에 부합해 미국주도로 금융자유화가 추진되게 되었다. 고등하는 에너지를 필요로 하지 않는 공간을 만드는 것이, 이윤을 극대화하는 유일한 방법이기 때문이다.

신자유주의와 금융제국화의 결합

그러나 미국의 금융제국 화金融帝國 化는 결코 중산층을 풍요롭게 하지는 않고, 오히려 격차확대를 추진했다. 이런 금융시장의 확대를 후원한 것이 신자유주의였기 때문이다. 신자유주의는, 정부보다 시장의 경우가 바른 자본배분을 가능하게 한다는 시장원리주의의 사고방식으로, 미국에서는 1980년대에 로널드 레이건 대통령의 경제정책 레이거노믹스에서 시작돼, 민주당의 클린턴 21세기의 부시대통령에게로 인계돼왔다. 자본배분을 시장에 맡기면, 노동배분율을 떨어뜨려 자본 측에 증대시키기 때문에, 부자는 더 부유해지고 가난한 자는 더 가난해지는 것은 당연하다. 이것은 즉, 중간층을 위한 성장을 방기하는 것에 다름 아니다.

레이건 정권은, 신자유주의 정책과 함께 소비에트에 대해 군비경쟁을 전개했다. 그것이 한 원인으로 돼, 1991년에는 소비에트가 붕괴되고, 계획경제를 실시한 동구제국이 자본주의 시장에 편입돼 새로운 시장이 단번에 확대되었다. 그렇다고 해도 미국이 「전자·금융 공간」을 만들기 시작한 1980년대는 또, 국제자본의 완전이동이 실현되지 않았기 때문에, 그때는 큰 이익을 획득하는 것이 불가능해져 미국경제는 심하게 침체되고, 경상수지 적자와 재정적자가 한꺼번에 부풀어 올랐다.

그러나 국제자본의 이동자유가 확보되고, 1995년에 취임한 로버트 루빈재무장관이 강한 달러로 정책을 전환하면서, 미국은 경상수지 적자액을 상회하는 자금을 세계에서 끌어 모아 그것을 세계에 재분배하는 것으로 되었다. 이런 「머니집중 일괄관리 시스템」에 의해 미국은 「미국투자은행 주식회사」로 되고, 금융제국으로 되었다.

그 후 1999년에 은행업무와 증권업무의 겸업을 인정하는 금융서비스 근대화 법을 성립시키는 것에서, 금융제국의 시스템도 완비했다. 동법은 1933년 은행법(글라스스틱 법) 이래 원칙적으로 금지된 은행업무와 증권업무의 겸업을 인정한 것으로, 머니 창출의 메커니즘(체제)을 근본적으로 변경한 것이었다. 머니가 은행의 신용창조 기능에 의해 만들어진 때의 주역은, 노동자이고 상업은행이다. 가계가 소비를 자제해 소득 가운데 가능한 한 저축을 많이 하는 것에서 은행에 의한 많은 대출이 가능해지기 때문이다. 그러나 금융자본시장에서 머니를 만들면, 주역은 상업은행이 아닌 레버리지를 크게 하는 투자은행으로 된다. 이런 저축행위를 행하는 가계는, 지리적 물적 공간으로부터 주역의 자리에서 내려와, 그 자리를 전자 금융공간에 있어서 거액의 자금을 버튼을 눌러 국경을 자유롭게 넘어서 움직이는 것이 가능한 자본가에 양도한 것이다.

미국의 전체산업 이익에서 점하는 금융업의 비중은, 1929년부터 84년까지 평균 12.3%에 지나지 않았다. 그러나 1985년부터 2013년에는 20.2%로 상승하고, IT버블 붕괴로부터 회복되고, 주택버블이 생긴 2001~2007년에는 25.4%를 점하는 것으로 되었다. 「전자·금융 공간」에 집중된 머니를 운용해 미국금융제국은 IT버블 주택버블을 일으켰던 것이다.

자본주의의 구조변화

다시 선진국에서는 소자 화小子 化가 진행돼 판매수량의 증가율이 둔화되고 있다. 일본을 포함한 G7은, 1970년대 후반에는 합계출산율 2.2%를 일제히 하회했다. 1974년 이래 X-축 Y-축으로 표시되는 「지리적·물적 공간」는 더 이상 확대되지 않고, 상품제조량, 서비스의 실물경제로 이윤을 올리는 것이 불가능한 것이 밝혀졌다. 거기서 이차원의 평면 공간이 아닌, 3차원의 「전자·금융 공간」을 만들어 레버리지를 높이는(Z 축을 높이는) 것에서 금융에 의한 이윤의 극대화를 목표로 하는 것이 생겼다.

1995년부터 리만쇼크 전의 2008년의 13년간에 세계의 「전자·금융 공간」에 100조 달러의 머니가 창출되었다. 여기에 회전율을 걸어보면, 실물경제를 확실히 능가하는 액수의 금액이 지구상을 어디든 급하게 뛰어다닌다. 1999년까지는 상업은행은, 자기자본의 12배까지만 투자하지 않으면 안 되는 제약이 있었지만, 금융서비스 근대화법이 성립된 것에서 미국의 상업은행은, 자회사를 통해서 증권 업무에 참여할 수 있게 돼, 사실상 무한대에 투자가 가능한 것으로 되었다.

그러나 이런 능란한 미국금융제국도 2008년에 일어난 9·15의 리만쇼크로 붕괴되고 말았다. 자기자본의 40배-60배를 투자했기 때문에 금융기관이 레버리지의 중압감에 자괴되고만 것이 리만쇼크의 전말이다. 따라서 리만쇼크를 유인한 EU의 거대 금융기관은, 미국의 대수 투자은행 이상으로 깊은 상처를 입고, 전 지구를 커버하는 「전자·금융 공간」도 축소되는 것으로 바뀌었다.

일본이 걸어간 길을 반복하는 미국

리만쇼크 후의 미국은, 2013년 5월 중순까지 2%대의 초저금리를 지속해왔다. 이런 미국의 초저금리는, 1997년의 일본과 유사하다. 실물경제의 이윤저하가 가져온 저성자의 뒤치다꺼리를 「전자·금융 공간」의 창출에 의해 극복하는 것도 결국 버블의 생성과 붕괴를 반복하는 것이다. 마치 클린턴 정권의 로렌스 서머스 재무장관이 지적한 「3년에 한번 버블은 생성되고 붕괴된다.」라는 것과 같은 것이다.

버블의 생성과정에서 부富가 상위 1%의 사람에게 집중되고, 버블붕괴의 과정에서 국가가 공적자금을 주입하고, 거대금융기관이 구제되는 한편, 부담은 버블붕괴로 구조조정에 어울리는 등의 형태는 중간층에 향해 그들이 빈곤층으로 전락하게 되는 것으로 된다.

긴16세기의 공간혁명 바다를 통한 지배의 시작

현대의 경제 패권국인 미국은, 「지리적·물적 공간」에서의 이윤저하에 직면해, 1970년대 후반부터 금융제국 화에 매진하는 동시에, 글로벌리제이션을 가속화 하는 것에 의해 「전자·금융 공간」이라는 새로운 공간을 만들어, 이윤을 다시 극대화하는 것이 미국자본주의의 연명책이다.

새로운 공간을 창출해 높은 투자기회를 찾아내는 것 같은 글로벌리제이션은, 현대의 「공간혁명」으로 부를 수밖에 없겠다. 실은, 이윤율이 저하한 「긴16세기」와 같은 것이 일어났다. 「육陸의 국가」스페인으로부터 「해海의 국가」영국에의 패권이 옮겨간 것을 독일의 법학자 칼·슈미트는 「공간혁명」으로 불렀다.

당시 스페인제국은, 중세의 「중심」으로 무적함대를 가지고 있었지만, 실질적으로는 「육陸의 국가」이었다. 지중해는 그가 평정했지만, 무적함대라고해도 육군병사를 수송하는 것이 주된 역할이었기 때문이다. 그 무적함대가 1588년에 영국함대에 패하면서 스페인제국의 조락이 결정되고, 영국의 시대가 시작되었다. 바다를 제패한 영국은, 해양지배를 기초로 전 세계를 망라하게 되고, 1600년에는 동인도회사를 설립하고, 반은 약탈적 행위를 거듭하면서 자본을 축적해왔다.

소위 영국은 바다라는 「공간」을 창조하고, 그때까지의 영토인 육지의 시스템과는 전혀 다른 새로운 무역의 규칙을 구축한 것이다. 공간혁명을 야기한 16~17세기의 자본가들은 중세말기의 중심지인 스페인·이태리에 투자해도 초저금리 때문에 부를 축적할 수 없는 상황에 빠졌기 때문에, 투자 선을 화란·영국으로 바꾸어 번영해왔다. 브로델이 말하는 「긴16세기」라는 것은 중세의 이데올로기랑, 가치관, 시스템이 일신된 시대이기도 하다. 신이 주역인 시대로부터 인간이 주역인 시대로 되고, 정치·경제시스템도 중세장원제·봉건사회로부터 근대자본주의 주권국가로 일변했다. 즉, 새로운 공간을 창조하는 동시에 그곳에서의 룰이랑, 가치관도 변했던 것이다. 그런 만큼 「혁명」이라고 부를 수 있겠다.

긴21세기의 공간혁명의 죄

반복해보면 「지리적·물적 공간」에서 이윤을 올리는 것이 가능한 1974년까지는 자본의 자기증식(이익 성장)과 고용자보수의 성장은 궤를 하나로 해왔다. 자본과 고용자는 공존관계였다. 그러나 글로벌리제이션이 가속화하면서, 고용자와 자본가는 분리되어 자본가에게만 이익이 집중되었다. 21세기의 「공간혁명」인 글로벌리제이션의 귀결이란, 중산층을 몰락시키는 성장에 다름 아니다. 글로벌리제이션을 사람·물건·돈의 국경을 자유롭게 초월하는 과정으로 생각하는 한, 그것은 글로벌리제이션 추진론자랑 예찬론자의 생각일 뿐이다.

이런 정의라면 「주변」에 위치하는 나라랑, 지역 혹은 그 나라의 기업은 글로벌리제이션에 뒤처지면 안 된다. 뒤처지는 것은 죽음을 의미하는 것이라는 절박한 위협에 쫓겨 글로벌리제이션 정책에 매진하게 된다. 금융 빅뱅이나, 노동의 규제완화나, 최근에는 TPP(환태평양 경제 연휴 협정)를 가입하기도 한다.

글로벌리제이션이란 「중심」과 「주변」으로부터 유래된 제국시스템(정치적 측면)과 자본주의 시스템(경제적 측면에 있어서) 「중심」과 「주변」을 결합하는 이데올로기란 없다. 더 직설적으로 말하면, 글로벌리제이션은 「중심」과 「주변」을 재편하는 작업이다.

BRICS(브라질·러시아·인도·중국·남아공)가 대두되기 이전 20세기 말까지는 「중심」=북의 선진국(다시 그 중심은 워싱턴과 월가) 「주변」=남의 개도국이 위치되었다. 21세기에 들어서면서 북의 선진국의 「지리적·물적 공간」을 만족시키는 이윤획득이 불가능해져 실물투자 선先을 남의 개도국으로 변경해 성장궤도에 편승했다.

자본주의는 「주변」의 존재가 불가피하기 때문에, 개도국이 성장해서 신흥국으로 되면 새로운 「주변」을 만들 필요가 있다. 그것이 미국으로 말하자면 서브프라임 층이고, 일본에서는 비 정규사원이고, EU에서 말하자면 그리스랑, 키프로스이다. 21세기 신흥국의 대두와 미국의 서브프라임 론 문제, 그리스 위기, 일본의 비 정규사원 화 문제는 동전의 앞뒤 면이다.

긴21세기의 공간혁명의 죄

「자본을 위한 자본주의」는 민주주의도 동시에 파괴하는 것으로 된다. 민주주의는 가치관을 같이하는 중산층의 존재가 있어서, 처음부터 기능하는 것으로 많은 사람의 소득이 감소하는 중산층의 몰락은, 민주주의의 기반을 파괴하는 것에 다름 아니다.

민주주의를 기능하게 하는 것은, 정보의 공개성을 원칙으로 하지 않으면 안 된다. 중세까지는 신이 독점해왔지만, 근대에는 개개인이 주역으로 되어, 어느 특정인이 독점하는 것은 허용되지 않는다. 그런 의미에서 스노든 사건은 21세기의 대 문제로 발전한다고 생각한다.

중세로부터 근대에의 이행기인 「긴16세기」에 있어서, 라틴어를 독점한 로만·가톨릭과 속어(독일어와 영어)로만 전달할 수 있었던 프로테스탄트 간의 싸움이었다. 결과는 물론 프로테스탄트의 승리로 끝났지만, 정보를 독점하는 측이 주로 패자로 되는 것이 역사의 교훈이다. 이런 관점에서 봐도 스노든 사건이 묻고 있는 것은 민주국가의 위기인 것이다.

유효기간이 끝난 양적완화 정책

처음부터 통화주의자(머니탈리스트?) 적인 정책의 유효성은 1995년에 끝났다. 「전자·금융 공간」에는 잉여머니가 스톡베이스로 140조 달러에 달하고, 레버리지를 높이면 그 수배 수십배의 머니가 「전자·금융 공간」을 배회하게 된다. 이에 반해, 실물경제의 규모는 2013년에 74.2조 달러(IMF추정)다.

오바마의 수출배증 계획은 좌절됐다.

오바마 대통령 자신은 「지리적·물적 공간」을 다시 세우려고 했지만, 무역구조를 봐도 무역적자는 증가일로이고, 제조업 부활의 징조는 보이지 않았다. 이전 20세기 전반에 그 슈미트가 20세기를 「기술의 시대」라고 특징짓고, 그 기술진보교敎는 마술과 같다고 지적한 바 있다. 확실히 20세기에 선진국은 기술혁신에 의해 성장을 추구해 풍요해졌지만, 2008년 9·15리만·쇼크랑, 2011년의 3·11(동경전력 후쿠시마 제1원전 사고)로 금융공학이랑, 원자력공학도 결국은 인류에 의해 제어될 수 없는 기술이었다는 것이 밝혀졌다. 기술혁신으로 성장하는 것은, 21세기에는 환상에 불과한 것이다. 오바마 대통령의 수출배증 계획도 구 시스템의 강화에 지나지 않는다. 몰락하고 있는 중산층에 대해서 배려하는 점은 공감하지만, 선진국이 직면하고 있는 구조 디플레의 근본적인 해결에는 미치지 못한다.

근대의 연명책으로서의 셸 혁명

미국에게 낙관적 징조로 보도된 셸 혁명은 어떻게 될까? 국제에너지기관(IEA)은, 2013년11월에 발표한 「세계에너지-전망 2012」에서 「2020년까지 미국이 세계최대의 석유생산국이 된다.」라고 지적하고 있다. 「이자율 혁명」은 선진국의 성숙화와 신흥국의 근대화에 의해 자원고등으로 선진국의 「지리적·물적 공간」에서는 이자율이 저하되고, 그것이 국채의 장기 금리로서 나타난다. 그러면 만약 목전에서 자원을 조달하게 되면, 미국은 「이자율혁명」과 무관하게 될까?

결론적으로 말하면, 근대라는 틀 안에서 패권국으로서의 수명은 다소 연장될지 모른다. 그러나 그것은 고작 100년 정도의 연명책에 지나지 않는다. 나는, 미국의 셸 혁명도 16~17세기 스페인제국의 중앙집권 강화정책과 변함이 없다고 생각한다. 그것은 결국 셸 혁명도 성장 이데올로기의 원리로 보면, 얼마 안 돼서 한계를 맞는다. 성장이라는 것은 「보다 멀리, 보다 빠르게」 행동하는 것으로 달성되지만, 그러기 위해서는 에너지의 소비가 불가피하다. 영구에너지를 찾지 못하는 한, 화석연료는 고갈되게 돼있다.

글로벌리제이션 원칙으로 금융제국화한 미국은, 셸 혁명조차도 금융상품화하고 있기 때문에, 미국국내 내수확대나 국민경제에 기여하는 것은 기대할 수 없다. 미국은 자원 내셔날리즘에 의해 빼앗긴 석유가격의 주도권을 되찾기 위해, 1983년에 석유선물을 취급하는 WTI(웨스트·텍사스·인터미디에이트) 시장을 만들었다. 선물시장을 만든다는 것은, 석유를 금융상품화하는 것이다. 이렇게 해서 OPEC(석유수출국기구의 말하는 대로의 가격이 아니고, 세븐 메이져스(구미의 대수석유회사 7사, 현재의 석유메이저 4사)의 경우 좋은 가격으로 사고 파는 것이 가능하기 때문이다.

따라서 셸 가스도, 또 금융상품으로서 「전자·금융 공간」 가운데 짜 넣는 것은 틀림없다. 그래서 「전자·금융 공간」 가운데 자본이 증식하는 것으로 가져오는 것은, 버블의 생성과 붕괴로 그 결과 일어나는 것이 과잉채무와 임금저하다. 중동을 대표하는 현재의 산유국 가운데, 민주주의적인 사회를 운영하고 있는 나라는 전무하다. 다액의 머니가 흐르고 있을 테니 그 은혜를 받고 있는 것은, 왕후 귀족 등 극히 일부의 인간뿐이다. 그것을 생각해보면, 셸 혁명이 국민전체에 부를 가져다준다는 확증은 어디에도 없다. 그런 것이 시장원리를 금과옥조로 하는 신자유주의와 결합하면, 지금보다 가혹한 격차사회를 미국에 가져올 가능성도 있다.

버블다발과 반근대의 21세기

버블이 붕괴해서 야기되는 것은, 짓궂게도 한층 더 「성장신화」의 강화다. 거대버블의 마무리 금융시스템 위기를 수반하는데 공적자금이 투입되고, 그 청구서는 널리 일반국민에게 미친다. 즉, 버블의 붕괴는 수요를 급격히 수축시켜, 그 결과 기업은 해고랑, 임금인하 등 대폭적인 구조조정을 단행할 수밖에 없다. 마치 「부자와 은행에는 국가사회주의가 임하지만, 중간층과 빈자에게는 신자유주의로 임한다.」(울리히·베크 『유―로 소멸?』)로 되어 이중기준이 버젓이 통용된다.

선진국의 국내시장이랑, 해외시장은 이미 포화상태에 달했기 때문에 자원이랑, 금융버블이 생길뿐 성장은 불가능하게 된다. 이렇게 해서 버블의 생성과 붕괴가 반복된다. 버냉키 FBR 전 의장이 말한 것 같이 「개의 꼬리(금융경제)가 머리(실물경제)를 흔드는」 시대다. 따라서 서머스 전 재무장관의 말을 반복하면, 「버블은 3년에 한번 생성되고 터진다.」라는 이유다.

나는, 이런 동향은 탈 성장시대에 역행하는 악의 발버둥과 같을 뿐이라고 생각하지 않는다. 송궁수치松宮秀治가 데오도르·아도르노를 인용해서 지적한 것 같이, 「근대 자체가 반 근대를 만든다.」는 것이 지금 목전에서 일어나기 시작했다(『뮤지엄의 사상』).2001년의 9·11(미국동시다발테러), 2008년의 9·15(리만·쇼크), 그리고 2011년의 3·11(동경전력 후쿠시마 제1원자력 발사고)는, 마치 근대를 강화하려는 반 근대 즉, 디플레 경제의 수축을 야기한 상징이라고 말할 수 있다.

제2장 신흥국의 근대화가 가져온 패러독스

선진국의 이자율저하가 신흥국에 무엇을 가져왔을까?

17세기 초의 이태리 제노아의 초저금리 시대와 같은 초저금리의 「이자율혁명」을 독일·일본이 21세기의 「이자율 혁명」을 경험하고 있다. 그런데 이자율 저하를 인내할 수 없는 선진국 특히, 미국은 꾀하고 있지만, 새로운 이익을 얻는 「공간」을 「창조」하는 것이다. 본래는 1970년대에 「종언終焉의 시작」을 맞을 수밖에 없는 자본주의를 미국은 「전자·금융 공간을 창설하는 것에 의해 그 후 30년에 걸쳐 「연명」해온 것이다.

이장에서는 블릭스로 대표되는 신흥국에서 일어나는 것을 통해서, 자본주의와 글로벌리제이션의 한계를 생각해 보고자 한다.

선진국의 과잉머니와 신흥국의 과잉설비

대저 그로발리제이션은, 「중심」과 「주변」을 재편하는 작업으로 사람·물건·돈이 국경을 자유롭게 넘어 세계전체를 번영으로 이끈다는 등으로 말해진 표층적 언설에 의해 유혹되지 않는 것이다. 20세기까지는 「중심」은 「북」(선진국)이고, 「주변」은 「남」(개도국)이지만, 21세기에 들어와 「중심」은 월가로 되고, 「주변」은 자국민 구체적으로는 서브프라임 층이라는 재편이 일어났다. 중산층이 몰락한 선진국에서 소비 붐을 되돌릴 수는 없게 마련이다. 경제위기 후에도 선진국의 과잉머니와 신흥국의 과잉설비를 누적돼 온 것이 신흥국의 과잉설비에는 과잉구매력을 가진 선진국의 소비자의 존재가 불가피하다. 선진국 국민이 「주변」으로 되어 소비 붐이 두 번 다시 일어나지 않는 이상, 신흥국의 수출주도 모델에 지속성은 없다.

현재의 과제는, 선진국의 과잉머니와 신흥국의 과잉설비를 어떻게 해소할까 이다. 이 문제는, 두 개의 과잉시정이 신용수축과 실업을 만든다는 것에 어려움이 있다. 따라서 그 사이 선진국에서는 제로금리, 제로성장, 제로 인플레가 지속돼 왔다.

신흥국의 성장이 초래한 자본주의의 임계점

선진국의 양적완화는 「전자·금융 공간」을 무한히 확장하는 수단으로 생각하는 것이 가능했다. 그 양적완화를 언제 그만둘까를 논의하면, 완화의 축소만으로도 시장은 크게 요동치지만, 원래는 양적완화에 「완전한 출구」는 없다. 왜냐하면 양적완화는 「전자·금융 공간」을 자괴하기 직전까지 팽창하는 것으로, 완화를 축소하면 버블은 붕괴된다. 그렇게 되면 양적완화를 이전에 증가 강화하는 수밖에 없다.

그렇다면 팽대한 자금유입에 의한 신흥국의 성장은 언제 멈출까? 그것은 바꿔 말하면, 자본주의의 최종지점을 확인하는 것도 있다.

긴16세기의 글로벌리제이션과 가격혁명

「긴16세기」에 급격한 인플레를 가속한 사건이, 1545년에 스페인이 볼리비아에서 포토시 은산을 발견한 것이다. 16세기후반에 포토시은산을 시작으로 하는 신세계의 금과 은이 대량으로 유럽에 유입된 결과, 화폐가치는 하락하고, 소비자 물가를 다시 인상하는 것으로 되었다. 단적으로 말하면, 이런 「가격혁명」에 의미는 단순한 인플레가 아닌, 정치경제 시스템을 근저로부터 흔들기 때문이다. 그래서 「가격혁명」의 수습은 새로운 시스템이 탄생하는 때만 일어나지 않는다. 「가격혁명」은, 즉 「역사의 위기」를 의미한다. 「긴16세기」의 「가격혁명」은 그때까지의 시대 시스템인 장원제봉건제로부터 자본주의주권국가 시스템에의 이행이 일어난 대단히 큰 「역사의 위기」를 야기했다.

중세의 노동자의 황금시대

14세기말에는 페스트의 대유행으로 인구의 3분의1이 사망했기 때문에, 상대적으로 노동자가 얻는 실질임금이 상당히 올라갔다. 노동력의 희소성으로 장원 주들은 노동자의 조세공납을 중과하지 않았다. 브로델이 「노동자의 황금시대」라고 부른 시대다.

가격혁명이 초래한 권력 시스템의 대변동

15~16세기에는 자본이 국가와 일체화하는 것에서 국가가 이윤을 독점했다는 것을 의미한다. 구래의 제국시스템은 비용이 들기 때문에, 「육陸」의 스페인제국은, 영토보다 시장을 지배하는 데 전념한 「해海」의 국민국가 영국이 대두된 것이다.

긴21세기의 가격혁명과 BRICS의 통합

「가격혁명」이 야기된 것은, 다른 경제권이 통합됐을 때 「주변」의 경제권이 「중심」을 삼켜버렸을 때다. 16세기의 글로벌리제이션에 있어서도, 21세기의 글로벌리제이션에 있어서도, 새롭게 통합된 신흥국 인구 쪽이 선진국보다도 많다.

중국·인도·브라질 등 인구대국은 선진국에 가까운 생활수준을 바라고, 거기에 가깝게 되면 식량가격이랑, 자원가격의 고등이 일어나 1960~70년대 후반의 1억 총 중류를 향한 것과 달리, 고도성장하는 신흥국과 정체하는 선진국의 양방이 국내 사람들의 계층이 이극 화를 이끄는 것으로 되었다.

현대의 가격혁명을 이끈 실질임금의 저하

자본 측은, 글로벌리제이션을 추진하는 것에 의해 자본과 노도의 분배구조를 파괴해버렸다. 글로벌리제이션을 추진하는 자본 측은, 국경에 얽매이지 않고 생산거점을 선택하는 것이 가능해졌다. 자본 측의 완승이라고 말할 수 있겠다. 경기회복도 자본가를 위한 것으로 되어, 민주주의라고 일컫는(はす)각국의 정치도 자본가를 위해 법인세율을 내리거나, 고용의 유동화라는 해고를 쉽게 하는 환경을 정비하고 있다.

긴21세기의 가격혁명은 언제 끝날까?

「긴16세기」에 있어서도, 「긴21세기」에 있어서도, 자원가격의 급등과 실질임금의 감소가 병행되는 것을 알 수 있다. 그렇다면 「긴16세기」에 있어서 「가격혁명」은 언제 수습되었을까.

21세기의 중국이 항시적 인플레 상태에 있는 것 같이, 「긴16세기」에 신흥국인 영국도 소비자 물가가 1477년부터 상승을 계속했다. 그래서 영국의 일인당 GDP가 당시 선진국인 이태리에 육박하는 시점에 「가격혁명」은 수습됐다. 17세기의 후반의 일이다.

그것에 견주어 생각해 보면, 중국의 1인당 GDP가 일본·미국에 육박하는 시점에 21세기의 「가격혁명」은 수습될 것으로 예측된다. 그것은 일단 언제쯤 일어날까 일·중관계로 시산해보자.

일본의 일인당 GDP에 중국이 언제 추월할까를 시산하면, 약20년 후가 된다. 2012년 시점에서 일본과 중국의 일인당 GDP는 4배의 간격이 있지만, 장래의 성장률을 일본1%, 중국8%로 하면, 20년 후에 일-중의 일인당 실질 GDP는 같은 수준으로 된다.

자본에 국가가 종속되는 자본주의

이제까지의 국가와 자본의 이해가 일치한 자본주의가 유지될 수 없게 되고, 자본이 국가를 초월해서 자본에 국가가 종속되는 자본주의에로 변모하는 것을 가리킨다. 즉, 「가격혁명」은 「전자·금융 공간」 창출에 필연적 귀결의 산물로서 얽매일 수밖에 없다. 「전자·금융 공간」에서 만들어진 과잉머니가 신흥국의 「지리적·물적 공간」에서 과잉설비를 산출하고, 물건에 대한 디플레 압력을 가하는 한편, 공급력에 한계가 있는 자원가격을 장래의 수급핍박을 더해 선물시장에서 압박한다.

16세기 이래 500년에 걸쳐서 인류는, 국가국민과 자본의 이해가 일치하는 자본주의를 진화시켜 왔지만, 21세기의 글로벌리제이션은 그 진화를 역전시켰다. 자본주의의 발전에 의해 많은 국민이 중산계급화 한 점에서, 자본주의와 민주주의는 세컨드베스트라고 말해질 정도로 지지를 받아왔다.

자본이 국경을 넘지 못한 1995년까지는, 국경 안에 사는 국민과 자본의 이해는 일치했기 때문에, 자본주의와 민주주의는 충돌할 일이 없었다. 마치 아도르노가 말한 바와 같은 「근대가 반 근대를 만든다.」이다. 근대 주권국가란 자본과 국민의 이해가 일치해 중산층을 산출하는 시스템이지만, 일억 총 중류가 실현되자마자 자본은 그것을 파괴하는 것이다. 이것은 반근대적인 행위에 다름 아니다. 자본주의는 중산층을 몰락시키고, 조폭 한 「자본을 위한 자본주의」로 변질된 것이다.

이런 면에서 보면 자본주의의 「퇴화」라고 생각할 수 있다. 왜냐하면 근대자본주의는, 그 초기에 오로지 국왕을 위한 자본주의로서 당시는 국왕=자본가였기 때문이다. 근대는 자체의 정점에서 자본이라는 「초국가」적 존재의 절대 군주를 등장시킨 것이다.

신흥국의 근대화가 가져온 근대의 한계

근대자본주의의 특징은, 대략 전 인구의 2활약에 해당하는 선진국이 독점적으로 지구상의 자원을 싸게 입수하는 것을 전제로 한다. 세계은행의 통계를 사용해서 106개국의 소득과 전력소비량의 관계를 보면, 지수 관수 상에 강한 정正 상관관계가 보인다.

향후 20년간 중국·인도·브라질·인도네시아·아랍세계 등이 근대화되고, 전력소비량이 OECD가맹국 같이 되면, 과거 40년간 달성한 증가분만으로 다음 20년간 증가되는 것을 의미한다. 혹은, 그 20년 이내에 전 세계발전소 수를 배로 늘려야할 것으로 된다.

BRICS 같은 신흥국이 수십 년 후에 현재 선진국같이 조강粗鋼을 소비하면, 현재의 약3배의 조강생산량이 필요하다. 조강소비와 에너지소비가 비례하면, 에너지 소비량도 약 3배로 증가한다. 지금부터 수십 년간 원유소비가 3배로 증가하면, 그것을 반영할 경우, 지금 이상으로 원유가격의 고등이 예견되는 것은 당연하다.

글로벌화와 격차의 확대

지금까지는 2할의 선진국이 8할의 개도국을 가난하게 만든 채로 발전해왔기 때문에, 선진국 국민은 국민전체가 일정하게 풍요를 향유해 왔다. 그러나 글로벌리제이션이 진행된 현대에는 자본은 쉽게 국경을 넘어간다. 따라서 빈부의 양극화가 한 나라 내에서 나타난다.

이전에 선진국에서는 1970년대 후반을 경계로 해서 중산층의 몰락이 시작됐다. 미국에서는 소득상위 1% 부유층이 전 소득에 점하는 비율이 1976년에 8.9%로부터 2007년의 23.5%까지 높아졌다. 「가격혁명」이 진행되는 자원 高資源 高 시대에 근대화하는 나라는, 국내 계층의 양극화를 수반하기 때문에, 민주주의가 기능하는 전제조건이 결핍돼있다. 서구적인 근대사회 는 개도국으로부터 자원을 싸게 구입하는 것으로 성립됐지만, 개도국의 근대화에 의해 그 조 건이 이미 소멸되고 말았다.

중국버블은 반드시 붕괴한다.

지금도 잉여머니는 조금이라도 이윤이 많은 곳을 찾아 세계 중심을 돌아다니기 때문에, 어 떻게든 신흥국에 과잉투자가 집중된다. 일본과 독일이 가진 과잉 생산설비는 미국의 과잉소비 에 의해 겨우 버텨왔지만, 리만쇼크에 의해 그 구도도 붕괴되고 말았다.

한편, 중국에서는 고도 성장률의 현 단계에서 이미 이전에 버블이 생겨났다. 그러나 수출주 도의 경제가 끝나고, 중국이 내수주도의 전환해 오지 않았기 때문에, 과잉설비의 사용 길은 없어졌다. 투자에 적합한 시장이 보이지 않고 「생산능력 과잉시대」를 맞게 되었다. 그때 중 국도 디플레에 빠지고, 제로금리-제로성장으로 되겠다. 아마 17세기의 영국이 그랬던 것같이, 21세기의 중국도 공급력 과잉의 「디플레의 시대」를 맞이하게 되겠죠.

자본주의는 내재적으로 「과잉·포만·과다」를 갖는 시스템인 것이다. 일본은 버블붕괴 후 소 위 「잃어버린 20년」에 돌입했지만, 성장률이 높은 중국의 버블붕괴는, 세계경제에 주는 영 향은, 일본과는 비교할 수 없겠죠.

자본주의 시스템의 패권교체는 더 일어나지 않는다.

나는, 중국이 세계경제의 새로운 패권국이 될 가능성은 낮다고 본다. 패권국의 추이를 생각 할 때 참고하는 것은, 이태리 출신의 역사 사회학자 죠바니·아리기의 이론인 데, 아리기에 의 하면, 자본이 건전한 투자 선을 잃고 이윤이 내릴 때, 금융확대 국면에 들어간다고 말한다. 그런데 그것과 동시에 그 나라의 패권이 끝난다. 즉, 세계경제의 패권을 쥔 나라는, 언제나 실 물경제가 좋지 않아지면, 금융화로 달려가기 때문이다. 경제대국의 이자율의 역사는 그자체가 각 시대의 세계경제의 패권국을 나타내는 것이다. 최초는 이태리의 도시국가부터 시작해서, 자본주의의 발흥과 함께 화란·영국 20세기전반에는 영국에서 미국으로 패권이 넘어갔다.

구체적으로 말하면, 우선 제노아가 스페인 국왕에게 돈을 빌려주고, 상업에서 금융으로 변 경했을 때, 이태리의 조락凋落이 시작됐다. 그 자본이 이번에는 화란(네덜란드)으로 가고, 화 란에서 생산 확대국면을 지탱해왔다. 그 후 화란은 동인도회사에 투자했다. 그러나 거기서 이 윤을 얻지 못하면서 금융 화라는 형태로, 이번에는 나폴레옹 전쟁에서 이긴 영국에 투자기회 를 봤다. 당시 영국에 빌려준 것이 산업혁명을 필두로 생산 확대를 촉진해 영국의 황금시대를 가져옴. 같은 모습으로 영국은 영국 대 불황으로 버블붕괴 불황을 경험하고, 세계의 공장으로 서 독일이랑, 미국이 대두되면서 금융에 활로를 찾았지만, 결국 그것이 영국의 쇠퇴를 가져오 고, 이번에는 그 자본이 미국에 대출되어 미국의 패권으로 됐다.

이 사이클을 보면, 아주 흥미 깊은 점이 있다. 그것은 어떤 나라가 패권을 확립하는 단계에서는, 그 이전의 패권국이 금리를 내리고, 세계에서 가장 낮은 금리로 되는 것이다. 이 논의를 해보면, 현재 패권국 미국은 이자율이 낮기 때문에 이자율이 높은 중국에로 패권교체가 일어나는 것으로 생각할 수 있다. 그러나 이번만은 이 교체는 일어나지 않는다. 왜냐하면 아리기의 논의가 시사示唆하는 것은, 분명히 자본주의의 틀 내에서의 패권교체 이론이기 때문이다. 글로벌리제이션이 위기를 가속화한다.

근대를 연명하게 하는 21세기의 글로벌리제이션은, 에너지가 무한히 소비가능하다는 것을 전제로 한 것이기 때문에, 16세기 이래의 근대의 이념과 아무런 차이가 없다. 그러나 근대의 연장선상에서 성장을 계속하고 있는 한, 신흥국도 언젠가는 현재의 선진국과 같은 문제에 직면한다. 오히려 글로벌리제이션에 의해 성장이 가속되는 만큼, 멀지않은 장래에 같은 형태의 위기가 찾아오겠죠. 소자 고령화랑 버블위기, 국내격차, 환경문제 등이 신흥국에서 위태로워지는 것 때문에도 그것은 분명하다.

제3장 일본의 미래를 만드는 탈 성장모델

앞이 보이지 않는 전환기

여기까지 봐온 것 같이, 자본주의를 연명시키는 「공간」은, 더 이상 거의 남아있지 않다. 중국이 일시적으로 경제성장의 톱으로 도약해도, 그것은 먼 장래 현재의 선진국과 같은 「이자율의 저하」라는 과제에 직면하는 것으로 된다. 그 시점에서 21세기의 「공간혁명」은 종언을 맞고, 근대 자본주의는 임계점에 도달하겠죠.

자본주의의 후에 어떤 사회경제시스템이 생길지는 알 수 없다. 중세부터 근대에의 이행기가 「긴16세기」에 있던 것 같이, 그때까지 수세기에 걸쳐서 계속된 시스템이 하룻밤 사이에 변할 수는 없다.

요한 호이징거는 저서 『중세의 가을』에서 이렇게 말하고 있다. 「새로운 시대가 시작되고, 생에의 불안은 용기와 희망에 자리를 물려준다. 이 의식이 가져다준 것은, 겨우 18세기에 들어와서의 일이다.」

1648년에 체결된 웨스트팔리아 조약이 정치적으로는 근대의 시작이지만, 사람들이 다음 세대에 확신을 가진 것은 50년 이상 후의 일이다. 우리들이 살고 있는 「긴21세기」도 「긴16세기」와 같은 상황에 있다고 생각된다. 그러나 이런 어려운 전환기에 있어서, 일본은 새로운 시스템을 만드는 잠재능력이라는 점에서, 세계 중에 더욱더 우월한 입장에 있다고 나는 생각하고 있다.

자본주의의 모순을 더욱 체현하는 일본

그 이유는 역설적으로 들릴지 모르지만, 선진국 중에서도 더욱 일찍이 자본주의의 한계에 돌발적으로 당한 것이 일본이기 때문이다. 철의 소비량은 근대화의 바로미터기 때문에 그것이 횡보한다는 추이라는 것은, 1955년에 일인당 조강 소비량이 정점을 찍은 것은,1973년(0.834t)이었고, 버블이 정점에 달한 90년대에만도 0.816t으로 73년도 수준을 초과하지 않았다.

1973년도에 일본의 중소기업 비제조업의 자본 이윤율이 9.3%로 정점을 찍은 것도 같은 것을 가리킨다. 그 위에 1974년도는 일본의 합계 출생률이 총인구를 유지하는 한계치인 2.1을 밑도는 해도 있다. 그 이후, 출생률은 현재에 이르기까지 2.1을 회복하기는커녕, 저하를 계속하고 있다. 이런 온갖 지표가 「지리적·물적 공간」의 팽창이 멈춘 것을 시사하고 있다.

버블은 자본주의의 한계를 덮고 은폐하기 위한 것.

금융버블의 발생에는 두 개의 조건을 충족할 필요가 있다. 제1조건이란, 저축이 풍부해지는 것에 더해서, 시대가 크게 변한 것 같은 유포리아(Euphoria:다행 감, 도취)가 있고, 그리고 제2조건은 「지리적·물적 공간」의 확대가 한계를 맞고 마는 것이다.

1980년대의 일본의 개인저축 율은 평균해서 약13%로 높고, 또 「수도개조 계획」이랑, 지방의 리조트 개발붐으로 「토지는 가격상승을 계속한다.」라는 유포리아도 양성되었다. 한편, 제2의 조건으로서의 「지리적·물적 공간」의 팽창이 멈춘 것도 일본이 최초였다. 일본은 중산층이 7할을 점하는 사회를 만드는 데 성공하고, 소비행동이 닮았기 때문에, 승용차량, 텔레비전 등 소비재의 보급률이 빠른 속도로 거의 100%에 근접해 포화점에 달했다. 또, 소자

화小子 化가 선진국 중에서도 아주 **빨리** 진행된 것에서 성장이 문제해결의 해결책이 될 수 없는 영역의 한가운데로 돌입했다.

이런 금융버블 생성의 두 조건을 만족한 결과 실물경제와는 동떨어진 자산가격의 고등 즉, 토지버블이 일본에서 일어나게 된 까닭이다.

당시 미국은 개인저축률이 낮아 재정과 경영수지 적자의 쌍둥이 적자에 고통 받고, 일본과 같은 금융버블이 생성하는 충분한 조건은 일어나지 않았다. 1990년대 후반 국제자본의 완전 자유화를 실현해 점점 과소 저축의 나라 미국은, 과잉저축의 나라 일본을 시작으로 세계의 저축을 이용할 수 있게 되었다. 이런 버블조건이 정비되어 IT버블, 주택버블과 미국금융제국에서도 일어나기 시작한 버블이 유발되는 것으로 되었다.

자유화의 정체

월러스틴은 『근대세계 시스템Ⅳ』에서 자유주의자에 대해서 다음과 같이 지적하고 있다. 「자유무역은 실로 또 하나의 보호무역에 지나지 않는다. 즉, 그것은 그 시점에서 경제효율이 우세한 나라를 위한 보호주의였던 것이다.」 그래서 「자유주의는 최 약자와 자유롭게 경쟁할 수 있고, 항쟁의 주역이 아닌 희생자에 지나지 않을까, 약한 대중을 착취할 수 있는 완벽한 힘을 최강자에게 부여한 것이었다.」

금융자유화도 같은 생각으로 실시되었다. 현대의 「신자유주의자」들은, 19세기의 자유주의자의 후계자이기 때문에, 최악의 빈자는 자기책임으로 주택을 탈취당하고, 최강의 부자는 공적자금으로 재산은 보호되는 것이다.

버블은 자본주의의 한계와 모순을 덮어 은폐하기 위해 유발된 것이기 때문이다. 버블이 붕괴되면, 2년간 분의 GDP의 성장을 소진하고 남아도는 정도는 신용수축이 야기되어 명목GDP가 축소된다. 따라서 버블붕괴 후에 기다리고 있는 것이 임금의 감소랑 실업이다. 그것에 대처하는 명목으로 국채의 증발과, 제로금리 정책이 행해져 초저금리 시대와 국가채무 팽창의 시대로 돌입해 간다.

자원의 절대적 우위를 목표로 하는 글로벌리즘

자본주의의 최종국면에서는, 경제성장과 임금과의 분리는 필연적인 현상인 것이다. 바꿔 말하면, 이대로 글로벌 자본주의를 유지하면, 「신용 없는 경제성장」이라는 악몽을 계속 보지 않으면 안 되겠죠.

자본의 절대적 우위를 지향하는 글로벌리즘에서는, 인건비의 변동비화變動費化를 실현하는 것은, 노동시장의 규제완화는 불가피한 것이었다. 노동시장의 규제완화는 총인건비 억제의 유력한 수단으로서 독보적인 까닭이다.

노동시장의 규제완화는, 본래 노동의 다양화에 응해 도입된 것이었다. 즉, 반년밖에 일할 수 없는 사람에게 유연한 노동기회를 제공하는 노동자에 편의를 꾀하기 위한 것이었지만, 기업은 이윤이 저하되면, 버블경제에 의존이 심해져 그 버블이 붕괴되면, 기업구조조정을 위해 파견사원의 대량해고를 실시한 것이다. 아무리 멋진 법률도 위정자가 시대인식을 확실히 하지 못하면, 그 입법취지와 동떨어져서 이용으로 되고 만다.

금융완화를 해서도 디플레는 벗어날 수 없다.

  머니 탈 리스트의 화폐 수량 설로부터 나온 「인플레는 화폐현상」이라는 명제는, 국민-국가라는 폐쇄된 경제의 틀 내에서 성립되지 않는 것이다. 얕은 것은 머니 탈 리스트가 금융 글로벌리제이션을 진행해온 탓에, 스스로 「인플레는 화폐현상이다」라는 명제를 성립시키지 못한다는 점이다. 그러므로 화폐가 증가해도, 그것은 금융자본시장에서 흡수돼 자본버블의 생성을 가속화할 뿐이다. 따라서 버블이 붕괴되면 거대한 신용수축이 일어나고, 그 여파가 고용에 집중되는 것은 이전에 본 바대로다.

재정정책이 임금을 깎는 이유

  리만쇼크(2008년 9월)로 외수가 위축되면서, 일본은 심각한 불황에 빠졌다. 일본의 대기업·제조업 즉, 「수출"일본주식회사」와 미국 「세계의"투자은행」은 표리일체表裏一體의 관계에 해당됐던 것이다. 미국 「세계의"투자"은행」이 만든 환상적 구매력에 거대한 공급력을 가진 일본의 제조업이 자동차 등 고급품을 중심으로 수출을 대폭 늘렸던 것이다.

  그 위에 재정출동은 「고용 없는 경제성장」의 원흉으로 되고 말았다. 그것은 공공투자를 늘리지 않는 적극재정정책은 과잉설비를 유지하기 위하여 고정자본 소모를 일층 늘리고, 임금을 압박하는 것으로 되기 때문이다. 왜냐하면, 전후 최장의 경기 회복기에 기업이익(영업여승)을 확보하고 배당을 늘리기 쉽게 하지 않으면, 기업경영자는 다음해 주주총회에서 잘리고 말기 때문이다. 즉, 기업경영자는 배당을 늘리기 위해서 고용자 보수를 삭감한다.

제로금리는 자본주의의 졸업장

  고용의 황폐는, 민주적인 자본의 분배가 불가능한 것을 의미하기 때문에, 민주주의의 붕괴를 가속화한다. 그렇게 되면 새로운 시스템 구축의 얘기는 없는 것으로 된다. 고용 없는 경제성장은 결과로서 일본자체의 지반침하를 초래하고, 일본을 정치적 경제적으로 초토화 돼버리고 마는 위험성도 있다. 그 결과 구민경제는 붕괴되고, 선진국은 물론, 신흥국도 글로벌 엘리트로 불리는 일부 특권계급만이 부富를 독점하는 것으로 될 수밖에 없다. 「강욕强欲」 자본주의는 월가의 전매특허는 아니고, 자본주의 여명 기黎明 期로 부터 내장돼 온 것이었다.

전진하기 위한 탈 성장

  「탈 성장」과 「제로성장」은 많은 사람은 후진하는 것을 재촉하는 것으로 알지만, 그것은 아니다. 지금은 성장주의 자체가 「도착」돼있기 때문에, 결과적으로 뒤를 향하는 것으로 되고, 그것을 저지하는 전진하는 지침이 「탈 성장」인 것이다.

제4장 서구(西歐)의 종언

구주歐洲 위기가 고하는 진정한 위기란?

지금 유럽을 습격하는 위기는 리만쇼크를 확실히 초월하는 「역사의 위기」이고, 근대자본주의의 위기가 점점 심화하고 있는 것을 고하고 있는 것만 아니라, 서양문명 자체의 「종언의 시작」일 가능성마저 있는 것이다.

영-미 자본제국과 독-불 영토제국

「해의 국가」인 영-미가 패권을 장악한 해의 시대의 특징은, 정치적으로 영토를 직접 지배하는 것이 아니고, 자본을 「수집」하고 있었다는 점이 거론된다.

한편, 「육의 국가」인 독일과 프랑스는 영-미와 같은 「자본」제국에의 길은 선택하지 않고, 유럽통합이라는 이념을 갖는 「영토」의 제국 화를 향하고 있다. 영-미의 경우 시장을 지배하는 것이 정치 그 자체라고 말할 수 있다. 따라서 월가와 화이트하우스는 표리일체의 관계인 탓이다. 이런 해와 육의 개념을 사용해 EU의 기본적인 성격을 설명하면, 「육의 국」인 독-불의 「영토」의 제국인 것을 말한다. 그 과정에서 국민국가는 서서히 사라지고, 유럽은 유로제국이라는 성격이 농후해져 간다. 그럼에도 불구하고, 독일은행이 아무리 「전자·금융 공간」을 가동해도, 베를린정부의 최대 관심사는 유럽의 「영토」제국 화인 것이다.

신 중세주의의 좌절

슈미트는 『육과 해와』에서 세계사란 「육과 해의 싸움」이라고 기술하고 있다. 슈미트의 도식에 의하면, 근대유럽 역사를 이해하는 데 중요한 전환점은, 16세기에서 17세기에 걸친 「해의 국」 영국(영국교회)과 「육의 국가」 스페인(로마·가톨릭)간에 일어난 전쟁이었다.

당시, 스페인은 육지의 영토를 갖고 있는 제국으로, 로마·가톨릭의 권위와 제국의 군사력(권력)에 의해 중세 사회질서의 중심에 있었다. 스페인에 대항한 신흥국 영국은, 해양무역(시장)을 통해서 영토로부터 자유로운 해의 공간을 제패하는 것으로 새로운 패권국가로 되었다. 즉, 근대란 「해의 국」이 「육의 국」에 승리하면서 막이 올랐던 시대다.

그러나 현재의 상황은 「해의 국」인 미국의 패권체제가 붕괴되고, EU·중국·러시아 등 「육의 국」이 계속 대두되고 있다. 중국·러시아는 또 국내의 근대화를 추진하면서, 경제발전을 할 여지가 있는 신흥국이다.

그러나 문제는, 세계경제의 주축인 EU의 그 중심인 독일과 프랑스다. 독일도 프랑스도 이전에 근대화의 정점을 지나 탈근대에 한발 들어간 선진국이다. 이런 나라가 다시 「해의 국가」에 맞서 대두했다고 생각했을 때에 취할 수 있는 선택지가 「유로제국」인 까닭이다. 그래서 이런 제국 구축에의 길이란, 근대의 주권국가 시스템을 초월하는 방향성을 갖는 것일까라고 간주되었다. 그 방향성은 국제 정치학자 헤드리·불이 주권국가 시스템을 넘어서는 형태의 하나로 지적한 「신중세주의」라는 것이다. 불은 저서 『국제사회론』 가운데 주권국가 시스템을 초월하는 형태로서 다음의 5개를 열거하고 있다.

①시스템이지만 사회는 아니다
②국가의 집합이지만 시스템은 아니다

③세계정부
④신 중세주의
⑤비역사적 선택지

①~③의 반대에 있는 개념이지만, 근대를 성립시키는 것이다. 거기서 근대개념을 하나씩 떼어낸 것이 ①~③인 것이다. 현재의 EU와 가까운 ④의 「신 중세주의」에 관해서 불은 다음과 같이 서술하고 있다. 「주권국가가 소멸해서 세계정부가 아니고, 중세 서양의 그리스도교 세계에 존재한 것 같은, 보편적 정치조직의 근대적·세속적인 상당물이 그것을 대신할 것으로도 생각된다.」 여기서 말하는 「신 중세적인 보편적 정치질서」을 간단히 말하면, 권위(로마교회)와 권력(스페인 황제)의 분리이다. 1977년에 발간된 『국제사회론』은 소위 근대의 종말의 시작이란 시기에 써졌다. 지금 말하는 유로제국이라는 것은, 「신중세주의」라는 주권국가 시스템을 초월하는 맹아萌芽를 내포하고 있는 것이다.

歐洲위기가 리만쇼크보다도 심각한 이유

근대초기의 절대 왕정에서는 자본과 국가가 일체화한 것으로서, 또 국민은 등장하지 않는다. 그 후 시민혁명을 거쳐 자본주의와 민주주의가 일체화한다. 시민혁명이 일어난 것은 주권재민의 시대로되, 국민이 중산계급화 해왔다. 이런 자본주의와 민주주의가 일체화했던 만큼 주권국가 시스템은 유지돼왔던 것이다.

그러나 글로벌 화한 세계경제에서는, 꾸민 국가는 자본에 휘둘려 국민이 자본의 사용인과 같은 역할을 하게 되는 것으로 되고 만다. 거대한 자본의 움직임에 대해서 국민국가에서는 이미 대응할 수 없다. 거기서 「국민」이라는 틀을 없앤 국가를 키우는 것에 의해 글로벌리제이션에 대응했던 것이, EU방식이라고 말할 수밖에 없다.

독일의 사회학자 벡크는 『유로 소멸?-독일 화하는 유럽에의 경고』에서 아주 날카롭게 지적하고 있다. 「부자와 은행에는 국가사회주의로 임하지만, 중간층과 빈자에게는 신자유주의로 임한다.」라고. 이 말은 EU자체에도 꼭 들어맞는 것이다.

같은 책에서 벡크는 「25세 이하의 유럽인은 거의 4인에 1인이 직업이 없다. 또, 많은 사람들이 기한이 한정된 저임금 노동계약에 근거해서 일하고 있다.」 근대 자본주의의 한계를 극복하는 시도를 하는 EU에서 조차, 자본의 논리를 극복하는 것은 불가능한 것이다.

한편, EU가 지향하는 제국이란 「신 중세주의」의 성질이 농후한 것도 밝혀진 것같이, 「근대의 제국」이라는 범주에서는 이해할 수 없다. 왜냐하면, 유로제국은 자본에 의해서도, 군사에 의해서도 의존하지 않고 「이념」에 의해 영토를 「수집」하는 제국이기 때문이다. 거기서도 독일은 수집을 멈추지 않는다.

독일이 그리스랑, 스페인의 부채를 일부 떠맡은 것은 어쩔 수 없었다고 생각한다. 결국, 독일이 PIGS제국을 구제하지 않을 수 없었던 것은, 유럽의 이념인 「수집」을 그만두는 것이 불가능했기 때문이다.

독·불이 지향하는 영토공간의 「수집」이란 유럽의 정치통합이다. 후술의 마스트리히트 조약의 예상 역할은 「경제연합」의 성격이 강했던 EC를 정치통합인 EU로 변하는 것에 있다.

1990년 동서독이 통합할 때, 동독마르크와 서독마르크는 1대1의 비율로 통화-통합을 예상대로 했다. 당시 경제력을 보면, 서독이 압도적으로 강했다. 실질적인 율은 10배 정도 차이가 났다. 따라서 일대일의 비율로 통화 통합하면 서독은 큰손실로 됐다.

고대부터 이어온 구주통일이라는 이대올로기

칼 대제 이래로, 유럽은 정치적통일이 현실감각을 갖게 된다. 역사가 마크·브룩은, 「로마제국이 붕괴됐을 때 유럽은 출현했다.」라고 말하고 있다. 칼 대제의 가톨릭 왕조의 영토는 피레네 산맥부터 엘베 강까지 이었는데, 실은 유로 권은 칼 대제의 판도보다도 넓다.

제2차 세계대전 후인 1952년에 유럽 석탄철강공동체(ECSC)가 설립되고, 1958년에는 독·불 양국지도자가 양국의 협력을 선언하였다. 1967년에는 EU의 전신인 EC(유럽공동체)가 발족했다. 1992년에 마스트리히트 조약이 조인되고, 통일통화 도입을 결정하고, 구주연합(EU)의 창설이 정해졌다.

자본주의는 기원부터 과잉은 내장돼있다.

현대세계에서 일어나는 「제국」화란 「수집」의 종착점이다. 2001년의 9·11동시다발 테러, 2008년의 9·15리만쇼크, 2011년의 동일본 대지진이 초래한 원발原發 사고, 그 위에 현재의 유럽위기는 모두 과잉 「수집」이 초래한 문제들인 것이다.

9·11은 미국 금융제국이 제3세계로부터 부를 「수집」하는 것에 대한 반항이고, 9·15는 과잉으로 머니를 「수집」하려는 「전자·금융 공간」이 자기의 레버리지의 무게를 이기지 못하고 자멸한 결과 발생한 것이다. 3·11은 자원의 고등高騰에 대해 싼 에너지를 「수집」하려고 해서 일어난 사고였다. 그리고 유럽위기는 독·불 동맹에 의한 영토의 「수집」이 초래한 위기라고 말할 수 있다.

자본주의의 시작은 12~13세기 설, 15~16세기 설, 18세기 설이 있다. 12~13세기 설에서는, 이자의 성립을 자본주의가 시작된 근거로 한다. 15~16세기 설은 슈미트가 말한 「해적자본주의」를 국가가 행한 것이, 18세기 설에서는 산업혁명이 자본주의를 시동시키는 표지로 간주된다.

나는, 12~13세기의 이태리 피렌체에서 자본주의의 맹아를 인식할 수 있었다는 것이 설득력을 갖는다고 느낀다. 그리고 1215년의 라테나우 공회의公會議에서는 다음과 같은 우스꽝스런 이유로 이자가 사실상 용인되었다. 두 번째는, 12세기 이태리 볼로냐대학이 신성로마황제로부터 대학으로 인정받은 것이다. 13세기에는 로마교황으로부터의 인가도 받았다. 중세에는 「지知」도 신의 소유물이었지만, 볼로냐대학의 공인은 넓게 지식을 보급하는 것을 의미했다. 소위, 「지知」를 신으로부터 인간에게 이전하는 단서가 볼로냐대학의 공인이었다.

인류사상 수집에 더욱더 적합한 시스템

이렇게 보면 12~13세기로부터 「긴16세기」의 기점인 15세기까지가 자본주의의 회임기간으로 볼 수 있지 않을까. 그래서 「시간」과 「지知」의 소유의 교대 극交代劇은, 「긴16세기」에 「해적 자본주의」와 「출판자본주의」라는 형으로 결실을 맺는다. 「시간」의 소유 즉, 이윤의 추구는 16-17세기에 해적국가로 말할 수 있는 영국이, 「해」라는 새로운 공간을 독점하는 것에 의해 도상국의 자원을 공짜나 다름없이 손에 넣는 것이 가능한 「실물투자 공간」을 확대시켜왔다.

한편, 「지」의 소유에 관해서는, 종교개혁으로 라틴어로부터 속어에로의 교대 극을 실현하게 되었다. 라틴어는 성직자와 일부의 특권계급이 독점해왔지만, 속어가 주역으로 된 것에서

베네딕트 앤더슨이 자본주의의 본질로서 「출판자본주의」가 성립된 까닭이다. 이「시간」과 「지」에 대해 만족할 줄 모르는 소유욕은, 유럽의 본질적인 개념인 「수집」에 의해 구동되고 있다. 「수집」은 서구의 역사에 있어서도 중요한 개념으로 「사회질서 그 자체가 본질적으로 수집 적」이고, 「노아방주의 노아가 컬렉터 제1호」라고 말하고 있기 때문이다.

「중심/주변中心/周邊」구조의 말로

이런 「수집」의 개념은, 정치학자 마이클도일이랑 월러스틴이 말하는 「중심/주변」이라는 틀과도 연관돼있다. 「중심/주변」 또는, 「중심/지방」이라는 분할은, 본래 부를 중앙에 집중시키는 「수집」의 시스템에 있다는 점은 공통 돼있다. 따라서 이「수집」의 시스템으로부터 졸업하지 않는 한, 금융위기랑 원발原發 사고 같은 형태의 거대한 위기는 다시 재발되겠죠.

제5장 자본주의는 어찌하여 종말이 올까.

자본주의의 종언終焉

자본주의의 본질은 「중심/주변」이라는 분할에 의해 부랑머니를 「周邊」으로부터 「수집」해 「중심」에 집중시키는 것은 변함이 없다.

근대의 정원 15% 규칙

대저 자본주의 자체는, 그 탄생이래로 소수의 인간이 이익을 독점하는 시스템이었다. 유럽을 위한 글로벌리제이션의 시대인 1870년부터 2001년까지는, 지구 전인구 중 약 15%가 풍요로운 생활을 향수하는 것으로 돼왔다. 이 15%는 유럽적 자본주의를 채택한 나라들로, 당연히 미국이랑, 일본도 거기에 포함돼있다. 일본의 1억 총 중류가 실현된 것도 이 시기이다. 그러나 역으로 말하면, 이 그래프는 세계 총인구 가운데 풍요로운 상한선은 15% 전후라는 것을 이야기하고 있다. 20세기까지의 130년간은 선진국의 15%의 사람들이 나머지 85%로부터 자원을 싸게 수입해서 그 이익을 향수해 온 탓이다. 이렇게 역사를 반복해보면, 자본주의가 결코 세계의 모든 사람들을 풍요롭게 하는 구조가 아니라는 것이 분명하다.

그래도 자본주의는 자본이 가기 증식하는 과정이기 때문에, 이윤을 추구하는 새로운 「주변」을 만들어낸다. 그러나 현대의 선진국에서는 이미 해외에 「주변」은 없다. 거기서 자본은 국내에 무리하게 「주변」을 만들어내고 이윤을 확보하는 것이다. 상징적인 예가 1장에서 서술한바있는 미국의 서브프라임·론이고, 일본의 노동규제 완화다. 서브프라임·론은 「국내 저소득자」(주변)를 무리하게 창출해 그들에게 주택 론을 대부해서, 그것을 증권 화하는 것에서 월가(중심)가 이익을 독점한 것이다. 일본에서는 노동규제를 완화해서 비정규고용자를 늘려서 불어난 사회보험이랑, 복리후생 비용을 이익으로 한 까닭이다.

브레이크 역할이 자본주의를 연명시킨다.

전에도 부유한 사람의 정원은 15%밖에 안 되는 것이 자본주의라고 했지만, 불완전한 모양으로나마 금일까지 존속해온 것은, 그 과정에서 자본주의의 폭주에 제동을 건 경제학자·사상가가 있었기 때문이다. 『도덕 감정론』에서 부자가 보다 많은 부를 추구하는 것은 「덕의 도德의道」에서 타락하는 것이라고 설파한 18세기의 아담·스미스 『자본론』에서 자본가의 착취야말로 이윤의 원천인 것을 간파한 19세기의 칼·마르크스, 실업은 시장에서 해결하지 말고, 정부가 책임을 가질 수밖에 없다고 주장한 20세기의 죤·메이나드·케인지까지 근대의 위대한 브레이크 역할을 한 주역들이다.

더 거슬러 올라가면, 경제학이 아직 없었던 시대에 있어서도 단테는 「강한 욕」은 사람의 도가 아니라고 비판하고, 셰익스피어는 『리어왕』에서 분배의 중요성을 이해하지 못한 때의 국왕의 압정을 비판했다. 그런 의미에서는 자본주의라는 것은 누군가가 브레이크 역할을 하지 않으면 잘 기능하지 않고, 그 강한 욕 탓에 자본주의는 자기파멸을 야기하고 마는 것이다.

이에 대해 일체의 블레이크를 없애자고 주장한 것이 밀튼·프리드만이랑, 후리드리히·하이에크가 기치를 든 신자유주의다. 21세기의 글로벌 자본주의는 그 연장선상에 있기 때문에, 소위 브레이크 없는 자본주의로 화하는 것이다.

장기정체 론에서는 보이지 않는 자본주의의 위기

그래서 리만쇼크를 거쳐, 신자유주의를 주창하는 브레이크 없는 자본주의에 경종을 울리는 것은 주지하는 바대로다. 그러나 리만쇼크라는 자본주의의 큰 위기를 겪고도 금융완화를 행하지 않고, 인플레에 향하는 기대를 가지면, 경제는 호전된다는 경기 재(再)부양책 이론이 경제정책의 주도자들 간에 우세했다. 「주가가 올랐다」는 사실만을 들어서 미국의 양적완화, 일본의 다른 차원의 완화는 성공했다고 부르짖는 사람들이다. 그래도 그들의 인식은 잘못됐다.

서머스 전 재무장관 마저 2013년의 IMF년차 총회에서 선진국의 저축과잉을 근원으로 수요부족의 「장기정체」에 빠졌다고 기술한 것이 경제지 등에서 크게 다루어졌다. 그래도 여기서 중요한 것은, 서머스의 인식조차도 달콤한 것이라는 것이다. 서머스가 「수요부족需要不足」이 원인이라고 진단하면, (がえば)신자유주의도 금융완화도 위기탈출의 돌파구를 볼 수 없는 현재 또 하나의 처방전으로서 제출될 수밖에 없는 것은 「케인지로 돌아가라」로 된다. 즉, 적극재정에 의해 국내에서 수요를 창출하면 경제는 회복되는 까닭이다.

자본주의가 지구를 휘덮는다는 것은, 지구상의 어떤 장소에서도 이미 투자에 대한 과실의 전망이 없다는 것을 의미한다. 즉, 지구상이 현재 일본의 경우 같이 제로금리, 제로성장, 제로인플레로 되는 것이다.

이런 상태에서는 애초에 자본의 자기증식이랑, 이윤의 극대화란 개념이 무효로 되기 때문에, 근대자본주의가 성립될 여지는 없다. 따라서 성장을 원하면 원할수록 자본주의의 본래 갖는 모순이 노정되고, 시스템 전환에도 더 손상이랑 희생도 크게 된다.

무한無限을 전제로 성립된 근대

13세기의 「지중해 세계」에서 시작된 합자회사에 의한 자본주의랑, 17세기 초에 시작된 화란도 인도회사에 의한 자본주의의 시대에 있어서는 「목표」를 설정할 필요가 없었다. 자본가가 본 「지구」는 「무한」했기 때문이다. 슈미트는, 「육陸의 시대」에서 「해海의 시대」에의 변화 등을 지적하고, 더해서 그것을 「공간혁명」으로 평했다.

폴란드 출신의 코페르니쿠스가 위대한 것은 천동설에 이의를 제기하고, 지동설을 부르짖은 것만이 아니고, 역사학자 알프레드·W·크로스비에 의하면, 그의 위대함은 「우주의 용적은 전통적인 우주 그것보다 적어도 40만 배 크다」(『수량화 혁명』)라고 결론지은 데 있다. 16세기 당시에 로마교회가 중심인 「지중해 세계」에서 「주변」 출신인 코페르니쿠스의 생각을 일찍이 받아들인 것이 「중심」에 있는 이태리 태생의 죠르다노·브르노다. 브르노는, 「우주는 균질均質로 무한하고 무수의 세계가 존재한다.」라고 주장하고 「무한이라는 개념을 생리적으로 기피하는 모든 사람들을 분개하게 해」(동同) 최후에는 화형에 처해졌다.

16세기의 유럽인은 세계관이 전혀 달랐는데, 근대인의 눈앞에 돌연 「무한」의 공간이 나타났다. 「무한」한 만큼 「과잉」을 「과잉」이라고 생각하지 않은 것이 근대의 특징이다. 근대사회는 경제적으로는 자본주의 사회이고, 정치적으로는 민주주의다. 실은, 민주주의도 「과잉」을 만들어 내는 시스템이다. 「민주주의는 『대량』의 물질을 필요로 하고, 현재의 『일부를 만인』으로 확대하는 그런 꿈 위에 과학기술과 민주주의는 공존하고 있다」(

좌등문륭佐藤文隆 『과학과 인간』).

미래로부터의 수탈

「지리적·물적 공간」이 소멸해도 여전히 「과잉」을 추구하면, 새로운 「공간」을 만들어 낼 필요가 있게 된다. 그것이 「전자·금융 공간」이었다. 전자의 공간은, 북(선진국과, 남(후진 국)간에 보이지 않는 벽이 있었다. 글로벌 자본주의는 일단 그 벽을 제거하고, 새로운 벽을 만들기 위한 이데올로기인 것이다.

「노력하는 자는 보답 받는다.」라는 선언으로 보답 받지 못한 자는 노력이 부족하다고 납득시켜서 선진국 내에 보이지 않는 벽을 만들어, 하층 사람들로부터 상층부로 부의 이전을 도모한 것이다. 수탈의 대상은, 미국에서는 서브프라임 층으로 부르는 사람들로, EU에서는 그리스 등 남구제국의 사람들이다. 일본의 경우는 비정규사원이다. 다시 말하면 「전자·금융 공간」에서 수탈이라는 그 상황 하에서 우리들이 성장을 추구하기 위해 행하고 있는 경제정책·경제활동은 「미래로부터의 수탈」로 될 가능성이 큰 것이다.

인류는 수억 년 전에 퇴적된 화석연료를 18세기 후반의 산업혁명 이래 약2세기 동안에 소비하고만 것이다. 혹성 과학자인 송정효전松井孝典은 저서 『지구시스템의 붕괴』 가운데 다음과 같이 기술하고 있다. 「만약 우리들이 지금까지와 같은 형태의 발상으로 우상향의 풍요를 추구하는 인간 권圈을 영위하면, 인간권의 존속시간은 100년 정도라고 생각할 수 있다.」

9·15의 리만쇼크는 금융공학에 의해 가짜의 「주변」을 만들어내고, 신용이 낮은 사람들의 미래를 빼앗았다. 위험도가 높은 신기술에 의한 저가격의 자원을 생산하려는 원자력 발전도 3·11로 후쿠시마 사람들의 미래를 빼앗은 것만이 아니고, 수만 년 후의 미래까지 방사능이라는 재앙을 남기고 말았다.

버블다발 시대와 자본주의의 퇴화

이렇게 지구상에서 「주변」이 없어지고, 미래로부터 수탈이라는 사태의 의미를 우리들은 좀 더 심각하게 받아들여야할 것이다. 경제의 「장기정체」라는 차원이 아닌 유럽의 이념, 근대의 이념인 「수집蒐集」의 종언이 가까워지고 있는 것이다. 우리들이 대처할 최대의 문제는, 자본주의를 어떻게 끝낼 것인가로 귀결된다. 즉, 현상과 같이 노골적인 자본주의를 방치한 끝에 경착륙에 몸을 맡길 것인가, 아니면 거기에 일정한 브레이크를 걸어 연착륙을 지향할 것인가.

이전에 자본주의는 영속 형 자본주의에서 버블청산 형 자본주의에로 변질되고 있다. 21세기의 버블청산 형 자본주의가 되면, 이익은 소수의 자본가에게 환원되는 한편, 공적자금의 투입 등의 구제에 의한 비용은, 세 부담이라는 형태로 널리 국민들에게 파급될 것이다. 경착륙 시나리오 중국버블 붕괴가 세계를 요동치게 한다.

일본의 토지버블, 아시아 통화위기, 미국의 네트버블, 주택버블, 그리고 유로의 버블, 아마 거기에 계속되는 거대한 버블은 중국의 과잉버블이 되는 것이겠죠. 리만쇼크 이후 정부주도로 대형경기 대책으로서 4조원의 설비투자를 행하는 것에 의해 중국의 생산과잉이 명백히 계속되고 있다. 그 대표적인 예시가 조강粗鋼 생산능력이다. 2013년 중국의 생산능력은 7-8억 톤이었지만, 중국의 생산능력은 10억 톤이다. 22%정도 생산능력이 과잉이다.

중국의 버블이 붕괴하면, 해외자본, 국내자본 모두 해외로 도피할 것이다. 거기에 중국은 외화준비로서 보유하고 있는 미국국채를 판다. 중국의 외화준비 금고는 세계 제일이라, 그런 중국이 미국국채를 팔아버리면, 달러의 종언을 초래할 가능성마저 있다고 말할 수 있겠다.

버블 화하는 세계

이런 중국버블의 붕괴 후, 신흥국도 현재의 선진국과 같이 저성장, 저금리의 경제에 변화돼 간다. 즉, 전 세계적인 버블의 심각화, 영속화가 돼가는 것이다. 전 세계적으로 제로금리, 제로성장, 제로인플레가 실현되고, 가부간에 정상상태에 들어갈 수밖에 없게 된다.

연착륙의 길을 찾아서

글로벌 자본주의의 폭주에 브레이크를 거는 것은, 금융기관의 기업이 아무리 거대해도 현재의 국민국가는 아무래도 무력하다. G20은 세계GDP의 86.8%를 점하고 있기 때문에, G20이 합의한다면 거대기업에 대항하는 것도 가능하다.

마르크스의 『공산당 선언』은 진역으로 현재는 만국의 자본가만이 단결해서 국가도, 노동자도 단결할 수 없는 상태다. 노동자가 연대하는 것은, 현실적으로 어려운 이상 국가가 단결하지 않으면 자본주의에 브레이크를 거는 것은 불가능하다.

정상상태라는 것은 어떤 사회일까?

「정상상태」라는 것은 제로 성장사회와 동의어다. 그리고 제로성장 사회라는 것은, 인류역사상 진기한 상태는 아니다. 1인당 GDP가 제로성장을 벗어난 것은 16세기 이후의 일이다. 그 후의 인류사에서 제로성장이 영속화할 가능성은 부정할 수 없다.

경제적으로 좀 더 상세하게 보면, 제로성장이라는 것은 순 투자가 없는 그런 것이다. 순 투자란, 설비투자 때에 순수하게 신규자금의 조달을 행하는 투자에서 설비투자 전체에서 감가상각비를 뺀 것으로 된다. 이 순 투자가 없기 때문에 도식적으로 말하면, 감가상각의 범위내만의 투자만 일어나지 않는다. 가계에서 말하자면, 자동차 한 대의 상태에서 늘리지 않고, 못쓰게 될 시점에 사서, 새로 사서 바꾸는 것만이 기본적으로는 경제의 순환을 만드는 것으로 된다.

일본이 정상상태를 유지하기 위한 조건

일본은 현재 스톡으로서 1000조원의 차금이 있어, 유동성에서는 매년 40조원의 재정적자를 내고 있다. GDP에 대한 채무 잔고가 두 배를 초월할 정도의 적자 국가인 데, 왜 파산하지 않을까. 그 구조는 다음과 같다.

우선, 유동성의 자금흐름에 관해서 보면 현재 금융기관은, 머니·스톡크로서 있는 800조원의 예금이 년3% 약 24조원씩 불어나고 있다. 그 대부분은 연금이다. 연금이 소비로 향하지 않고, 예금으로서 은행에 돌고 있기 때문이다. 다시 기업은 본래 자금부족(=금융자산 증감-금융부채 증감)영역이지만, 1999년 이래 항시적으로 자금잉여의 상태가 정착돼서, 2013년 제3-4반기 시점에 일 년간의 자금잉여는 23.3조원에도 달하고 있다. 가계부문과 기업부문을 합한 자금잉여는, 48.0조원(2013년 제3-4반기 시점에서의 일 년간 누계累計) GDP 대비로 10.1%로 고 수준을 유지하고 있다. 이것이 은행이랑, 생보 등 금융기관을 통해서 국채의 매입비로 충당하는 것이 가능한 금액으로, 매년 40조원 발행되는 국채가 소화될 수 있는 이유다.

한편, 스톡크인 1000조원의 차금에 대해서는 민간의 실물자산이랑, 개인의 금융자산이 그것을 크게 상회하기 때문에, 시장으로부터의 신뢰를 잃지 않고 유지되고 있다. 그러나 이런 이치에 맞는 일이 언제까지나 지속될 이유는 없다. 년3%씩 늘어나는 은행의 머니스톡이 순멸純滅할 때, 현재 같이 매년 40조~50조원의 재정적자가 누적되면, 머지않아 국내자금만으로는 국채소화가 불가능해진다.

일은日銀의 시산試算에서는 2017년에는 예금의 증가가 끝난다고 예측되는 데, 그렇게 되면 외국인이 국채를 사지 않으면 안 된다. 그러나 외국인은 타국의 국채금리와 비교하기 때문에 금리의 움직임도 불안정해진다. 현실적으로는 금리는 상승하겠다. 금리가 오르면 이자지불이 늘어나기 때문에, 일본의 재정은 순식간에 붕괴되고 만다. 그러면 자본주의로부터의 연착륙도 도중에서 좌절되고 만다.

따라서 그렇게 되지 않기 위해서 재정을 균형 있게 하지 않으면 안 된다.

국채=일본주식회사의 회원권

그렇다면 현재 1000조원의 차금은 어떻게 하는 게 좋을까. 나는 일본의 차금 1000조원은 채권이 아니고, 「일본 주식회사」의 회원권에의 출자라고 생각하는 것이 좋다고 생각한다.

에너지 문제라는 난제

정상상태를 유지하기 위한 또 하나의 난제는 에너지 문제다. 신흥국이 성장할수록 세계에너지 다소비형의 경제에 기우는 경향이 있기 때문에, 자원가격은 고등한다. 「재정건전화는 경기의 발목을 잡는다.」는 것은 1~2년의 차원이 아니고, 다음의 새로운 시스템으로 이행할 때에 우선은 깨끗이 할 수밖에 없는 조건인 것이다. 이것을 청산하지 못하면 새로운 시대를 맞을 자격이 없다.

제로성장 유지마저 곤란한 시대

마이너스 성장사회는 최종적으로는 빈곤사회로 밖에 되지 않는다. 제로성장의 유지에는, 성장의 유혹을 끊고, 차금借金을 균형 있게 그 위에 인구문제, 에너지 문제, 격차문제 등 여러 문제에 대처해가는 것은 구태의연한 금융환화랑, 적극재정에 비해서 고도의 구상력을 필요로 한다. 성장 지상주의로부터 탈피하지 않는 한, 일본의 침몰은 피할 수 없을 것이다.

이점을 무효로 하는 일본의 현상

정상상태에의 큰 이점이 있음에도 불구하고, 성장주의에 머무는 정책을 계속하기 위해서 일본국내도 글로벌 자본주의의 맹위에 계속 놓이게 된다. 예를 들면, 제3장에서 금융자산을 보유하지 않은 2인 이상 세대가, 2013년에 31.0%정도라고 전했다. 이것은 1963년 조사 이래 아주 높은 수치다. 87년 시점에서는 금융자산 제로세대는 3.3%이다. 1972년부터 1987년에 걸친 16년간의 평균은 5.1%이다. 즉, 이 시기는 금융제로 세대는 20세대 중 1세대뿐이다. 그런데 버블이 붕괴하고, 신자유주의적 정책이 채택되는 과정에서 3.3%부터 31%로 도약한 탓이다. 이 31%의 세대는 아마도 집도 없는 무산계급이라고 말할 수 있다.

격차확대의 처방전으로서는 우선 생활보호 수급자는 일할 장소가 없기 때문에, 노동시간의 규제를 강화해서 일자리 나누기의 방향으로 선회하지 않으면 안 된다. 결국, 노동규제의 완화는 자본가의 이익을 위한 규제완화에 지나지 않는다.

긴21세기의 다음에 오는 시스템

「긴21세기」에 있어서도, 근대자본주의 주권국가 시스템은 언젠가는 별도의 시스템으로 전환될 수밖에 없다. 자본주의의 횡포성에 비해서 민주주의의 이념은 가볍게 내버려둘 것은 아닌 것이다.

정보의 독점에의 이의신청

「긴16세기」의 자본주의 최대의 산업은 출판업이었고, 여기서 중요한 것은 「정보혁명」과 「이자율 혁명」이 동시에 진행된 것은 필연적이었다. 「긴16세기」는 지중해 중심으로 부가 집중한 것으로 「주변」인 독일로부터 반항의 봉화가 피어올랐던 것이 이유다.

한편, 현대에도 정보의 주도권을 둘러싼 싸움이 일어나고 있다. 그것을 상징하는 것이 스노든 사건이다. 영-미의 자본제국에서 1%대 99%라는 부의 편재가 분명해진 지금 정치경제, 사회 체제에 대한 사람들의 불만이 소용돌이치고 있다. 미국 등의 정보수집 활동에 관해 내부고발을 한 스노든은, 소위 그 불안의 상징적 인물로 말할 수 있겠다. 그런 의미에서는 스노든이 던진 문제라는 것은, 루터가 던진 문제와 거의 같다고 생각한다. 스노든은 국가의 정보관리의 비밀을 폭로했다. 이 스노든 사건은 특권자의 계략의 존재를 밝혔다는 점에서, 마치 루터와 통한다고 할 수 있는 까닭이다. 스노든은 혼자서 내부 고발한 것은, 또 새로운 시스템의 탄생의 예조予兆로 감지될 수 있다.

그것은 아마도 「긴21세기」가 또, 혼미가 계속되어 새로운 시스템의 맹아가 보이기까지는 시간이 걸리는 것을 의미하고 있다.

탈 성장이라는 성장

자본주의라는 구조의 외부에 자원 국이라는 「주변」이야말로 성립하는 논의 밖에 없다. 이미 지구상에 「주변」이 없어 무리하게 「주변」을 구하려면, 중산계급을 몰락시켜 민주주의의 토양을 부패시키는 것밖에 되지 않는 민주주의는 조용히 종말 기에 들어갈 수밖에 없겠다.

제로 인플레라는 것은, 지금 필요 없는 것은, 값이 오를 일이 없기 때문에, 구입할 필요가 없는 것이라는 것이다. 소비할까 말까의 결정은 소비자에게 있다. 미하엘·엔데가 말하는 것 같은 풍요를 「필요한 물건이 필요한 때에, 필요한 장소에서 손에 들어오는」것이라고 정의하면 제로금리, 제로인플레 사회인 일본은 이미 정상상태를 실현하는 것으로, 이 풍요를 손에 넣는 것이 가능하다. 이를 위해서 「보다 빨리, 보다 멀리, 보다 합리적」이라는 근대자본주의를 구동驅動시켜 온 개념도, 또 역회전시켜 「보다 느긋하게, 보다 가깝게, 보다 애매하게」로 바뀌지 않으면 안 된다.

정상상태의 이미지를 이야기하기 위한 것으로 그것을 지지하는 정치체제랑 사상, 문화의 명확한 모습은, 21세기의 홉스랑 데카르트를 기다리지 않으면 안 되겠죠. 그러나 「역사의 위기」라는 현재를 어떻게 살아갈까에 따라 위기가 오고 희생은 크게 달리 온다. 우리들은 지금 마치 「탈 성장이라는 성장」을 진심으로 생각해보지 않으면 안 되는 시간을 맞고 있는 것이다.

주식회사의 종언

수야화부/주식회사: 디스커버·21

인구학에 있어서 「인구전환 설」혹은, 「인구전환학설」은 인구감소를 설명하는 「수가적은 그랜드·쎄오리(대이론大理論)」이다. 「인구전환」이란, 「다산다사多産多死의 상황으로부터 다산 중사中死를 거쳐 소산소사小産小死에 이르는 출생율과 사망률의 극적변화」를 말한다.

「쇼크·독트린(참사 편승 형慘事 便乘 型 자본주의)」

중세말기는 로마가톨릭의 세계라고 말할 수도 있는 데, 당시는 인쇄업계가 최대의 산업이었지만, 화폐경제로 된지 300년 이상 경과 후 라틴어를 읽는 상류 계급의 서고는 가득 차게 되었다. 그래서 인쇄회사랑, 출판사는 속어로 종교개혁을 추진하는 프로테스탄트 측과 연계했다. 인쇄회사는 루터가 번역한 성서를 팔아넘겼다(うりまくる). 종교개혁에서는, 프로테스탄트가 「인쇄」를 친구로 삼아서 정보전쟁에 승리한 것이었다.

「카니발은, 경직된 중세세계에서 종교적으로 엄숙했던 중세세계에서 정말 일시기에 흥겨운 나머지 도를 지나치는 장」이다. 버블도 마찬가지로 「투기열은 직업윤리, 성실, 검약, 근면 등의 자본주의의 설교를 역전시킨 것」으로 「투기의 정신은 권위의 부정, 종교의 부정, 상하관계의 부정」이라는 의미를 갖고 있는 것이다.

후기「전진」이라는 것은 무엇일까?

『시간벌기의 자본주의』(2016년)의 저자 볼프강·슈토렉은, 서장에서 아도르노가 말한바 있는 「그것이 어떻게 될까」를 다음과 같이 소개하고 있다. 「문제를 문제로서 기술하고 있는 사람에 대해서 분석하는 동시에, 해결책도 제시하는 것을 다그치는 것은 틀림없다고 생각하고 있다(중략). 그 해결책이 보이지 않고, 혹은 적어도 지금 여기서 해결책이 눈에 띄지 않는 것이란 것은 충분히 일어난다. 그럼, 일단 『전진하는 것』은 어디에 있을까라고 비난을 집중해서 묻는 소리가 있을지도 모른다. 그때만큼(중략)아도르노라면 물론 나보다도 쭉 재치 있는 표현으로, 이런 의미의 말을 하는 것에 틀림없다. 전진하는 것이 전혀 없는 것이기 때문에 라고 말하는 그것이 어땠을까 라고」.

「역사의 위기」에 있어서 가장 의심하지 않으면 안 되는 것은, 그 시대를 지배하는 개념이다. 근대에 있어서 지배적인 개념은 베이컨이 말하는 「진보」랑, 데카르트가 말하는 「합리성」이다. 바꿔 말하면 「전진」이라는 말로 된다.

경건한 가톨릭신자인 코페르니쿠스는, 근대인 제1호의 명예를 받았을 그는, 로마가톨릭은 물론 프로테스탄트의 루터마저도 바보라고 비방했다. 따라서 코페르니쿠스는 『천구의 회전에 관해서』의 출판을 죽기 직전까지 삼가고 있었다. 그래서 1543년에 인쇄 직후의 『천구의 회전에 관해서』의 서문을 읽고 숨을 거두었다.

코페르니쿠스는 올 수밖에 없는 세계는 이렇게 있을 수밖에 없는 등 해결책을 제시하는 것은 안 했다. 「우주는 무한하다」는 그런 사실을 발표한 것은 「앞으로 나가지 않는」것이다. 물론, 자기를 아도르노랑, 코페르니쿠스와 비교하고 있는 것은 아니다. 천재도 모르는 것을 나에게 묻지 않는 것을 좋아한다고 말하고 싶을 뿐이다.

폐지되어가는 제국과 역설의 21세기경제

수야화부/집영사신서

「수집」하는 것으로 유지돼온 사회질서 자체가 수집 적 최초의 수집대상은 토지였으나, 13세기 초 자본의 개념이 탄생하면서 그 대상이 자본으로 변했다. 그러나 21세기의 초저금리가 실물투자 공간의 5000년간 계속된 수집의 역사가 종언을 맞았다.

국가와 국민의 이혼

자본의 이익과 국민의 이익이 상반돼 국가는 국민과 이혼하고 자본의 부하로 됐다. 16세기에 탄생한 영토국가는, 원하든 원치 않던 세기최대의 기업가였다. 근대자본주의는, 당초에 독일정치철학자 칼 슈미트가 말한 것 같이, 해적자본가에 의한 약탈자본주의였다. 대참사에 편승해서 신자유주의를 내 걸은 약탈로 현대의 쇼크독트린도, 원점에서는 같은 쪽이다.

1970년대에 일어난 자본주의의 구조변화

미국형의 신자유주의가 석권해왔다. 그 위에 신자유주의 사상을 기본으로 미국은, 글로벌한 전자·금융공간의 구축을 지향해왔다. 이때까지의 지리적인 보다 멀리 가는 자본주의로부터, 버츄얼한 전자·금융공간을 보다 고속으로 이동하는 자본주의에로 크게 구조를 바꾼 것이다.

「역사의위기」에 있어서 항상 생기는 깊은 균열

피케티에 의하면, 미국에서는 상위 10%층의 소득이 2차 대전 후부터 1978년까지 33%전후로 안정돼왔다. 그러나 그 이후에 상승세로 전환해서 2007년에는 49.7%에 달했다. 일본에서도 금융자산을 갖지 못한 세대가 급증해서, 1987년 3.3%였던 금융자산 비 보유세대는, 2016년에는 30.9%로 조사개시 이래 최고수준이다.

국제NGO단체 옥스팜의 조사에 의하면, 2016년 세계의 부호 상위 8인의 자산총액은, 하위 36억 인의 재산에 필적한다고 말하고 있다. 1인의 능력이 세계의 하위 50%의 평균적인 그것의 4억5천만 배라는 것은 도저히 설명할 수 없다. 「긴21세기」와 같이 「역사의 위기」를 맞은 「긴16세기」의 후반은, 임마뉴엘 월러스틴이 말하는 1557년부터 1650년까지고, 슈미트가 말하는1550년부터 1713년에 이르는 「해적의 영웅」 시대 즉, 영국의 자본축적이 시작된 시기와 겹친다.

이윤추구기업이 사회질서를 교란한다.

현대의 「과잉」 생산능력의 전형은, 조강생산능력에서 볼 수 있다. OECD 시산에 의하면, 생산능력의 30~35%나 해당하는 과잉생산 능력의 해소에는 「한 세대가 걸린다.」(세계 철강협회 에다회장)고 한다.

「거대 초국가 기업의 총수는 현대의 제왕」이라고 말하는 데, 그중에서도 세계 제일의 시가 총액을 과시하는 애플사의 주식시가 총액은, 7530억 달러에 달한다. (2017년3월31일 현재) 이는, GDP 세계 제17위의 화란, 제18위의 터키(튀르키예)를 상회하는 것이다. 국민국가의 황혼이 시사하는 것은, 국가가 자본의 하수인으로 돼 국민과 국가가 분리된 상태다.

자본주의와 민주주의를 결합한「세이레 법칙」

「공급자체가 수요를 만든다.」는 「세이레 법칙」은 프랑스의 경제학자 죤=바티스트·세이레 의해 거론된 고전파경제학의 중심적 명제다. 이것은 19세기에 들어서 「철도와 운하의 시대」가 도래하고, 「실물투자 공간」은 무한대라고 많은 사람들이 확신했을 때 생긴 명제다.

「세이레 법칙」이 성립하려면 가격의 신축성고, 공간의 무한성이라는 전제가 필요하다. 그러나 프론티어가 소멸하고, 시장이 유한하다고 판명된 제로금리의 시대에는 「세이레 법칙」은 무효다.

18세기의 동력혁명이 민주주의를 성공시켰다.

18세기말의 산업혁명의 본질은 동력혁명이다. 19세기 후반이래의 「철도와 운하」의 시대에는, 비동물성 에너지를 손에 넣고 「보다 멀리, 보다 빨리」를 기계로 실현시킨 시대에 다름아니다. 19세기의 「증기」를 21세기의 「IT」로 변해 즉, 21세기의 IT혁명에 기대를 갖고 있는 것은, 19세기의 동력혁명의 연장선상에 있는 것이다. 15세기말의 「인쇄혁명」이 「지중해세계」를 북유럽과 결합시키고, 19세기의 「동력혁명」이 유럽대륙과 신대륙에 있는 미국을 결합시키고, 이어서 20세기 말의 IT혁명으로 전 지구를 덮어버리고 말았다. 인쇄도, 동력도, IT도 모두 「보다 멀리, 보다 빨리」의 일직선상에 있는 기술인 것이다.

현재 성장전략의 기대를 한 몸에 받고 있는 것이 이노베이션이다. 공자를 인터넷으로 연결하는 IoT, 빅 데이터의 활용, AI(인공지능)의 활용 등이 「제4차 산업혁명」으로 불리고 있다. 그러나 제1차 산업혁명의 에너지는, 증기 그 후 제2차(전기) 제3차(IT)도 제4차도 에너지에 의한 「결합」이라는 점에서 변함이 없다. 그 「결합」의 에너지 다소비는 21세기에 더욱더 중요한 것일 수밖에 없지만, 눈앞의 성장에 눈이 어두워져있다.

제3권
《서양철학 편》

물음에 대한 해답을 찾고자하는 것이 철학이다.
철학의 시작은 질문이다.
철학은 질문에서 시작되었다.
질문·의문이 곧 철학이다 !

《제3권》
《서양철학 편》

철학입문哲學入門

저자 : 三木淸(미끼 끼요시)나남출판사/이와나미 서점

-아리스토텔레스 모든 학문 가운데 제1의 학문이라는 의미
-철학의 고유한 특성은 현실을 대상으로서가 아니라 기반으로서 문제 삼는다.
-철학은 무전제의 학문
-철학자는 전지 자와 무지자의 중간자이다.

플라톤
주관은 객관에 대해서 주관이지만, 주체는 주체에 대해 주체이다. 따라서 원래 사회적이다.
주체는, 단순히 주관적인 것이 아니라, 오히려 주관적, 객관적인 것이다.
상대와 추상적으로 대립하는 절대는 진정한 절대가 아니고, 진정한 절대는 오히려 상대와 절대의 통일이다.

본능은 자연의 이데아이다.
습관은 모방적이다. 그것은 자기가 자기를 모방하는 데서 생겨난다.
상식은 사회적 경험의 축적. 상식은 우선 행위적 지식이다. 상식은 실제적이라고 하는 데, 실제적이란 말은 경험적 행위적이라는 뜻이다.

파스칼은 말했다.
"피레네의 이쪽에서는 진리인 것도 저쪽에서는 오류이다."
철학은 경이에서부터 시작된다.
양식이 전체는 부분보다도 크다란 말은 상식이다.
상식이 실정 적인데 대해 과학은 비판적이다.
하나가 곧 다수, 다수가 곧 하나라는 변증법적인 구조인 점에 과학의 변증법적 구조의 근원이 있다고 해야 할 것이다.
과학과 철학의 구별 과학은 원인의 지식이다.
철학은 과학비판에 종사한다. 과학의 근거를 밝히는 작업이 철학의 일.
과학은 분과 적이고 전문적이다. 철학은 전체의 학문이다. 그것은 존재를 존재로서 전체적으로 고찰한다.
과학은 가치의 문제에 대해서 중립적이다. 철학의 문제는, 가치의 문제인 것이다.
베르그송이 말한 것처럼, 의식의 범위는 생명의 자유로운 활동의 범위와 일치하고 있다.
주체적 입장이란 행위의 입장이다.

인간의 운동은 특히 행위라고 불리며, 이 때문에 인간은 초월적이다.
우리들은 존재하고 또한 존재한다는 것을 안다. 그리고 그 존재와 앎을 사랑한다.

아우구스티누스

드비랑 "나는 행동 한다. 나는 의욕 한다. 즉, 나는 나의 행동을 의식한다. 그러므로 나는 내가 원인이다. 라는 것을 알 수 있다. 그러므로 나는 원인, 또는 힘으로서 존재한다. 즉, 현실적으로 존재한다."의욕은 정신의 단순하고 순수한 순간적인 작용이다. 행위는 외부로 표현됨과 동시에 내부로 표현된다.

세계는 깊다-니체

인간은 초월적 인간이다.

과학이 추구하는 것은 세계관이 아니고 세계상이다.

철학이 추구하는 것은 세계관이다. 세계상은 객관적인 사고방식에서 만들어지는 것이며, 세계관은 주체적인 사고방식에서 만들어지는 것이다. 전자는 세계의 대상적 파악이고, 후자는 세계의 장소적 자각이다. 세계관은 과학보다도 오히려 상식의 것이다.

지식이 어떻게 성립되며 어떠한 성질을 갖고 있는가.

이 문제를 연구하는 부분을 철학에서는 인식론이라고 부른다.

인식이란 지식과 같은 말이다.

로크와 흄에서 시작되어 칸트에 의해 확립되었다.

인식론은 지식의 기원, 본성 및 한계에 관한 연구라고 정의.

보편성과 필연성 또는 보편타당성은 진리의 특색이다.

지식의 객관성은 칸트가 말했던 것처럼 '객관적 실재성'이어야만 한다.

진리에 대한 자연적인 사고방식은 모사설이라고 불리고 있다.

모사설은 관념과 존재의 일치가 진리라고 생각한다.

초월은 주체의 본질이고, 주관성의 근본구조이다.

본디 주체란 것이 초월 속에 존재하는 것이다.

인간존재의 초월성에 의해서 모든 존재물을 그 자체로서 나타나게 하는 것. 즉, 진리가 가능하게 된다.

사물로부터 멀리 떨어짐으로써 사물에 진실로 가까워질 수 있다.

"생산적인 것, 그것만이 진리이다."라고 괴테는 말했다.

진리는 단순히 지식의 문제가 아니라, 동시에 윤리의 문제이다.

인식한다는 것은 가공하는 것이다.

이른바 자연적 빛에 의해서 명석하게 판명된 지각은 주어지며, 이 직관적 명증이 진리의 기준으로 된다.

진리를 대상과 관념의 일치라고 생각하는 것은 오랜 전통이다.

칸트에 의하면, 우리들의 인식이 대상에 따르는 것이 아니라, 반대로 대상이 우리들의 인식에 따름으로써 그 일치는 가능하게 된다고 한다.

모사설이 객관주의라고 한다면 칸트주의는 주관주의이다.

인간은 유한한 존재임과 동시에 무한한 존재이다.

지식의 객관성은 형식주의 자가 생각한 것처럼 단순히 표상의 보편타당한 결합만을 의미하는 데 그치지 않고, 지식이 객관에 관계되어 있다는 것을 의미하고 있다. 거기에는 객관의 초월이 있어야만 한다.

초월성을 떠나서 객관성은 없고, 또한, 초월성을 떠나서 주관성은 없다. 객체의 초월과 주체의 초월이라는 2중의 초월에 의해서 인식은 가능하게 되고, 그것은 동시에 행위를 가능하게 하는 조건이다.

특징적인 인식론은 칸트주의자인 헬름홀츠 기호설.

지식은 기호다.

캔트가 말한 바와 같이, 자연이란 바로 '현상의 그 현존재에 따르는 필연적인 규칙 즉, 법칙에 따르는 연관'이다. 바꾸어 말하면, 공간과 시간 속의 현상의 규칙성이다.

지식은 보편성과 필연성 즉, 보편타당성을 가져야 한다.

단지, 체적 인간만이 자연을 인식하고, 단지, 총제 적 인간만이 인간적인 생활을 한다고 괴테도 말했다.

동 즉 정 動 卽 靜, 정 즉 동 靜 卽 動 하나이면서 다수, 다수이면서 하나.

실용주의는 방법으로서 특수한 결론이 아니고, 오히려 일정한 태도이다.

진리에로의 의지

파스칼은 '사랑과 이성은 동일한 것이다.'고 말하고 있다.

'영감의 협력 없이 예술작품은 없다'-지드

'세계에서 위대한 그 어떤 것도 격정 없이는 성취되지 않았다.'이성주의자-헤켈

사회는 종종 '커다란 나'라고 간주되어 왔다.

사회는 초월적인 것으로서 오히려 '커다란 너'이고, 나와 너와의 행위적 연관의 기초.

서로 작용

공리주의자의 말 '행복한 돼지보다는 불쌍한 소크라테스가 되라.'

대지의 아들들의 가장 큰 행복은 인격이다.   -괴테-

철학의 즐거움

후지사와 고노스케 저 유진상역/휘닉스/2004

철학이란 무엇인가?

철학은 알려는 노력이다

철학은 지식이 아니라, 지식을 추구하는 과정입니다. 즉, 철학은 지식의 소유가 아니라, 그 무엇을 탐구하는 것이다.

철학은 탐구하는 지식이다.

철학은 일차적이건, 이차적이건, 경험적 자료들에서부터 출발한다.

소크라테스는 지식에 대한 반어법을 사용해서 제자들에게 지식을 전달하는 것이 아닌, 지식을 터득하도록 즉, 지식을 스스로 생산하도록 돕는 데서 마치 출산을 돕는 산파를 연상하는 산파술이라고 불렀다.

철학의 탐구는 지식을 소유하는 것이 아니라, 지식을 추구하는 '힘' 곧, 능력을 잘 발휘하는 것이다.

물음에 대한 해답을 찾고자하는 것이 철학이다.

철학의 시작은 질문이다.

철학은 질문에서 시작되었다.

질문·의문이 곧 철학이다 !

독일 관념론의 태두 칸트는 철학의 영역을 네 가지 질문으로 결정했다.

첫째, "나는 무엇을 알 수 있을까?"

둘째, "나는 무엇을 해야만 하는가?"

셋째, "내가 바랄 수 있는 것은 무엇인가?"

이러한 것들은 인간이 추구하는 기본적 방향에 대한 질문이다.

첫 번째 질문은 인간의 지성이 아닌 이성의 한계에 대한 의문이고, 두 번째는 인간의 행위나 실천 목표에 대한 질문이고, 세 번째는 종교에 관한 의문이다.

칸트에게 있어서 이 세 가지 질문은, 결론적으로 네 번째 인간이란 무엇인가? 라는 물음으로 축약된다.

칸트의 이런 명제를 이어받아, 스퐁빌은 궁극적으로 다섯 번째 물음으로 "(그렇다면) 나는 어떻게 살아갈 것인가?"에 도달하게 된다고 설파했다.

정치의 존재이유를 철학적으로 사고하기

현실 정치가 우리들에게 꿈과 희망보다 실망과 좌절을 안겨주지만, 그럼에도 불구하고 정치의 종언은 인간성의 종언이고, 자유와 역사의 종언이기 때문에 정치를 외면하는 것은 자신의 권리를 스스로 포기하는 것에 다름 아니다.

정치는 이기주의의 표현이다

정치란, 우리들에게 종속되는 규칙을 강요하는 데, 문제는 이 규칙이 보편성이 결여되어 있다는 것이다. 그러나 규칙이 없으면, 사람들의 이해 갈등은 지속될 것이기 때문에 결국 정치란 집단적 수준에서의 갈등을 수반한 이기주의의 표현이다.

연대는 집단적 이기주의를 지키기 위한 수단이고, 관용은 타인을 위해 자신을 희생하는 것으로 도덕과 정치가 우리들 실생활에 필수적인 '바늘과 실'과 같은 관계이다.

타인이 나를 필요로 할 때 비로소 나는 내가 된다.

철학의 당면과제

현대는 이미 예전의 마르크스주의 같은 '대 이론Grand Theory'이 없는 시대라고 부른다.

인공생명 유지 장치와 철학

뇌사 문제의 논점은 크게 두 가지다. 하나는 뇌사의 기준이다. 또 하나는, 죽음의 정의에 관한 것인 데, 철학의 문제라고도 할 수 있다.

생명의 '질'이란 무엇인가?

'생명의 신성함(SANCTITY of LIFE)'데서 두음을 따시 'SOL'이라 부른다.

종교에 대한 철학적 생각

신을 증명해본다.

첫 번째, '존재론적 증명' 두 번째, '우주론적 증명' 세 번째, '우주론적 증명'

독일의 사상가 아도르노는 '아우슈비츠 이후에 시를 쓰는 것은 야만인이나 하는 짓'이라고 말했다.

신앙과 철학의 차이에 대해서, 고대 교부 중 한사람인 티툴리아누스는 "나는 불합리하기 때문에 믿는다."라는 유명한 말을 남겼다.

시간에 대한 철학적 생각

존재하는 것은 현재밖에 없다.

용서에 대한 철학적 생각

용서라는 것은, 상대를 사랑할 수 없다면, 적어도 자신안의 증오심은 극복하라는 교훈이다.

행복에 대한 철학적 생각

부처의 제행무상, 제법무아의 경지에 도달하면 열반적정이라고 부른다.

현실이 곧 행복이다

논술적 주제

1, 신은 존재할까?

마르크스=신은 인간지배의 도구다.

포이에르바하=신을 창조한 것은 인간이다. 신은 인간의 상상의 산물. 인간의 이상이외에 아무것도 아니다. 종교는 대중의 마약이다.

키르케고르=진정한 신앙에 교회는 필요 없다. 신앙이란 언제나 신 앞에 홀로 나아갈 수 있는 것이다.

플라톤=절대 변하지 않는 것은 신앙의 대상이 아니다. 철학에 있어서 신의 존재는 번거로운 문제다.

스피노자='신은 자연이다'라는 의미. 신은 단순한 자연이 아니라 자연(우주)의 총체입니다. 따라서 자연의 어디에나 신의 능력이 미치고 있다는 것이다.

종교는 민족의 공동 감정이다

칸트=신을 인식할 수는 없다.

에피쿠로스=신이란 고통·불행의 씨앗이다. 신이 없어야 인간은 행복해질 수 있다.

토마스·아퀴나스=신앙은 유익하다.

첫째, 신앙은 영혼을 신에게 연결시켜준다.

둘째, 신앙은 영원한 생명을 가져다준다.

셋째, 신앙은 현재 생활을 선한 방향으로 이끌어준다.

넷째, 신앙은 유혹으로부터 우리들을 지켜준다.

니체=신은 죽었다. 기독교라는 노예도덕은 사라져라.

신은 하나의 추측에 불과하다. 인간의 사고를 넘어선 것이 아니다. 비소卑小와 협량狹量, 시기와 질투, 추종과 허언으로 얼룩진 인간들의 사고의 산물이다.

2, 우리들의 세계관

칸트=지각 밖에 있는 물자체는 존재한다.

중요한 것은 감성과 이성 모두를 통해 인간의 인식이 성립된다는 것이다. 이성이 없는 감성은 맹목적이고, 감성 없는 이성은 공허하다.

헤겔=세계는 전체 생명체로서 발전해왔다. 논리로부터 자연이 탄생한다.

마르크스=자연의 선재 성先在 性을 부정할 수는 없다. 역사는 계급투쟁의 역사다.

소쉬르=인간의 세계는 언어로 이루어진 세계다. 인간사회를 이해할 때, 역사의 단면(현재)을 떼어내서, 그 구조를 분석하는 '공시적共時的'인 관점을 제창했다.

알튀세르=마르크스는 역사주의 자가 아니었다. 사회와 인간은 항상 다중구조, 다중인격이었다.

하이데거=말을 갖고 노는 매스컴을 통렬하게 비판했다.

3, 이상사회란 어떤 것인가?

우리들은 '항해도 없는 시대'에 살고 있다.

첫째, 자유·평등·번영·평화가 공존하는 이상 사회실현을 추구했던 사회주의의 붕괴로 이상 상의 상상을 경험했다. 정보사회의 진전으로 국경 없는 사회가 국가의 존재감을 잠식하는 사회의 상실감이 엄습하고 있다.

스피노자='이상' 사회란 반인간적 사회를 말한다.

인간의 자연은 자유와 평등이 조화롭게 완성되지 않는다. 인간은 자유를 위해 적대시하고, 평등을 위해서도 투쟁하기 때문에 인간의 자연은 조화롭게 이루어지지 않는다. 설사 자유·평등·우애가 어우러진 조화로운 사회가 실현된다면, 그것은 인간의 자연에 반하는, 인간을 억압하는 비참한 반인간적인 사회가 되겠죠.

칸트=개인뿐만 아니라, 국가 역시 이상에 따라 움직이는 것이 이상적인 상태다.

헤겔=현실적인 것이 이성적이다. 민주사회와 시민사회의 모순을 동시에 해결할 수 있는 현실적인 힘이란, 엘리트계급인 토지귀족이라 여기고, 국가의 중심으로서 군주를 상징하고, 자신의 조국 프러시아를 이상사회에 매우 근접한 나라라고 생각했다.

마르크스=사유 제를 부정하면 이상사회가 열린다. 그런 이상사회는 아직 실현되지 않았을 뿐이다.

에피쿠로스='이상적 사회' 구현은 허상이다.

쾌락은, '고통의 부재'로 쾌락을 일부러 추구하다보면 그 과정에서 수반되는 고통 때문에, 행복한 삶을 살 수 없다. 따라서 그가 추구한 것 중의 하나는 '신체의 고통이 없는 상태(aponia)였으며, 이를 위해서는 생을 유지할 정도만을 소비하는 절제가 필요하다.

니체=역사는 지나친 욕망의 발현을 말살했다.

기독교도덕과 대중 민주주의의 기저에는 약자들의 르상티망(원한·분노)이 있다고 보고, 이는 약자들이 성취할 수없는 것을 수적으로 억압하려는 힘이고, 평균화, 균질화, 타성화를 지향하는 의지이다. 세상은 항상 생산과 파괴를 반복하고 무의미하게 회귀한다. 이러한 무한의 반복은 초인만이 극복할 수 있고, 생명력을 발휘해 '힘에의 의지'를 체현한다고 보았다.

초인이란, 신 없이 세계를 주시하고, '힘에의 의지'를 실천하는 사람들이고, '힘에의 의지'란 생명이 갖는 끝없이 강대해지려는 힘이다. 니체는, 기독교도덕은 인간을 평균화시키는 노예의 도덕이라고 강하게 비판하였다.

4, 철학과 철학자는 무엇인가?

플라톤=탐구하는 것을 탐구한다. '즉, 생각하는 것을 생각 한다'는 것이 철학이다.

아리스토텔레스=철학자는 중간에 산다.

아우구스티누스=철학은 항상 신앙의 반대편에 있다.

토마스·아퀴나스=신앙의 자립은 철학의 자립이기도하다.

데카르트=철학이란 올바른 인식에 도달하기 위한 사고기술이다.

스피노자=철학자는 현실정치에도 참여할 수 있다.

라이프니츠=철학자는 지적인 팔방미인이다.

흄=철학은 상식에 기반을 두고, 상식의 근거를 해명 한다.

칸트=철학은 만인 공통의 입장에서 생각하는 것이다.

헤겔=철학한다는 것은 '자유로워'지는 것이다. 그는 <법철학> 중에서 '이성적인 것은 현실적이며, 현실적인 것은 이성적이다.'

키르케고르=철학이란 자신과 자신과의 관계를 사고하는 기술이다.

마르크스=철학적 사고란, 철학비판과 부정에 다름 아니다.

니체=철학보다도 철학을 소유하고 싶다는 욕망에 불을 지펴라. 니체는 신을 부정하고 현실 속에서 삶의 방식을 추구한 무신론적 실존주의의 선구자이다.

하이데거=현대철학의 중심과제는 '자연'의 재발견이다.

5, 철학자들의 프로필

칸트="모든 철학은 칸트에게로 흘러들어가 칸트에서 흘러나왔다"라고 할 정도로 철학사에 빛나는 선구자로 기저를 알 수 없는 자아의 반성철학을 비로소 시작한 장본인이다.

철학을 처음으로 대학 안에 끌어드렸는데, 정작 '철학은 대학에 있는 데, 진정한 철학은 대학에는 없다'라는 기묘한 현실이 되고 말았다.

헤겔=헤겔 철학은 보편철학으로 누구도 헤겔을 초월한 이론적 대안은 제시하지 못하고, 다만 주석을 다는 것에 그칠 뿐이다. 그런데 관념론은 물질(자연)보다도 관념(정신)에서 세상의 근본을 찾는다. 카트→피히테→쉘링→헤겔에 이르는 철학의 흐름을 독일 관념론으로 부른다.

서양 철학사

개요

1. 고대
소크라테스=그 근본사상은 덕德은 지知다.

2. 고대 그리스철학
이오니아학파

탈레스, 아낙시만드로스, 아낙시메네스 만물의 근원을 '물' '무한한 것' '공기'라고 하였다.

피타고라스는 만물의 근원을 수數라고 하면서도, 철학의 목적을 영혼의 정화에 두고 종교교단을 창설했다.

3. 중세철학
중세철학의 의의

철학이 '신학의 시녀'로서의 역할도 했지만, 오히려 그것 때문에 더 독자적이고 심원深遠해진 것도 사실이다.

4. 근세철학
칸트와 독일 관념론의 시대 '서양 철학은 칸트 이전과 이후로 나뉜다.'말이 있을 정도이다.

칸트는 그에 앞선 영국의 합리론과 경험론을 종합하고, 비판철학을 수립하고, 합리론은 내용이 없어 공허하고, 경험론은 개연성 밖에 없다는데서 필연성과 객관성을 갖는 비판철학을 추구했다.

칸트의 철학은, 주관의 선험적 형식을 추구하기 때문에 선험철학先驗哲學이라고 한다. 그는 '인간을 자연의 입법자'라고 부르고, 이것은 인간의 인식이 대상중심에서 정반대로 주관중심으로 바뀐 것을 의미한다.

칸트는, 오성을 중시함과 동시에 이것을 제한하여 이성에의 전망을 열고 있다. 그 예로, 계몽주의 철학을 극복하고 관념론을 준비하였다.

따라서 칸트는 역사적으로 호수에 비유되는 데, 그 이전의 모든 사상이 그에게로 흘러들어가고, 그 이후의 모든 사상이 그로부터 흘러나오기 때문이다.

칸트의 역사철학   임마누엘 칸트/이한구 편역

만물의 종말
(1)이세상은 어떤 수도승들이 바라보듯이, 여관(여인숙)이다.

(2)이세상은 교도소이다.

(3)이세상은 정신병원이다.

(4)이세상은 다른 세상으로부터의 모든 오물이 집결되는 분뇨 통이다.

칸트철학 이해의 길   볼테마르·오스카·되에링 저/김용정 역/새밭

사변철학이 무참하게 무너진 1860년대에는, 모든 방면에서 "칸트로 돌아가라"라는 부르짖음이 강조되었다.

칸트입문

1장 순수이성의 아이덴티티

1, 칸트철학을 관통하는 것

이성이란 무엇인가? 이성을 신뢰해도 좋은가?

칸트철학을「비판철학」,「이성철학」이라고 부르는 것은 적절하고, 특히, 칠학은 시전적 어의로부터「사물의 진리를 추구하는 학문」, 혹은「근본진리를 탐구하는 학문」등으로 간주된다.

2, 순수이성의 모순-안티노미(이율배반)

〔4개의 안티노미〕

제1안티노미

테제 : 세계는 공간·시간적으로 시작이 있다(유한하다.)

안티테제 : 세계는 공간·시간적으로 무한하다.

제2안티노미

테제 : 세계는 일체의 것은 단순한 부분으로 돼있다.

안티테제 : 세계에 있어서 단순한 것은 존재하지 않는다.

제3안티노미

테제 : 세계는 자유에 의한 인과성도 있다.

안티테제 : 모든 것이 자연 필연적 법칙에 의해 일어난다.

제4안티노미

테제 : 세계원인의 계열에는 절대적 필연적인 존재자가 있다.

안티테제 : 이 계열 중에는 절대적 필연적인 존재자는 없다. 거기에는 모든 것이 우연적이다.

2장 칸트철학의 토양과 뿌리

2, 철학자 칸트의 탄생

루소=체험·후회·회심·맹서

「루소의 고백」은「후회」와「회심」혹은,「도덕적으로 살면서 변화하는 것」을 동시에 전해주었다.

칸트철학의「걸림돌」-物自體

3장 미궁으로부터의 탈출-제1안티노미의 해결

4장 진리의 논리학-경험세계의 맥락

1, 유의미하고 필연적인 인식-아프리오리(선천 ?)적 총합판단

분석 판단을 단순한「개명開明판단」으로도 부르고 있다.

한편, 총합판단의 경우, 술어는 주어개념에서 유래하는 것으로, 확실히 새로운 것이 부가되면, 인식내용은 증가된다. 칸트는 이런 종의 판단을「확장판단」이라고 불렀다.

예를 들어「바다는 푸르다」라는 예문에서「바다」에「푸르다」라는 것을 결합함으로서 개념과 직관을 총합을 실현하는 것이 되겠죠.

선험적(아프리오리) 종합판단은 있을까

칸트는 선험적인 총합판단의 실례로「직선은 두 점 간의 최단거리다」(『순수이성비판』서언緖言)

2, 인간사고의 근본 틀-카테고리

카테고리는 생득적 개념일까-발견된 「선험적」

「아프리오리」란, 「경험에 앞선」 즉, 「경험에 유래하지 않는」 그런 의미를 갖지 않는다. 그 표지는 「보편타당 성」과 「필연성」을 갖는 것이다. 사실, 그 반대로 경험을 아무리 축적해도 이들 두 개의 요건은 절대로 채워지지 않는다. 「생득적」의 반대는 「획득적」 즉, 「경험으로부터 획득된」, 「경험에서 유래하는」 의미로, 극서는 「아포스테오리」로 부른다.

3, 경험세계의 맥락-아프리오리 적 총합원칙

수학을 경험 계에 적용한 원칙-「직관의 공리直觀의 公理」「모든 것의 직관은 외연량[외적인 폭을 갖는 양量]이다」.

플라톤은, 철학을 「방향전환의 술術」로 불렀다. 이것은 확대해석은 아니다. 칸트는, 인간이성에 깃든 가상仮象을 「원류原謬」 (Erbfehler)라고 불렀다. 근원적인 오류誤謬라는 의미다. "Erbfehler"는 분명히 "Erbsünde"와 패러랄 한(그런 만큼 필자는, "Erbfehler"에 있어서 「原謬」로 번역하고 있다.).

물론, 칸트가 근원악根源惡으로서 재해석한 한도에서의 원죄다. 칸트는 이성가상을, 그 정도까지 무겁게 받아들이고 있는 것이다. 따라서 原謬는, 근원 악이 그런 것 같이 근절불가능이다. 이성의 가상은, 그것이 가상이라는 것이 간파되어도 멈추지 않는다. 단, 근원 악이 근절불가능하기 때문에, 다시 더욱 극복 가능한 것 같이, 원류도 극복은 가능하다. 따라서 근절 불가능한 가상의 극복노력, 그것이 이성비판에 틀림없다. 인간(인간 이성)이 인간에 있어 계속되는 한, 원류로부터 벗어날 수 없다고 하면, 비판철학은 틀림없이 인류사人類史 규모의 의미를 갖는 것으로 된다.

흔히 「~현대의 역사적 의미」, 「~주의의 현대적 의미」 라는 것이 말해진다. 일단, 현대적 의미란 무엇일까? 어느 시대의 「현대」인, 「현대」란 자기들이 살고 있는 시대의 것이다. 따라서 현대적 의미를 운운하는 것은, 자기들의 경우에 부합되는 판정을 귀결하지 않으면 성립되지 않는다. 이런 판정은 「죽은 사람은 말이 없다」는 결석재판이 된다. 거기에, 자기들이 살고 있는 시대, 그것은 그것의 짧은 유동적인타임스팬, 요컨대 정말 순식간의 일이다. 라고 말하는 것은, 현대적 의미가 있으면 있을수록, 순간의 의미밖에 없는 것으로 되어, 다음 시대에는 의미는 희박하지만, 틀림없이 일어날 수밖에 없는 것으로 된다. 유행이란 그런 것이다. 현대적 의미를 묻는 것의 페러독스다. 따라서 만약, 어떤 철학이 시대의 제약을 받아도 어느 특정 시대에도 구애되지 않고 영위되는 것이라면, 그 의미를 묻는 자는 시대를 초월한 스케일(척도)을 갖지 않으면 안 된다. 칸트철학에 관해서도, 흔히 이런 스케일을 갖고 임하지 않으면, 우리들은 그런 지하수맥적 의미를 흡수할 수 없겠죠.

철학의 현실문제들   저자 김진/철학과 현실 사

사랑이란 무엇인가

우리들은 사랑이라고 하면, 주로 이성간의 관계로 생각한다. 어떤 사람들은 동성 간에 성적 호기심을 느끼기도 한다.

플라톤은, 사랑을 미음과 영혼을 고무시키는 행위로 규정했다. 일명 '플라토닉 러브'는 육체적 욕망을 배제한 순수한 마음에 초점을 둔 것이다. 아리스토텔레스는 미의 실재보다 사람들 간의 유대라는 관점에서 사랑을 강조했으며, 로마의 실용주의자 오비디우스는 관능적 쾌락과 이상적 가치가 조화를 이루는 양가적 입장을 견지했다.

죽음에 이르는 존재로서의 인간은 영생불멸을 희망하고, 이것은 종족보존을 통해 후세에 유전자를 남기려는, 인간의 욕망이 생식현상을 통해 구체화된다.

영원불멸의 아름다움을 추구하는 철학적 정신이 에로스이다.

사랑은 이처럼 시대에 따라 다르게 정의되고 변모해왔다. 그러나 어떠한 사랑의 행태와 개념도, 부모의 자식에 대한 사랑만큼 위대하거나 숭고하지 않다. 신의 인간을 향한 거룩하고, 무조건적인 사랑, 다시 말해 아가페적인 사랑이 부모의 마음이다.

사랑의 변증법(헤겔)

사랑이 가능하기 위해서는, 자기 자신에 대한 존재긍정이 있어야한다. 그와 동시에 사랑하는 대상이 있어야 한다. 사랑하는 자신의 정립, 다른 사람에 대한 사랑 속에서 자신을 부정하는 반정립이 동시에 설정.

헤켈은, 사랑을 종교와 동일한 것이라고 생각. 사랑을 화해와 같은 것으로 이해. 사랑은 전체 현실의 개별화된 사건이 아니고, 오히려 현실의 근본적인 진행과정이다. 사랑은 생명 그 자체인 것이다.

사랑의 존재론(에리히 프롬)

사랑은 합일을 추구한다. 프롬에 의하면, 사랑은 본질적으로 '주는 것'이다. 보다 원숙한 사랑은 주는 것 외에도, 상대방에 대한 보살핌과 책임존경과 지식을 요구한다. 사랑이란 분열된 것을 다시 통합하는 변증법적 제기라고 정의한다.

죄악이란 무엇인가

창조론의 역설

첫째, 창조이후에 빚어지는 모든 행위결과들에 대한 책임은 하느님에게 전가될 수밖에 없다는 사실.

둘째, 어떻게 하느님을 닮은 인간이 사탄의 유혹에 빠질 수 있었는가라는 의문.

셋째, 인간에게 부여한 자유의지가 실제로 인간의 자유의지인가를 의심하게 된다.

넷째, 하느님과 인간의 최초 약속은, 공정하고 정당한 것이었는가에 대한 의문.

다섯째, 인류가 최초 인간의 실수로 지은 죄를 모두 둘러쓰는 것.

여섯째, 예수탄생을 정점으로 한 유아살해, 가룟 유다의 배신.

아우구스티누스의 사랑은, 근본적으로 플라톤 철학에 의한 기독교해석의 절정.

죄악의 기원에 대한 철학적 반성은, 희랍적(플라톤적)창조 이해와 히브리 적(성서적)창조이해. 민중 신학자 서남동 교수는, '죄는 지배자의 언어'라는 것이다. 현실 속에서 더 큰 죄를 저지른 사람들은 버젓이 살아가지만, 힘이 없어서 잡혀오는 사람들만을 처벌하고 있지는 않은지에 대한 철학적 해명은 아직도 멀기만 하다.

희망에 대해서
희망의 철학자로 잘 알려진 에른스트 블로흐는 유태인으로 희망이란 우리에게 직접적인 모습을 보이지 않지만, 그럼에도 불구하고 그것은 항상 우리들을 새롭게 하고, 창조적이고, 개방적으로 "새로운 것(Novum)"을 추구하게 해준다. 희망은 부정 가운데 어떤 성취가능성을 가지고 동시에 미래에 실패할지도 모른다는 불안과 공존해서 이를 극복해야한다.
유태인들의 희망은 구약에서 나타난 하느님의 화해와 구원의 메시지로 나타난다.

허무주의
허무주의란 최상의 가치가 박탈당하는 것을 의미한다. 니체는 유럽의 허무주의를 "신은 죽었다"라고 한마디로 일갈했다.
허무주의란 '최상의 가치가 박탈당하는 것.'
니체-유럽의 허무주의를 '신은 죽었다.'
종래의 도덕을 어떤 특정집단의 이익을 옹호하는 이데올로기에 지나지 않는다고 하고, 니체는 바로 '노예도덕'이라고 규정. 노예도덕이란 '군주도덕'에 반대되는 개념이다. 진정한 도덕은 신화적 영웅들의 이야기 속에 나오는 '군주도덕'이라고 했다.

차라투스트라는 이렇게 말했다.(초인의 철학)
초인은, 전통적 기독교가 강조하는 가치를 부정하고 초인이 되는 데, 인간적 삶의 목표를 가지라고 한다. 초인이란, 자신의 뜻에 따라 가치를 창출하는 사람이다. 즉, 초인은 자가 운명을 긍정하고, 애착을 가지게 된다는 것이다. 자신의 운명을 사랑하고, 언제나 나에게 새로운 삶이 주어지면, 다시 살아보겠다는 태도를 가지는 것이 중요하다는 것이다.
그리하여 초인은, 권력에의 의지를 지상에서 구현하고자 한다. 힘을 추구하는 것이 바로 삶의 본질이고, 초인은 자신의 의지에 따라 가치를 창출하고, 자기에게 주어진 운명을 사랑하는 존재다.

카이로스
미륵은 '아직-아닌-부처님'
불교에 있어서의 희망의 철학은, 성불의 가능성을 위한 조건으로 주제화되어야한다.

요정철학
희랍인들의 희망개념은 가치중립적이다.
영원한 반복
'모든 것은 흐른다.'헤라클레이토스
자신의 운명에 대하여 사랑하라.
공산주의는 완성된 자연주의로서의 인간주의이며, 완성된 인간주의로서의 자연주의이다.

종교는 '민중의 아편'마르크스

마르크스의 유토피아는, 바로 '자연의 인간화'와 '인간의 자연화'에 있는 것이다.
'민주주의 없이는 사회주의도 없다.'칼 카우츠키

로자 룩셈부르크

수정주이와 독일사회민주주의에 대해 대단히 비판적인 여성혁명가. 카우츠키의 의견과 같이, 민주주의 없는 사회주의나, 사회주의 없는 민주주의는 생각할 수 없다고 주장.

국가철학

정의란 강자의 이익이다.-트라시마코스

토마스 홉스

'사회적 원자론' '만인에 대한 만인의 투쟁'
상호간에 계약을 체결하여, 자신의 자유를 제한하는 동시에, 자신의 권리와 이익을 보장받을 수 있는 국가를 형성하게 된다.
자신의 자연적 권리를 제한하고, 서로에게 소유권을 양도하는 것처럼, 자신에게 주어진 권리를 양도하는 것을 사회계약이라고 한다.
'거대한 레비아탄' '가사적인 신'이라고 불리는 인격체로서의 국가.

루소

사회발달 과정에서 과장된 이기심과 분업에 의해 형성된 불평등을 해소하기 위해 사회계약이 필요하다고 역설한다. 계약을 통하여 인간은 일반 의지를 회복하고 주권을 가질 수 있게 된다.

로크

존 롤지는 거대 국가론을 지지하고, 이를 운영하기 위한 원칙으로서의 사회정의 론을 제시.
로버트 노직은 최소 국가론을 지지하고, 정의의 원칙은 절차적 정의에 관해서 상세하게 정의돼야 한다고 주장.
정의의 제1원칙은 '평등한 자유의 원칙'이다.
제2원칙은 분배적인 정의개념에 입각한 '차등의 원칙'
차등의 원칙은, 최소 수혜자에게 최대이익을 보장하고, 기회 균등의 원칙이 선행될 때에만 정당화될 수 있다.
다시 말하면, 차등의 원칙은 반드시 공정한 기회 균등의 원칙을 전제로 해야 된다는 것이다.
자유주의 국가사회에서도 소수의 사람들이 부 정의한 법의 준수를 강요받을 때, '시민불복종의 권리'를 부여한다.

핵 윤리

현대사회의 도덕철학적 특징 중 하나는, 도덕적 행위주체가 드러나지 않는 익명성과, 기계 성으로 인해 정통적 규범들이 현저히 파괴된다는 점이다.
인류전체의 생존을 위협하는 일이 많아지면서, 양심이나 도덕적 기준보다는 행위 결과에 대한 책임이 보다 중시된다. 그러나 핵문제만큼은, 사후에 책임을 묻는다는 것은 무의미할 것이다. 야스퍼스는, 원폭에 대한 물음은 인류의 생존과 절멸가능에 대한 물음이고, 인류 전체의 구원을 위해서는 사고방식의 혁명적 변화를 이뤄야한다고 강조했다.

환경윤리

슈마허는, 과학기술 우위로부터 이제는 인간을 보다 중요시하는 가치체계를 확립하면, 절제와 금욕을 바탕으로 자연파괴를 최소화할 수 있는 불교경제학(Buddhist economics)이 가능하다고 봤다.

기술은 비록 처음에는 인간이 만들었다고 할지라도, 자기 스스로의 법칙과 원리에 의해 발전해가는 경향이 있다. 자연의 성장은, 자연적 성장 중지라는 신비한 자기 통제력을 가지고 적절하게 조화와 균형을 유지한다. 그러나 기술은, 스스로 제한하는 원리를 터득하지 못한다.

인간이 현대기술로 인한 세 가지 치명적 위기에 노출돼있다. 첫 번째 위기는, 인간성을 질식시키고 약화시키는 비인간적 기술이나 조직, 두 번째 위기는, 환경이 병 들어서 부분적으로 붕괴의 조짐을 보인다는 사실, 세 번째 위기는, 화석연료의 급격한 잠식과 고갈 우려다.

이에 슈마허는, '인간에게 적절한 현실적 크기(the actual size of man)'로 돌아갈 것을 권고하고 있다. "인간은 작은 것이며, 그러므로 작은 것은 아름답다. 거대 주의로 나아가는 것은 자기 파괴로 가는 것이다."

생태학적 위기와 책임의 원리/(한스 요나스)

한스 요나스는, 고대영지주의와 생태학적 과학철학을 연구하여 현대 윤리학의 책임문제를 천착한 유태계철학자.

존재론적 책임은, 생명체로서 존재하는 모든 자연 존재자의 존재권리에 대한 성찰에서 비롯된다. 인간은 인간이 아닌 모든 자연적 존재자, 또는 자연 생명체가 그 고유한 권리를 요구하고 있다는 사실을 인식해야 하는 것이다. 인간은 환경세계에 대한 책임을 저야 하는 것이다. 책임은 전체성, 계속성, 미래라는 세 가지 특성을 함유.

담론윤리란 무엇인가?

하버마스는, '의사소통 능력'과 연관해서 우리들이 다른 사람을 이해시키고 설득시킬 때, 기초적인 원칙을 지키는 것을 제시했다. 네 가지의 일반적인 대화 원칙은 바로 이해성, 진리, 정확성, 진실성이다.

참된 의미가 있는 대화가 되기 위해서는, 최소한 네 가지의 조건들이 만족되어야 한다. 그렇지 않으면 그 명제는 거짓이거나 무의미하게 된다.

하버마스는 정신분석학과 이데올로기 비판에서, 왜곡된 의사소통의 구조를 서술하고 이를 극복하고 치료할 수 있는 비판적-해방적 담론구조를 제시한다. 이상적인 대화 상황 아래서만 완전한 의미에서의 이상적 합의가 가능하다고 예견할 수 있다.

칼-오토 아펠 과 칸트철학의 변형

아펠 '철학의 변형'시도

칸트는 경험을 가능하게 하는 조건들을 철학의 중요한 물음으로 설정하면서, 우리가 밖으로부터 들어오는 감각자료들을 논리적으로 구성할 수 있는 힘을 미리부터 가지고 있다고 주장하였다. 그것이 바로 오성의 범주적 기능이다. 칸트의 인식론은, 한 인간 또는, 유(類)의 개념으로 서의 인간이 어떻게 경험을 산출할 수 있는가를 문제 삼고 있다.

그러나 아펠은, 경험내용의 타당성이나 진리는 하나의 고립된 인간의 논리구조 속에서 형성되는 것이 아니고, 다른 사람들과의 논의과정을 거쳐서 이른바 상호 주관적으로 창출된다는 사실을 지적하려고 했다.

아펠은, 의사소통 공동체를 매개로하여 칸트의 유아론적인 진리 론을 역사적, 또는 사회석인 차원으로 확대하고자 하였으며, 그것이 바로 그가 목표하고 있는 갠트철학의 '변형'이다.
아펠은, 경험의 가능성 조건들을 다루고 있는 칸트의 선험철학을 언어분석학적, 상호 주관적 담론의 가능성 조건들에 대한 물음으로 확장하는 이른바, 철학의 변형을 시도 한다.

철학이란 무엇인가?
철학은 교수가 가르쳐서 될 일이 아니고, 스스로 터득해야 한다고 자위하기도 한다. 철학은 철학에 대한 물음으로부터 시작된다. 철학이란 무엇인가라는 물음 자체가 철학의 대상인 것이다. 철학은 바로 묻는 행위이다. 누구든지 물어볼 수 있는 능력을 가지고 있으므로, 철학은 철학자들의 전유물이 될 수 없으며, 물어볼 수 있는 능력만 가지면, 누구든지 철학을 할 수 있다.

철학은 생각하는 것이다. 사유는 넘어서는 것이다. 생각하는 것은 바로 기존의 것을 뒤집어엎고 넘어서는 것, 전복하는 것을 뜻한다. 철학은 생각해볼만한 것이 무엇인가를 다시 반성하게 한다. 생각하는 것은, 기존의 것을 뒤집어엎고 넘어서는 것을 의미한다. 생각해 볼만한 것이 무엇인가를 생각하는 것은, 인간에게만 고유하게 주어진 힘이다. 우리는 생각을 통하여 자신의 궁극적 관심을 개진하게 된다.

철학은 본질에 관하여 묻는다. 철학은 '본질에 관한 철학' 어떤 것을 바로 그것이도록 규정하는 것이, 무엇인가를 해명하는 것이, 바로 본질철학의 과제이다. 철학은 원인과 이유에 관하여 묻는다. 어떻게 진리에 접근해야 하는가의 문제는 가장 기초적이고, 근본적인 물음이다. 방법의 규정은, 그것에 의하여 규정되는 지식의 한계를 결정하게 된다.

진리란 무엇인가
의심과 믿음, 그리고 확실성
우리는 모든 것에 관하여 모든 것을 의심하지 않을 수가 없게 된다. 그런데 데카르트는, 이제 더 이상 의심할 수 없는 어떤 사실을 발견하게 된다. 모든 것을 의심할 수 있지만, 그것만은 의심할 수 없는 것, 바로 그것은 의심하고 있는 나의 존재에 관해서는 더 이상 의심할 수 없게 된다. 그리하여 의심하고 생각하고 있는 나의 존재는, 명석하고 분명한 사실로 드러나게 된다. 만일, 우리가 명증 적으로 확실한 어떤 지식체계를 가질 수 있다면, 그것은 언제나 더 이상 의심될 수 없는 '사유하는 존재'를 출발점으로 해서만 비로소 가능하게 된다는 것이다.

회의주의와 절대주의
헤라클레이토스는, 자연계에 속하는 모든 것들은 끊임없이 변화한다고 주장했다. 다시 말하면, '만물은 흐른다.'는 것이다. 그러므로 우리는 같은 물에 두 번 들어갈 수 없게 된다.

전통적으로 철학에서는 세 가지 유형의 진리 론이 있다. 진리의 대응설과 정합설, 그리고 합의 설이 바로 그것이다. 물론, 이와 같은 진리 설은 그 나름대로의 한계를 가지고 있으며, 가장 이상적인 진리기준과 척도를 마련하기 위하여 아직도 많은 철학자들이 고심하고 있다. 진리 문제는, 인류와 철학이 존재하는 한 계속하여 물어지지 않으면 안 될 것이다.

진리의 대응설

진리의 대응설이 비판되는 것은, 근본적으로 두 가지 어려움 때문이다.

첫째로, 대응설의 자체적 모순이 바로 대응설을 비판하게 만든다. 다시 말하면 대응설이란 대상과 판단, 그리고 사물과 지성의 일치여부를 비교하여 어떤 판단의 진위를 결정하는 진리 론이다. 그런데 실제로 이와 같은 비교는 사실상 전혀 불가능하다. 왜냐하면, 두 개의 사실을 비교하기 위해서는 우리는 먼저 실재와 대상을 알아야하고, 그다음에 그 실재와 대상에 관한 판단의 일치여부를 결정해야한다.

그런데 여기서 직접 비교되는 것은 대상과 판단이 아니라, 실제로 비교되는 것은 판단과 판단인 것이다. 실제로 있는 대상과 감각기관을 통하여 보고된 사실과, 이성적인 판단활동의 일치여부를 가리는 작업이 간단할 수 없다는 사실을 단적으로 드러내준다.

둘째로, 대응설은 자신이 설정하고 있는 작업영역과 방법에 의한 한계를 노출하고 있다. 다시 말하면, 대상과 판단, 사물과 지성이 비교될 수 있기 위해서는, 판단 내용은 반드시 감각적인 인식에 의한 것이어야 할 것이다.

예를 들면 '모든 사람은 죽는다.'라는 전칭 판단을 실재 사실과 비교할 수 있는 방법은, 현실적으로 불가능하다. 이와 같이 진리 대응설은, 지식의 과거 적 성향을 단적으로 나타내고 있다.

진리의 정합설

진리의 대응설이 가지고 있는 자체적인 결함을 보완하려는 철학자들의 노력은, 진리의 정합성으로 결실을 보게 되었다. 진리 정합설이란 판단과 사물의 일치 여부보다는, 오히려 어떤 판단이 이미 존재하고 있는 기존의 판단체계에 부합되고 있는가의 여부에 의하여, 그 진위를 결정하는 것을 말한다. 그러므로 여기에서는 이미 완성된 하나의 이론체계가 전개되고 있다.

그리하여 진리의 정합설은, 어떤 특정한 명제가 기존의 이론체제와 논리적인 모순 없이 잘 부합되는가의 여부에 의하여, 참과 거짓을 가름하게 된다. 여기에서 어떤 특정한 명제의 진술을 판단하는 진리기준은 이론체계이다. 그러나 우리는 그 이론체계가 참된 것인지, 그릇된 것인지를 판단할 수 있는 아무런 근거도 확보하지 못한다. 따라서 최종적인 이론체계의 진위 문제는, 언제나 해결되지 않고 남게 된다는 약점이 있다.

진리의 합의설

진리의 합의 설은, 실용주의와 의사소통의 철학에서 주로 논의되는 방식으로서, 논의 공동체에서 구성원들의 이성적인 토의와, 담론과정에 의하여 합리적으로 도출되는 의사결정을 참된 것으로 받아들이는 학설이다. 여기에서는 왜곡된 의사소통의 구조가 존재할 수 있다는 사실과, 다수결의 방식으로 결정할 수 없는 진리사실이 있을 수 있다는 점들이 지적될 수 있다.

철학적 방법론-마르크스와 철학의 변형

근세철학에서 우리는 두 혁명을 경험하게 된다. 칸트의 코페르니쿠스적인 전회와, 마르크스의 변증법적 유물론이 그것이다. 칸트는 인식주관이 객관적 대상을 규정하게 되면서, 경험내용을 산출하게 된다는 선험철학을 확립.

마르크스는 칸트와는 반대로, 객관적 대상구조가 인간의 의식구조를 규정한다고 주장. 마르크스에 있어서의 철학은 이론이나 처계가 아니고, 실천과 혁명으로 변형.

실증주의 논쟁

사회비판 이론가들은 혁명정신이나 부정성의 힘을 통하여 현행체제를 비판하였으나, 그들은 참으로 인간해방이 실현될 수 있는, 이상적인 사회가 어떤 것인지에 관하여 적극적으로 제시하지 못했다.

현상학에서의 두 전회

현상학에 있어서의 두 전회는, 후설의 전회와 하이데거의 전회를 의미한다. 현대철학에 있어서도 비트겐슈타인의 전회는 유명하다. 전회는 방법론적인 방향 수정이나, 철학활동의 이념과 목표를 수정하는 것을 의미한다.

후설의 현상학은, 확실성과 명증성을 추구하는 데카르트의 철학과 칸트의 선험철학을 계승하고 있다. 그는 여기서 다시 브렌타노에 의해 발굴된 '지향성' 개념을 도입한다.

후설의 제자였던 하이데거는, 그의 스승이 독아론 적으로 추상화한 선험적 자아 론에 반대하여, 세계 안에 구체적으로 존재하면서 그것과 긴밀한 관계를 맺고 있는(세계내 존재로서)현존재를 철학적 물음의 대상으로 한다.

해석학에서의 보편성에 관한 논쟁
(가다마와 하버마스)

해석학은 삶의 복잡성과 구조연관을 포착할 수 있는 이해의 지평을 전제로 하고 있다. 가다마는 해석학이란 '진리의 경험'이라고 말한다. 진리의 경험은 과학적 영역을 넘어서서 어디에서나 가능하며, 이러한 해석학적 경험은 보편적이라는 것이다. 해석학적 경험은 이해의 역사성 안에서 이루어지며, 바로 여기에서 해석학적 순환(하이데거), 이해의 선 구조, 영향사의 원리가 주제화된다.

하버마스는 해석학의 과제는 바로 '이데올로기 비판'에 있다고 보았다. 또한, 하버마스는 해석학적 과정에 있어서 언어의 중요성을 인정한다.

현대과학 철학에서의 방법론 논쟁

오늘날의 과학철학 러셀과, 비트겐슈타인의 논리적 원자론 포퍼의 비판적 합리주의, 쿤의 비합리주의 등에까지 이르고 있다.

비트겐슈타인은, 철학을 하나의 '활동' 즉, 말할 수 있는 자연과학적 명제들에 대한 '언어비판'의 활동으로 생각하였다. 그러므로 철학의 목표는, 생각들을 논리적으로 명료화하는 데 있다.

비엔나 학단, 비트겐슈타인의 입장을 수용하여 철학은 명제의 명료화를 매개로한 의미 발견의 활동이라고 규정. 그리고 이와 같은 정신 속에서 즉, 논리 실증주의가 성립된다.

제3의 길은 가능한가?

데리다, 라캉, 리오타르, 들뢰즈 등 프랑스 철학자들은, 후기 현상학과 해석학, 언어분석철학과 후기 구조주의, 그리고 니체의 비합리주의와 프로이드의 정신분석학 등이 어우러져 지금까지의 모든 합리성 체계를 해체하려는 시도를 주도하였다. 그들은 합리성 대신에 비합리성을 불일치와 차이를 보다 중요하게 생각한다.

철학과 자살

철학이 자살을 권장한다는 생각은 물론 틀린 것이다. 그러나 역으로, 그렇다면 철학에는 자살을 생각하게 하는 힘이 있을까? 라고 말하면 그렇지는 않다.

철학과 종교

종교는, 자기 교의를 이것이 진리이니까 따라서 믿으세요. 라고 가르치는 데 있다. 종교도 상대를 설득하기 위해서, 이치를 세워 이해를 도모하는 요소를 포함하고 있다.

어느 종교종파에서 주어진 기준을 그대로 믿지 않고, 추측한대로 원래의 기준일까를 의심하고, 타종교종파의 주어진 기준과 비교하지 않으면 안 되기 때문에, 그렇게 믿으면 그런 신앙의 입장은 버려지고, 의심하는 그런 종교에 있어서는 죄가 깊다고 비난받는 태도에 처하게 된다.

과학적 세계관

마르크스주의는, 자본주의 적 사회체제가 필연적으로 붕괴해서, 사회주의적인 체제에 대신하는, 그런 것을 과학적으로 설명했다. 따라서 과학적인식이 객관적인 진리인 것을 인정하면, 사회주의의 태도는 필연적이다. 라는 마르크스주의의 주장도 또 객관적인 진리라고 인정하지 않으면 안 된다. 그런 마르크스주의의 성립이래, 마르크스주의의 세계관(이것은 변증법적 유물론으로 불리고 있다)을 인정할까-부정할까가 철학의 중심 문제로 돼왔다는 것도 말하기 쉽지 않을까.

마르크스주의와 싸우는 諸 哲學 派

제국주의 시대에 들어서면서, 또 1917년의 러시아 혁명에 의해 지구상에는 사회주의 국이 출연한 이래, 자본주의 체재를 옹호하려는 사람들은, 마르크스주의 사상을 더욱더 위협으로 느끼기 시작했다. 이런 입장을 대변하는 철학자들은, 언제나 마르크스주의의 세계관을 논파할까에 고심하고 있다. 그 시행방법은 두 개로 나뉜다.

그 하나는 마르크스주의가 과학적 세계관이라는 것에 있고, 그것은 철학도 과학도 아닌, 교조 敎祖 마르크스의 지극히 일면적인 단언斷言에 관한 신앙이라는, 그런 주장을 증명하려는 시도이다. 그렇지만 또 하나의 그런 철학적인 수행법은, 마르크스주의가 과학적 세계관이라는 것을 승인한 위에서, 오히려 과학 일반에 공격을 가해, 과학은 객관적 진리로서의 의의를 갖지 않는 것을 증명하고, 그것에 의해, 과학과 함께, 마르크스주의로부터 사회의 진로를 예견하는 그런 힘을 부인해 가려는 시도다.

이렇게 해서 인식론이랑, 과학철학의 영역에서의 지극히 아카데믹한 논쟁 같이 일견 보이는 점은 있다고 생각되지만, 세계관의 문제를 매개로해서, 자본주의냐 사회주의냐 라는 계급적이고, 정치적인 문제에 깊게 결부돼있다. 그래서 근대 자본주의 제국에서는, 이 앞의 길을 걷는 철학자들이 약간의 뉘앙스가 다른 유파流派를 형성하고 있다.

철학의 진짜「얼굴」

그럼, 이상으로 철학의 주요한 3개의 「얼굴」에 관해서 각각 간단히 서술한 것이지만, 이들 중에서, 이 자체가 철학의 진짜「얼굴」이다. 라고 우리들이 생각하는 것은 제3의 사회에 향한 「얼굴」이다. 라는 이유는, 이 제3의 「얼굴」은, 처음의 두 개의 「얼굴」을 배제하는 것이 아니고, 대신에 그것을 포함하는, 그 의미에서 3개의 「얼굴」의 모든 것을 대표하는 것이 가능한 「얼굴」이기 때문이다.

다시 그 위에 「사회」에 향한 철학의 「얼굴」이 있다. 우리들 한 사람 한 사람의 인간은 사회 중에 태어나고, 과학도 역시 사회 중에 생겨, 그중에 일정한 역할을 하고 있기 때문에, 이전에 서술한 철학의 두 개의 「얼굴」은 사회로 향한 「얼굴」의 일부분이기 때문이다. 이 철학의 아주 주요한 「얼굴」의 하나인 것은, 의심할 여지가 없다.

이런 사회에 대한 근본적인 사고방식(사회관)은, 그것만으로 고립되는 경우도 있지만, 본래는, 자연에 관한 사고방식(자연관)과 결부돼서, 세계(자연 혹은 사회)에 관한 통일된 견해(세계관)를 이루게 되는 것이다.

철학의 권장

「철학이란 무엇인가」라는 질문에의 우리들의 답변. 「철학이란 무엇인가」라는 물음에 대한 답은 이렇다. 철학이란, 과학적 세계관에 관한 학문이다.

철학은 무슨 소용이 있을까. 철학은 복잡한 오늘의 사회를 살아가는 데 있어서, 우리들은 확실히 세계관을 갖고 있는 경우에 처음으로 흔들리지 않고, 소위 문제에 대해서 일관된 태도를 갖고, 확신을 갖고 사는 것이 가능하다. 이자체가 무엇보다도 우선 철학이 가져다주는 효용이 겠죠.

가슴을 펴고 사는 것은 우리들은 이 세상에 태어나서 한번밖에 없는, 다시 고쳐할 수도 없는, 이 생명을 태어났기 때문에, 비틀거리지 않고, 이것이 우리가 선택한 삶의 방식이라고 자기 납득의 생활방식을 이어가기도 한다. 설사, 그것이 타인에 있어서 하찮은 것으로 보일지라도, 적어도 자기 자신에 관해서는, 이것이 자기의 생존방식이라고 자신을 갖고 말하는 것 같은 삶을 살고 있는 것이다. 거기에 있어서 처음으로, 투명 인간같이 머뭇거리지 않고, 당당하게 가슴을 펴고 사는 것이 가능하다는 것은 아닐까.

그렇지만 이런 것 자체가 마치 각 사람이 자기 자신의 세계관을 갖고, 그것에 의해 실현되는 것이다. 소위 행동의 시비를, 자기 세계관에 따라서 판단하는 것에 의해 시작된 그 사람의 생활은 일관성을 갖는 것으로 된다.

철학사상의 흐름/최대의 교부敎父 아우구스티누스

그는, 한마디로 플라톤 파의 철학에 그리스도교를 설명하려고 했다. 인간적 자아의 자립성을 주장하는 것이 아니라, 아우구스티누스에 있어서는, 진리를 구하는 자아, 즉 「신에의 갈망」을 갖는 자아의 확인을 의미했다.

教父 철학에서 스콜라철학

教父 철학시대의 종언과, 스콜라철학의 시작과의 사이에 400~500년의 공백이 있다. 새로운 문화의 서광은, 프랑크 국왕 칼 대제(742—814)를 중심으로 하는, 소위「카로린카·르네상스」 운동에 의해, 겨우 마주앉기 시작했다. 스콜라철학은, 이 운동을 기반으로 해서 배태胚胎되었다.

스콜라철학은, 이전에 확립된 교회의 제교의諸教義를 상호 모순되지 않게 조정하고, 그것들이 어떻게 해서 진리일까를 논증하는 것을 임무로 하는 것이었다. 사색의 자유의 범위는, 교부철학의 경우보다도 다시 좁고 제한된 것이라고 말할 수 있겠죠. 이 시대에 철학은「신학神學의 하녀下女」이었다고 말해지지만, 더욱더 중요한 것이다.

최성기最盛期의 스콜라철학

토마스·아퀴나스(1225~74)에 의한 스콜라철학의 완성은, 아랍세계로부터 지적공격에 대항해 방어와 공격이라는 의미를 갖었다. 토마스는, 이성과 신앙을 구별하면서 양자를 대립하지 않고, 상호 보완하는 것으로서 총합했다. 그것은 소위, 옛날에 적대시했기 때문에, 자기에 있어서 이질적인 것을 자기 내에서 이해하고, 자기 일부분으로 하는 것에 의해서 정복한 것이다.

토마스의 사상은, 위대한 총합總合이었다. 중세철학의 도대체 최초부터의 문제—이성과 신앙과의 문—는 토마스의 체계 중에서, 양자 각각이 하나의 계층적인 질서 중에 위치하는 것에 의해서 화해되었다.

그렇지만 본래 이질적인 것의 이런 화해는, 마치 일시적인 것밖에 아니었다. 토마스의 총합은, 마치 그중에 해체의 맹아萌芽를 포함하고 있었다. 이 총합이 무너지는 곳에 근대사상이 시작된 것이다.

스콜라철학의 해체

이중진리설二重眞理說과 유명론唯名論 의 진출에 의해, 스콜라철학은 해체에로 향했다.

르네상스기의 철학사상

상업자본이 발달하고, 봉건경제는 내부로부터 해체되기 시작했다. 상업자본의 발달로 봉건적 사회체재는 해체되기 시작했지만, 그 혼란 중에 특히, 이태리에서는 레오나르도·다·빈치(1452 ~1519), 체자르·보루지아(1475~1507), 지오르다노·브르노(1548~1600) 같은 예술적, 정치적, 학문적 개성이 풍부한 괴물, 천재들이 등장했다.

개성의 해방과 인문주의

르네상스가 이태리에서 꽃핀 것은, 옛날 로마제국의 중심지로 거기서 또다시 고대의 학예가 연구되고, 신과 내세 중심의 중세에서 인간과 현세가 중심으로 되었다. 이렇게 해서 페트라루카(Franesco Petrarca 1304~74), 보카치오(Giovanni Boccaccio1313~75)등 일련의 휴매니스트 들이 등장했다.

니콜라우스와 레오나르도

독일태생의 니콜라우스·쿠자네스(Nicholaus Cusanus1401~64)는, 진리의 인식은 경험에 기초해 선택된다고 주장한 반면에, 신비적 직관을 중시하고 이것에 의해 「반대의 일치」 (Coincidentia oppositorum)가 인식된다고 말했다.

레오나르도·다·빈치는, 화가, 자연과학자, 기술자도 되는 「보통 사람」(l'uomo universale)이었다. 그는, 신학과 미신을 비판하고 기본적으로는 유물론의 입장에 있었다.

자연 철학자들

테레지오(Bernadino Telesio, 1508~88)는, 감각적 인식론을 주창하고, 경험적인 자연연구를 중시했다.

지오르다노·브르노는 우주의 무한성, 영원성을 주장하고, 코페르니쿠스의 지동설을 채용했다.

새로운 유형의 사회 사상가의 출현

마키아벨리(Niccolo Machiavelli1469~1527)는, 정치적 합리주의자였다. 소국이 분립해서 제후가 싸우는 전란이 계속되는 당시의 시대 상황을, 지금은 하여튼 르네상스라는 언어로 연상되기 쉬운 장미색의 것이 아닌, 피비린내가 나는 전국시대의 그것이었다.

인민의 행복을 위해서는 국가적 통일이 되지 않으면 안 되고, 그를 위해서는 정치적으로 강력한 군주가 나와야 되는 데, 이 군주는 제후에 대해서는 개인 도덕적 선악을 배려할 필요가 없다, 이 최후의 점이 그 자신은 현실정치를 냉정히 과학적으로 분석하고, 인민의 행복을 현실적으로 추구한 애국자였다.

유토피아 사상가 칸파넬라/영국의 유토피아 사상가 모어

공상적 사회주의 이야기 『유토피아』를 썼다. 이것은 사유재산이 없는, 모든 사람이 일하는 사회다. 그의 저서 『유토피아』는 유명해져서, 공상적 사회주의를 지칭하는 일반적 명칭으로 전화轉化되었다.

시민사회市民社會 성립기成立期의 철학사상哲學思想
영국의 사회 정세

봉건적 귀족계급이 몰락하고, 화폐의 가치를 이해하고 있는 「신 지주新 地主 귀족貴族」이 진출했다.

한편, 이 나라의 사상적 풍토 가운데는, 옥캄의 윌리암 이래로 경험을 중시하는 전통이 있었다. 이 사회정서와 그 전통위에 베이컨(Francis Bacon 1561~1626)의 경험철학이 생겼다.

베이컨과 홉스

베이컨은, 「아는 것이 힘이다」(Scientiaest potentia) 라는 그의 모토는, 마치 신시대의 슬로건이 되었다.

베이컨 사후, 영국에서는 토마스·홉스(Thomas Hobbes1588~1679)는 베이컨에게 결핍된 수학적 요청을 보완해서 유물론적 체계를 건설했다.

데카르트의 생득관념生得觀念

원래 이데아 개념은, 플라톤으로 거슬러 올라가는 것으로, 플라톤의 이데아는 빗물체적천상적인 것으로, 인간의식 가운데만 있는 사고내용은 아니었다. 그것이 프로티노스에서는 그 독립성을 잃고, 신의 사고의 소산, 신의 사고내용을 의미하는 것으로 됐다.

그 근세 적 의미에서의 이데아를, 데카르트는 ①생득관념 ②외래관념 ③나 자신에 의해 만들어진 관념의 3개로 분류했다.

데카르트의 이원론二元論

정신과 육체를 엄밀히 구분하고, 다른 실체로서 분리한 것은, 물체 중에 정신적 요소를 잠입시키는 중세적·스콜라적인 사고에 반대해서 물체 즉, 자연의 영역을 순전히 과학적 고찰의 대상으로 인정하는 것으로서, 당시로서는 진보적인 의미로 되었다. 그렇지만 인간에 관해서 마음(정신)과, 신체(물체)가 어떻게 관계가 있을까라는 성가신 문제를 남겼다.

스피노자의 일원론一元論

화란의 철학자, 베네딕투스스피노자()는, 데카르트의 정신과 물체라는 두 개의 실체로 가르는 사고와 연장이라는 두 개의 속성을, 그저 하나의 실체의 두 개의 속성이라고 인정하는 것에 의해 철저한 일원론의 체계를 만들었다. 다만, 하나의 실체를 그는, 「신 즉, 자연」이라고 설파했다. 생득관념生得觀念의 비판批判. 영국의 철학자 쥰·록크(John Locke1632~1704)는, 데카르트가 주장한 생득관념 등은 존재하지 않고, 모든 관념은 외래관념이라고 주장했다.

버클리와 흄

두 사람은, 주관적 관념론의 방향에 철저한 길로 전진된다. 이 노선을 나아가는 것이, 죠지·버클리(George Berkeley1685~1753)와, 데이빗·흄(David Hume1711~76)이었다.

버클리는, 물체란 「관념의 집합」에 다름 아니라고 주장하고, 더욱이 인간의 마음에 관념을 생기게 하는 원인은 신의 정신이라고 설파했다.

흄은, 일체는 인상과 관념에 지나지 않고, 이들 제 관념은 관념연합(연상)의 제 법칙에 불구하고, 계기가 되거나 거기 있는 것에 지나지 않는다. 그럼에도 불구하고 흄에 의하면, 인과율도 또 관념연합의 법칙의 하나인 것이다.

라이프니츠

고드프리드·빌헬름·라이프니츠(Gottfried Wilhelm Leibniz,1646~1716)는, 관념론의 입장에서 반격하는 그런 자세로, 록크의 영향을 받아들였다. 그는, 「이전에 감각 가운데 생긴 것은, 뭐 하나라도 오성悟性 가운데 없다.」라는 록크의 명제에 다만, 「오성 그 자체를 제거하는」것이라고 덧붙이지 않으면 안 된다고 주장했다.

또, 라이프니츠는, 비물체적인, 불가분한, 그렇지만 다수의 정신적 실체가 존재한다고 생각하고, 이것을 단자單子(모나드)로 불렀다.

프랑스의 사회정세社會情勢

절대왕정의 번영은, 루이14세의 죽음(1715년)을 맞아 끝났다. 자본주의적 기업의 확대와 봉건귀족과 성직자들의 본격적 축적蓄積과, 지주地主의 수탈收奪에 의해 궁핍해진 노동자농민의 파업과 폭동이 연이어 일어나, 요컨대 18세기의 프랑스는 혁명의 조건이 성숙해갔다.

계몽사상가啓蒙思想家들과 유물론자唯物論者들

불란서에서는 정열적인 록크의 영향을 받아, 그것을 혁명으로 준비하는 사상으로 자기 손으로 만들어갔다. 우선 볼테르(Voltaire1694~1788)는, 다방면의 문필활동을 통해서 『영국편지』(별명『철학편지』)에 의해 뉴턴이랑, 록크의 사상을 프랑스에 소개했다. 몽테스(Montesquieu1689~1755)도 록크의 정치학의 영향을 받아 유명한 『법의 정신』에 의해 삼권분립을 설파했다.

다시 일보 전진해서, 일군의 유물론자 철학자들이 나타났다. 라·메토리(La Metrie, 1709~51), 디드로(Denis Diderot,1713~84), 도르박크(Paul Henri Thyry d"Holbach,1723~89), 에르베시우스(Claude Adrien Helvetius,1715~71)가 그들인 데, 그들 중 가장 유명한 사상가는 디드로이다.

18세기 프랑스의 유물론은 두 개의 사상적 원천이 있는 데, 그 하나는 데카르트의 자연학이고, 다른 하나는 록크의 철학이었다.

루소와 불란서혁명

뛰어난 계몽사상가 쟝·쟈크·루소(Jean Jacques Rousseau1712~78)는, 저서 『인간 불평등 기원론』(1753년)에서 절대주의적 봉건체제에 예리한 비판과 공격을 가했지만, 그의 이 사상 중에는, 그 당시의 소소 부르주아의 이데올로기가 대표돼있다. 그는, 과학적·유물론적 세계관에까지 높이는 것은 불가능했지만, 사유재산제도를 불평등의 기원으로 하는 그의 설에는, 사회생활에 있어서 경제의 역할에 관한 깊은 통찰이 포함돼있다.

그는, 신의 존재와 영혼의 불멸을 믿는 이신론자지만, 신에 의한 자연의 창조라는 사상을 인정하지 않았다. 루소의 사회이론은, 쟈코뱅 파의 이상적인 기치로서 돼, 프랑스혁명에 있어서 큰 역할을 담당했다. 로베스·피에르는 사상적으로는 루소의 제자였던 것이다.

독일 관념론철학觀念論哲學

독일에서는 18세기말에서 19세기 초에 걸쳐서 칸트(Immanuel Kant1724~1804), 피히테(Johann Gdttlieb Fichte1762~1824), 쉐링(Friedrich Wilhelm Joseph von Schelling1775~1854), 헤겔(Friedrich Hegel1770~1831)등이 차례로 나타나서, 연이어 큰 철학체계를 형성했다. 그들의 철학은 독일 관념철학이라고 불린다.

이 명칭으로부터 알 수 있듯이, 그들은 모두 관념론자들이었다. 전술한 것같이, 당시의 독일은 정치적으로도, 경제적으로도, 부르주아 민주주의 혁명을 수행할 조건은 아직 없었다. 독일의 부르주아는, 선진국의 부르주아혁명의 경험을 관념적으로 받아들여, 군주와의 타협의 토대로 성립하는 온화한 개량을 자기 진보에의 길이라고 생각했다.

독일의 지식층이 선진적 사상의 성과를 받아들이면서, 그것을 정치적 혁명으로부터 분리된 사상혁명화 한 것의 사회적 기반은, 바야흐로 여기에 있었다. 이런 제 조건을 기초로 이 시대의 독일철학은, 필연적으로 관념론이 될 수밖에 없었다.

칸트의 자리매김/피히테, 쉐링, 헤겔

근세 전기의 철학사를 데카르트⇒마르브랑슈⇒스피노자⇒라이프니츠로 연결되는 대륙합리론의 계보와, 베이컨⇒홉스⇒록크⇒버클리⇒흄으로 연결되는 영국 경험론의 계보로 나누고, 칸트에게 이 양자를 총합한, 그런 위치를 부여하는 것은, 철학사가들 사이에는 상당히 널리 퍼진 방식이다.

칸트는, 라이프니츠=볼프의 철학에서 출발했는데, 여기서 볼프는, 크리스챤·볼프(Christian Wolff1679~1754)를 말하는데, 그는 라이프니츠 철학을 조직화하는 동시에 비속화卑俗化했다.

그러나 18세기 독일은, 마치 이 라이프니츠=볼프의 철학이 아카데믹한 철학으로 간주돼, 독일 철학의 전통 중에 육성된 사람이 있어, 옛날의 영국 경험론을 부정하고, 라이프니츠=볼프 류流의 낡은 형이상학을 개조해서, 새로운 형이상학의 길을 열어서, 이성비판理性批判의 작업에 몰두해간 것이다.

피히테, 쉐링, 헤겔

피히테는, 자기 체계를 「지식학知識學」이라고 부르고, 현재 혹은 장래의 소위 과학의 더욱 더 일반적인 원리를 기초로 하는 것을 그 임무로 했다.

쉐링은, 존재와 사고, 물질과 정신의 절대적 동일이라는 원리에서 출발한 「동일철학同一哲學」의 입장에 섰다는 데, 그의 자아의 철학과 자기의 자연철학과의 대립을 자기 자신으로 통일하고, 극복하려고 했다.

그러나 이런 절대적 동일이란, 의식적·맹목적인 의욕·활동에 있어서, 물질의 기초에 힘을 두고, 힘에서 물질을 「구성」하려고 하는 역동설을 전제로 하는 것이었다. 만년의 쉐링은 신비주의자로 돼, 반동적인 「계시啓示의 철학」을 설파했다.

독일관념 철학의 완성 자 그 최대의 대표자인, 변증법의 체계적인 서술을 한 것은 헤겔이지만, 유럽각지에서 청강자가 쇄도한 베를린대학에서의 강의는 유명했지만, 그가 사후, 그 학파는 종교철학의 문제를 둘러싸고 우파, 중간파, 좌파로 분열됐다.

헤겔 우파는, 교회의 전통적 신앙을 파괴하고, 봉건적 신분제 질서를 지키는 반동 사상가의 집합으로, 중간파는 헤겔선생의 일언반구라도 충실히 지키는 무기력한 해석학자 군이었던 데 대해, 좌파는 또 청년 헤겔파로도 불리고, 부르주아 급진주의의 입장에서 독일의 부르주아 적 개혁을 모색하고, 봉건적 이데올로기에 대해서 활발한 비판을 행했다.

청년헤겔 파/포이에르바하

청년헤겔파의 기독교비판은, 슈트라우스(David Friedrich Strauss1808~74)의 『예수의 탄생』에서 시작돼, 포이에르바하(Ludwig Feuerbach1804~72)의 『기독교의 본질』에 의해 완성되었다.

포이에르바하는 헤겔의 관념론을 모두 유물론의 입장으로 바꾸고, 인간을 이성의 소유주로서만이 아니고, 감성의 소유주로서 이해할 것을 요구했다. 그래서 그런 인간관의 입장에서 종교를 비판하고, 신의 관념은, 결국 지상의 인간만의 참혹함을 애써서 발버둥 쳐도 천상에 반영된 것에 다름 아닌, 인간이 만든 것을 명확히 해서 「신학의 비밀은 인간학이고, 신학의 본질의 비밀은 인간의 본질이다」라고 주장했다.

그렇지만 포이에르바하는, 이 인간의 본질을 자연주의화해서 사회의 역사적 발전 외에 고정적인 것으로서 이해하기 위해서, 신학의 비판을 정치의 비판으로까지 나아가는 것이 불가능해 인간의 사회역사를 추론적으로 이해하는 것이 불가능 했다.

포이에르바하 철학의 이런 결함의 논리적 근거는, 그가 헤겔의 관념론을 공히 그 변증법까지를 버리고 말았던 것이다. 그 결과 그는, 인간을 환경의 영향을 받는 동시에, 환경에 작용해 그것을 변화시키는 혁명적 실천의 주체로서 이해하는 것이 불가능하고, 인간은 환경의 산물이라는 에르베시우스적(?) 인간관의 범위에 머물러, 사회개조라는 실천적인 문제에 관해서는 관념론에 빠진 것이다.

맑스와 엥겔스
그들은 포이에르바하와 같이 유물론의 입장이었지만, 그러나 포이에르바하와는 달리, 헤겔의 변증법을 버리지 않고, 그것을 받들어, 그것을 유물론적으로 개작改作했다. 변증법을 바르게 계승한 것에 의해 그들은 인간을 혁명적 실천의 주체로서 보고, 자연만이 아닌 사회·역사도 유물론적으로 이해하는 것이 가능했다.
이런 자연사회 인간의 사고의 모든 것을 포괄하는 일관된 사상체계―변증법적 유물론으로 부르는 과학적 세계관이 그들에 의해 마무리되었다.

콩트의 실증주의實證主義
오그스트·콩트(Auguste Comte1798~1857)는, 인간의 지성의 발전에 제 현상을 초경험적인 신의 힘에 의해 설명하는 신학적 상태와, 관찰된 제 현상에 기초한 것으로 된 형이상학적 본질 즉, 「자연의 힘」에 의해 설명하는 형이상학적 상태와, 제현상중에 법칙을 구하는 실증적 상태의 세 개가 있고, 이 방향으로 나아가고 있다고, 주장했다. 여기서 주의할 것은, 객관적 진실 즉, 물질적 세계를 인정하는 유물론을 콩트는, 형이상학적 상태에 속한다고 배격하고 있는 것이었다.

콩트는, 사회학의 아버지로도 부르고 있지만, 그의 사회학은 사회조직의 균형 상태를 기술하는 사회 정학靜學과, 여러 가지 도덕사상이 어떻게 사회의 침로를 변경하는가를 기술하는 사회동학動學으로 되고, 생물학적 자연주의와 역사적 관념론이 뒤엉킨 것이었다. 영국의 고전파 경제학 아담·스미스(Adam Smith1723~90)와, 데이빗·리카도(DavidRicardo1772~1823)에 의해 고전경제학이 건설되었다. 그들은 노동가치설의 기초를 놓았지만, 사회를 오로지 개인적 이익을 구하는 제 개인諸 個人의 집합으로 생각해, 자유경쟁을 옹호했다.

벤담의 공리주의功利主義/진화론進化論과 스펜서
러시아의 혁명적革命的 민주주의자民主主義者들
공리주의란, 법이랑 도덕의 기초는 쾌락을 가져오고 고통을 멀리하는 것이다. 비도덕적 행위란, 개인적 이해의 결산을 틀림없이 행하는 것에 지나지 않는다. 벤담은, 당시 영국의 속물을 표준적 인간으로 보지 않고, 당시의 부르주아적 질서를 이상적 사회질서라고 생각했다.

진화론進化論과 스펜서
찰스 다윈의 진화론을 받아들이면서, 실증주의 철학체계를 만든 것이 허버트·스펜서(Herbert Spencer, 1820~1903)였다. 그는, 다윈학설을 사회에 적용해, 더욱 뛰어난 인종이 보존된다는 악명 높은 소샬·다위니즘을 주장했다. 그의 생각에 의하면, 사회적 유기체의 성장은 자본주의의 단계에서 완료되고, 그 이후의 발전은 무의미하다.

스펜서의 사상은, 종교적 신비주의에 반대해서, 사회적 진보를 위해 싸우는 일부 진보적 학자들의 기치로 되어, 일정의 진보적 역할을 행했지만, 다른 한편, 유물론 철학의 보급을 방해했다. 일반적으로 말해, 일본·중국·러시아·폴란드 남미 등 제국에서 스펜서의 사상은, 급격한 변화를 좋아하지 않고, 온화하고 점진적인 개혁에 의한 자본주의를 건설하려는, 자유주의적 부르주아의 이데올로기로 되었던 것이다.

러시아의 혁명적革命的 민주주의자民主主義者들

러시아의 혁명적 민주주의사상은, 19세기~40년대에는, 벨린스키(VissarionGrigorievichBelinskii1811~48), 게르첸(Aleksandr Ivanovich Gertsen1821~70), 올가리요프(Nikolai Platonovich Ogaryov1813~77)에 의해, 5060년대에는 체르누이쉐프스키(Nikolai GavliovichChernyshevskii1828~89), 드브롤리요프(Nikolai Aleksandrovich Dobrolyubov1836~61) 등에 의해 대표되었다. 그들은 러시아의 문화적 유산 특히, 18세기의 우수한 유물론적 자연과학자 로몬노—소프(Mikhail Vasilievich Lomonosov1711~65)의 전통을 수용하는 것과 함께, 서유럽의 선진적인 제사상을 실로 잘 알고 있었다.

벨린스키는, 역사의 합법칙적 진보를 인정했지만, 사회발전의 원동력이 생산력의 발전에 있는 것을 몰랐고, 인간의 의식에 있어서 새로운 원리와 옛날 원리와의 투쟁에 의해 이것을 설명했다.

게르첸은, 사회의 발전이 사회의 대립적인 제 세력諸 勢力 간의 투쟁에 의해 행해지는 것을 알고, 사회의 물질적 생활의 발전은 연구하는 것의 의의를 인정했지만, 그러나 물질적 생산이 결정적 역할을 이해할 수 없었다. 올가리요프는, 공상적인 「러시아의 농민사회주의」라는 생각을 갖고 있었지만, 동시에 또, 사회개조의 혁명적 방법의 지지자로, 망명 중에도 불구하고, 게르첸과 함께 국외에서 러시아혁명을 지도하려고 했다. 이들 중 가장 중요한 인물인 체르누이쉐프스키는 제2편에서 상술하려고 한다.

키엘케골

덴마크의 죄렌·키엘케골(Soren Kierkegaard1813~55)은, 고독하고 특이한 사상가였다. 그의 사상은, 동시대 사람들 간에는 거의 어떤 이해도 지지도 받지 못했지만, 20세기가 되면서 흥미를 갖고 연구하는 사람들이 늘어, 실존주의 사상의 시조로 간주되고 있다.

독일의 반동철학反動哲學/쇼펜하우어

한편, 부르주아의 반동적 계층의 기분을 반영한 것은, 쇼펜하우어(Arthu Schopenhauer 1788·~1860)의 주의설主意說 철학이었다. 그 설에 의하면, 세계에 내재하는 「맹목적 의지」가 있어, 물질적세계의 전체는 이 의지의 발현이다. 모든 것이 의지의 우연적인 발상이기 때문에, 인간의 생활은 고난의 길이고, 인생의 비애는 인간의 업業이라고 그는 말한다.

새로운 관념론 철학의 제 류파諸 流派

제국주의帝國主義와 사회주의社會主義 혁명시대에 있어서 철학사상哲學思想 신칸트주의의 초기 대표자는 리버만(Otto Liebermann1840~1912)과, 랑게(Friedlich Albert Lange1828~75)가 있고, 70년대에 두 개의 주요한 방향 코헨(Hermann Cohen1842~1918)으로 대표되는 마르브르크 학파와, 빈델반트(Wilhelm Winderlband1848~1915)로 대표되는 바덴학파가 성립됐다. 신칸트학파의 공통적인 특징은, 유물론에 대한 격심한 적의다. 그들 중에는, 마르크스주의로부터 유물론을 제거하고, 이것에 칸트철학을 접목하는 번스타인(EdwardBernstein1850~1923)이랑, 포르란더(Karl Vorlander1860~1928)가 포함돼있다. 경험비판론의 대표자는, 마허(Edward Mach1835~1916)와 아베나리우스(Richard Avenaurius1843~96)가 있다. 그들은 자연과학의 그 당시의 성과(에너지설이랑 열역학)을 관념론적으로 해석하고, 실증주의의 입장에서 유물론을 비판하려고 했다. 생의 철학자의 대표자는, 딜타이(Wilhelm Dilthey1833~1911)와 심멜(George Simmel1858~1918)이 있다. 생의 철학은 인간적인 이성적 비합리성을 강조한다. 딜타이에 있어서 신뢰할 수 있는 실재는, 다만 정신의 체험뿐이었다.

비슷하게 비 합리주의자였던 니체(Friedrich Nietzsche1844~1900)는, 권력에의 의지를 더욱 기본적인 사실이라고 설파하고, 강자의 지배를 정당화하려고 했다. 강자의 지배를 정당화하려는 것이었다. 그의 사상은, 키엘케골이 취해 실존주의 사상의 원류로 되어, 또 옛날의 히틀러주의 등으로도 연결되었다.

제국주의帝國主義와 사회주의社會主義 혁명시대에 있어서 철학사상哲學思想

현상학파現象學派

인식론주의 유파 중에, 신칸트학파로 새롭게 현상학파가 생겼다. 이학파의 대표자는, 에드먼드·훗써얼()이다. 그는, 데카르트의 직관주의에 공통되는 일면을 가지면서, 객관적인 실재에 연결된 자연적 입장에서 추상된 「체험의 흐름」이라는 순수하게 주관적인 것을 중요시하고, 여기에 연관된 입장을 현상학적 입장으로 불렀다. 일견해서 보면 논리주의적인 요구를 내걸면서, 진리의 성립 장을 이런 「체험의 흐름」이라고 인식한 그의 철학은, 주관적 관념론의 한 변종이다.

베르그송

프랑스의 앙리 베르그송(Henri Bergson1859~1941)이 과학비판으로부터 출발해서, 독특한 「생生의 철학哲學」을 전개했다. 그는, 외적세계, 자연, 오성에 관해서 내적세계, 의식, 직관을 중시하고, 의식은 순수 지속한다고 설파했다. 그것은 끊을 수 없이 계속되는 시간이고, 공간화 되는 것이 불가능한 것이라고 그는 말했다. 그래서 그 지속을 자기가 그 흐름 중에 들어가 직관하는 것에 과학에 관해 부여잡을 수 없고, 진정한 철학적 인식이 성립한다는 것이라고 말했다.

독일의 실존주의實存主義

마르틴·하이데거(Martin Heidegger1889~1976), 칼·야스퍼스(Karl Jaspers1883~1969)

프랑스의 실존주의

쟝·폴·싸르트르(Jean Paul Sartre1905~80)

미국의 철학사상

벤자민·후랭클린(Benjamin Franklin1706~90), 토마스·제퍼슨(Thomas Jefferson1743~

1826), 토마스·페인(Thomas Paine1737~1809), 죠셉·프리스토리(JosephPriestley1733~1804)초월주의(Transcendentalism)

프래그마티즘
죤·듀이(John Dewey1859~1952)
논리 실증주의論理 實證主義
이 사조思潮는, 원래 나치스에 의해 박해받은 그 유파의 사람들이 미국으로 이주해, 현재는 영·미 양국에서 유행하는 철학사조로 됐다. 지금은, 그들은 철학의 임무는 언어의 분석, 언어의 사용규칙의 확립에 있다고 주장하고, 자기의 철학을 「분석철학」으로 부르고 있지만, 그 중에는 기호논리학을 중시하고, 기호에 의해 구성된, 논리적으로 엄밀한 일종의 인공언어를 만드는 것에 중점을 두는 사람들과, 일상 언어의 분석을 보다 중시하는 일상 언어 학파가 있다.
프래그마티즘과 신실재론新實在論과 논리 실증주의 간에는, 상호논쟁하고 영향을 주고 타협하면서 나아가는 데, 현재는 그 대표자들로서 영국의 유명한 에아―(Alfred Jules Ayer1910~89)로, 미국은 모리스(Charles William Morris1901~79)와, 퀸(Willard van Orman Quine, 1908~2000) 등이 있다.

이 시대 부르죠아철학의 일반적 특색
러시아에서의 마르크스철학의 발전 : 프레하―노프와 레닌.
러시아에서는 이전에 19세기경에 프레하―노프(Georgii Valentinovich Plekhanov1856~1918)에 의해 마르크스주의 사상이 이식돼, 레닌(Vladimir Ilich Lenin1870~1924)에 의해 노동운동과 견고하게 연결되었다. 그런데 1905년의 혁명이 실패로 끝난 뒤의 퇴조기에 일부 마르크스주의자들 사이에, 마르크스주의의 체계로부터 유물론 철학을 제거하고, 이것을 마하의 경험비판론에서 치환된 것 같은 움직임이 일어났다. 이때 레닌은, 그들을 비판할 목적으로 『유물론唯物論과 경험비판론經驗批判論』을 썼지만, 공격이 오로지 인식론의 문제를 더했기 때문에, 이 저서에서 레닌은 오로지 인식론의 문제를 전개하고, 그런 면에서 마르크스주의 철학을 발전시켰다.

그때에 레닌은, 유물론과 관념론과의 대립을 초월했다고 칭하는 마하주의지만, 결국은 관념론이라는 것을 논증하고, 유물론과 관념론과의 대립을 무당파적 이라고 칭하는 것은 눈속임이고, 철학은 언제나 당파적이라는 것을 명확히 했다.
그 후 레닌은, 스위스로 망명한 시기(1914~16년)에 헤겔의 『논리학論理學』을 시작으로, 많은 철학서를 연구하고 『철학노트』를 썼다. 이것은 마르크스주의철학의 그 후의 발전에 많은 교시를 주었다.

10월 혁명이후
중국에 있어서 마르크스주의 철학의 발전 모택동毛澤東
1917년 10월 사회주의 대 혁명 이후, 소련연방은 마르크스주의 철학의 중심지로 됐다. 여기서는 사회주의공산주의를 건설하는 것이라는 실천적 과제와 결부해서 제기된 새로운 이론적 문제를 해결하기 위해서, 누차 대규모 학자의 토론이 조직돼, 논쟁과 그 총괄을 통해 마르크스주의철학이 발전해온 것이 특징적이다.

한편, 스탈린(Iosiph Vissarionovich Stalin1879~1953)에 관해서 한마디 하지 않으면 안 되는 데, 그의 철학적 저작은 짧지만, 소위 「개인숭배」의 풍조 위에 그의 일언반구까지 금과옥조로 받아들인 결과 철학의 발전에 악영향을 미쳤다.

1947년의 토론 성과를 포함해 쓴, 커다란 공동노작勞作『세계철학사』가 또, 개인의 업적으로서는 루빈슈타인(Sergei Leonidovich Rubinstein1889~1960)의 저서『존재와 의식』, 그밖에 것이 주목받았다. 루빈슈타인은, 파브로프의 중추신경 활동의 생리학적 성과를 정확히 받아들여서, 심리적인 것을 정확히 바로잡으려고 노력했다.

중국에 있어서 마르크스주의 철학의 발전 모택동毛澤東

중국에는 중일전쟁이 시작된 1937년의 중요한 시기에 모택동(1893~1976)이 『실천론實踐論』과 『모순론矛盾論』을 써서, 마르크스주의 철학의 역사에 새로운 페이지를 더했다.

태평양 전쟁전의 일본철학-서전西田과 삼목三木

제국주의 시대에 접어들면서 「西田철학」의 이름으로 西田幾多郞의 사상이 지식층으로부터 영향력을 가졌다. 西田은 베르그송과 피히테의 영향을 기초로 출발했지만, 동양의 종교적 신비주의와, 서양의 철학사상과를 결합해, 「절대 무絶對 無의 자기 동일自己 同一」이라는 (일견해서는 영문 모를) 표현의 위에 신비화한 형태에 있는 변증법을 전개했다. 西田의 문하에서 나온 三木淸은, 마르크스주의 철학에 관심을 갖고, 일련의 논문을 발표해서 주목을 받았다.

三木은, 마르크스주의 철학을 정확하게 소화하기 전에, 그것을 자기류로 해석해, 그 인간학 화人間學 化를 시험했지만, 三木의 후배인 戶坂潤은, 三木에 의해 유물론에의 눈을 뜬 후에, 우리나라에 있어서 변증법적 유물론의 더욱더 좋은 이해 자理解 者, 연구 자研究 者, 보급 자普及 者로 됐다. 戶坂을 선두로, 古在由重, 水田廣志 등이 昭和 초년의 일본에 있어서 마르크스주의 철학의 대표자였다.

전후 일본철학 계

참고문헌/中村雄二郞,生松敬三,田島節夫,吉田光저『사상사』(昭和 30년 동대 출판회)
王井茂 저『철학사』(昭和 32년 청목서점)
슈베그라저『서양 철학사』상하(昭和 14 谷川, 松村譯, 岩波文庫)
速水敬二 편『철학 연구 제안 : 철학사 편』(昭 26 제일출판주식회사)
소비에트 과학아카데미—판『세계 철학사』(昭 33~39 동경도서주식회사 구명 상공출판사.)

I 소크라테스/소크라테스의 생애生涯

소크라테스는 성자聖者일까, 기인奇人일까. 소크라테스는 종종 「성철聖哲」로 불리는 석가, 공자, 그리스도의 3인과 나란히 「세계의 4성」으로 불린다. 그는, 기행에 가득 찬 기인으로 단하나의 저서도 남기지 않았다. 서재에 있지 않고, 거리街頭에 있었다. 다시 그는, 같은 나라사람인 아테네인들에 의해 고발돼 재판에서 사형을 선고받은 후에 도망갈 기회를 물리치고, 독배를 마시는 형에 복종했다. 이런 것들이 무엇보다도 그를 학자보다도 교조敎祖라고 부르는 쪽이 더 어울린다.

문헌학적文獻學的 연구研究의 성과成果

3개의 근본사료

오늘날 직접적인 사료로 볼 수 있는 것은 다음의 3종류의 문헌이다.

⑴기원전 423년에 상연된 아리스토파네스의 희극 『운雲』

⑵소크라테스의 제자 플라톤(B.C.427~B.C.347)의 다수의 대화편對話篇.

⑶소크라테스의 제자, 크세노폰의 저서 『소크라테스의 생각』

역사적歷史的 소크라테스의 像/신탁사건神託事件

그가 40세가 되기 조금 전에 어느 날, 그의 친구 중 한사람인 카이레폰이라는 사람이, 델피의 아포론 신전에 가서 「누가 소크라테스보다 더 현명한 남자일까요」라고 묻자, 여기에 대해서 무녀가 「누가 소크라테스보다도 현명한 남자는 아무도 없다」라는 신탁을 알렸다고 말하고 있다. 이 사건은 역사적 사실이었다고 생각된다.

이것을 듣고 소크라테스는, 신탁의 의미는 도대체 무엇일까라고 생각하고 의심했다. 그 끝에 그는, 유명한 정치가, 군인, 시인, 소피스트 등을 방문해 그들과 문답하고, 실제로 자기보다도 현명한 사람을 발견하고, 사실을 갖고 신탁에 반발하려고 했다. 그러나 이들 사람들은 자기들은 지혜가 있다고 생각해 오면서, 더욱 중요한 것 즉, 자기의 혼의 선함에 관해서는 아무것도 모르는 것이라는 것을 알았다. 그들은 그것을 알지 못하는 데도 불구하고, 자기는 알고 있다고 할 작정이었다. 그럼에도 불구하고, 소크라테스 자신은 자기가 그 더욱더 중요한 것을 모른다는 것을 알고 있었다. 자기가 무지라는 것을 알고 있는(무지無知의 지知)이라는 점에서, 그들보다도 소크라테스가 보다 현명하고, 따라서 신탁은 옳았던 것이었다. 신탁을 논박論駁하려던 소크라테스는, 역으로 그것이 바른 것을 찾아냈던 것이었다.

소크라테스의 필로소피아/인간행위人間行爲의 원인原因에 관한 탐구探究

인간적人間的인 것에의 관심關心

소크라테스의 관심은, 주로 인간에 향한 것이었다. 인간으로서 일정한 행위실천을 이루는 또는, 이루어지지 않는 원인─그런 원인에 관한 지식이, 소크라테스가 추구한 것이었다. 따라서 그는, 이런 인간으로서 일정한 실천을 이루는 마치 그 원인에 따라서 전 자연全 自然도 또, 인간을 모델로 해서 자연을 이해하려고 하는 사고방식(의인관)이 나타난다.

이것은 물론, 자연관으로서는 유치한 것이다. 그렇지만 여기서 중요한 것은, 인간도 자연과 같은 방식으로 설명하려는 자연학의 태도에 분명하지 않고, 소크라테스는 인간으로서 인간답게 하는 특질을, 마치 인간이 자기의 행위-실천을 자기의 의지 결정에 따라 좌우될 수 있다는, 마치 노모스(nomos)에 향해 돌아가는, 그런 점에서는 인간에 관한 것에서부터 소피스트들도 또, 소크라테스와 같았다. 그러나 소피스트들은, 자연은 영구불변한 것이고, 따라서 여기에 관해서는 불변의 진리를 구하는 것이 가능하지만, 노모스는 인간이 만든 것 상대적인 가변적인 것이고, 따라서 노모스에 관한 것은 불변의 진리로 되는 것은 존재하지 않는다, 라고 생각하였었다.

자기 혼魂의 선善함에 신경 쓰는 것
직업적職業的인「선善함」과 혼魂의「선善함」

소크라테스는, 일반인이 지금 다시 배우지 않아도 자명한 것으로 생각되는 정의, 용기, 절도, 경건등과 같은 일정한 실천을과 같은「선함」에 관해서, 대저 그것은 무엇일까라고 묻는다. 이렇게 제덕의 근본원리로서의 혼의 선함에 관해서 지식을 구하는 것을 그는「자기 자신을 신경 쓰는 것」이라든가,「혼의 보살핌을 하는 것」이라고 불렀다.

무지無知의 치장治裝

그러나 소크라테스는, 문답을 시작하는 데 있어서 자기는 모른다, 라는 것을 전제로 하고 그 답을 구했다. 노모스의 근본원리로도 말할 수 있는, 혼의 선함이 대저 무엇일까라는 것을 자기는 말하지 않았다.

상대에 대해서 꼬치꼬치 묻고 다만, 상대의 답을 혼내주지만, 그러나 자기는 모른다고 말하고 답할 수 없는 그런 소크라테스의 문답방식은, 질문 받은 상대로서는 교활한 처사라고 생각할 수도 있겠죠.

산파술産婆術

소크라테스는, 청년들과 문답하는 자기의 작업을 산파의 업무에 비유했다. 자기로서는 이미 노인으로 아이를 낳는 것이 불가하지만, 청년들을 도와서 그들의 혼으로부터 진리라는 아이를 탄생시키는 것이다, 라고 이렇게 그는 문답에 의해 청년들에게 자신을 탐구하는 능력을 몸에 배게 해서 그들 자신이 스스로 탐구에 의해 그 혼의 선함을 자각하는 것으로 했다.

그의 생각에 의하면, 자기의 혼의 선함을 아는 것은 즉, 자기 자신이 선하게 있는 데 있다. 그의 이런 학설은, 후세사람들에 의해「지행합일론知行 合一論」으로 불려지고 있다. 그 경우의 지란, 선한 것과 알아도 행하지 않는 것도 가능하다는 그런 지식이 아닌, 선한 것과 아는 것 이상은 행하지 않으면 안 되는 것 같은 실천적 자각이었다.

청년들 한 사람 한사람에게 이런 자각을 독촉하는 것에 의해, 아테네를 그 정치적 부패로부터 구하려는 것이 소크라테스의 필로소피아 활동이었다.

철학사상사哲學思想史에 있어서 소크라테스의 위치位置
과학科學으로부터 구별區別된 의미意味의 철학哲學의 확립確立

이전에 서술한 것같이, 소크라테스는 이 자연학에 관한 불만에서 그 독자獨自의 탐구의 도를 걸었다. 따라서 자기의 이 새로운 탐구활동을「필로소피아」로 불렀지만, 서주西周에 의해「철학」으로 번역된 단어의 어원으로 됐던 것이다.   참고문헌參考文獻

Ⅱ 플라톤의 철학哲學

플라톤의 생애生涯와 저작著作

「플라토닉·러브」라고 말할 정도로, 플라톤은 소크라테스 최대의 제자이고, 그의 사상의 정통의 후계자였다. 플라톤이 그의 저작에 의해 전해주지 않았다면, 후세사람들은 소크라테스의 사상에 접하는 것이 불가했겠죠.

다시 플라톤은, 은사의 사상을 발전시켜 독자의 사상(플라토니즘)을 건설하고, 또 900년이나 계속된 학교의 창립자·지도자이기도 했다.

오늘날도 「플라토닉·러브」라는 단어가 사용되는 것같이 플라톤의 이름은 고결한 것, 이상주의적인 것, 관념적인 것의 상징으로 간주되고 있다.

통설通說에 의하면/초기初期의 저작활동著作活動

초기의 대화편도, 소크라테스적 대화편으로도 부르고 있는 것으로 『소크라테스의 변명』, 『클리돈』, 『프로타고라스』, 『이온』, 『라케스』, 『국가』 제1권, 『류시즈』, 『카르미데스』, 『에우츄프론』, 『골기아스』, 『메논』, 『에우츄데몬스』, 『히피아스 소편小篇』, 『쿠라츄로스』 등이 있다고 추정되고 있다. 아카데미아 플라톤은 아테네 교외에 학교 「아카데미아」를 창설했다. 플라톤은 아카데미아에서 가르치면서 그 후 약 20년간에 중기의 대화편 즉, 『메넥크세네스』, 『향연』, 『파이돈』, 『국가』 제2~10권, 『파이드로스』, 『테아이테토스』 등을 저술했다고 추정된다.

버넷트=테일러 설說은 무엇인가.

여기에 버넷트=테일러 설이라는 것은, 영국의 고대철학사가John Burnet와, 그의 제자 A. E. Taylor가 주장하는 설인 데, 그것은 플라톤의 대화편이 쓰인 년대에 관해서 상술上述한 통설이다. 소위 「플라톤의 이데아론」은 실은 플라톤의 학설이 아니고, 소크라테스의 설이다. 라는 것이다.

플라톤의 만년晩年의 저작著作

우선 『법률』과 『에피노미스』가 플라톤의 최후의 저작이라는 것은 누구나 인정하는 것이지만, 『소피스테스』, 『포리추코스』 등은, 이 최후의 저작과 명료한 문체상의 공통점을 갖고 있다.

플라톤의 학설學說
1이데아 론

「이데아」라는 개념概念의 기원起源idea라고 쓰면, 그것은 오늘날의 영어는 관념을 의미하는 말과 같은 철자이다. 그러나 플라톤 시대에는 이데아라는 단어에는 관념이라는 의미는 확실히 아니고, 그것은 「형形」 혹은, 「자姿」를 의미했다. 이 개념이 퓨타고라스 파派에 의해 수학상의 문제에 관해 사용되기 시작했다. 라는 것은 거의 의심이 없다. 예를 들면, 수학자가 모래 위에 삼각형을 그리고 「내각의 합이 2직각이다」라는 것을 논할 때, 그는 그 감각적으로 주어진 삼각형에 관한 것이 아니고, 「삼각형 자체」를 보고, 여기에 관해 논하고 있는 것이다. 어떤 「삼각형 자체」는 ①시간과 공간에 존재하는 것은 아니고, ②다른 어떤 것보다도 실제적이다. 라고 생각된다. 이것이 「삼각형의 형」 즉 「삼각형의 이데아」인 것이다.

이데아와 개물個物

어떤 얼굴이 아름답다고 말해지는 것은, 그 얼굴이 「미美의 이데아」에 「관계 된다」는 한에서 「아름다운」 것이고, 여기에 해당하지 않는 것은, 아름답지 않은 것이다. 또, 개물個物의 이데아에의 관여방법은, 항상 불완전하기 때문에, 감각적 개물 중에는, 완전히 아름다운 것, 결점이 없는 미인 등은 존재하지 않는다. 이렇게, 이데아는 「원형原型」 혹은, 「전형典型」이고, 감각적 개물은 「모사模寫」 혹은 「영影」에 지나지 않는다. 이런 의미에서 idea는 개물에 대해서 ideal한 것도 된다.

이데아의 범위範圍

그렇다면, 이데아의 범위는 어디까지 확장할 수 있을까. 감각적인 인간, 개, 책상 등에 대해서 「인간의 이데아」, 「개의 이데아」, 「책상의 이데아」가 있을까. 통설은, 플라톤은 그들의 이데아를 인정하고 있다. 그럼 진흙이랑, 오물에도 그들의 이데아를 인정할 수밖에 없을까. 그것에 관해서는, 통설도 의문시하고 있다.

2『국가國家』편篇에 있어서 국가 론國家 論

최초最初의 유토피아 이야기

『국가國家』편은, 10권에 이르는 대저大著로, 그 중심은 이상국가론이다. 세계에서 최초로 유토피아 이야기를 한 것이라고 볼 수 있겠죠, 다만, 유토피아 이야기라는 의미는 결코 꿈만이 아닌, 그 배후에는 현실의 국가에 대한 진지한 비판과, 이것을 개혁하려는 열렬한 실천적 의욕을 감추고 있다. 이것은 토마스·모어의 『유토피아』에 관해서도 같은 모양이다.

이상 국가理想國家의 계급구성階級構成

『국가』편에 묘사된 이상국은, 통치자統治者(국가의「완전한 수호자」), 보조자補助者(보조적 수호자, 즉 전사), 생산자生産者(농민과 수공업자)의 3개의 계급을 포함한다. 『국가』편에서는, 마치 국가가 선하게 존재하는 것을, 탐구하고 있지만, 우선 제1로, 국가의 「지혜」는 통치자에 의해 대표되고, 제2로 국가의 「용기」는 전사의 계급에 속한다.

따라서 제3으로 「자제自制」의 덕은, 개인에 있어서는 비합리적 요구가 이성적인 요구에 따르는 것을 강하게 갖는 현인철인에 따르는 것, 게다가 그런 조직이 정당한 것을 일반국민이 승인하는 것에 존재한다. 최후로 더욱더 중요한 국가의 「공정公正」이란, 각 개인이, 국가의 일원으로서, 자기에게 가장 적합한 하나의 직무에 전력을 쏟는 것에 있다.

철인 왕哲人 王과 선善의 이데아

통치자는 국가의 「지혜」를 대표하는 것으로 간주되기 때문에, 진정한 철학자가 되지 않으면 안 된다. 그것은 최고의 이데아인 「선善의 이데아」를 보는 것이 되지 않으면 안 된다. 거기서 「선의 이데아」란 대저 무엇일까, 라는 것이 문제로 된다.

여기에 대해서 소크라테스는 「태양의 비유」를 갖고 말한다. 감각적 개물을 보는 것은 태양의 빛이 그 대상을 비추는 것이 필요한 것같이, 혼이 가지가지의 이데아를 보는 것은 「선의 이데아」에 의해 비추지 않으면 안 된다는, 그런 것이다. 따라서 그것은 지식과 진실과의 원인이라고도, 말할 수 있다.

동굴洞窟의 비유比喩

감각적인 경험만 의존해 이것을 진실이라고 생각하는 사람들은, 어두운 동굴에 유폐돼 진정한 실재의 영影만을 보고 있는 불쌍한 자이기도하다. 진정한 이데아를 보는 철학자는, 자기 동굴에 지나가는, 경험적 판단이 단순한 억측에 지나지 않는다는 것을 자각해서, 그의 혼을 「광光의 야野」에 구해내어 이데아를 보는 것이 가능한 것으로 인도하지 않으면 안 된다.
노령老齡의 플라톤이 재삼再三 시실리 섬에 건너간 것은, 이 철인哲人의 의무를 수행하지 않으면 안 된다, 라는 생각이었다라고 말해지고 있다.

3, 법률론法律論/아카데미아의 법률法律 연구研究

그리스의 많은 포리스가 그 헌법을 개정하기 위해 입법전문가를 아카데미아에 요청했다라고 푸르타코스(소위 『푸르타크 영웅전』의 저자)가 전하고 있다.
플라톤이 법률은 간단할수록 좋다고 생각하는 소위 「법삼조주의자 法三条主義者」는 아니고, 상당히 자세한 것까지 성문법을 만드는 방침의 입법사상을 갖고 있는 것을 나타내고 있다. 베넷트는, 오늘날 「로마법」이라고 부르는 것의 특징이 전부 플라톤으로 거슬러 올라가는 것을 지적하고 있다.

플라톤의 입법론立法論의 특색特色

그러나 『법률』편에서는, 입법자는 항상 그의 법률의 동기를 설명하는 일종의 서설을 붙이지 않으면 안 된다고 기술하고 있다. 또, 그 법률이 행해질 수밖에 없는 포리스의 어떤 지방의 지리적 조건, 자연적 특성을 연구하고, 그 지식을 입법의 근저根底에 놓는다는, 그런 사상을 볼 수 있다.

4, 수학數學과 신학神學

아카데미아의 수학數學 연구研究

플라톤의 가장 우수한 제자 중 일인인 테아이테토스는, 젊은 시절에 평방근에 관한 이론을 성취하고, 또 이전에 알려진 정육면체, 정사면체, 정십이면체에 더해, 정팔면체와 정20면체를 새롭게 발견하고 5개의 정다면체에 관한 이론을 마무리했다.

도덕道德의 견지見地로부터의 종교론宗敎論

소크라테스적 대화론 편에서는, 신과 영혼에 관해서 말해지는 경우에는, 신화적 형식이 적용되는 것이 상례다. 이것이 이 주제에 있어서 소크라테스가 말하는 방식이었겠죠. 그러나 『법률』편에서는 이 주제에 관해서 직접적인 토론이 보여, 플라톤이 당장 이것을 학學의 대상으로 인정하는 것이 추정된다.
우선, 신의 신앙의 유해한 3개의 형식가운데 ①단순한 무신론은 가장 해악이 적고, ②신은 존재하지만 인사人事에는 관여하지 않는다, 라는 것은 무신론 보다 나쁘고, ③신은 인사에 관여하지만, 비싼 공물供物로 신들의 환심을 사는 것이 가능한 것이라는 설은, 순연純然한 도덕적 타락을 신들에게 돌리는 것이고, 가장 나쁘다고 간주된다.
즉, 신에 관한 문제가 순수하게 도덕적인 견지에서 거론되는 것이, 주목할 가치가 있다. 다음에 영혼은 자기가 움직이는 운동으로, 간주되고, 신은 「형形」으로서는 아닌 「영혼靈魂」으로서 서술되고 있다.
참고문헌參考文獻

- 187 -

Ⅲ아리스토텔레스의 철학哲學

S1아리스토텔레스의 생애生涯와 저작著作
학자學者 유형의 철학자哲學者의 출현出現

젊은 시절에는 「책벌레」이었고, 늙어서는 연구와 교수에 몰두한 다름 아닌 학자선생이었다. 이런 그는, 아마도 세계 최초의 학자타입 철학자였다고 말할 수 있겠죠. 그러나 또, 아리스토텔레스에 의해 철학은 서제적인書齊的 성격으로 엄숙한 것으로 되었다고 말할 수 있겠죠.

1, 아카데미아로 부터 류케이온에
아리스토텔레스의 성장

그의 가계는 대대로 의사집안으로 부친 니코마코스는, 마케도니아 왕 아민타스(알렉산더의 조부祖父)의 친구로 시의侍醫였다.
알렉산더와 아리스토텔레스

기원전 338년에 카이로네이아의 전투에서 그리스 제도시의 연합군이 알렉산더 군에게 패해, 기원전 336년에 필립포스 왕이 암살당하면서, 20세의 알렉산더는 홀연히 그리스 본토를 평정하고, 군을 동방으로 진격했다. 아테네는 마케도니아의 총독 안티파토로스의 지배하에 있었지만, 아리스토텔레스는 그 아테네에서 나와 총독의 원조를 바탕으로 아테네 서방 교외에 있던 아카데미아와는 반대로, 그 동북방의 교외에 자기의 학교 '류케이온'을 창립했다. 이 학교는 그의 힘에 의해 아카데미아를 능가해 발전을 이뤘다.

2, 아리스토텔레스의 저작著作
3, 종류種類의 구분區分

아리스토텔레스의 저작에는 다음의 3종류가 있다.
(1)일반을 위해 쓴 공간公刊된 것, 주로 대화편.
(2)연구자료, 회고록 류.
(3)학술적 논문이랑 강의를 위한 노트.

그 1 : 공간公刊된 대화편對話篇

(1)에 알렉산더의 교사시대에, 그를 위해 썼다고 전해지는 『군주정치에 관해서』, 『식민에 관해서』 등이 여기에 포함된다. 오늘날은 겨우 『영혼에 관해서』, 『철학에 관해서』, 『프로토레프티코스(철학의 권유)』의 3편이 단편적으로 알려졌을 뿐이다.

그 2 : 연구研究 자료資料

(2)에 거슬러 올라가면, 오늘날까지 보존된 것은 19세기말에 이집트에서 발견된 『아테네인의 국가제도』만이 있다. 원래 류케이온의 서고는 각지로부터 수집된 문헌, 표본, 지도 등을 갖고 연구실, 도서관, 박물관 같은 것으로 기원전 3세기에 알렉산드리아에 건설된 대박물관은 이것을 모방해서 설계된 것이었다. 따라서 문헌만을 생각해도 아리스토텔레스 자신이 수집한 것보다도 다른 연구자들이 수집한 것도 있고, 대량의 역사적인 동시에 자연학적 자료를 포함하고 있었다.

그 3 : 강의講義 노트

(3)에 거슬러 올라가면 거의 완전히 보존되어 오늘날 우리들이 아리스토텔레스의 사상, 학설을 아는 것은 이 종류의 문헌을 통해서이다. 기원전 1세기에 류케이온의 최후의 학두學頭로 알려진 로도스의 안드로니코스가, 이것을 편집 공간한 것이 중세의 사본가寫本家들을 거쳐 《아리스토텔레스전전全典》(『Corpus Aristotelicum』)으로 전해져온 것이었다. 이 편집의 순서에 의하면 1,논리학 관계의 저작, 2,자연학 관계의 저작, ⓐ물리학적 저작, ⓑ심리학적 저작, ⓒ생물학적 저작, 3,형이상학, 4,실천학 관계의 저작, ⓐ윤리학적 저작, ⓑ정치학적 저작, 5.제작술製作術 관계의 저작이 포함돼있다.

S2아리스토텔레스의 학설學說

1, 학문學問과 그 방법方法/아리스토텔레스의 논리학論理學

논리학에 관한 연구는, 아리스토텔레스의 업무 중에서 중요한 한 부분으로 돼있다. 그는 「각각의 문제를 각각 어떻게 논할까에 관해, 사람은 우선 학습하지 않으면 안 된다. 지식을 탐구하는 것과 동시에, 그것을 획득하는 방법을 탐구하는 것이라는 것은 불가능한 상담이기 때문에」(『형이상학形而上學』)이라고 쓰고 있다. 아리스토텔레스는, 논리학은 학문 자체가 아니고, 학적인식을 위해 필요한 도구라고 생각했다. 논리학에 관한 그의 6편의 저작이 기원후 6세기경부터 『올가논』(『Organon』)이라는 이름으로 일괄해서 부르는 것으로 된 것은 이 때문이다.

연역법演繹法과 귀납법歸納法

아리스토텔레스의 논리학적 연구의 중심은, 삼단논법에 있어서 연구한 『분석론』에 있다. 그는 그것을 정의해 「삼단논법은 전제에 무엇인가가 주어져 이들 조정措定된 것과 다른 것이지만, 이들을 중개로 해서 필연적으로 나오는 논법이다.」(『토피카』)라고 기술하고 있다. 여기서 「전제에 무언가 주어져있는」것이라고 기술된 것이 있지만, 이 전제에 주어져있는 것은 「보편적인 것」이고, 거기로부터 나온 것은 「특수한 것」또는, 「개별적인 것」이다. 즉, 삼단논법은 보편으로부터 특수, 또는 개별을 도출하는 논법 즉, 연역법이다.

귀납법에 있어서는 「논법에 삼단논법(연역법)과 귀납법 등이 있다. 귀납법이라는 것은, 개개個個(특수한 것)으로부터 전반(보편적인 것)에 이르는 통로다.」

2, 형이상학形而上學 또는 제1철학第1哲學

「형이상학形而上學」이라는 단어單語의 유래由來

아리스토텔레스는, 학문을 ①이론 학 ②실천학 ③제작 술의 3개로 나눴다. 그리고 다시 제1의 이론학중에, 수학과 자연학과 제1철학 등이 포함되는 걸로 했다. 더욱이 그 자신은 수학이 부실했기 때문에, 그의 저작 중에는 수학에 관한 것은 눈에 띄지 않는다.

3, 실천철학實踐哲學

윤리학倫理學은 정치학政治學의 일부분이다. 아리스토텔레스는, 인간을 폴리스적인 동물이라고 인정했다. 그로부터 그의 실천철학 전체는, 폴리치케(보통은 정치학으로 번역되는 것이 폴리스의 학學 즉, 국가학이라는 의미이다)이고, 사람들로 하여금 관계된 국가의 좋은 국민답게 하는 성격에 관한 윤리학은, 폴리치케의 일부분이라고 보여 진다.

윤리학倫理學

막상 대저大著 『니코마코스 윤리학』은, 그의 가장 만년의 저작으로 간주되지만, 이것은 윤리에 관한 원리론 적인 노작勞作이라기 보다는, 여러 가지 덕德에 관해 연관되는 상식적인 기술이 많은 부분을 점하는 경험주의적인 도덕론이다.

아리스토텔레스는 여기서 인생경험이 풍부한 현자로서 나타나고, 중용의 덕을 설파하고 있다. 그는, 최고선은 행복이지만, 그것은 전 생애를 통해서 실현되는 것으로「한 마리의 제비는 봄을 나지 못하고, 또 하루밖에 봄을 이루지 못하네, 그렇게 불과 일일이란 단시일에 사람을 축복받은 운 좋은 자로 될 수 없다」(『니코마코스 윤리학』)라고 서술하고 있다.

정치학政治學

저서 『정치학』도, 8권 가량 되는 대저다. 여기서는 여러 가지 국가체제에 관해 기술하고, 최선의 국제國制가 탐구되지만, 그 수행방법은 역시 경험적·귀납적이다.

다시 제작 술에 관해서도, 『변론술』, 『시학』의 저서가 있고, 특히 후자는 문학·예술론·미학의 고전적 저작으로서 중요한 것이지만, 여기서는 자세히 다루지 않겠다.

4, 플라톤과 아리스토텔레스 철학哲學의 현대적現代的 의의意義
이데아와 개물個物

만년의 플라톤이, 만약「이데아」라는 표현을 버렸다고 해도 감각적 개물로부터 떨어져 존재하는 보편을, 진정한 실재로 생각한 것은 의심의 여지가 없다. 여기에 대해서 아리스토텔레스는, 감각적 개물이야말로 진정한 실재라고 주장했다. 이 다툼은, 현대의 우리들에 있어서 어떤 의의를 갖을까요.

양자兩者의 변증법적辨證法的 통일統一

우리들은 직접적인 의미에서는, 감각적 개물個物이 진정한 실재라고 말한 아리스토텔레스의 친구가 될 수밖에 없다. 그러나 그 개물을 우리의 이성이 인식할 때 이해되는 것은, 항상 무언가의 일반 자一般 者(보통적인 것)이다.

「포체는 개다.」라는 경우에 개란 어떤 개에도 공통되는 일반자로「하얀 입이 뾰족하고, 꼬리가 긴 개」등으로 말해 봐도 그런 개는 여전히 많겠죠. 이렇게 개물은 무언가 일반자로서의 측면, 굳이 말하자면,「이데아적인」측면을 갖고 있는 것을 의미한다.

따라서 진정한 존재자는「개물적인」계기랑,「보편적인」계기와의 통일로서 변증법적으로 이해되지 않으면 안 된다. 플라톤의 주장도, 아리스토텔레스의 주장도, 모두 일방적으로 잘라 버릴 수는 없는 것이다.

참고문헌參考文獻

Ⅳ토마스·아퀴나스의 철학哲學

S1토마스·아퀴나스의 생애生涯와 저작著作

공동적 박사, 천사 적 박사, 스콜라 학의 두頭 등으로 칭해진다. 「사물은 그것이 되는 한 존재한다.」「일반적인 선은 개인의 선에 이긴다.」「사람이 태어나서 노동하는 것은, 새가 하늘을 나는 것과 같다」『신학대전神學大全』

가톨릭교회敎會 공인公認의 최대학자最大學者.오늘날도 가톨릭교회에 속하는 정통파학자들은, 자신을 도미니스트(토마스 주의자)로 칭하고 있다. 토마스는 성자로서 예배되고, 최대의 철학자 더욱이 신학자로서 존경받고 있다. 그의 철학은 한마디로 말하면, 아리스토텔레스의 철학과, 그리스도교의 교의를 결합한 것이었다.

토마스의 저작著作

토마스의 저서는 4종류로 분류할 수 있다.

그 제1은, 아리스토텔레스에 관한 것으로『분석 론 후서』,『니코마코스 윤리학』,『형이상학』,『영혼 론』 등에 관한 주해가 있다. 그 제이는, 성서에 과나 한 것으로, 구약성서에 관해서는『욥기』,『시편』 등의 주해, 신약에 관해서는,『마태전』,『요한전』,의 주해, 혹은 바오로의 서간에 관한 강의가 있다.

그 제3은, 그의 체계적인 저작으로 이것이 가장 중요한 것이다. 여기에는 페트로스·론바르도우스의 신학명제집의 주해(1254~56년),『호교대전護敎大典』(1259~64년)『신학대전』, (제Ⅰ,Ⅱ부, 1266~72년, 제Ⅲ부, 1272~73년, 미완성)이 있다.『호교대전』은, 토마스 자신의 사상체계를 전면적으로 전개한 것이고, 팽대膨大한 저서이다.

그 제4는, 약 50편에 달하는 논문이지만, 그중에서도『존재와 본질에 관해서』(1254~56년)는, 존재의 형이상학을 서술한 것으로, 토마스의 철학을 아는 데 있어서는 중요한 문헌이다.

S2토마스·아퀴나스의 학설學說

1, 존재론/이중二重 진리설眞理說과의 대결對決

토마스의 철학은 한마디로 말하면, 그리스도교의 교의를 아리스토텔레스의 철학을 사용해서 체계화하려고 시도한 것이다. 거기서 최초로 문제되는 것은, 철학과 신학과의 관계문제다. 초기의 스콜라철학자, 예를 들면 안셀무스는 신학과 철학과를 직접적으로 일치하게 하는 것으로 했다. 그런데 그 후 아리스토텔레스주의의 입장에서 아베로에스에 의해 「이성의 진리와 신앙의 진리」든가 가 모순되고, 배척하는 경우가 있는 것이 날카롭게 지적되어 이중진리설이 설파되었다. 이런 예리한 공격에 직면해서 토마스는, 이미 옛날에 안셀무스 같은 소박한 형의 이성과 신앙과의 일치를 설파하는 것이 불가능했다.

토마스는, 철학의 영역과 신학의 영역인가가 각기, 이성의 진리와 신앙의 진리라든가 제 각각 어느 정도까지 인정했다. 그러나 토마스에 의하면, 양자사이에 있는 것은 모순과 대립이 아니고 차이에 지나지 않는다.

계시에 의해 해당되는 신학적 진리는 「초이성적」이지만, 「반이성적」은 아니다. 신의 이성이 인간의 이성보다도 높은 것이 아닌 한, 신학은 철학보다도 높은 것이다. 따라서 철학은 신학에 봉사하지 않으면 안 되고, 신학의 진리를 철학 측에서 상하게 할 수는 없다. 라고 그는 주장했다.

V 데카르트의 철학

「학교에서 가르치는 사변적인 철학의 대신에 실천적인 철학. 이것에 의해 우리들은 나 자신, 자연계의 주인으로 소유자 같은 것으로 되는 것이 가능하겠죠.」『방법서설方法序說』「진실한 것을 알면 언젠가 한번은, 모든 것에 관해서 의심하는 것만 의심해볼 수밖에 없다.」

철학의 원리
S1 데카르트의 생애生涯와 저작著作

반동사상에 관한 투사 다만, 가면을 쓰다. 데카르트는 영국 경험론의 개조로 칭하는 프란시스 베이컨과 나란히 근세철학의 조조祖라고 불린다. 그는, 처음에 게링크스, 마르브란슈, 스피노자, 라이프찌히를 잇는 학파는 프랑스·화란·독일에서 계승 발전된 것으로 대륙합리론으로 부른다. 데카르트라면 「나는 생각한다, 고로 나는 존재한다.」라는 말을 생각하는 사람들이 많겠죠. 모든 물체의 존재를 의심하고, 자기의 육체까지를 존재할까-어쩔까를 의심한다고 생각한 끝에, 그렇게 생각하고 있는 우리(즉 자기 의식)만은 의심할 여지없이 존재한다, 라고 결론지었다, 라는 이야기를 듣고, 서재 중에 눈살을 찌푸리는 회의에 빠진 창백한 인텔리를 상상하는 사람이 많을지도 모른다. 그러나 역사적으로 실재한 데카르트는 그런 인물은 아니었다.

1, 데카르트가 살았던 시대時代
복잡複雜한 시대時代를 산 복잡複雜한 성격性格

반동사상에 대하는 가면을 쓴 투사로 부르는 데카르트의 성격은, 철학사상사에서는 드물게 복잡한 성격이다. 법복귀족法服貴族으로 불린 특수特殊한 사회 층社會 層. 프랑스는 관직 매매의 제도가 널리 퍼져있었다. 부유한 부르주아는, 정치적 진출의 수단으로서 이것을 이용했다. 고등의 관직에는 귀족의 직함이 붙어있어 관직을 산 부르주아는, 동시에 귀족의 직함을 갖는 것으로 됐다. 이렇게 부르주아출신의 새로운 귀족은, 고등법원을 중심으로 해서 사법관에 많았는데, 그들은 법복귀족으로 부르고, 봉건귀족과 시민계급과의 중간에선 특수한 사회 층을 형성했다. 데카르트는 바로 이 법복귀족 출신이었다.

2, 데카르트의 생애生涯/최후의 르네상스인人

그는, 주지하는 바와 같이 해석기하학과 굴절광학의 창시자였던 것만 아니라, 건축학·조원학·동식물학·해부학·수력학·천문학·수로학·항해술에 통해서, 펌프·해시계·자석·렌즈 등등의 기술적 개량에 흥미를 가졌다. 정치를 주의 깊게 피하는 것에도 불구하고, 선제후 프리드리히 5세의 딸 엘리자베스는 그의 좋은 친구이자, 좋은 제자였고, 또, 1648년 루이14세 궁정의 칙서를 받들어 프롱드의 난 직전에 고국을 여행한 때, 분명히 그는 무언가의 정치적 목적을 품고 있었다.

데카르트는 일생 결혼하지 않았다.

현대인과 같이 철학자·과학자·예술가·혹은, 정치가·군인·기술자 등 직업적으로 고정되지 않은 유형의 인간과는 달리, 데카르트는 혼자서 그 어느 것이나 이었다.

이런 인간상, 그것은 레오나르도·다빈치에서 전형적으로 보는 것으로 르네상스 적 인간도 보통사람으로도 부르고 있지만, 때마침 르네상스의 황혼기를 맞아 그 최후의 일인으로 섰다.

S1데카르트의 학설學說

1,역학적力學的 자연관自然觀

데카르트의 선구자先驅者들

코페르니쿠스의 지동설은 성서와 아리스토텔레스의 권위에 따르는 중세의 그리스도교신학=스콜라철학의 세계관에결정적인 제1타를 날렸다.

데카르트가 발견發見한 정신지도精神指導의 규칙規則이란 무엇인가.

방법으로서의 수학을 데카르트는 보편수학이라고 불렀다.

데카르트의 방법方法의 의의意義

데카르트는 그 『방법 서설』의 시작에서 「바르게 판단하고, 진위를 구별하는 능력—그것이 마치 양식 아니면 이성으로 부르는 것이기도 하지만—은, 살아가면서 모든 사람에게 평등하다」고 말하고, 다시 「그러나 건전한 정신을 갖고 있는 것만으로는 충분치 않고, 요컨대 그것을 바르게 적용하는 것이다.」라고 서술하고, 거기서 이 건전한 정신을 바르게 적용하는 방법에 관한 고찰을 시작하고 있다.

2,회의懷疑와 사고思考하는 정신精神

모든 것을 의심疑心하라.

이런 방법에 지도받는 한, 인간의 이성은 「모든 사물의 인식에 도달」가능하다. 이런 자연과 인생에 관해 완전한 과학의 체계를 만들어 인간을 「자연계의 주인으로 소유자 같은 것」으로 하는 것—이것이 데카르트의 목표였다. 이를 위해서는 우선, 용서 없이 현존하는 일체의 것을 의심하지 않으면 안 된다. clear and distinct 한 것인가 아닌가. 혹은, clear and distinct 한 것에서 윤리적으로 인도되는 것인가 아닌가. —이 비판에 앞서 모든 것이 노출되지 않으면 안 된다. 이것이 본래의 데카르트의 「회의懷疑」이었다.

과학적 사회주의를 제창한 마르크스는 「모든 것을 의심하라—이것이 나의 모토다.」라고 말한 것같이, 데카르트의 회의는 본래 중세의 봉건적 지배를 탈각하고, 근대의 해방을 실현하려는 것의 왕성한 회의懷疑를 대표하고 있는 것이었다.

데카르트의 후퇴後退

그러나 이런 데카르트의 투쟁 앞에 막아서고 있는 것이, 르네상스를 뭉개버리고 밤의 행진을 계속하는 절대왕정—최후의 봉건세력이었다는 것은 전에 본대로다. 따라서 데카르트는, 이 구사회舊 社會에 대해서 유효한 투쟁을 위해 가면을 썼다. 즉, 자기의 새로운 세계관을 형이상학적으로 기초한, 이성의 힘의 기초를 신에게 행하려고 했다.

이렇게 해서 유명한 「나는 생각한다, 고로 나는 존재한다.」(cogito, ergo sum)이라는 말이 그의 철학체계의 출발점으로 산출되었다.

Cogito, ergo sum의 적극적積極的인 면면

포이에르 바하가 말한 것 같이, 중세의 그리스도교가 「신은 영(정신)이고」라고 시작된다고 하면, 근세철학은 「나는 정신이다」로 시작한다. 그것은 「신」을 원리로 하는 중세에 대해서 「사고思考하는 나의 정신」을 원리로 하는 것이다. 따라서 데카르트의 철학에는, 그리스도교의 신앙이 또, 전제적인 힘을 떨치던 때에, 인간에게 재차 인간자신에의 신뢰인간의 이성에의 신뢰를 불어넣은 공적이 당연히 인정되지 않으면 안 된다.

Cogito, ergo sum의 소극적消極的인 면면面

그렇지만 그것은 또 하나의 면을 갖고 있다는 것은, 데카르트는 이 cogito(나는 생각한다)를 매개로해서 신에의 신앙을 재차 세우고, 거기에 합리적 질서를 기초를 놓는 그런 길을 갔던 것이기 때문이다. 그 결과, 데카르트에 있어서는 결국 「신의식神意識」에 있어서 자기의식이 신의 신뢰에 있어서, 인간의 자기의식이 깨어있는, 그런 것으로 되고 말았다, 어떻게 해서 그런 것으로 됐을까, 라는 것의 다음을 보는 것은 그의 형이상학을 파고들어 비교해 보지 않으면 안 된다.

3, 형이상학形而上學
원인原因은 결과結果보다 적지 않다

나는 생각한다, 고로 나는 존재 한다—이것은 clear and distinct 한 진리다. 마찬가지로, 인과因果의 원리 즉, 무無로부터는 아무것도 생기지 않는다. 따라서 또, 원인이 결과보다 적지 않은 실재성과 완전성이 있는 것은 있을 수 없다는 그런 원인의 원리도 또, clear and distinct 하다고 데카르트는 말한다.

관념觀念의 분류分類와 신神의 관념觀念

다음으로 데카르트는, 우리들의 관념을 분류해서, 인간이 갖고 있는 관념(idea)에는 우리들의 밖으로부터 온 것의(예를 들면 소리든가, 태양이든가, 열이든가 의 관념)이랑, 우리들의 공간적 창작에 의한 것(예를 들면 인어라는 것 같은 관념) 외에 우리들이 태어나면서 갖고 있는 관념(생득관념生得觀念)이 있다고 말한다.

정작—라고 데카르트는 말하고—우리들은 신이라는 관념을 갖고 있다. 그런데 그때, 신이란 무한한 더욱더 완전한 존재를 의미하고 있다. 그런데 그런 신의 관념을 갖고 있는 우리들 자신은 유한한-불완전한 존재다. 라고 한다면, 인과의 원리에 의해 우리들이, 우리들이 갖고 있는 신의 관념의 원인에 있는 것은 있을 수 없다. 따라서 신의 관념은, 신 자신에 의해 우리들에게 해당되는 것에 다름 아니다. 이것으로부터 신이 존재하는 것이라고 말하는 것은 분명하다.

이것이 데카르트의 「생득 관념 설」 혹은, 신의「인성론적 증명」이다. 신神의 성실誠實을 매개媒介로한 물체物體의 존재存在에 막상 신은 완전한 것이기 때문에 신은 성실하다, 라고 데카르트는 말한다. 신은 성실하기 때문에 신은 우리들을 속이지 않는다. 그러나 우리들은 자기 감각에 의해 우리들밖에 있는 물체의 세계의 관념을 갖고 있다. 신은 우리들을 속이지 않기 때문에 따라서 외적물체의 세계는 실재한다.

정신精神과 물체物體—이원론二元論

좌우간 이런 정신과 물체라는, 상호 대립하는 두개의 실체가 확인되었다(이원론). 실체란 「그것이 존재하기 위해서 무언가를 필요로 하는 것」이다. 더욱이 엄밀한 의미에서 말하면, 이런 실체는 신밖에 없는 것으로 된다. 그러나 데카르트에 있어서는, 원래 이 신은 첫 번째로 나온 것 즉, 정신과 두 번째로 나온 것 즉, 물체와의 사이를 연결하는 미친 소리 같은 것이었다.

데카르트 철학哲學에 있어서 신神의 의의意義

신에 관한 의론은 데카르트에 있어서는, 적의 공격을 피하기 위한, 소위 어쩔 수 없는 가면이었겠죠. 동시대인 파스칼은, 「데카르트는 가능하다면 신 없이 살 수 있었겠죠.」라고 쓰고 있다. 그 자신도 『서설』의 공간 후에 친구에게 신의 존재에 관해서 수數페지는 그 책안에서 「가장 중요한 부분」이지만, 그러나 「전편全篇 중에 가장 숙련되지 않은 부분」으로 「최후에 책방에서 독촉하기 전까지는 보낼 결심이 없다는 것」을 「고백」하고 있다. 그러나 이 타협은 치명적이었다. 이전에 기술한 것같이, 적의 공격은 점점 더 데카르트를 이 「가능한 것으로 되지 않으면 안 되는 것이겠죠.」라는 형이상학의 의논에 끌려 들어가, 가면은 언젠가 소안과 구별할 수 없게 됐다. 그것은 소위 「살에 붙어 떨어지지 않는 가면」으로 됐다.

데카르트 철학哲學에서 나온 두 개의 노선路線

이렇게 데카르트의 철학을 같은 조선祖先으로 하면서 한편으로는, 대혁명을 준비한 프랑스 계몽사상에 발전해가는 유물론의 흐름이, 한편으로는 라이프찌히(1646~1716)를 둘러싼 독일고전철학의 발전에 이르는 관념론의 흐름이, 유럽 근세 철학 가운데 대립하는 이면을 형성하고 있었던 것이다.

4.데카르트 철학哲學의 이면 성二面 性

소안素顔과 가면假面 혹은, 그 배경背景

그러나 데카르트에 있어서 이두개의 면은 실은, 원래 무연한 것은 아니었다. 여기까지는 오히려 데카르트의 철학이 갖는 모순을 데카르트에 있어서 소안과 가면의 모순으로서 설명해온 것이지만, 이 구별은 어디까지나 상대적인 것으로, 이 두개는 데카르트의 의식에 있어서 필시 여러 번 알 수 없었던 것에 다름 아니다. 그것은 일면에서는 이전에 기술한 것 같이, 당시에 있어서 인민의 조직적인 약함, 시민계급의 약체를 반영하고, 한편으로는 또 그것과 결부돼서 당시에 있어서, 과학의 발전단계로부터 온 제약을 반영하고 있다. 후자에 관해서 말하면, 데카르트의 역학적·기계론적 유물론은, 모든 기계론적 유물론과 같은 물질과 운동과를 끊는 것이 가능하고, 따라서 근본에 있어서는 운동은 이 세계 어딘가, 특정 면으로부터—세계 밖에선 신으로부터 해당되는 것에 다름 아닌 것이다. 주지하는 것같이, 뉴턴의 역학체계도 최후에는 이 세계라는 일대一大기계장치에 「최초의 돌진」을 주는 신을 가정하지 않으면 안 되었다.

기계론機械論의 극복방향克服方向

역사의 모순은, 기계론적 유물론의 이런 결함에 대해서 관념론의 토대 위에 독일고전철학 특히, 헤겔에게 있어서 변증법의 이론이라는 틀로 극복의 실마리를 준 것으로 됐다. 기계론적 유물론은 또, 그 역사적 특징으로서 역사에 있어서의 학설 아니면, 사회에 있어서의 학설이 결핍돼서 데카르트의 철학도 이 특징을 분담하고 있다. 따라서 이 결함도 또, 관념론의 지반 위에 독일고전철학 특히, 헤겔의 정신철학—역사철학, 법철학 등등의 이론에 의해 극복의 실마리를 준 것으로 됐다. 『철학의 원리』프랑스어 역에의 서문 가운데, 데카르트는 「진리를 완전히 인출하는 것은 다시 수세기도 더 필요」한 것으로 인정하고, 「손자 대에 성공을 보는 것을 기원」했던 것이지만. 이 데카르트의 「기원」이 물을 수밖에 없는 방향은, 데카르트를 하나의 선조先祖로 하는 근대 관념론(특히 독일의)의 제 달성諸 達成을 동일하게 데카르트를 그 빛나는 대표자의 일인으로 하는 유물론의 토대위에서 다시 방향만—이렇게 자연과 사회에 관해서 포괄적인, 수미일관首尾一貫된 세계관을 수립하는 방향만이, 존재하는 것이 이해되겠죠.

참고문헌參考文獻

Ⅵ록크의 철학哲學

「명예혁명 」의 철학자. 노동가치설의 제창자.

「 소위 물체의 차등을 결정하는 것은, 사실상 노동이다. 인간의 생활에 관해 유용한 토지생산물 가운에,99%는 틀림없이 노동의 산물로 볼 수밖에 없다. 」『가치』란, 그러나 『사용 가치』에 있는 것이었다.

S1개요槪要

록크의 철학에는 중요한 측면이 두 개있다.

⑴감각 주의적 인식론 「 생득관념 」(innate ideas) 설이라고 부르는, 중세에 지배적인 인식론에 반대해 모든 「 관념 」은 감각으로부터 시작된다는 것, 또 감각의 결합으로서 형성된 것을 강조했다.

⑵자연법에 기초한 사회계약의 학설—인간의 사회는, 각인의 계약에 의해 성립된 것으로, 정부는 각인이 자연으로부터 주어진 권리를 제3자에게 맡기는 것에 의해 만들어진 것이다. 이 학설은 근대 민주주의에 있어서 특히, 프랑스혁명에 대해서 영향을 미쳤다.

S2명예혁명名譽革命과 록크의 생애生涯

명예혁명名譽革命

영국은 17세기에 두 번의 혁명을 경험했다. 그 하나는 1642년에 일어난 퓨리턴(청교도)혁명이고, 다른 하나는 1688년의 명예혁명이다. 이들 혁명은 둘 다 자본주의의 발달을 법률적으로 나란히 국가적으로 보장하는 것을 목적으로 하는 것으로, 소위 부르주아혁명이었다.

퓨리턴혁명의 결과 영국에는 공화국이 성립됐지만, 혁명의 지도자 크롬웰(Cromwell1599~1658)은, 신흥 제 세력을 통괄하는 데 실패했다. 그 결과 한번 무너진 스튜어드왕조가 1660년에 다시 부흥했다. 그러나 부흥한 스튜어드 왕조의 왕들은, 혁명이전의 왕들보다도 한층 더 광폭하고, 불란서 왕조의 지원을 받으면서 의회 내에 있어서 부르주아세력을 탄압했다.

그래서 이 의회 내에 있는 부르주아세력은, 화란에 있는 오렌지공公 윌리암(William)을 새로운 영국 왕에 옹립했다. 이 신왕 윌리암 3세는 "권리선언"에 서명했다. 이것에 의해 징세권, 징병권, 군사지출의 권리는 의회가 쥐는 것으로 됐다. 이 혁명은 인민이 참가하지 않은 즉, 의회 내만으로 행해진 무혈혁명에 있다, 라는 의미에서 명예혁명으로 불러진 것이었다.

철학자의 정치와 경제 哲學者의 政治와 經濟

「명예혁명 」의 철학자로 불리고 있는 록크는, 퓨리턴 가家에서 태어났다. 퓨리턴주의는 당시에는, 반중세적인 진보적 사상이었다. 록크는 옥스퍼드 대학에서 철학, 자연과학, 의학을 배우고 특히, 데카르트 철학과 실험과학에 흥미를 가졌다.

S3새로운 과학科學에는 새로운 인식론認識論

자연과학自然科學의 흥융興隆

록크 보다도 10세가 젊은 록크의 친구인 뉴턴은, 세계 사상 제1급 자연과학자지만, 실은 16~

17세기에는, 뉴턴 외에도 위대한 자연과학자가 배출되었다. 당시의 시대정신은 봉건적 중세에서는 인간의 관심이 신에게 집중되고, 신에 의해 점령된 것에 대해서 이 시대에는 인간의 정신이 자연으로 향해 해방되고, 자연으로 향해 전전한 점에 특징이 있다. 즉, 이것은 르네상스에 의해 시작된 것의 인간정신에 새로운 양상이었다.

자연인식自然認識과 귀납법歸納法

인간의 관심을 직접적으로 자연에 향해, 자연에 관해 확실한 지식을 부여한 것은 데카르트도 이전에 가졌지만, 이런 노력을 철학 상에 최초로 실현한 사람은, 영국의 후란시스·베이컨(Francis Bacon1561~1626)이었다.

베이컨이 자연을 인식하기 위해 적극적인 방법으로서 제창한 「귀납법」(inducive method)은, 아리스토텔레스 이래로 행해져온 「연역법」(deducive method)에 반대해서 또, 플라톤 이래 신봉돼온 「생득관념」(innate ideas) 설을 부정하는 것이었다. 즉, 이「귀납법」은 자연에 있어서의 인식은 관찰과 실험, 한마디로 말하면 경험으로부터 시작되지 않으면 안 되는 것을 전제로 하고 있다.

경험론經驗論의 본령本領은 유물론唯物論

베이컨에 의해 언급된 이 사상은, 토마스·홉스(Thomas Hobbes1588~1679)에 의해 발전되고 정리 되었다. 홉스는, 감각이 모든 사고의 근원이고, 즉 머리에서 생각하는 것은 대저 옥스퍼드 외부로부터 받아들이는 것으로부터 시작된다. 홉스의 이런 생각은 단순한 경험론만이 아니고, 다시 유물론이다.

1, 인간의 마음은「백지白紙」다

뉴턴 베이컨 홉스의 출현은, 록크의 사상의 배경을 이 위에 잘 다잡고 있다. 록크의 연구는 『인간 오성론』(An Essay Concerning Human Understanding,1690년)에 상세하게 나와 있다. 이 저서 자체는, 근대에 있어서 수많이 전개된 인식론상의 저작 중에서도 최초의 체계적인 저서였다.

데카르트 반대反對

데카르트는, 인간의 마음에 태어나서부터 새겨진 「관념」이 있다고 생각했다. 이것은 「생득관념」으로 부르고, 중세에는 신으로부터 주어진「관념」이라고 간주되었다. 록크는, 그러나 이 「생득관념」이라는 데카르트의 학설에 반대했다. 록크에 의하면, 만약 「생득관념」이 있다고 한다면, 그것은 어떤 특수한 인간만이 아니고, 모든 사람들에게 갖춰져 있는 것이 틀림없다. 그러나 신흥 심리학이랑, 인류학 등의 과학은, 모든 사람들이 상술한 것 같은 「생득관념」을 갖고 있다는 주장을 뒤집고 있는 것이다.

「관념觀念」의 기원起源

록크에 의하면, 인간의 마음은 원래 「백지」이다. 이「백지」위에 옛날의 「관념」의 문자가 써져있는 것이다. 즉, 이런 태어날 때는 「백지」이었던 마음에는 「경험」에 의해 「관념」이라는 문자가 거기로부터 써져 있는 것이다. 이것은 데카르트의 「생득 관념」 설과 정반대의 학설이었다.

2, 감각感覺과 반성反省

록크의 선배인 홉스는, 모든 경험은 외부에 있는 사물의 감관感官에 해당하는 영향에 있다고 생각했다. 그것에 의해 그는, 철저하게 유물론적인 경험론을 세우는 것이 가능했다.

「경험經驗」의 두 개의 의미意味

그러나 록크는, 「경험」이라는 단어에 두 개의 단어를 더했다. 즉, 록크는 우선 첫째로, 감관을 통해 외부로부터 일어나는 「감각」이 더욱더 근원적인 경험에 있는 것을 인정했다. 그는, 또 마음의 내적 움직임에 관한 관찰도 또, 「관념」의 또 하나의 원천이다. 라는 것이다. 이 마음(오성) 그 자체의 움직임의 관찰은 「반성」으로 부른다. 또, 그것은 「감각」이 외적 경험에 있는 것에 대해서 내적 경험이다. 즉, 「관념」의 제일 원천은 「감각」 즉, 외적 경험이고, 제이의 원천은 내적 경험에 있다는 것이다.

애매曖昧한 논점論点

록크는, 내적 경험인 「반성」이 외적 경험 즉, 「감각」의 계속으로서 일어나지만, 그것도 「반성」은 「감각」과는 확실히 다른 독자의 경험으로서 「관념」의 원천으로 되지만, 애매하게 밖에 설명되지 않는다. 이 문제는 후세에 까지 남은 문제로, 근대 인식론의 중심문제의 하나로 돼있다.

3, 단순관념單純觀念에서 복합관념複合觀念에

「복합관념複合觀念」과 실체實體

록크는, 실체를 「복합관념」에 있다고 생각했다. 즉, 실체라는 관념도 일반의 「복합관념」과 같이 「단순관념」의 결합에 의해 가능한 것으로 보고 있었다.

록크와 그 이후以後

록크는, 따라서 우리들이 도달하는 것이 가능한 것은, 감각과 반성에 의해 파악된 「단순 개념」에 있다고도 말한다.

S4사회계약설社會契約說

록크는, 명예혁명의 철학자로 불리는 데 어울리게, 그의 사회관에 있어서도 큰 시대적 역할을 했다. 그의 사상은, 프랑스혁명 이전의 프랑스 사상가들에게 특히, 루소에게 두드러지게 영향을 주었다.

자연법自然法이란

부르주아혁명 이전에 살았던 부르주아혁명을 준비한 사상가들은, 어떤 하나의 공통된 사회관이 있었다. 그것은 자연법사상이다. 이 자연법사상은 유물사관이 오늘날 대표적인 혁명적 사회관인 것같이 대표적이었다. 이 자연 법사상은 대략 다음과 같은 구성으로 돼있었다.

(1)인간은 예전부터 자연 상태이었다.

(2)이 자연 상태에는 자연법이 지배하고 있다.

(3)이 자연법은 오늘날도 지키지 않으면 안 되는 이상적인 법이다.

주의하지 않으면 안 될 것은, 이「자연법」은 오늘날 종종 그렇게 해석되는 것 같이, 신비적인 법이 아니다. 오히려 「자연법」은 중세에 있어서 최고의 법인 것으로 간주된 「신의 법」과는 달리, 또 이「신의 법」의 사상을 부정하기 위해 생각해낸 것이었다.

이전에 우리들은, 근대에 있어서 자연인식이 중세에 있어서 신에의 인식(신앙)에 대항해서 발전된 것을 봤지만, 「자연법」이란, 여기에 즉응卽應하면서 생긴 사회법칙에 관한 한 관념이었다. 록크의 동시대인으로서는 홉스도 스피노자도 자연법사상의 유력한 주장자였다.

자연법自然法과 사회계약社會契約

당시의 혁명적인 민주주의적인 사상에 있는 사회계약설은 많건, 적건 이 자연법사상에 연관되면서 또, 그것을 기초로 해서 설파되었다. 홉스의 경우도, 스피노자의 경우도 그랬다. 뒤에는 또 루소가 그랬다.

록크도, 그의 사회계약설을 「자연법」이 지배하는 「자연 상태」(the state of Nature)의 서술로부터 시작했다. 「자연 상태」란 록크의 경우, 다음의 4개의 특징을 갖고 있다.

⑴여기서는 인간이 자유(freedom)의 상태이다. 그 자유는 자기의 신체든가, 소유물이든가를 타인의 허가를 받지 않고, 또 타인의 의사에 좌우되지 않고, 자기가 적당하다고 생각하는 대로 처분하는 것을 말한다.

⑵거기에는 인간이 평등(equality)한 상태이다. 사람들이 살면서 자연으로부터 이익을 차별 없이 받아, 동등한 능력을 향수한다. 따라서 사람들의 소위 권력과 권한은 호혜적이다. 평등이란 특히 이런 것을 가리킨다.

⑶타인의 생명·건강·자유·소지 물을 침해하지 않는다는 그런 「자연법」이 지배하고 있다.

⑷자연이라는 하나의 공동사회에 모든 사람들이 이상적인 상태로서 묘사된다. 그러나 이 「자연 상태」에서는, 「자연법」을 실행하고 준봉하기 위해서는, 공공의 권력이 아직 가능하지 않다. 권력은 각개인의 손에 맡겨져 있는 것에 지나지 않는다.

　록크에 있어서 「자연 상태」라는 이상향은, 그 반면에 「전쟁상태」를 포함하고 있는 것도 된다. 이점이 록크의 「자연 상태」라는 생각의 난점이었다.

Ⅷ디드로의 철학哲學

『백과전서百科全書』의 편집자.
「그 사람의 가치는 직업의 가치이다. 반대로, 직업의 가치가 결국 사람의 가치이다. 따라서 사람은 가능한 한 장사를 자랑스럽게 여겨야한다.」
「나, 그런 모든 도피구 위에 내가 확실히 아는 것은 성실히 행하는 직업이 거의 없지만, 그래도 자기의 직업에 있어서 성실한 인간은 거의 없다는 말이다.」『라모의甥姪 』

S1개요槪要
혁명革命의 사상적思想的인 의의意義
프랑스혁명을 사상적으로 준비한 칸트, 피히테, 헤겔 등의 사상가들은, 자연과학자·의사·경제학자·정치사상가·철학자 등 모든 전문분야의 사람들이 다수가 있다. 따라서 이들 다수는 『백과전서百科全書』의 집필에 참가한 『백과전서百科全書』가로도 불렸다. 혁명이란 단순히 정치적인 사건에 한정되는 것이 아닌, 광범위한 학문-사상의 영역에 대한 준비를 필요로 하는 것을 이것은 잘 가리키고 있다.

혁명革命과 유물론唯物論
이들 혁명적인 사상가들의 특징을 한마디로 말하면, 철학적으로는 기계론적 유물론의 입장에 서는 것이라고 말할 수 있겠죠. 이들 중에서도 유물론의 입장에서 봐도 가장 철저하게 사회관에 있어서도 극히 급진적인 견해를 나타낸 사람은 디드로였다. 게다가 그는 『백과전서』의 가장 중심적인 편집자였다. 따라서 그들은 디드로를 여기서는 프랑스 계몽사상가의 대표자로서 그리고 있겠죠.

S2인물人物과 『백과전서百科全書』
인물人物
디드로는, 30세까지 여러 가지 직업을 전전하고 어지간히 분방한 생활을 보냈다고 간주된다. 그가 집필활동을 시작하면서 루소(Rousseau)와 달랑베르(d'Alembert)등의 교우가 있었는데, 주지하는 것같이, 루소는 프랑스혁명의 직접적인 영향을 가장 강하게 미친 사상가로서 달랑베르는 『백과전서』의 공로자였다.
디드로는, 당시 다양한 집필활동으로 인한 필화로 투옥당하기도 하는 등 고초를 겪기도 했는데, 이런 디드로의 처세를 『라모의甥姪 』에서 보는 것 같은 통렬한 사회비판으로 결실을 맺고 있다.

『백과전서百科全書』
『백과전서』의 사상적 고무자는 베이컨이었다. 베이컨은, 신시대에 전개되고 있는 인류의 제 경험을 제 부문별로 분류하고, 더욱이 그것을 계통적으로 통일하는 것을 생각했다. 프랑스의 『백과전서』는 이런 구상을 받아들였다. 후세에는 헤겔이 자기의 철학체계를 『백과전서』라고 명명하고, 프랑스의 유업을 받으려고 시도했다.

S3물질관物質觀

물질物質과 운동運動은 분리分離될 수 없다.

디드로는, 모든 유물론자와 같이 따라서 프랑스의 다른 유물론자와 같이, 우선 자연 혹은 물질이 모든 것의 기초이고, 원천이라고 주장한다. 이 생각은 전통적인 데카르트의 자연학으로부터 받아들인 것이다. 즉, 데카르트에 의하면, 세계는 물질이라는 실체에 의해 통일되고 있는 것이라고 말하고 있다.

혼魂의 문제問題

디드로에 의하면, 생명이란 정확히는 감성과 자극성의 합치이다. 따라서 감성도 자극성도 운동이다. 특히, 감성은 생물의 특수한 운동 형태이다. 따라서 생물에 있어서는 감성은, 자기와 그 환경과의 제 관계에 관해서 분명히 아는 것이라는 점에서 의의를 갖고 있다. 여기서 디드로는 혼의 문제를 생각하고, 혼은 생물과 같이 성장하고, 신체와 함께 늙고, 따라서 죽는다. 혼은 생물의 통일이고, 그 전체의 산물이다. 사고는, 그들 인상을 상호 연락해 결합하는 것에서 생긴다.

이 사고에 있어서 자기가 반성을 시작한 최초부터 현재에 이르기까지, 그 자신에 있다는 의식이 자아라고 부르는 것이다.

기계론적機械論的 유물론唯物論의 한계限界

프랑스의 당시의 유물론에는, 일반적으로 발전의 개념은 없었다. 따라서 기계론적 유물론이라고 불렀다.

디드로에 있어서도 죽은 것으로부터 살아있는 것으로, 따라서 동시에 살아있는 것으로부터 죽은 것으로 라고 말하는 상호이행, 혹은 순환의 생각이 두드러진다. 또, 디드로는 분자에는 동질적인 것이 아니고, 그것들은 모두 이질적이고, 따라서 이들의 결합과 분리에 의해 모든 현상이 일어난다. 따라서 세계는 틀림없이 다양하다, 라고 말하고 있지만, 세계 전체에 관해서는 순환적으로 생각하고 있는 것이다.

진화론進化論의 싹틈

여기까지 본 것 같이 디드로는, 모든 사물은 고립돼있지 않고, 상호 연관되고, 서로 작용하고 있는 것이다. 새롭게 생긴 현상도 무한히 변화하는 사실 중에서만 파악될 수 있다. 어떤 현상이 일어나면, 곧 다음의 현상이 이어서 일어난다, 라고 말하고 있다.

디드로는, 관성적인 분자, 살아있는 분자, 미시적 동물, 동물적 식물, 동물, 인간이라는 분류를 했다. 이 분류에 연관을 붙이면, 여기에 진화의 사상이 생기는 것은 그렇게 먼 것은 아니다.

S4「실험實驗」의 의의意義

감각주의 적感覺主義 的 인식론認識論

디드로에 있어서는 감각은, 그 외부에 존재하는 객관적인 물체의 영상이다, 라는 생각이 전면에 머무르고 있다. 디드로는, 개념이나 판단 등의 사고의 과정이 어떻게 감각으로부터 생기는가를 고찰했다. 즉, 감각은 일정한 연속성을 갖는 것이다. 감각의 후에 또 감각이 일어난다. 그것이 쌓여서 서로 뒤얽혀, 감각의 묶음이 가능하다. 여기에 사고가 생긴다고 했다.

인식과정認識過程에 있어서「실험實驗」

여기서 디드로에 있어서「실험」의 개념은 인간의 인식과정에서는 감각으로부터 사고에로, 다시 사고로부터 감각에로의 이행이 행해진다고 말했다. 그러나 사고로부터 감각에로 이행에 있어서는「실험」하는 것이라는 의미가 있는 것이다. 디드로는 다시 이 의미를 과학적 방법론으로 높여「관찰」,「반성」,「실험」이라는 각 단계를 확인했다.「관찰」은 사실을 수집하고,「반성」은 그것을 통합하는 것이고,「실험」에 의해 인식의 한계가 알려진다.

이상과 같이 디드로에 따르면「실험」은 인간에게 인식의 상대성을 자각시키는 것과 함께 다시 객관적인 진리에로의 접근 가능성을 확신시키는 것이라는 것이다.　　참고문헌參考文獻

Ⅷ칸트의 哲學/임마누엘 칸트(1724.4/22~1804.2/12)

비판철학을 통해 서양 근대철학을 종합한 철학자

칸트는, 마구(馬具) 장인인 아버지 요한 게오르그 칸트와, 독실한 경건주의 기독교인 어머니 안나 레기나 도로테아 로이터 사이의 열 한 자녀들 중 넷째로 태어났다. 성인이 될 때까지 살아남은 자녀는, 칸트를 포함해 4명이었다. 칸트의 할아버지는 스코틀랜드에서 동(東)프러시아로 이주한 사람이어서, 칸트의 아버지는 영어식 발음과 억양이 섞인 독일어를 구사했다. 칸트는, '엠마누엘'이라는 이름으로 유아세례를 받았지만, 나중에 히브리어를 배운 뒤 스스로 '임마누엘'로 바꾸었다. 칸트는 평생 독신으로 살았고, 고향 쾨니히스베르크(오늘날 러시아 칼리닌그라드)에서 150킬로미터 이상 바깥으로 벗어난 적이 없었다.

쾨니히스베르크는 경건주의 기독교가 득세한 곳이었지만, 학문적으로는 비교적 자유로운 도시였다. 칸트는, '경건주의자들의 합숙소'라는 별칭이 붙은 콜레기움 프리데리치아눔에 입학하여, 라틴어를 비롯한 교양교육을 철저히 받았다.

13살 때 어머니가 세상을 떠났고(1737), 1740년 16살 때 쾨니히스베르크 대학에 입학해 6년간 공부했다. 일종의 졸업논문으로 힘을 측정할 수 있는 원리를 논하는[활력의 올바른 측정술에 관한 사상]을 제출했는데, 당시만 해도 과학과 철학은 완전히 분리되어 있지 않았다.

칸트는, 1747년부터 1754년까지 생계를 위해 가정교사로 일했다. 1755년 31살 때, 쾨니히스베르크 대학으로 돌아온 그는, 논문[보편적 자연사와 천체이론]을 발표하고 학위논문[불에 관한 몇 가지 고찰에 관한 간략한 서술], 오늘날의 교수자격 논문에 해당하는[형이상학적 인식의 제1원리에 관한 새로운 해명]을 1755년에 썼다. 1756년 공석이 된 논리학, 형이상학 원외교수직에 응모했지만 임용되지 못했고, 1758년에도 응모했지만 실패했다. 원외 교수는 정년을 보장받지 못하고, 다른 대학에서도 강의할 수 있는 직위였다. 1764년 프로이센 교육 당국이 칸트에게 문학부 교수직을 제의했지만, 칸트는 자신에게 합당한 자리가 아니라며 거절했다. 오직, 철학만이 그의 관심사였고, 분야를 달리하면서까지 교수가 되는 것에는 관심이 없었다.

가정교사, 시간강사, 도서관 사서로 일하며 철학을 연구하다.

칸트는 32살 때인 1756년부터 46살인 1770년까지 사(私)강사로 지냈다. 사 강사는 오늘날 대학의 시간강사와 비슷하지만, 대학에서 강사료를 받지 않고 수강생들에게 강의료를 받았다. 사 강사 수입만으로 생계를 유지하기 어려워 칸트는, 왕립도서관 사서로 일하며 수입을 보충했다. 그리고 1770년 46살 때 쾨니히스베르크대학 논리학, 형이상학 강좌 담당 정식교수로 임용됐다. 1781년 57살 때 『순수 이성 비판』을 내놓았지만, '해괴망측한 나머지 도저히 이해할 수 없는 글'이라는 혹평을 받기도 하고 내용에 대한 오해도 많이 받았다.

칸트는, 오해를 불식시키기 위해 『순수 이성 비판』 입문서에 해당하는 『형이상학 서설』(1783)을 내놓았고, 1784년에는 역사철학 『세계 시민적 관점에서 본 보편사의 이념』, 1785년 『도덕형이상학 원론』, 1786년 『자연과학의 형이상학적 기초』를 내놓았다. 그리고 1788년 『실천 이성 비판』, 1790년 『판단력 비판』을 내놓음으로써 칸트의 이른바 삼대 비판철학서가 완결되었다.

계몽군주로도 유명한 프리드리히 2세 치하에서 프로이센의 종교정책은 비교적 관용적이었지만, 그 후계자 프리드리히 빌헬름 2세는 그렇지 않았다. 프로이센 검열 당국은, 칸트가 종교철학 논문을 발표하는 것을 허락하지 않았지만, 칸트는 『순수한 이성의 한계 안에서의 종교』(1793)를 내놓았다. 이듬해에도 종교철학 논문인 『만물의 종말』을 내놓았다. 프리드리히 빌헬름 2세의 칙령이 내려졌다. 사실상 칸트를 협박하는 내용이었다. 칸트는, 앞으로 종교철학 논저를 내놓지 않겠다는 약속을 해야 했다.

합리론과 경험론을 비판하며 종합해내다.

근대 서양철학의 합리론은, 인간의 이성이 태어날 때부터 지식(본유 관념)을 갖고 있으며, 경험의 역할은 이성이 본래부터 갖고 있던 지식을 일깨우는 데 머무른다고 본다. 반면, 경험론은, 모든 지식은 경험을 통해 얻는 것이라 본다. 경험론은 상식에 부합되지만, 끝까지 밀고 나가면 보편적 진리를 부정하는 회의주의로 흐르기 쉽다. 같은 것을 놓고서도 나의 경험과 너의 경험이 얼마든지 다를 수 있고, 같은 것에 대한 나의 경험이라는 것도 때에 따라 다를 수 있기 때문이다.

칸트를 가리켜 합리론과 경험론을 비판하고 종합한 철학자라 일컫는 것은, 그가 인식의 형식(또는 능력)은 본래부터 갖고 있지만 인식의 내용(또는 재료)은 경험으로 얻을 수밖에 없다고 보았기 때문이다. 인간은 경험을 재료(내용)로 삼되, 경험과는 상관없이 타고난 인식능력(형식)을 통해 보편적 진리를 알 수 있다.
57살 때부터 철학적 성찰의 결과를 쏟아내기 시작
『순수 이성 비판』의 1781년 초판
인간은 인식에서나 행위에서나 처음부터 끝까지 능동적 존재

칼리닌그라드의 칸트대학 교정에 서 있는 칸트 동상. 제2차 세계대전 종전 이후, 쾨니히스베르크는 러시아의 칼리닌그라드가 되었다. 쾨니히스베르크 대학도 칼리닌그라드 대학이 되었지만, 2005년 당시 푸틴 러시아 대통령과 슈뢰더 독일총리가 참석한 행사에서 교명이 칸트대학으로 바뀌었다.

칸트에게 인식의 형식 또는 능력이란 시간과 공간(직관형식 또는 감성형식), 그리고 지성의 능동적인 작용에 바탕을 둔 범주(개념형식)다. 시간과 공간은 경험을 통해 인식 대상을 담는 틀이고, 범주는 개념을 통해 지성이 사고할 수 있게 해주는 틀이다. 직관은 수동적, 수용적이고 개념은 능동적, 자발적, 구성적이다. '직관 없는 사유는 공허하고, 개념 없는 직관은 맹목적'이라는 말에서 직관은 쉽게 말해 경험에 해당한다. 요컨대 경험에 바탕을 두지 않은 사유는 내용이 없어 공허하고, 지성의 능동적 활동에 따른 개념이 없는 경험은 틀과 형식이 없어 맹목적이라는 것.

'과거의 철학은, 인간에게 전혀 올바르지 못한 자리를 부여하여 인간을 세계 또는, 외부 사물과 상황에 완전히 의존하는 기계가 되게끔 했다. 과거의 철학은, 인간을 세계의 일부에 지나지 않는 것으로 만들어버렸다. 그러나 이제 이성비판이 등장하여 세계 속의 인간을 처음부터 끝까지 능동적인 존재로 규정했다. 인간은, 그 자신이 근원적으로 그의 표상과 개념의 창조자이며, 그의 모든 행위의 창시자여야 한다.'   ([학부 간의 다툼](1798) 중에서)

칸트철학을 흔히 비판철학이라 일컫는 데, 여기에서 비판이란 가능 근거를 따져 묻는 것 즉, '그것이 어떻게 가능한가?'를 되묻는 것이다. 『순수 이성비판』의 문제의식은 '인간은 보편적인 진리를 도대체 어떻게 알 수 있는가?'였다. 그에 대한 대답은 바로 위와 같이 경험을

재료 삼아 인간 지성의 능동적이고, 자발적인 능력 또는, 형식을 통해 가능하다는 것이다. 인식 주체의 능동적, 자발적 능력을 강조한다는 점에서 칸트철학은 그 어느 것에도 의지하지 않고, '감히 스스로 생각하는'(Sapere Aude) 계몽주의적 주체의 철학적 완성이다.

지식의 대상이 아니라 선한 삶을 위해 요청되는 신(神)

'인간의 이성은 자신이 거부할 수도 없고, 그렇다고 해서 대답할 수도 없는 문제로 괴로워하는 운명이다. 거부할 수 없음은, 문제가 이성 자체의 본성에 의해 이성에 부여되어 있기 때문이며, 대답할 수 없음은, 그 문제가 이성의 능력 바깥에 있기 때문이다.' (『순수 이성비판』)) 그러나 인간의 이성은 위와 같이 스스로는 대답할 수 없는 문제를 끈질기게 던진다. 예컨대 전통적인 형이상학적 질문인 신(神)의 존재, 영혼의 존재에 관한 질문이 있다. 신이나 영혼의 존재 여부는 경험을 통해 알 수 없기 때문에, 칸트의 비판철학에 따른다면 학문의 주제나 지식의 대상이 결코 될 수 없다. 요컨대, 그것은 시간과 공간이라는 직관형식의 틀에 들어오지 않는다.

학문과 지식의 영역에서 신과 영혼의 문제를 추방해버린 칸트지만, 앎의 영역이 아니라, 삶의 희망과 행복의 영역에서 신과 영혼을 부활시킨다. 악한 사람이 건강하고 행복하게 살고, 선한 사람이 고통 속에 살아가는 모습을 우리는 자주 보게 된다. 그럼에도 우리는 왜 도덕적 행위를 통해 최고선의 이념을 추구해야 하는가? 도덕적으로 사는 사람은, 선하게 통치하는 신의 존재와 내세의 삶을 희망할 수 있기 때문이다. 칸트에게 신은 선한 삶을 위해 '요청되는' 신이다.

칸트를 위한 조종(弔鐘) '지식을 통한 인간해방을 가르친 스승'

칼리닌그라드에 있는 칸트 묘석. 『실천 이성비판』의 유명한 구절이 나와 있다. "내 마음을 늘 새롭고 더 한층 감탄과 경외심으로 가득 채우는 두 가지가 있다. 그것은 내 위에 있는 별이 빛나는 하늘과 내 속에 있는 도덕법칙이다."

칸트는 어려서부터 허약체질이었지만, 규칙적인 생활과 건강관리로 강의, 연구, 저술 활동을 별 어려움 없이 이어갈 수 있었다. 그가 하루도 어김없이 정해진 시각에 산책에 나섰기 때문에, 쾨니히스베르크 시민들의 산책하는 칸트를 보고 시계의 시각을 맞췄다는 얘기, 그런데 장자크 루소의 『에밀』을 읽느라 단 한 번 산책 시간을 어겼다는 전설은 유명하다.

1799년부터 크게 쇠약해진 칸트는, 1804년 2월 12일 늙은 하인 람페 에게 포도주 한 잔을 청해 마시고 "좋다!"는 말을 마지막으로 남긴 뒤 세상을 떠났다. 장례식 날, 쾨니히스베르크 시 전체가 휴무에 들어갔고, 운구행렬에 수천 명이 뒤따랐으며, 시내 모든 교회가 같은 시간에 조종(弔鐘)을 울렸다. 철학자 칼 포퍼는 이에 관해[추측과 반박]에서 다음과 같이 언급했다.

"1804년 프리드리히 빌헬름의 절대왕정 치하에서 칸트의 죽음을 애도한 그 많은 교회의 종소리는, 미국혁명(1776)과 프랑스혁명(1789)의 이념이 남긴 메아리였다. 칸트는, 고향 사람들에게 그 이념의 화신이었다. 인간의 권리와 법 앞의 평등, 세계 시민권과 지상의 평화, 그리고 무엇보다도 지식을 통한 인간해방을 가르친 스승에게 고향 사람들은 고마움을 전하기 위해 몰려왔다."

"사고를 위한 이마는 침착한 유쾌함과 기쁨의 자리였다. 말에는 풍부한 사상이 넘쳐흘렀고, 농담과 재치가 장기였다. 알만한 가치가 없는 것에 대해서는 무관심했다. 어떠한 음모나 편견

그리고 명성에 대한 욕망도, 진리를 빛나게 하는 것에서 그가 조금이라도 벗어나도록 유혹하지 못했다. 그는, 다른 사람들로 하여금 스스로 생각하도록 부드럽게 강요했다. 내가 최고의 감사와 존경을 다해 부르는 그의 이름은, 임마누엘 칸트이다. "칸트의 제자 요한 헤르더의 말 칸트 이미지=임마누엘 칸트-비판철학을 통해 서양 근대철학을 종합한 철학자.

[네이버 지식백과] 임마누엘칸트[ImmanuelKant]-비판철학을 통해 서양근대철학을 종합한 철학자(인물세계사)　　　　　　　　　　　미끼 끼요시三木淸『철학입문』나남 1982

계몽의 꽃을 피우다.　　　　　　　　　　　인물세계사 표정훈 2010/05/05.

　　표정훈은 1969년 서울에서 태어났다. 서강대학교 철학과를 졸업하고 번역가, 저술가, 칼럼니스트로 활동해 왔다. 삼성경제연구소 SERI CEO강좌, 한국예술종합학교 등에서 강의했고, 한국문학번역원의 계간 리스트(List) 편집자문위원, 월간 출판저널 편집자문위원, (재)김구재단 기획위원 등을 역임했다. 저서로 <탐서 주의자의 책>, <나의 천년>, <하룻밤에 읽는 삼국지>, <책은 나름의 운명을 지닌다.>, <철학이란 무엇입니까?(공저)> 등이 있다.
청천도
　　BEST지극히 개인적으로 순수 이성 비판에서 가장 의미 있었던 배움은, 우리 이성의 범위와 제한점을 뛰어넘어 증명할 수 없는 것들에 대해 맹목적으로 규정하고 판단하고자 하는 모든 것에 저항했던 그의 이념. 그리고 그 제한점 바깥을 회의적으로 배척하는 것이 아닌, '이성의 항구적 전장'이라 표현하며 서로 베타적인 어떤 것들이라도 옳을 수 있음을, 곧 포용하고자 했던 점. 아마 이것이야말로 우리가 너무 쉽게도 입 밖으로 소비하는 '자유'의 기본 이념이자 바탕에 깔려있는 철학이 아닐까. 그야말로, 순수 이성비판은 진정한 이성의 사유란 어떻게 하는지를 너무도 명백히 보여주고 있다. BEST칸트의 철학을 이해하는 척하는 사람은 많아도, 완벽히 이해하고 있는 사람은 거의 없을 듯　　　　　　　　2014-07-19 18:17신고
　　BEST 서울대철학과 나오고 미국에서 석 박사까지 한 교수도 실천 이성비판은 하루에 10페이지 이상 읽기 힘들다고 한다. 인간 이성의 top of top
　　　　　　　　　　　　　　　2015-09-05 15:51신서울대학교 철학사상연구소

　　18세기부터 19세기에 걸쳐 세계는 3대혁명을 수행했다. 프랑스의 정치혁명과, 영국의 산업혁명과, 독일의 정신혁명과 칸트는 이 정신혁명의 창업자이다. 일생 독신으로, 율의律儀로, 근면으로, 탐욕스런 부르주아는 이런 금욕의 철학자를 필요로 했다.

　　「내용이 없는 사고는 공허하고, 개념이 없는 직관은 맹목적이다」「그의 인격에 있어서, 또 다른 모든 사람의 인격에 있어서, 인간성을 그는 동시에 목적으로 취급하고, 결코 단순히 수단으로서만 취급하는 것 같이 행동하라. 」
　　독일고전철학의 저명한 성과의 하나는 변증법적 방법의 확립이고, 이 방법은 19세기 이래 새로운 과학적 방법으로서 발전을 성취했지만, 칸트는 이 방법 수립의 착수 자이었다. 그래서 칸트에 있어서는 이 방법의 수립은 인식론의 확립, 윤리학의 갱신과 합쳐서 시도된 것이다.
　　18세기부터 19세기에 걸쳐서 부르주아는 3개 방면에서 혁명적 사업을 수행했는데, 그 첫째가 프랑스혁명이라는 정치혁명과, 두 번째는 영국에서 시작된 산업혁명이라는 경제혁명이고, 제3은, 독일고전철학에 의한 정신혁명이고, 칸트는 이 정신혁명에 최초로 착수한 사람이다. 이렇게 칸트는, 철학 사상에 드물게 보는 거성트롯이었다.

S1생애生涯와 사상思想의 변천變遷

그의 일일 생활은 시간적으로 지극히 정확히 움직여서, 케니히스베르그 마을 사람들은 칸트의 산책 모습을 보고 시각을 맞추었다고 알려져 있다. 또, 그의 질서 있는 생활은 그의 근면함의 보증이었다. 그러나 칸트는 생애 독신이었고, 생전 고향 케니히스베르그를 떠나 한 발짝도 밖으로 나가지 않았다고 전해졌다.

칸트는, 1770년에 『감성계 혹은 예지계의 형식의 원리에 관해서』라는 논문을 갖고, 케니히스베르그 대학의 정교수로 승격하는 것이 가능했다. 이 논문은 『비판』기에의 과도의 지표로 되는 것이었지만, 이 전환에는 영국의 철학자 흄과, 불란서의 루소로 부터 영향을 강하게 받았다.

S2칸트는 우주로부터 신을 추출追出했다―성운설星雲說

「비판」 전기에 있어서 칸트의 업적 가운데 가장 중요한 것은 우주생성에 관한 성운설이다. 이것은 칸트=라프라스의 학설로도 불리는 데, 우주론의 진보에 관한 결정적인 중요한 공헌으로 되었다.

태양계太陽系

칸트에 의하면, 우주는 광대 무한해 측정이 불가능하고, 그 우주에 있어서는 태양은 혹성궤도의 중심점이고, 그 강력한 인력을 움직여 그것에 의해 혹성체내의 제 천체諸 天體 즉, 토성·목성·지구 등을 영원한 궤도상에 올려놓았다. 그렇지만, 밤하늘에 하늘높이 보이는 행성은 모두 우리들의 태양계와 마찬가지로 혹성계의 중심이다. 우주에는 이들 제 태양諸 太陽을 중심으로 하는 무수한 혹성계가 퍼져있다. 그러나 인력이 무제한으로 보편적인 것과 마찬가지로 (물리칠 척, 방자할 탁, 성씨 자)력力도 보편적으로 움직이고 있어, 큰 혹성 계나 작은 혹성계도 각각 하나의 조직체를 이루면서 서로 짜여 져서, 연쇄적으로 구성돼 결합하고 있다. 칸트는 우주를 이렇게 구상했다.

그에 의하면, 이 우주는 지금 나타나고 있는 혹성계가 운동하고 있는 그것은, 언제부턴가 영원한 옛날부터 운동하고 있어서, 또 금후에도 영원히 운동을 계속하겠죠. 우주에는 언제부터인지는 알 수 없지만, 그 광대한 공간에, 세계물질의 근본인 미립자가 충만해 있다. 그래서 거기에는 밀도의 차가있어, 그래서 그 미립자간에는 인력引力과 척력斥力이라는 것이 작용하고 있어서, 이 우주공간 구석구석에는 응축이 일어나고, 그것이 이윽고 뭉쳐져서 다양한 물질 괴物質 塊가 나왔다.

그러나 그 과정에 있어서, 다만 하나의 물질 괴를 중심으로 모든 물질이 인력에 의해 끌리고 마는 것은 아니다. 또, 각 물질 괴 간에는 균형이 초래되는 것은 아니었다. 그런 것은 인력에는 반드시 척력이 자용하고 있어서, 균형과 영원한 정지는 여기서는 불가능하기 때문이다.

그러나 이런 사이에 거대한 물질 괴 즉, 도리 없이 강한 인력을 띤 물체가 발생해, 그것을 중심점으로 한 장場이 나타났다. 따라서 그 장중에는, 그 중심점으로 견인돼 다시 작은 몇 개의 작은 물체가 형성되었다. 이런 과정이 우주 곳곳에서 일어났다. 정확히 말하면, 계속 일어나고 있다. 이때, 중심점에 거대물체는 태양이고, 그 장에 출현한 몇 개의 물체는 혹성이다. 따라서 이들 대소물체의 운동궤적이 천체의 궤도이다.

천체天體와 신神의 창조創造

이상의 우주 미립자微粒子는 성운星雲으로 불렀다. 이런 설명은, 칸트가 뉴턴의 학설을 계승하면서 뉴턴의 결함을 보충해서 남음이 있는 점이다.

뉴턴은 태양의 자전과, 혹성의 자전 혹은 공전에 관해서는, 최초로 무언가 외부(神)로부터의 힘이 작용하는 것에 의해 천체의 운동이 일어난다고 설명하지 않으면 안됐다. 이것에 관해서 칸트는, 그 외부로부터의 힘이라는 가설은 문제되지 않았다. 그러나 칸트로서도, 신의 세계창조가 완전히 부정될 수는 없었다. 당시의 통념으로서 그것은 가능한 일이 아니었다. 칸트는 그것을 차례차례로 해결했다.

신은 무한하기 때문에, 그 창조도 무한하지 않으면 안 된다. 즉, 신은 한 번에 세계를 창조한 것이 아니다. 신의 세계창조는, 무한수의 실체량, 물질의 산출이 개시된 이래, 끝없이 풍요를 증식해가면서 영원한 과정을 통해서 작용하고 있다. 여러 가지 세계 그들의 세계조직이 잇따라 우주의 중심지로부터 가장 먼 범위에 걸쳐 형성되는 것이 계속돼 또, 완성을 겨냥해 나아가고 있다. 그것은 결코 멈추는 일이 없다. 이렇게 해서 신의 제 성질이 우주에 영원히 펴져 계시啓示 돼가고 있다.

칸트는, 신의 계시는 이런 무한한 세계제패의 과정을 통하여 행해지는 것이라고 말한다. 그럼에도 불구하고, 여기서는 신은 우주의 운동 그 자체로 되고 말았겠죠. 이것은 범신론汎神論 아니면, 이신론理神論의 신 관념神 觀念이다.

S3인식론認識論과 변증법辨證法「순수이성비판純粹理性批判」

「비판」기에 있어서 칸트의 최초의 관심은, 새로운 인식론을 수립하는 것이었다. 이전에 자연과학의 발전은 나날이 성대해졌지만, 칸트는 이들 자연과학의 발달에 응해서, 새로운 철학을 확립하려고 생각했다. 이때 칸트는, 경험에 의해 지식이 확대돼 간다는 사실을 솔직히 인정하고, 다시 그 지식이 확실성을 갖지 않으면 안 되는 그런 요구에 답하기 위해서는 어떤 인식론을 세우면 좋을까라는 것을 탐구했다. 칸트는, 물론 이런 인식론은 가능하다고 생각했다.

칸트에게 강한 영향을 준 흄은, 모든 지식은 경험에 의해 일어난다고 생각했지만, 지식의 필연성이랑 확실성을 인정하는 것이 불가능하고, 경험에 의해 얻은 지식(인상)은 차례대로 변화해갈 뿐이라는 세심한 결론이 나오지 않았다. 거기부터 또 칸트가 젊은 시절부터 따져온 합리주의 철학은, 경험에 의하지 않고, 순수하게 이성(사고의 힘)에 의해서만 철학은 가능한 것이라고 부르짖었다. 그러나 이것은, 차례로 새로운 재료(경험)를 제공하고 있는 자연과학의 진보에 보조를 맞춰 나아가는 것이 가능한 대안은 아니었다.

여기에 있어서 칸트는, 확대를 계속해, 그러나 필연적인 확실한 지식은 어떻게 가능할까 라는 문제를 제기했다.

선천적 총합판단先天的 總合判斷

그것을 가능하게 한 것이 「선천적 총합판단」이다. 칸트에 의하면, 우선 분석판단이 주어 중에 이전에 술어로 말해질 수밖에 없는 것이 포함돼 있는 것이라고 판단했지만, 이것에 반해서 총합판단이란, 주어 중에 포함돼 있지 않은 것이 새로운 술어로서 주어에 부가되는 것의 판단이다.

이렇게 보면, 경험은 내용을 끊임없이 확대해가는 총합판단에 있지만, 거기에는 필연성이 결여돼있다. 또, 분석판단은 인간에 생득적生得的인 것 즉, 「선험적」(a priori)인 것이고, 그 점에서 필연성을 갖고 있지만, 내용상으로는 무無에 동등하다. 그래서 칸트는, 「선험적 총합판단」이야말로 새로운 자연과학의 인식으로서는 가장 적당한 판단이라고 생각한다. 그리고 다시 칸트는, 이 「선험적 총합판단」은 어떻게 하면 가능할까? 문제로 하는 입장을 「선험적」이라고 부르고 있지만, 이것은 칸트 자신의 철학의 입장이라고 말한다.

물자체物自體와 감각感覺

칸트의 인식론에서는 확대하는 측과, 총괄하는 측 경험과, 「선험적」인 것 이 두개의 요소가 있는 것을 알 수 있죠. 이 두 개의 요소는, 칸트의 철학을 특징짓는 중요한 점이다.

거기서는 경험이 차례로 확대해가는 것은 어떻게 해서 있을까. 그것은, 우리들이 외부에 무한한 세계가 있어서 이것이 우리들의 감관을 끝없이 자극하는 것에 의한다. 따라서 경험은 고갈되지 않는다. 그러나 칸트는, 이 외부세계를 ≪물자체物自體≫라고 부르고 있다. 그러나 칸트는, 이 「물자체」를 다음과 같이 생각하는 데, 그것은 칸트의 철학에 의해 최후까지 귀찮은 것으로 영향을 주었다.

⑴칸트는, 「물자체」에 정신적인 것과, 물질적인 것과의 두 종류를 인정했지만, 그러나 그 구별을 충분히 명료하게 행하지 않았다.
⑵칸트는, 「물자체」를 경험에 향하는 측에 있는 것으로서 인정하고 있지만, 그 진상은 아는 것이 불가능하다고 주장한다. 칸트에 의하면, 인간의 인식(지식)이 모두 경험으로부터 온 것은 아닐까, 그러나 그것은 경험과 같이 시작된다. 여기서 경험이라는 것은 말할 것도 없이, 인간의 감관에 의해 밖으로부터 해당하는 감각이다. 그러나 이 감각에는 자기를 정리하는 형식이 없다. 감각은 다종다양한 것으로 「시간」과 「공간」이라는 선험적 형식에 의해 분쇄되지 않으면, 실제의 감각으로서 우리들에게 받아들여지는 것은 불가능하다.

인식認識이란

그러나 칸트의 인식론의 중심문제는 「오성悟性」, 이성의 낮은 움직임이 감각으로서 주어진 경험을 처리하는 방법에 관한 문제다. 앞서 말한 것 같은 경험은, 우선 감관感官에 의해 주어진 감각이 기본으로 된다. 그렇지만 감각만으로는 순간적인, 개별적인, 우연적인 인식에 지나지 않는다. 그러나 인간에게는 본래 즉, 「선천적」으로 순수오성개념, 환언하면 「범주範疇」가 갖춰져 있다. 이 「범주」에는 12종류가 있지만, 이들 12개의 「범주」를 사용해 처음으로 인간은 객관적인 판단을 행하는 것이 가능하다. 여기서 객관적이라는 것은 필연적으로, 그러나 보편적이다. 라는 의미다.

즉, 인간은 다종다양한 소재로서의 감각을, 12개의 「범주」라는 연결 가운데 정리하는 것에 의해 처음으로 과학적 진실의 「인식」에 도달하는 것이 가능한 것이다. 이것을 감각적인 것의(감성)과, 오성과의 총합이라는 것이다. 칸트는, 만약 감각만 있다고 하면, 인간의 인식은 맹목적이고, 순수오성개념(범주)만이 아니라면, 인간의 인식은 공허하다고 말한다. 칸트는, 「인식」이란 정확히는 이들 양자의 결합에 있다고 공식화하고 있었다. 칸트가 최초로 생각한 선천적 총합 판단이라는 것도 즉, 이런 종류의 「인식」을 가리킨다.

선험적先驗的 통각統覺

그런데 소재인 감각을 12개의 범주(틀-형식)를 사용해 정리하면, 12통로의 판단(인식)이 성립되는 것은 분명해진다. 칸트는, 이 12개의 범주의 상호관계에 관해서는 잘 생각하지 않고, 이 12개의 범주를 다시 그 깊이 있는 통일된 것을 생각했다.

이 통일된 것은 칸트에 의하면, 선험적 「통각」이랄까, 선험적 「자아」랄까 로 불렀다. 이 「통각」은, 전 인식全 認識을 통일하는 움직임이지만, 그렇게 말하는 「통각」이 12개의 선천적인 범주를 각각 사용해서, 감각을 상대로 해서, 감각을 조직화하는 것이기 때문이다. 따라서 「통각」이야 말로 과학적인 인식에 관해서 필요한 「객관성」의 종국의 근거가 있는 것이라는 것이 된다.

따라서 이 「통각」이라는 지점에 서는 것이 「선험적」입장에 서는 것으로 말해지는 것이고, 따라서 이 입장에서 「인식」을 취급하는 것에 의해, 주관적으로 있는 것에 지나지 않는 감각이 초 주관적超 主觀的인 것에로 인상되는 것이다. 즉, 어느 「객관성」이란 이 초주관적인 것이라는 것을 의미하고 있다.

칸트이전의 합리론 자들은, 우선 「물자체」―실체로도 말해진 것이 객관적으로 존재하고 있는 이 「물자체」에 대해서 그것과 일치한 인식을 행하는 것이 학문의 객관성이라고 생각했다. 여기서는 「객관성」의 근거는 「물자체」에 놓여있다.

그렇지만 칸트는 이것에 반해서 「통각」 혹은, 「자아」에 그것을 구했다. 이런 수행방식을 칸트는 자기 철학에 있어서 「코페르니크스적 전회轉回」라고 불렀다. 따라서 칸트에게 있어서는, 인식의 대상(감각)이 「통각」의 움직임에 의해 구성돼 있다는 것으로 이 인식론은 구성주의의 인식론으로도 부른다.

이념理念

그러나 칸트의 인식론이 여기서 끝났다면, 흄과 같은 감각에도 기반 한 주관주의의 대신으로, 칸트는 통각에 기반 한 주관주의를 세운데 지나지 않는 것으로 됐다. 통각이란 자아에 있기 때문에, 그것은 즉, 눈에 의한 주관주의로부터 머리에 의한 주관주의로 변한 것에 지나지 않는 것으로 된다. 그러나 칸트에 있어서는, 감각이란 「물자체」로부터 감관이 단순히 수동적으로 받는 것에 지나지 않기 때문에, 이 머리에 의한 주관주의에 있어서도 감각의 샘(泉)의 바닥은 얕고, 경험은 확대하는 것은 있어도 그것은 우연에 지나지 않는다. 따라서 선천적 종합판단에 있어서 경험을 확대해서, 총합의 움직임을 성대로 키우기 위해서는 지금까지는 의심스럽다.

그러나 칸트는 한편, 인간의 이성―오성의 보다 높은 움직임만이 「물자체」가 인간의 외부에 존재하는 것을 알고 있어 또, 이 「물자체」야 말로 무조건적인 전체 자全體 者라고 말한다. 칸트는 다시 「물자체」를 새삼스럽게 「이념」으로 부르고, 그것에 神의 세계(자연) 영혼을 열거했다.

즉, 이들 이념은, 칸트에 의하면 감각을 소재로 해서 만들어진 것은 아니다. 거기서 이성이 「이념」을 아는 것은, 「이념」을 「인식하는」것을 의미하는 것은 아니다. 「이념」은 「생각」되는 것에 지나지 않는다. 따라서 이런 완전한 것, 무조건적인 것, 무한한 것이 있는 면의 「이념」을 인간이 「생각하는」것이 아니라면, 「인식」에도 바른 방향은 해당되지 않는다고 칸트는 말한다.

그러나 이런 「이념」이란, 인간이 이해를 갖고 있는 이상, 그렇게 머리로 「생각」된 것만의 것이다. 그렇지 않으면 만약, 「이념」이 인간의 외부에 실재해 존재하면, 인간이 이 「이념」을 인식하는 것이 가능하다면, 이성은 반드시 「모순」에 빠지겠죠.

즉, 칸트는 「물자체」를 즉, 의식이랑 사고로부터 독립해서 존재하는 것을 「이념」이라고 말했지만, 지금 역으로 이 「이념」─머리로 생각된 것만─이야말로 객관적 실체이고, 따라서 인식 가능한 것이라고 하면, 이성은 당연히 틀림없이 궁지에, 다시 말해 「모순」된 궁지에 빠지는 것이라고 말했다.

이율배반二律背反

칸트는, 이성의 「모순」을 「이율배반」이라고 불렀다. 그래서 칸트는, 신이랑 영혼 같은 정신적인 것의 경우를 제외하고, 「세계」에 관해서만 그 「이율배반」을 논하고 있다. 왜 그럴 까는 칸트철학의 성격을 판정하는 것에는 중요한 점이지만, 지금 여기서는 서술하지 않는다.

「이율배반」이란, 「세계」에 관해서는 동시에 정반대의 의미의 설명을 하는 것이 가능한 것이라고 말하는 것이다. 칸트는, 이성이 「세계」에 관해서 단순히 머릿속에서 그것을 「이념」으로서 「생각하는」 즉, 공상하는 것이 아닌 「세계」를 객관적으로 실재하는 것으로서 취급하는 경우에는, 마지못해 이 「이율배반」에 빠진다고 지적했다.

칸트의 지적은, 한편으로는 인간은 인식해서 「물자체」를 직접 대상으로는 하지 않고, 「물자체」가 의식에 해당되는 「현상」 즉, 감각만을 대상으로 하는 것에 머무는 것을 감안해야한다는 그런 훈계訓戒다. 그러나 칸트의 이 지적은 한편으로는, 인간의 지성이 억지로 「세계」 그 자체를 문제로 하지 않으면 안 되는 경우에는 인간의 지성은, 「이율배반」(모순)에 빠지는 것에 틀림없는 것을 가리킨다.

19세기 이후의 신칸트파는, 앞서의 훈계를 지켰기 때문에 불가지론에 빠져 칸트 직후의 독일고전철학은, 앞서의 문제제기에 응답해서 「변증법」의 문제를 연구했다.

S4실천철학實踐哲學과 자유自由「실천이성비판實踐理性批判」

칸트는, 인간이 「물자체」를 인식하는 것으로 하면 즉, 「이율배반」에 빠진다고 했다. 그러나 그는 「물자체」의 존재를 부정하지 않았다. 거기서 칸트는, 「물자체」를 인식의 문제로서 처리하지 않고, 「실천」의 문제로서 처리하는 것을 기도企圖했다. 여기서 칸트의 소위 실천철학이 성립됐다.

용어用語에 관한 주의注意

이 실천철학에 쓰인 칸트의 술어를 정확히 할 필요가 있다.

제1로 칸트가 여기서 말하는 「실천」이란, 도덕적 행위, 혹은 도덕에 관한 것이다. 도덕은 말할 것도 없이 하나의 관념상의 사정이지만, 칸트는, 이것을 유일한 「실천」으로서 생산하는 행위로서의 노동을 「실천」 가운데 가르치는 것을 하지 않았다.

제2로 칸트는, 이 「실천」에 있어서도 이성이 움직이지 않고, 이것을 「실천이성」이라고 불렀다. 따라서 여기에 대해서 「인식」하는 능력으로서의 이성을 칸트는, 「이론이성」이라고 불렀다.

여기서 두 개의 「이성」이 드러난다. 따라서 「실천이성」이 「인식 하는」능력으로서 「이론이성」과 구별되고 말기 위해서는, 이 「실천이성」의 「의지」랄까, 「이성적 의지」라든가로 불리는 것으로 됐다.

실천實踐이란

칸트에서는 「실천實踐」은, 이전에 말한 것같이 본질적인 관념상의 상태다. 이것은 「실천이성」에도 「인식」이라는 움직임이 포함돼 있는 것을 의미하고 있다. 거기서 칸트는, 「이론이성」의 움직임을 「이론적 인식」으로 부르고 이 두개를 구별했다.

그러나 칸트는, 「실천이성」이 「이론적 이성」과 같은 의미로 「인식」하는 것은 아니었다. 「실천이성의 경우에는 「요청」하는 것으로 부른 것이다. 따라서 이 「요청」된 것이야말로 즉, 「요청」의 대상으로 되는 것이 「물자체」의 영역에 속하는 것이다.

따라서 칸트는, 이 「물자체」에 있어서 「요청」된 것은 「의지의 자유」와, 「영혼의 불멸」과, 「신의 존재」에 있다고 말했다. 이들 세 개는, 또 「이념」으로도 부른다. 여기서 명확히 할 것은, 이들 세 개는 모두 정신적인 것이고, 「이론이성」 때에 「물자체」로서 배운 물질적인 것 즉, 세계라든지 자연이라든지 여기에서부터는 줄어들고 있다.

칸트가 이들 세 개의 것을 「실천이성」의 「요청」의 대상으로서 인식하면, 칸트의 「실천」은 신앙상의 상태로 되고 말 가능성이 있다. 원래부터, 칸트가 「이론」으로부터 구별해서 「실천」을 취급한 것은, 신앙에 움직일 여지를 주기위해 지식을 제한할 필요가 있다고 생각한 결과였다. 그러나 칸트는, 「실천」철학을 신앙에만 맡기지 않고, 도덕에 보다 큰 여지를 남겼다. 사실, 칸트의 「실천」철학의 주요문제는 의지의 자유의 문제였다.

도덕률道德律

칸트는, 「실천이성」은 도덕 율에 쫓아서 움직이는 것이라고 말했다. 칸트에 의하면, 이 도덕 율은 선천적인, 보편적인 법칙이고, 인간의 욕구하는 것의 성질을 초월해서, 또 쾌든가, 불쾌든가, 행복일까, 불행일까라는 행위의 결과가 물어지기 이전에 존재한다. 이 도덕 율은 따라서 행위의 내용과는 무관하게, 어떤 행위에도 꼭 맞지 않으면 안 된다.

즉, 그것은 어떤 특정의 목적을 추구하는 그것에 해당하는 행위를 왜? 라고 명령하는 것이 아닌, 단적으로 「하든」이라고 명하는 규칙이다. 이 점에서 이 도덕 율은 형식적이지만, 이 형식적인 도덕 율을 쫓는 의지야말로 「자유」이다.

즉, 의지는 행위의 목적이랑, 내용으로부터 「자유」지만, 이것에 의해 칸트는, 의지가 자연필연적으로부터 「자유」다라고 생각했다. 따라서 이 도덕 율이야말로 의지의 내적인 법칙이고, 「자유」는 의지의 자율을 의미하는 것으로 간주된다.

자유自由

그렇지만, 칸트의 이 자유론은 좋든 나쁘든 프랑스혁명, 혹은 루소의 사상으로부터 영향 받았다. 프랑스혁명의 사상은, 인간에 있어서 권리상의 평등과, 자유는 일치하는 것으로 인정하고 있다. 칸트는 실은, 이 프랑스혁명의 사상을 왜소화해서 독일의 사정에 적응시켰다. 라는 것은 칸트와 같이 「자유」를 형식화하고, 공허하게 하고 말았다. 무엇이 「자유」인가를 구체적으로 문제시하지 않으면 「자유」란 누구에게나 있는 권리로서, 그것은 「평등」과 일치할 수밖에 없다. 칸트는 이 방법을 취했다. 따라서 이 「자유」는 모든 내용 있는 행위를 지배하는 자유가 아닌, 오히려 모든 내용 있는 행위로부터 도피할 자유인 것이다.

그러나 이 「자유」에는 인간에게는 타인에게 양도하는 것이 불가능한, 타인의 침해를 허용하지 않을 권리가 존재한다. 라는 생각이 확실히 주어져있다. 이 권리란, 부르주아적인 개인소유의 권리를 의미하는 것이다.

S5자연自然의 합목적성合目的性「판단력비판判斷力批判」

『순수 이성비판』에 있어서는 감성의 세계에서는 제 법칙, 특히 인과의 법칙이 어떻게 행해지고 있는가가 연구돼있다. 따라서 이 인과의 법칙을 인식하는 것은 「이성이론」이다. 또 『실천 이성비판』에 있어서는, 「물자체」의 세계에서는, 「의지의 자유」가 어떻게 해서 행해지고 있을까가 연구되었다. 따라서 이 「의지의 자유」를 취급하는 것은 「실천이성」이다.

칸트는 다음으로 이들 두 개의 세계에 있어서 문제를 통일할 필요를 강하게 느꼈다. 즉, 칸트는, 이것을 『자연의 합목적성』이라는 개념으로 이해했다. 자연에는 인과의 법칙이 행해지는 것만 아니라, 목적과 수단이라는 관계도 보는 것이 가능하다. 즉, 자연은 그 근원에 있어서는 초 감성적인 것에 근접하고, 여기서 그 목적을 주어지고 있다.

이 목적에 따라서 자연이 만들어진다. 따라서 이렇게 보는 자연에 있어서야 말로, 인과의 법칙과, 자유가 통일돼 있는 것이다. 그러나 이 「자연의 합목적성」이 실현되는 영역은 「미」와 「유기체」이다. 칸트는, 이 「자연의 합목적성」을 인식하는 능력은 이론이성(오성)과, 실천이성과의 중간에 있는 점의 「판단력」이라고 불렀다.

S6일본에 있어서의 칸트 상像

일본에 소개된 유럽의 철학자들 중에서도, 칸트는 가장 빠른 시기에 속한다. 따라서 전전戰前에 있어서 가장 전형적인 철학자로 철학이라고 말하면 칸트를 얘기할 정도로 칸트는 최대의 철학자로 봐왔다.

參考文獻

IX빌헬름·헤겔

이성적인 것은 현실적이고, 현실적인 것은 이성적이다.

S1개관槪觀

철학哲學 사상史上의 이대二大 산맥山脈과 헤겔

오늘날 철학 상에서 어떤 입장에 서있는 사람이라도, 공통적으로 인정하지 않으면 안 되는 철학사상의 거대한 산계山系가 두 개있다. 하나는 고대그리스에 있어서 소크라테스, 플라톤, 아리스토텔레스로 이어지는 산계다. 또 하나는, 칸트부터 헤겔에 이르는 독일고전철학의 산계다. 그러나 독일고전 철학에서는 헤겔은 최대의 거봉이다. 칸트는 이전에 언급한 것 같이, 대륙의 합리론의 철학과, 영국의 경험론의 철학 상의 유산을 섭취해서, 프랑스혁명이라는 역사적인 세계사적 전환기 시점에 응해서 신시대에 걸 맞는 문제점을 발견했다.

헤겔은, 칸트가 제출한 문제를 극한까지 발전시켜, 이것을 후세에게 인도하는 역할을 했다. 따라서 19세기 후반이후 20세기에 있어서는 헤겔과 어떻게 대결하고, 어떻게 그것을 극복하고, 어떻게 그것을 섭취할까가 철학 상의 중요한 과제로 되었다. 즉, 프랑스혁명 이후 20-40년간은, 부르주아적인 진보성은 그 절정에 달했지만, 사람들은 여기서 헤겔의 봉우리를 넘지 않고는, 그 이후의 철학사의 새로운 의미를 진정으로 깨달을 수가 없다.

현대現代에의 의의意義

예를 들면 전후 일본의 철학 계에 있어서 주된 사조로서, 사람들은 마르크스주의, 실존주의, 프래그마티즘의 3개를 배우겠죠. 그중 헤겔과 마르크스주의와의 관계에 관해서는 지나치게 유명해, 또 그것에 관해서 우리들은 여기까지도 상세하게 설명하겠죠. 실존주의에 관해서는, 이 철학의 본질이 헤겔에 닮은 것은 절대로 말할 수 없지만, 그러나 이 철학의 창시자인 키엘케골이 헤겔과 심하게 대결한 것에서도 추찰할 수 있듯이, 실존주의는 헤겔의 봉우리를 넘는다는 사상적인 자각위에 자기의 입장을 쌓은 것이다.

또, 프래그마티즘에 있어서는 이 철학의 사상적 계보는 직접적으로는 영국 경험론에 연결돼 있지만, 이 철학의 두 사람의 대표자 제임스와 듀이는, 함께 헤겔을 열심히 배웠다. 즉, 헤겔에 있어서 특히 현저히 드러나는 점인 현실과, 철학과의 관계에 관한 사상을 이들 프래그마티스트 들은 새삼스럽게 배웠던 것이다.

철학체계哲學體系

이상과 같은 역사적 의의를 갖는 헤겔의 철학은, 아주 장대한 체계를 이루고 있다. 따라서 이 장대한 체계를 변증법적 방법을 이용해 설명하고 있는 수법은, 지극히 정교하다. 따라서 헤겔의 저작은 그 유고를 포함해 다수가 있지만, 우리들은 여기서는 그중에 다음 것만을 취급하려고 한다.

(1)『정신현상학』 이것은 보통 헤겔의 인식론이라고 부르지만, 헤겔 자신은 다음의 『논리학』이 성립되기 위한 이론적인 준비작업 이라고 부른다,
(2)『논리학』 이것도 또 다음에 계속되는 제2부문 『자연철학』이랑, 제3부문 『정신철학』의 준비

적인 노작이지만, 그러나 여기서는 그의 철학체계의 골조가 올라가고, 또 그의 변증법적 방법 자체가 구체적으로 형성되고 있다.

⑶『자연철학』『논리학』으로 완성된 변증법적 방법을 갖는 자연을 연구한 작품이다.

⑷『정신철학』헤겔에 있어서 소위 문화과학, 혹은 사회과학으로도 부르는 것. 이것과 연관해서 우리들은 특히, 헤겔의 국가관을 취급해보자.

일본에 있어서 헤겔

전전의 일본에서의 헤겔은, 칸트와 비교하면 그의 영향은 확실히 작다. 그러나 그 외의 유럽철학자들과 비교하면, 헤겔의 영향은 또 심대한 것이다. 그런데 일본에 미친 헤겔의 영향은 다음의 3가지 경우가 있다.

우선, 제1의 경우로 헤겔의 관념론적 변증법이 불교의 무상관과 결합해 불교의 근대화에 논리적인 수단을 주고, 동양사상과 서양사상과의 결합이라는 일종의 국수주의적인 경향에 헤겔이 이용당한 것이다.

제2는 제1의 경우와 본질적으로 지극히 근접한 것이지만, 헤겔이 우선생의 철학자로서 해석한 위에서 그의 세계사에의 견해랑, 국가관이 소개된 것, 유럽에서는 신헤겔주의 운동이 1920년대에 시작돼 파시즘의 진행과 함께 진행해왔지만, 일본에서도 소화 초기에 생의 철학이 유행에 혼돈돼, 이 신헤겔주의가 소개돼, 일본의 근대적 비합리주의 사상의 성숙과 분리하기 어렵게 결합됐다. 이것의 가장 현저한 예는 교토학파의 헤겔해석이다.

제3으로 이것과 동시대적인 현상이지만, 헤겔을 마르크스주의의 중요한 사상적 원천으로 보는 것도 일어났다. 여기서는 헤겔의 변증법이랑, 역사관이 그 진보적인 측면을 지적받으면서 소개된 것이다.

이상과 같이 전전의 일본에 있어서는 헤겔이 확실히 대립된 우와 좌로부터의 입장에서 해석되지만, 이런 예는 그 외의 철학자의 경우는 볼 수 없었다, 헤겔 자신이 좋든 나쁘든 거대한 다면적인 사상가였다는 것의 하나의 증명이겠죠.

S2헤겔의 생애生涯/두 사람의 학우學友

헤겔은 1770년에 베르텐부르크 공국의 수도 슈트트가르트에서 태어났다. 18세 때 헤겔은, 튜빙겐 대학의 신학과에 입학했다. 동급생에는 시인이었던 헬타린이 있고, 2년 늦은, 헤겔의 선험적 철학자인 쉐링이 이과에 입학해왔다. 헤겔은, 대학의 교사로부터는 별로 영향은 받지 못했지만, 프랑스혁명에 강하게 촉발돼, 또 칸트랑 루소에 경도됐다. 쉐링과는 같이 자유의 새벽을 노래하고, 그리고 튜빙겐의 시장에 자유의 기념나무를 심었다고 전해져온다. 또 그는, 이 대학시대에는 그리스문화에 대해서 연찬에 몰두했다.

예나시대時代

1793년 대학을 졸업한 헤겔은, 칸트랑 피히테 등의 선배철학자와 같이, 우선 가정교사로 생활자금으로 조달했다. 1799년에는 헤겔은 부친의 유산을 받았는데, 가정교사를 그만두고 철학연구의 중심지 예나로 가서 연구에 전념할 것을 결의했다. 결국, 1801년에 예나를 떠나 거기서 『혹성의 궤도에 관해서』라는 자연철학의 논문을 취직논문으로서 예나대학의 사강사로 됐다. 또 같은 해에 『피히테 철학체계와 쉐링 철학체계의 차이』라는 논문을 처음으로 공간公刊

했다. 당시 피히테는 지도적인 철학자였고, 또 연하의 쉘링은, 예나대학 조교수로서 신진철학자였다. 1807년 헤겔은, 다년간 사색의 결실인 『정신 현상학』을 공간하고, 그의 체계화에 첫발을 내디뎠다. 헤겔은, 『정신 현상학』에서 쉘링에 대해 통렬한 비판을 포함해서, 그 공간을 기회로 헤겔은 영원한 친구인 쉘링과 결별했다.

최성기最盛期

1812~16년 사이에 대저大著 『논리학』을 쓴 헤겔은, 이것에 의해 그의 철학체계의 기본을 구성하고, 동시에 철학사상에 있어서 획기적인 사업을 이루었다. 그것은 『변증법적 방법』의 완성이다. 동시에 16년에는 하이델베르그 대학교수에 초빙돼, 17년에는 『앤티크로배티』를 공간했다. 다시 18년에는, 베를린대학에 피히테의 후계자로서 추대되었다. 21년에는 『법철학』을 공간했다. 이 시대는 헤겔의 최성기이고, 많은 제자가 각지로부터 모여들고, 또 30년에는 헤겔은 베를린 대학총장에 취임했다. 그러나 다음해 31년에 콜레라에 걸려 쓰러져 세상을 떠났다.

S3진리眞理에의 지향志向 『정신현상학』『精神現象學』
근대적近代的 지知

록크는, 확실한 지식은 어디로부터 오고, 또 어떤 조건에서 가능할까를 연구하는 것을 철학의 과제로 했다. 이런 의도는 독일고전철학에도 받아들여지었다. 근대철학의 주된 특징이 인식론에 있다는 것으로 말해지는 것은 이것을 가리키고 있다.

헤겔에서도 『정신현상학』은 특히, 이 과제를 추구한 것이다. 「철학」이라는 단어는 「지知에의 애愛」라는 의미를 갖고 있다. 여기에는 「지」에 관해서 호기심을 좋아하는 그런 기분이 포함된 것으로 헤겔은, 은자隱者와 같은 이런 기분을 「철학」 가운데서 내쫓으려고 시도했다. 그래서 헤겔은 「철학」은 진리에 관해서 체계적인 「지」가 아니면 안 된다고, 주장했다. 이것은 헤겔이 급격히 성장했던, 근대사회의 젊은 지적욕구에 대해서 「철학」을 즉응하는 것 같은 것을 의미한다.

감성적感性的 확실성確實性

헤겔은 여기서 우선 「감성적 확실성」으로부터 출발한다. 이것은 매우 빈약한 진리만 포함하지 않는 「지」지만, 그러나 이 「지」를 출발점으로 하지 않으면 어떤 진리에도 도달하는 것이 불가능하다. 이 「감성적 확실성」에는 또 개발되지 않았지만, 무한히 풍부한 진리 내용이 계획돼있다.

즉, 이 「감성적 확실성」은 형식상으로는 지극히 빈약한 「지」지만, 여기서는 내용상으로는 무한히 풍부한 「지」에 해당된다. 헤겔은, 「감성적 확실성」에 있어서 이 모순을 출발점으로 해서, 일방적인 주관(형식)의 한편으로는 객관(내용)이라는 분열을 묘사하고 있다.

「지知」의 발전단계發展段階

헤겔에 의하면, 「지」는 「감성적 확실성」→「자기의식」→「이성」의 제 단계를 통해서 발전한다. 「감성적 확실성」에서 시작되는 최초의 단계는, 주관과 객관이 분리되지 않는 단계에 있기 때문에, 그것은 직접적인 의식으로도 부른다. 「자기의식」에 있어서는 주관과 객관과의 대립은 명료하고, 객관과 대립하는 것에 의해 주관이 변해서 주관으로서 자각한다.

헤겔은 『정신현상학』 전체를 통해서 주관과 객관과의 대립의 방식, 그들 상호연관해서 합한 쪽을 설명하고 있는 것이 이 「자기의식」에 있어서는 주관과 객관과의 대립은 가장 격렬한 긴장관계에 서있다 라고 말할 수 있다. 그러나 「이성」에 있어서는 지금까지 주관의 옆에 있다고 생각된 객관이 실은, 주관과 동일한 것이라는 것이 이해된다. 즉, 여기서는 주관과 객관과의 분열이 극복돼 ≪절대적인 지≫가 성립한다.

절대적絶對的 인「지知」

헤겔에 의하면, 이 「절대적인 지」란 「이성」의 단계로, 전 세계(객관)를 전부 전체로서, 체계적으로 아는 것이 가능한 단계다. 그러나 실은, 이것은 전능자로서 신의 「지」에 다름 아니겠죠. 신이 전 세계를 아는 것, 게다가 신과 세계와 일치하는 것으로서 신이 전 세계를 아는 것, 이것이 「절대적인 지」다. 그러나 인간은 주어진 신의 「지」에 도달하는 것이 가능할까? 헤겔은 감히 그것이 가능한 것이라고 했다. 여기에 헤겔철학의 문제점이 있다.

S4논리학論理學—세계창조世界創造의 청사진靑寫眞/구상構想과 구분區分

헤겔에 있어서 이 『정신현상학』에 도착한 곳은, 『논리학』의 전개되는 휠드가 되는 것으로 말했다. 이 휠드에서는 천지창조 이전의 신이, 자기의 세계계획을 넓게 캔버스 위에 제도하는 것이다. 이것이 『논리학』의 내용을 나타낸다. 이렇게 착상을 마무리한 신이 우선, 자연을 창조했지만, 그 모양은 『자연철학』에서 묘사되고, 자연으로부터 인간이 태어나, 인간의 정신이 성숙해가는 과정은 『정신철학』에 묘사돼 있다. 논리학에서는 세계의 원형이 구상되고, 이 세계의 원형은 「논리」라든지, 「개념」이라든지 로 부른다. 즉, 논리학이란, 이념=논리=개념이 성숙해 가는 과정을 취급하는 학문이다. 라고 생각한 헤겔은 논리학을 다음과 같이 구분 지었다.

유(존재Sein) 객관적 논리학, 논리학 본질(Wesen), 개념(Bergriff)주관적 논리학
철학적哲學的 사고思考의 심화과정深化過程

헤겔의 논리학의 구상은, 이상과 같이 일견 과대망상으로 보이는 것이다. 따라서 헤겔은, 상술한 신의 두뇌 가운데 세계(개념)를 삼분법을 이용해온 것을 딱 잘라 서술하고 있다. 그러나 헤겔의 논리학의 서술은, 이것을 상세하게 읽어보면, 인간의 철학적-논리적인 사고가 차례대로 심화돼가는 과정을 묘사한 것이라는 것이 나온다. 따라서 이 논리학의 서술은, 철학사의 발전에 따라서 행해지고 있다. 따라서 논리학의 진행과정은 철학적 사고의 심화에 따른다.

논리학에 있어서 「개념」의 성숙 과정 즉, 철학적 사고의 심화과정은 전 세계에 있어서 가장 단순한 규정(정의) 즉, 가장 추상적인 「개념」으로부터 출발해서 보다 복잡한 규정보다, 구체적인 「개념」에로 나아간다. 유(존재)→본질→개념이란 이것이다. 유란 「무언가 있다」는 그런 것이다. 본질이란 「진짜로 있는」 그런 것이고, 이 ≪진짜로 있는≫ 것으로 부터 유를 돌아볼 때, 유는 「노출된」(현상)에 지나지 않는다. 개념이란 지금까지 전 세계를 대상으로 해서, 거기에 관해서 말해진 「개념」이 이번에는 자기 자신에게 되돌아와서 말하고 있는 점의 「개념 그 자체」인 것이다.

이렇게 헤겔의 논리학은 세계에 관해서 「개념」(객관적 논리학)으로부터, 개념자신에 관한 것의 「개념」(주관적 논리학)에로 나아간다.

第1部 有(存在)

質,量,度量

제1부 「有」는 質→量→度量으로 區分된다. 「質」이란, 원래 「어떤 것」이란 의미다. 「質」은 사물이(세계) 「어떻게 있는가?」라는 규정성(정의)이다. 따라서 「質」은 우선「있다」로 시작되고, 다음으로 「있나」에 연관된 술어 일반이디. 즉, 「質」이란 「어떻게+에 있다」라고 말하는 것이다.

예를 들면 「꽃은」이라는 주어에 「빨갛게+있다」혹은 「빨강+에 있다」라는 술어가 붙으면, 이 술어가 「質」이다. 그렇지만 사물은 그 「質」면에서 다른 사물과 다른 것이다. 따라서 「質」이 다르면, 그 「質」을 갖는 사물(주어)이 「변화하는」것을 나타내고 있는 것은 당연하다. 이렇게 「質」이란, 사물의 한계를 나타내고, 유한성을 나타내고 변화를 나타낸다.

「빨갛다.」라는 이런 한계는, 「꽃」이 그러(빨간)지 않기 때문에 「꽃」이 아니라는 것을 의미하고 있다. 즉, 「꽃은 빨갛다.」라는 것은 「꽃은 빨갛지 않은 것은 아니다」라는 것을 의미하고 있다. 「꽃」은 「빨갛다」에 있어서 「한계」지워지고, 「정의」된다. 「質」이란 사물을 「정의」하는 것에 의해 사물 자체의 긍정적인 성질을 나타내고 있는 것과 함께 동시에, 사물의 부정적 측면(가변성)을 나타내고 있다.

양量

헤겔은 「質」로부터 「量」에로 옮아간다. 「量」은 「얼마만큼」이라는 의미다. 「量」은 다음과 같은 특징을 갖고 있다 .

(1)「量」은 「크기」이고, 그것은 증가하고, 혹은 감소하는 것이라는 변화(「質」)를 일으킨다. 「量」(크기)은 즉, 「質」의 일종인 것이다. 「量」은 더 정확히는 수자를 갖는 표현이라는 것이다.

(2)「量」은 일종의 「質」이기 때문에, 「量」도 또 「변화」라는 성격을 초래하는 것이 가능하다. 그러나 그것은 「연속성」에 있어서만이 변화한다. 이런 일은 「質」이 변화에 있어서 인식된 경우에는 일반적으로 「비연속성」혹은, 「비약」인 것에 비해서, 「量」의 두드러진 특징을 하고 있다. 「量」에 이행하지 않은 이전의 「質」에 있어서는 예를 들면, 「빨강」→「하양」→「파랑」이라는 우연한-무관한 변화가 행해질 뿐이지만, 「量」에 있어서는 「1」→「2」→「3」이라는 필연적인 연관된 변화(연속성)가 행해진다. 이 의미에서 사물에 관한 규정성으로는 「量」은 「質」보다도 객관적이다.

(3)「量」은 「質」의 일종이라고 말하고, 「質」의 단순한 연장이 아닌, 더욱이 「質」의 부정이라는 것이 밝혀졌다. 즉, 「量」이란 「質」에 의한 우연한 한계를 불식하고, 또 우연히 변화하는 것을 의미하고 있다. 「量」에 있어서는, 처음으로 단순한 「質」에 있어서는, 다양화 한 제 사물에 공통성이 드러난다. 이상에 있어서 「量」에 관해 언급되는 점은 예를 들어보면 다음과 같다.

(1)「빨강」(質)에는, 농담濃淡이라는 「量」이 있고, 그것은 점차적인 변화를 행하는 것이다. 「빨강」(質)을 단순한 「빨강」으로서가 아니고, 다시 「濃淡」(量)으로서 파악할 때, 그 「빨강」(質)은 확실한, 보다 규정된 「빨간」으로서 이해될 수 있다.

(2)「빨강」(質)에도, 「파랑」(질)에도, 「하얀」(質)에도, 「濃淡」(量)은 공통으로 있다. 「濃淡」의 점으로부터 취해진 「빨강」,「파랑」,「하얀」은 공통으로, 그래서 진짜 색이라는 성질(質)로서 파악되는 것이 가능하다.

(3)「빨강」,「파랑」「하얀」은, 함께 색(質)으로서 그것들을 1,2,3.이라는 식으로(양적으로)세는 것이 가능하다. 「量」의 변화는 반드시 일정한 「質」에 있어서 변화(증감增減)가 있다. 「濃淡」(量)은 「色」(質) 빨강, 파랑, 하얀-에 있는 것이고, 「온도의 증감」(量)은, 「水의 응집凝集상태」(質) 기체, 액체, 고체에 있는 것으로, 「음량의 증감」(量)은 「음질」(質)에 있는 것이다. 「量」의 증감은, 일정 한도 내(質)에 있어서 행해지는 만큼, 그것은 점차적이고, 연속적이다.

그러나 「量」이란, 「質」의 부정否定이다. 「質」의 부정은 우선은 다른 「質」이지만, 「量」 자체는, 일종의 「質」이면서, 그러나 최종적으로 「質」이다. 즉, 「質」의 최후의 부정이다. 농담이라는 점에서는 색은, 특수한 색, 예를 들면 「빨강」「파랑」「하얀」에 머무는 것이 아니다. 즉, 여기서는 특수한 색(질)이 부정되어, 농담(양)이라는 색이 해당된다. 이런 이유로부터 「量」(농담)의 증감은, 사물의 한계(質,「빨강」)를 부순다. 따라서 「量」의 변화의 일정 점에 있어서, 어떤 질은 다른 질로 전화한다.

도량度量

「量」의 변화가 일정 점에 있어서 「質」이 변화하는 것을 이은 반면에서 보면, 「質」의 변화는, 표면적으로는 우연히, 비약적으로 행해지는 것 같이 보여도, 그 실은 「量」의 변화라는 연속적인-필연적 변화의 이면에서 시작되고, 그것이 일어나는 것을 가르쳐주고 있다. 「量」의 변화와 「質」의 변화는 이렇게 연관해서 결부돼 있다. 그것은 본래부터 말하면 「量」과 「質」의 결합이다. 이렇게 「量」과 「質」을 결합한 것을 일체로 해서 「있는」것으로 해서 이해할 때, 그것은 「도량」이라고 부른다.

第2部 本質

구분

「본질」은 본질→현상 혹은, 실존→현실성의 3장으로 분리된다. 「본질」이란, 「무언가 있다」는 그런 의미로서의 「유」가 불안정한-가변적인 질(규정성) 밖에 없는 것에 대해서 「진짜로 있다」고 말하는 안정된 불변하는 「있다」를 의미하고 있다. 과학은 일반적으로 이「본질」에 대해서 「현상」이란 문자 그대로 「본질」이 「나타난」것이다. 「본질」은 반드시 「나타난」것이고, 또 「본질」의 나타나지 않은 「현상」은 있을 수 없다. 따라서 「본질」과 「현상」이란, 잘라도 잘라지지 않는 상관관계다. 그렇지만 이 상관관계를 하나의 전체로서 볼 때, 이것을 현실성이라고 말한다.

직접성直接性과 매개媒介

상관관계를 분해해보면, 그것은 직접성과 매개에 관한 것이다. 우선 「직접성」이란, 타인과의 관계를 포함하지 않는 단적인 「그것」이다. 이「직접성」은 자기 동일성으로도 부르지만, 그러나 자기가 자기에 동일하다는 그런 두 개의 자기의 동일성을 의미하고 있는 것은 아니다. 「직접성」에는 이면이 없고, 외겹이고, 따라서 추상적이다. 이런 「직접성」은 「본질」에 이

행하기 이전에 「有」(무언가 있다)의 성격이다.

이것에 대해서 「매개」란 이전에 「유」를 거쳐 온 것의 「본질」(진짜로 있다. 거짓으로 있는 것이 아닌)의 성격이다. 「매개」란 「유」를 거쳐 온 것만이 아니고, 「유」의 부정(무)을 거친다. 아니면, 그것은 「무」를 포함하는 「유」인 고로, 타자와 관계하고 있는 점에서 라고 말하는 것이 가능하다. 따라서 이 「매개」란, 자기가 자기와 동일하다는 그런 에둘러서 간접적인 자기동일성이다.

그러나 이런 의미에서의 자기 동일성은 자기는 남이 아니라는 것, 자기와 남은 구별된 것이다. 아니면, 그것은 자기가 남으로부터 구별되지 않으면, 자기로부터도 구별되지 않아도, 더욱이 자기가 자기와 동일하다는 것이라는 의미다. 따라서 「매개」란, 자기 동일성에 있다는 것과 함께 구별도 한다.

자기 동일성과 구별이 함께 일어난다고 하면, 서로 자립해서 사는 것이 즉, 자기 긍정적이지만, 또 상대를 상호 부정한다. 따라서 대립에 있어서 양쪽은 함께 자기 중에, 자기를 긍정하는 측면과, 자기를 부정하는 측면을 동시에 갖고 있다. 이렇게 각항은 모순에 있다고 부른다. (자기)동일성→구별→대립→모순은, 직접성과 매개 특히, 매개의 구조다. 상기의 상관관계란 이런 매개된 것의 상호관계다.

第3部 개념概念

구분

「개념概念」은, 주관성→객관성→이념으로 구분된다. 주관적 논리학으로 부르는 이부문은, 그 구분으로서는 가장 이해하기 어려운 부문이다. 즉, 이부문의 구분에는 논리적인 필요성이 적다. 그것은 무리해서 3분법으로 해서 구분을 할뿐이다.

헤겔은 주관성에 있어서 전통적 논리학의 체계를 해석하고, 「이념」에 있어서는 인간적인 사물을 묘사하고 있다. 그러나 개개인 적으로 보면, 이렇게 산만하게 구성된 부문에도 헤겔의 천재가 드러나 있다. 따라서 이 부문을 통해서 헤겔이 노력한 것은, 변증법을 「방법」으로서 독자적으로 확립한 것이다.

방법으로서의 변증법

헤겔은, 「방법」을 분석판단하고 동시에 총합 판단한 것이다. 분석판단이란, 주어 중에 이전에 술어가 내용적으로 포함돼 있는 것이라고 생각되는 판단이고. 또 총합판단은 술어는 주어와는 별개로, 이 내용이 통합돼있는 것으로 판단되는 것이다. 이들 두 개의 판단의 구별은 특히, 칸트가 혹독하게 행하지 않은, 따라서 칸트는 선천적 총합판단을 갖고, 양자의 통일을 기도한 것이었다. 헤겔은, 또 「변증법적 방법」을 양자의 통일로서 파악했다.

「변증법」에 있어서는 「개념」의 시작은, 직접적인 것에 있다고 동시에 일반적인 것도 간주된다. 여기서 이 시작의 중에 「개념」의 그 후의 진행은 이 시작의 부정, 그것의 자기 분할에 의해서만 일어난다고 볼 수밖에는, 그 진행과정에는 총합적 판단이 생겨나지 않기 때문은 아니다. 즉, 「변증법」에 의하면 사물 그 자체의 규정성(質)이 그 사물의 한계를 나타내고, 그 사물의 부정을 의미하는 데 있기 때문에, 그 사물이 그렇다고 해석한 때에는, 그 사물자체 중에는 그 사물 자기 중에 그 사물과는 별개로 포함된 것이 밝혀졌다. 그 때문에 일방에서는 늘 그 자신의 가운데로부터, 다음 것을 내도록하는 분석판단이 행해져 한편으로는 그 자신의 부정(규정성)에 의해 타자와 관계해 가면서 즉, 매개를 통해서만, 전체를 통일적으로 파악한다는 점에서 직관주의도 유기체설과도 다른 것이다. 그러나 「변증법」의 속류적인 해석은 「변증 법」이 전체인식이라는 점에서, 그것을 직관주의랑 유기체설과 동일시하고 있다.

S5자연철학自然哲學

　헤겔의 『자연철학』은, 『논리학』에서 완성된 이념 즉, 세계계획이 자연 중에 실현된 모양을 묘사하고 있다. 이 『자연철학』은, 헤겔의 작품 가운데 가장 빈약한 작품이다. 그러나 헤겔의 『자연철학』에는 몇 개의 천재적인 통찰이 있다. 여기 2,3개의 예를 들어보죠.

　헤겔은, 「운동」의 본질을 「시간」과 「공간」과의 통일로서 파악하고 있다. 따라서 또 「시간」과 「공간」은, 「물질」에 의해 채워져 있고, 「물질」이 없는 「운동」이 없는 것 같이, 「운동」이 없는 「물질」도 없는 것이다. 또 헤겔은, 원소가 변화하는 것을 인정하고, 다시 화학상의 질적인 구별은 양적 변화에 의해 일어나는 것을 알고 있었다. 이렇게 그는, 물리학과 화학 간에 필연적인 연관이 있는 것을 말하면서, 동시에 화학적인 과정은 유기적 생명을 준비하는 것도 서술하고 있다.

　최후로 헤겔의 유기체에 관한 고찰에 있어서 적극적인 요소는, 생물을 자기발전으로서 파악하는 점이다. 따라서 그때, 죽음을 생명의 본질적인 모멘트로서 이해하고 있는 것은 특히 중요하다.

S6정신철학精神哲學
구분과 삼분법

　헤겔은, 『자연철학』의 최후를 「내부적인 합목적적 관계」로 서술하고 끝내고, 그것을 가지고 『정신철학』의 전제로 했다. 따라서 『정신철학』은, 최초에는 신체에 걸친 정신이라는 점에서 「心」을 간주한다.

　『정신철학』에는 이렇게 일단, 「자연」 중에 모습을 감춘 「이념」이 회복돼서 「정신」이라는 본래의 모습을 갖는 것이다. 그러나 『정신철학』은 『앤티크로바티』의 다른 점과 같은 모양으로 삼분법을 갖는데, 깨끗하게 정리된다. 헤겔의 삼분법은,

정正→반反→합合
긍정肯定→부정否定→否定의 否定
정립定立→반정립反定立→총합總合
즉자卽自→대자對自→卽自 동시에 對自

라는 시건방진 변증법적 방법에 의해 실행되는 것 같은-헤겔자신은 생각하고 있다. 그러나 이 삼분법은 이것만을 이용하면, 변증법적 방법의 단순한 형식적 외면적 이해에 지나지 않는다. 삼분법에 의한 체계화의 요구는, 어디까지나 대상의 내적 운동을 추구하는 것이라는 변증법적 방법의 주지主旨를 배반하고, 대신에 외적-우연적인 이유를 들어 상황에 따라서 여유 있는 설명을 갖고 보족을 하지 않으면 안 되는 궁지에 헤겔을 빠뜨린 경우가 많다. 이점을 주의해서 간주해야 만하는 상태다. 『정신철학』을 대충 말하면 다음과 같이 구분된다.

제1부
A 인간학—心
B 정신현상학—意識
C 심리학—정신
제2부 객관적 정신
A 법
B 도덕성
C 人倫
제3부 절대적 정신
A 예술
B 계시된 종교
C 철학

주관적 정신

이전에 서술한바 같이 「정신」은 최초에는 신체를 가진 「心」으로서 출현했지만, 이것을 연구하는 것이 인간학이다. 인간학의 다음에는 정신현상학이 나오지만, 이것은 헤겔이 쫓은 「학의 체계」의 제1부로서 썼다. 정신현상학은 「의식」을 대상으로 한다. 「심」이 신체의 속박을 벗어나지 못하는 것에 대해서 「의식」에서는 주관과 객관이라든가 일정한 상대적인 관계를 맺고 있다. 이 관계에 있어서는 「의식」의 구분은 객관의 측면에서 즉, 객관의 구분에 의해 규정된다. 그러나 본질적으로는 객관 자신은 「의식」의 발전으로서 출현하고, 또 「의식」의 발전에 의해 규정되는 것으로, 객관의 구분만큼 「의식」의 발전단계에 의존한다고 하는 것이 가능하다. 정신현상학은, 이들의 상호관계를 고찰하는 점의 과학이다. 헤겔은, 여기서는 「의식」의 발전단계를 다음 세 개로 구분한다.

(1)의식일반—자아가 자아에 의해 외적인 대상을 대상으로 한다.
(2)자기의식—자아 그 자체가 대상으로 된다.
(3)이성—주관과 객관과의 대립을 극복하고, 보편적으로 됐기 때문에, 그것은 자아를 자기 가운데 포괄한 객관이라는 의미를 갖는 동시에, 객관을 초월한 자아라는 의미를 갖는 것이다.
다음의 심리학은 「정신」을 취급하고 있다. 여기서는,

(1)「이론적 정신」 혹은 「지성」
(2)「실천적 정신」 혹은 「의지」
(3)「자유로운 정신」으로 구분이 돼있다.

객관적 정신

이상의 「주관적 정신」은 소위 개인의 「정신」의 의미다. 여기에 대해서 다음 제2부의 「객관적 정신」은, 사회의 「정신」이라는 것이 가능하겠죠. 여기서 취급되는 것의 내용은, 앞서 출판된 『법철학』의 내용과 거의 같다. 이 「객관적 정신」은, 앞에 「자유로운 정신」으로 부르는 것의 「자유의지」보다 이상의 전개로서 취급되고 있다. 이 「자유의지」는 「법」「도덕성」「인륜」으로 돼서 출현한다.

이 「자유의지」란, 「주관적 정신」에서 보는 것 같은 추상적인 개인의 의지는 아니고, 자본주의 사회에 있어서 규정된 「개인」의 의지로서 해석하는 것이 가능하다. 따라서 헤겔의 이 「객관적 정신」의 서술은, 후세 사회과학에 큰 영향을 미쳤다. 그중에서도 특히 주목할 것은, 「인륜」에 있어서 시민사회와 국가와의 관계 혹은, 세계 역사에 있어서의 서술이다. 전자에 관해서는 앞서 이미 한번 새삼스럽게 설명했지만, 여기서는 세계사에 관해서 한마디 하려고 한다. 특히, 세계사에 관해서 헤겔의 유명한 명제는, 「이성적인 것은 현실적이고, 현실적인 것은 이성적이다.」

생각하는 신

『정신철학』의 최후의 부部인 제3부에서는, 「절대적 정신」에 관해 서술하고 있다. 「절대적 정신」이란, 무조건 신을 가리킨다. 그러나 최종적으로는 신이 말하는 것이 종교에 관한 것이 아닌, 철학에 있어서 있다는 것은 주목할 만하다. 즉, 헤겔은 신을 아리스토텔레스와 같이 「사고思考의 사고思考」로서 어디까지나 「이성」적인 것으로서 생각했다. 신은 최고의 모습으로서는 「이성」에 있기 때문에, 그것은 「개념」에 의해 파악되지 않으면 안 된다고 헤겔은 말하고 있다.

이것은 근대의 합리주의적인 진보적인 사상가랑, 과학자가 이신론을 칭하고 있는 것과 궤를 같이하고 있는 것이다. 여기서 일보 앞으로 더 나아가면, 무신론에 갈수밖에는 없다. 왜냐하면 무신론은 신앙의 대상으로서의 신비적인 신을 부정하는 경향을 갖는 것이기 때문이다.

국가관

헤겔은, 『정신 철학』의 제2부(객관적 정신)의 「인륜」에서와, 『법철학』의 「인륜」에서 국가에 관한 중요한 것을 말하고 있다. 앞서의 헤겔 이전에는 「국가」는 「사회」 혹은, 「시민사회」와 구별되지 않는다고 논의돼왔다. 개인의 집합은 「국가」로 부르고 「사회」로도 불려왔다. 그러나 헤겔에 의하면, 「시민사회」는 개인적 소유를 기본으로 해서 나온 「욕망의 체계」다. 여기서는 개인은 상호 수단이고, 각자는 다만, 자기 목적을 추구하는 것에 지나지 않는다. 그러나 타인을 수단으로 하지 않으면, 자기의 목적을 달성하는 것이 불가능하다. 따라서 「시민사회」는 상호의존의 체계다.

여기에 대해서 「국가」는 이 「시민사회」보다도 고차적 존재고, 그 이상 이성적 인데 가깝고, 보편적이다. 「국가」는 그 자체 통일된 자기목적적인 체계로, 여기서는 개인은 그 성원이 되는 것을 의무로서 부과되지만, 「국가」의 목적 자체는 개인의 목적보다도 초월한 점에 놓여있다. 따라서 「국가」는 소위 국가 유기체설로 부르고, 관념론적인 동시에 또, 반동적인 것으로도 평가된다. 그러나 이국가관에 있어서 주목할 가치가있는 것은 다음과 같은 점이다. 우선, 여기서는 「국가」는 오로지 이데올로기적인 즉, 관념적인 존재라고 부르는 것이다. 헤겔의 이 국가관은, 마르크스에 의해 승계돼 개변되고 금일의 국가관으로서 새롭게 불리고 있다.

참고문헌 參考文獻

Ⅰ 저작著作

『헤겔전집(4) 정신현상학』(金子武藏 譯)岩波書店

『헤겔전집(10) 대 윤리학』(武市健人 譯)岩波書店

Ⅱ 연구서·개설서 硏究書·槪說書

국제 헤겔연맹『헤겔철학 해설』昭6 岩波書店

高山岩男『헤겔』昭11 弘文堂

金子武藏『헤겔의 국가관』昭19 岩波書店

船山信一『헤겔철학의 체계와 방법』昭36 未來社

松村一人『헤겔 논리학 연구』昭25 靑木文庫

大村晴雄『헤겔의 판단력』昭 36 小峯書店

矢崎美盛『헤겔 정신 현상론』昭 11 岩波書店(대사상 문고)

樫山欽四郎『헤겔 정신현상학의 연구』昭36 創文社

高峯一愚『법·도덕·윤리』昭36 理想社

X키엘케골의 철학

S1키엘케골의 생애와 저작

1, 키엘케골의 생애
100년 후에 공감을 해본 고립된 사상가
그 자신은 코펜하겐의 소크라테스가 되길 희망했다.
감화와 「대지진」의 체험
방탕한 부친의 생활의 체험과 자살미수
레기네 와의 약혼과 파혼

2, 키엘케골의 저작
『이것이냐, 저것이냐』, 『반복』, 『두려움과 떨림』, 『불안의 개념』, 『인생행로의 제 단계』, 『철학적 단편』, 『사랑에 관해서』, 『죽음에 이르는 병』, 『순간』, 『내 저작활동의 시점』.

S2키엘케골의 학설

3, 그가 놓인 정신적 상황

당시 덴마크의 문화 상황
　당시 덴마크는 문화적으로는 완전히 독일의 식민지 같았다. 덴마크어는 하층계급만 쓰고, 모국어보다도 독일어가 위세를 떨칠 정도로, 그것은 압도적이었다. 따라서 덴마크의 학계 랑 종교계도, 대충 말하면 헤겔일색에 뭉개졌다고 말해도 과언은 아니다.

　그것은 다시 한정해서 말하면, 헤겔우파의 철학이었다. 지식과 신앙과의 일치, 철학과 종교와의 일치, 철학과 현존 사회질서와의 일치를 푸는 것이 이파의 주요한 사상적 특징으로, 그들은 모두를 헤겔적인 「체계」내에 싸서 안에 넣어 거기서 모든 것을 해결하려고 생각했다.

헤겔체계의 지배
　헤겔이 베를린대학에서 강의할 때, 헤겔철학은 철학 상의 논적을 하나하나 격파하고, 누구의 눈에도 논파되지 않는 것으로 생각되는 천하무적의 위력을 나타냈다. 그것은 세계의 성립을 진실로, 절대적으로 해결한 것으로서, 마치 집정관과 같은 위령을 갖고 통요 하는, 누구도 그것을 주제넘게 뒤엎지 않고, 진리로서 인정했던 그런 시대였다.
　그의 세계를 덮는 정신은, 거의 거인과 같은 힘을 갖고 수천년래의 정신적 역사적 현실과, 이상의 중첩을 「절대적 관념론」의 체계까지 용해해서, 전에 없는 지식과 신앙과의 융화, 고대(그리스사상)와 그리스도교와의 총합을 시도해본 것이다.

　그것은 하나의 개선 행렬 같은 것으로 헤겔이 죽은 후에도 조용해지지 않았다. 조용해진 것은 역으로, 1830년부터 1840년까지라는 것은 「헤겔 방식」이 일세를 풍미하고, 그 반대자들조차 다소간에 감염시킬 정도였다.
　「체계」는 모든 것을 약속한다. 모조리 일체가 거기에는 있는 것이라는 「체계」말이다. 해결은, 만사 거기에 해당된다. 따라서 이 체계를 익히자! 그러면 당신은 진리에 도달할 수 있겠죠. 키엘케골은 이런 정신적 상황의 가운데 성장했다.

4. 헤겔과의 격투格鬪
헤겔에 관한 존경과 불만

그러나 「체계」는 결코 모든 것을 해결할 수 있을까? 「모든 것」이 아니라면 「체계」가 간과한 것은 무엇일까? 키엘케골은, 『철학적 단편 후서』를 위한 각서에서 이렇게 말하고 있다. "나는 때로는 헤겔에 대해서 불가해한 존경을 품고 있다. 나는, 그로부터 많은 것을 배웠다. 따라서 다시 그에게 돌아갈 때, 다시 점점 많은 것을 배우는 것이 가능한 것이라는 것을 실로 잘 알고 있다. 나는 살았다. 따라서 아마도 인생의 망網 가운데 남다른 시도를 했다. 사상에 관해서 발견한 길이 남겨진 것에 틀림없다고 믿어 와서 나는 철학자의 저서, 그 중에서도 헤겔의 저서에 의지하고 있다."

그러나 그는 계속해서 쓰고 있다. 「그렇지만 마치 여기서 헤겔은 사람을 버린다. 그의 철학적 지식, 그의 놀랄만한 박학, 그의 천재적 통견, 따라서 보통 철학자에 있어서 말해지는 소위 장점을 나는 어떤 제자에게도 뒤떨어지지 않고 인정했다고 생각한다. 아니다, 라고 생각하기는커녕, 극구 칭찬하는 것이라고 생각했다. 가르칠 수 있는 것으로 생각했다. 그렇지만 그럼에도 불구하고, 사람이 인생에서 충분히 인정을 해서 절박하게까지 사상에 대해서 의지해가면, 그 눈에 띠는 모든 위대한 것에도 불구하고, 그가 우스꽝스러운 것을 본 것이겠죠.」

키엘케골의 문제—자기의 혼

자기의 혼, 자기의 생명—이것이 키엘케골의 문제였다. 철학체계는 확실히 모든 것을 설명한다. 역사를, 인생을, 삶을, 죽음을, 설명한다. 그러나 그것이 이 「나의 문제」와 당장 무슨 연관이 있을까? 체계는 확실히 삶을 설파하고, 죽음을 설파한다. 그러나 사람은 혼자 죽는다. 죽는 것은 「인간일반」이 아니고, 개개 단독의 여기저기의 인간이다. 바로 나 자신이다. 그러나 이 나의 생사에 이 가장 중요한 것으로부터 체계는 무관심한 것이다.

주체성—실존

그는 22세 때 일기에 「나에게 있어서 진리다운 진리를 발견하고, 내가 그것을 위해 살고 죽는 것이 중요한 것이다. 말하자면 객관적 진리를 찾아보니, 그것이 나에게는 무슨 소용이 있을까」 나에게 있어서 의미가 있는 것, 그것은 다름 아닌 「나 자신」이었다. 그것만이 현실적인 것이다. 이 나를 사랑하고, 어디까지나 관계되고, 연결하는 것—그것이 「주체성」으로 부를 수 있다. 이런 주체적인 곳에 있는 것 그것이 소위 「실존」이다.

5. 절망絶望의 철학哲學
「현실성은 주체성이다」 「진리는 주체성이다」
이것이 헤겔의 「체계」와의 격투의 결과 얻어진 키엘케골의 원칙적 입장이다.

감성적·미적 실존—향락자의 생활방식

「이 나」에 관련된 하나의 삶의 방식으로서, 자기의 향락만을 추구하는 생활방식이 있다. 「삶을 즐기세요, 쾌락을 구해서 사세요!」가 그 모토로 돈환, 아니면 화우스트를 그 전형으로 한다. 그렇지만 돈환은, 또 파우스트는 끝내 행복했을까? 아니, 그들은 차례차례로 새로운 향락의 대상을 구해 갈지자걸음을 계속하는, 게다가 영원히 만족한 적이 없다. 환락 지극히 애수에 사는 세상이라고도 말한다. 로마황제 네로는, 자기 쾌락을 위해 로마를 불태우고, 모친의 면전에서 유아를 토막 냈지만, 결과는 오히려 대단히 묘한 우수와 권태였다.

추구된 향락의 대상은 어떻든 자기의 옆에 있는 것이고, 어떤 외적인 것도 사람을 행복하게 하는 것은 불가능하다. 어떻게 「기분전환」을 시도해도, 이 우수와 권태는 싫어지지 않는다. 이렇게 자기와 연관된 방식—감성적·미적 실존에 있어서 사람의 마음을 씹는 것, 그것은 회색의 절망이다.

윤리적倫理的 실존實存—영靈과 육肉과의 싸움

여기서 「이 나」에 관련된 제2의 생활방식이 언급된다. 그것은 윤리적인 실존이다. 감성적·미적 실존이 끊임없이 자기의 옆에 것을 추구하는 것에 비틀거리거나, 윤리적 실존은, 다만 오로지 자기 내에 마주보는 자기 자신을 선택한다. 그들의 정신은 진정한 자기 자신에 도달하는 것 같은 기아와 목마름이, 본래 영원의 자기에 휴식하기까지는 소홀히 하는 것을 사는 것과 다르다.

그렇지만 그들의 고향은, 천상에 있는 것과 함께 지상에 있다. 영원을 추구하는 그들은, 지상의 유한한 존재다. 그들은 영이고, 또 함께 육이다. 윤리적 실존에 있어서, 그들의 영과 육은 상호 영적인 힘을 얻을 수 있는 곳을 길들여서 대항해 싸운다. 그들을 찢어 윤리적 실존이란, 그들의 영과 그들의 육과의 증오를 채운 포옹이다. 이리하여 그들은 성 바오로와 함께 한다고 말하는 것이겠죠. 이리하여 윤리적 실존에 있어서도 또, 사람은 절망의 포로이다.

절망絶望으로부터의 구원救援—그리스도

인간의 현실은 실존이고, 실존은 절망이다. 절망은 죽음에 이르는 병이다. 따라서 절망은 죄라고 키엘케골은 말한다. 그렇다면 죄란 대체 무엇일까? 인간이 신으로부터 떨어져있는 것이다. 유한성의 가운데 이해되는, 영원과 심연을 갖고 가로막힌 존재인 것이다. 수많은 문학적, 철학적 저작 가운데, 키엘케골은 이런 점에 사람을 가르치고 있다.

그런데 성 바오로는 말했다. 「나는 지극히 비참한 인간일 뿐이죠! 이런 죽음 몸에서 나를 구해주는 것은 누군가?」. 죽음에 이르는 병·절망으로부터 사람은, 어떻게 해서 구원을 받을까? 바오로는 말한다. 「이 죽은 몸에서부터 나를 구원해주는 것은 누굴까? 나의 주 예수 그리스도에 의해 신은 감사할 뿐이라.」 이것이 그대로 키엘케골 의 대답이다.

6, 철학哲學의 부정否定
키엘케골의 저작著作의 사명使命

일단, 수십 권에 이르는 그의 문학적, 철학적 저작의 풍부함은, 그가 친히 설명하고 있는 것 같이, 그리스도교에 사람을 인도하기 위해 초대하는 것에 지나지 않는다. 그가 사랑한 소크라테스의 흉내를 내서 그는, 신앙의 밖에 있는 사람들에게 그 각각의 단계에 응해서 교묘하게 보조를 함께하면서, 언젠가 신앙의 호구戶口까지 사람들을 인도한다. 그 자신의 말을 빌리면, 사람을 신앙의 호구까지 「감쪽같이 속이다」 「달콤한 말로 꾀어내는 데」있다. 따라서 그의 철학적 제 저작은, 엄밀한 의미에서 그 자신의 사상을 표현한 것은 아니다. 실제로, 그것들은 복잡한 익명의 것으로 출판되었다. 그것들은 그가 신앙의 호구까지 사람을 꾀어내기 위해서 사용한 가면의 수들인 것이다.

역설逆說의 세계世界에의 비약飛躍—이성理性의 죽음

우리들은 지금 신앙의 호구까지 그에게 유혹하는 것에 어렵게 도달하겠죠. 여기에 다다르기까지 우리들이 더듬어 찾은 단계는, 일단 소홀히 하면서 철학적인 것이다. 그렇지만, 이 호구로부터 발을 일보전진하면, 그것은 이미 어떤 의미에 있어서도 철학은 아니다. 철학은, 유한한 인간 존재를, 그와 무한과의 사이를 가로막는 심연의 소沼까지 유도할지도 모른다. 그러나 철학은, 그 심연의 소에, 절망 가운데 사람을 내버려두는 것이다.

성서에서 말하고 있는 「나는 믿는다, 나의 불신을 도와준다.」고. 신앙이란 이런 것이겠지요. 심연의 소沼에 서성거리는 우리들로서는 「나에게 믿음이 없다」(즉, 「나의 불신」)이라고밖에 말할 수 없다. 무한한 것, 신은 알려질 수밖에 없는 것이다. 우리들의 실존은 「도와 달라」라고 신음하겠죠.

그러나 「내가 믿는다.」라는 것은, 우리들로서는 말할 수 없다. 철학은, 이렇게 고백하는 것이다. 따라서 그럼에도 불구하고 「내가 믿는다.」라는 것이 말하는 것은, 이미 철학—유한한 인간의 무한을 지향한 노력에 의해서는 아니다. 심연은, 다만 무한한 것의 경우에서만 이해할 수 있다. 즉, 「내가 믿는다.」라는 것은 보다 정확히 말하면, 「나는 믿어주는」것이다. 이것이 신앙의 세계, 종교성의 세계겠죠. 여기서는 철학—인간의 이성의 노력은, 전면적으로 부정된다. 그것은 비합리의 세계, 역설의 세계다.

우리들의 의문—왜 그리스도교에서는 해야 될까요?

그렇지만 우리들에게는 의문이 일어난다. 이런, 실존의 역설적 비약이 왜 그리스도교라는 특수한 역사 적 사회적으로 해당된 형태를 갖고 있다고 말해질까요? 당시, 덴마크에 있어서는 그리스도교는 국교의 위치에 있었다. 키엘케골은, 이런 상황의 기반에서, 그리스도교의 세속화를 강하게 공격해 봐도, 그리스도교 그 자체의 틀을 밟고 넘어서는 것은 결코 하지 않았다.

그렇지만 마호메트교에서는 아니고, 그리스도교가, 불교에서는 아니고 그리스도교가 역사적으로 해당되는 것으로서 그의 앞에 가로막은 것은, 그의 「주체성」에 관해 소위 우연한 것은 아닐까? 철학은 이런 우연적인 것에 의해 연관된 자기의 흐름을 진행하는 것을 부끄러워한다. 그것은 모든 것을 노래하고, 모든 것을 비판하고, 이성적으로 확실한 근거만 관련된 자기의 걸음을 나아가는 것이다.

그렇지만 그런 「이성」은 추상적인 것에 지나지 않는다고 키엘케골은 말하고 있겠죠. 확실히 어떤 의미에서는 그렇다. 그렇지만 그런 것은 키엘케골의 「비이성」「역설」이 실은 구체적인, 의외로 세속적인 형태에 있어서만, 현실에는 「실존」하는 그런 것을 의미하지 않는 것일까?

又 하나의 의문疑問—「단독자單獨者」와 「대중大衆」

여기서는 그의 「단독 자」에 관해서도 말한다. 「단독 자」란, 「이 나」이다. 그것만이 현실적이고 진리라는 점에서 「주체성」이다. 이 단독 자는 「대중」에 대립하는 것이다. 「『대중』은 진실하지 않다」라고 그는 말한다. 「영원과 신의 눈으로 보면, 바오로가 말하는 것처럼 『다만 한사람만이 목적지에 도달한다.』라는 것이 진실이다」(『단독 자』) 이런 「대중」이란 그에 있어서 구체적으로 무엇이었을까요?

그는 이렇게 쓰고 있다. 「대중—이런, 혹은 이 대중은 아니다. 살아있는 또는, 죽고만 대중은 아니다. 천賤한, 또는 먼 대중은 아니다. 부유한, 또는 가난한 대중 그 아무것도 아니다. 개념으로서 파악된 대중을 말한다.」라고. 그것은 「순수하게 형식상의 약속」이고, 결코 「귀족」의 대립물로서의 「서민」이 아니다. 「하늘에 계시는 신이여, 종교적인 것이 도대체 그런 비인간적 평등에 생각이 이르는 것이 있겠죠!」

그렇지만 키엘케골이여, 당신이 했다고 하면, 원래 그런 「추상적인 개념」은 무언가 「현실성」이라도 없는 허무맹랑한 「진실」이라도 없었던 것은 아닐까? 사실, 키엘케골 이 「실존」한 한, 그는 「단독 자」로서 구체적인 「대중」에 자기를 강하게 대립시키는 것을 쟁취할 수 없었다. 이 구체적인 대중이란, 하나는 현존의 그리스도교회이다. 따라서 또 하나는, 그것은 민주주의적 사회주의적 대중운동에 해당했던 것이다.

7, 철학哲學 사상史上에 있어서 그의 사상思想의 위치位置
헤겔 사상을 원천으로 하는 두 개의흐름

헤겔의 철학은, 장대한 객관적 관념론의 체계에 있다. 거기서는 모든 것이 신(절대적 정신)이 나타난다. 라는 것은 뒤를 되짚어 보면, 신은 이전에 신앙의 대상으로서의 성격, 지상의 존재에 대립하는 본질로서의 성격을 잃고, 현상된 본질, 즉 현실성이 되고 있다는 것을 의미한다. 종교는 이성화하는 것에 의해, 종교로서의 특질을 잃고 마는 것이다. 여기부터해서 헤겔 철학을 극복하기 위해 두 개의 정반의 방향이 생긴다.

즉, 하나는, 헤겔 철학에서 신학적 의상을 벗기고, 현실을 유물론적으로 이해하는 방향이다.

헤겔에게는, 현실은 본질로서의 신이 그가 창조한 세계로서의 존재와 합일하고 있는 점에서 사물로서 신비적으로 설명했지만, 이 설명은 지금은 신비의 옷을 벗고, 현상의 가운데 그 본질을 더듬어 찾는 것에 의해 현실을 그 살아있는 체로 파악하려고 하는 과학적인 방법에 변질되었다. 그런 것에 의해 헤겔의 「현실적인 것은 모두 합리적이다」라는 명제는, 현상적으로 현실로 보여 지는 것이 반드시 진정으로 현실적인 것은 아니고, 날마다 합리성을 잃어버리는 것을 계속하는 것은 일견, 아무리 현실적으로 강대해보여도, 실은 날마다 현실성을 잃어버리고 있는 것으로, 반대로 지금은 일견 어떻게 힘이 약해서 비현실적으로 보여도, 진정으로 합리적인 것은 반드시 승리하고 현실이 된다는 그런 혁명적인 명제에 전화轉化된다. 현실은, 신이라든가 절대적 정신이라든가 같은 필터를 통하지 않고, 그 자신에 따라서 그 구체적인 제諸 조건에 있어서 이해된다. 이것은 슈트라우스랑, 포이에르바하 등 「헤겔좌파」(청년 헤겔 파)를 통해 마르크스, 엥겔스에 이르는 방향이었다.

그러나 또 하나의 방향은, 헤겔에 있어서 「이성의 오만傲慢」이 신을 지상에 끌어내리는 것으로 돼, 신앙의 세계가 유명무실하게 된 것에 반발해 본질(신)과 존재와를 재차 갈라놓고, 그 사이에 심연을 만드는 입장이다. 이 입장에 있어서는 지상의 유한한 인간조건은, 이미 천상의 무한한 본질과의 연결을 갖지 않는다. 유한한 것과 무한한 것과는 심연으로 떨어져있다. 유한한 인간 존재에 관해 영원한 신적본질은 알 수 없는 것, 알려진 것이 있다. 따라서 인간에 있어서 현실적인 것은, 다만 이렇게 심연에 의해 신으로부터 떨어진 유한한 인간존재 즉, 실존만이 있다. 이것이 키엘케골의 입장이다.

두개 방향方向의 역사적歷史的 의의意義

  헤겔의 철학체계에 관해서 키엘케골이 들이댄 비판—여기서는 인간이 다만, 세계정신의 조종인형에 지나지 않는다고 생각된다는 비판은, 어떤 의미에서는 마르크스도 이것을 알고 있었지만, 그 자신 구체적인 역사적 의의를 갖고 있었던 것이다.

  그것은 아담·스미스 적인 「레쎄·훼르」(자유방임)의 시대의 종말, 부르주아사회의 모순이 하는 수 없이 세상에 드러나게 된 것을 반영하고 있다. 아담·스미스에 있어서 믿었던 「보이는 신의 손」의 신화는 깨졌다. 이 신화가 통용되는 한, 헤겔적인 객관적 관념론의 체계는, 특별히 개개인의 「주체성」「실존」과 모순되지 않고 존재한 것이지만, 그 신화가 무너져 이 모순이 노골적으로 알려진 때, 그 극복을 위한 두 개의 방향이 노출되게 되었다.

  전자는, 부르주아사회 그 자체, 그리스도교적 관념론적 의식 그 자체를 초월해 나가는 것이었다. 후자는, 부르주아사회의 내부, 그리스도교의 내부에서 그 부르주아사회 아니면 그리스도교를 비판했다. 이렇게 양자는 각각 그 단계적인 기초를 갖는다. 전자는 부르주아의 입장에 서고, 후자는 소小 부르주아의 입장에 섰던 것이었다.

참고문헌 參考文獻
『이것이냐, 저것이냐』 芳賀檀 譯 人文書院
『죽음에 이르는 병』 飯島宗亨 譯 創元文庫
『죽음에 이르는 병』 齊藤信治 譯 岩波文庫
『키엘케골 선집』 전13권 人文書院

XI맑스와 엥겔스

S1개관槪觀

ㄴ동자 계급이 형성

18세기 말 영국에서 시작된 산업혁명은, 기계제 대공업을 갖는 자본주의적 생산양식을 구축하는 과정을 거치면서, 기계제 대공업은 노동력의 착취를 위한 체제를 완성한다. 여기서 노동자는, 생산을 행하는 과정에서 그 잉여가치를 자본가를 위해 일하는 것으로 생각하게 되었다.

그러나 한편으로는 기계제 대공업은 자본주의의 생산력을 혁명적으로 상승시켜, 노동의 사회화를 촉진하고 노동자에게 단결을 위한 물질적 기초를 제공했다. 산업혁명이 진행함에 따라서 노동자들은, 사회주의자들의 지도에 따라서 노동조합을 만들고, 이것을 도구로 해 자본가에 대한 경제투쟁 즉, 생활 옹호를 위한 투쟁을 행했다. 이 노동조합은, 노동자를 「대자적」인 계급 즉, 자각적인 독자의 계급으로 형성되기 위한 고리였다. 이렇게 산업혁명은, 한편으로는 국민 대중을 한없는 자본주의적 생산에 끌어넣고, 그리고 한편으로는 국민 대중을 노동자 계급이라는 새로운 계급으로 개변시켰다.

챠티즘

그런데 영국에서는 1830년대 챠티즘(chartism)이라는 새로운 노동자운동이 시작됐다. 이 챠티즘 운동은, 프랑스혁명을 시작으로 여러 가지 부르주아혁명에 의해 획득된 민주주의적 자유를 노동자에게도 펼치려는 운동으로 특히, 노동자를 위한 선거권을 획득하는 것을 그 주요 임무로 했다. 그들은, 의회에 노동자의 대표를 보내 노동자에게 필요한 사회적 개혁을 실행하게 하는 것도 애쓴다.

이 챠티즘은, 노동자를 다시 정치적으로 조직하는 것을 목적으로 한다는 점에서 주목해야한다. 노동자는 노동조합을 조직하는 것에 의해, 경제적으로 통일할 가능성을 갖는다. 그러나 노동자는 다시 정치적인, 국가적인 권리를 주는 것에 의해 자기들의 단결을 다시 보증하는 것이 가능해진다. 즉, 노동조합 자체의 결성의 보증이, 이 정치적 국가적 권리인 것이다. 노동자는 자본가와 직접 경제적인 투쟁만이 아니고, 자기 자신을 정치적으로 통일하고, 따라서 부르주아 국가권력에 투쟁을 도전하는 것에 진정한 「계급」으로서 결성되게 된 것이다. 챠티즘은, 노동자에게는 이런 의의를 갖는 운동이었다.

독일의 노동자

맑스랑 엥겔스의 고국 독일에서도 노동자의 「계급」적인 결성이 진행됐다. 맑스주의의 세 개의 원천源泉

맑스주의의 사상체계는, 그 근저에 변증법적 유물론으로 부르는 철학을 갖고, 다시 그 위에 잉여가치학설을 중심으로 하는 경제학과, 계급투쟁 이론을 중핵으로 하는 사회주의 이론과를 포함하고 있다. 마르크스와 엥겔스는 또, 수학이랑, 자연과학에도 관심을 갖고 몇 개의 중요한 공적을 남기고 있다.

맑스와 엥겔스의 사상체계는, 그러나 이들 천재의 두뇌에 돌연 나타난 것이 아니고, 칸트랑, 헤겔로 대표되는 독일고전철학이랑, 스미스랑 리카드로 대표되는 영국의 경제학이랑, 프랑스 유물론의 전통을 이끈 산·시몬이랑 훼리에 의해 대표되는 프랑스사회주의 등의 선구적인 사상을 갖고 있다. 이들 세 개의 선구적 사상은, 각각 부르주아의 가장 진보적 요인을 형성하고, 혹은, 그것을 계승하고 있었던 것이다.

즉, 맑스주의는 전적으로 역사적인 산물이고, 따라서 사상사를 다시 일보 전진하는 곳에 위치시키는 사상체계였던 것이다. 맑스주의는, 특히 산업혁명을 배경으로 한 근대 프로랄테리아가 형성된 때에 탄생하고, 따라서 그 근대 프롤레타리아의 계급적인 자기해방을 위한 이론으로 됐다. 맑스주의의 사상체계는, 특히 사회과학으로서는 각 부문에 알려져 있고, 따라서 이들 모두에 관해서 기술하는 것은 여기서는 불가능하고, 그래서 여기서는 특히, 철학에 관해 서술하고자 한다.

포이에르바하

독일고전철학의 최대 철학자는 헤겔이었지만, 헤겔학파는 헤겔사후 우파, 중도파, 좌파로 3개로 나뉘어 서로 항쟁했다. 따라서 좌파에 속하는 포이에르바하(1804~72)는, 헤겔의 후계자 가운데서는 가장 진보적이고, 맑스랑 엥겔스에게 가장 강한 영향을 미쳤다.

포이에르바하의 철학에는 두 개의 큰 특징이 있다. 그 하나는, 포이에르바하가 인식능력으로서 감성을 존중하고, 감성에 의해 이해된 세계를 실재하는 것으로 본점이다. 이것은 영국의 경험론이랑, 프랑스의 유물론과도 공통된 유물론적인 견해지만, 포이에르바하는, 헤겔의 관념론을 전도시켜, 그것에 의해 헤겔의 철학체계에 포함된 유물론적인 요소를 인출해낸 것이다.

또 그 두 번째는, 포이에르바하가 인간학을 창도唱導한 것이다. 이점에서도 그는, 헤겔의 철학체계를 전도시켰다. 포이에르바하는, 헤겔에 있어서 신이 인간화된 것을 붙들고 이것을 전도시켰다. 이렇게 그는, 무신론에 일보 근접했다. 그러나 포이에르바하는, 헤겔의 변증법을 경시하고, 헤겔로부터 그 최대의 유산을 빼내는 데 실패했다.

자연과학自然科學의 발달發達

포이에르바하는, 맑스와 엥겔스가 유물론에 향하기 위한 전기를 만들었다. 그러나 맑스와 엥겔스가 독일고전철학으로부터 섭취한 최대의 것은 변증법에 지나지 않았다. 맑스와 엥겔스는, 요컨대 헤겔로부터 관념화된 변증법을 받아들여 이것을 유물론적으로 개작한 것이지만, 그 개작에 있어서 유력한 지지를 준 것은, 당시의 자연과학의 발전이었다. 라는 것은, 자연과학은 1830년대 이래 혁명적인 개조기에 들어서 새로운 발견만이 아니고, 이론적 개변도 차례차례로 행해졌다. 즉, 자연과학은 새로운 사실의 확인에 있어 자연의 제 연관을 갖고 자연 제 과학 상호간을 접근시켜 고정된 개념을 부수고, 대상의 유동성을 파악하는 역할을 했다.

S2마르크스·엥겔스의 생애生涯와 19世紀의 사회·문화社會·文化
S3철학적哲學的 유물론唯物論

유물론은 무릇 자연에 관한, 혹은 세계에 관한 특정의 철학적 견해이다. 유물론은 세계가 신의피조물이라든가, 세계가 무언가 알 수 없는 원인에 의해 무로부터 창조된데 있다 라든가, 라고 주장하는 사상(관념론)에 대립해서 세계는 자연이다, 즉, 세계는 독자적으로 일어난 「자연」이란 이런 의미다, 라고 주장하는 사상이다.

이것은 모든 과학에 공통적인, 따라서 기본적인 사고 태도다. 라는 것은 여기서는 대상이 대상 중에 있는 것에 의해 설명되고, 대상이 인위적으로 만들어진 요인에 의해 성립되는 것이 아니고, 따라서 과학의 진로를 방해하는 요인은 이론 구성 중에는 없기 때문이다. 거기서 철학은, 그 발생 시기 이전에 유물론적 철학으로 형성되고, 따라서 그 유물론적 철학이 과학의 기원으로 된 것이다.

맑스주의 이전의 기계적 유물론도 자연이 자연에 의해 성립되고, 자연에서 일어나는 제 현상은 자연이외의 아무 것에 의해서도 설명하는 것이 불가하다고 주장하는 점에서는, 유물론의 전통에 연해있다. 그러나 기계론적 유물론은 자연에 있어서 제 현상은 비분활의, 부동의 물질 요인(원자atom)의 결합이라든가, 운동은 본질적으로 위치의 변화에 있고, 따라서 운동은 순환 운동이 되는 것으로 귀결된다. 따라서 기계론적 유물론은, 자연을 기계론적 운동에 있어서 파악하는 것이 고작이다.

여기서는 자연을 발전에 있어서 보는 것이 불가능했다. 따라서 또, 사회현상을 자연의 연장에 있어서 이해하는 것이 불가하고, 사회현상에는 관념론적인 것이 지배하는 것으로 결론 진 것에 지나지 않았다. 그것은 아래쪽에서는 유물론이지만, 위쪽에서는 관념론이라는 특징을 갖고 있다.

철학을 실천으로 시작하다.

맑스주의 철학은, 그 출발점에 있어서 종래의 유물론과는 중요한 점이 차이가 있다. 맑스주의는, 철학을 단순히 「지」로부터 시작하는 것이 아니고, 「실천」부터 시작한다. 환언하면 마르크스주의는, 철학은 근본적으로는 세계를 변혁하는 태도를 가져야한다고 주장한다. 따라서 맑스주의에 있어서는, 「진리」는 단순히 「이론」의 문제가 아니고, 그것은 무엇보다도 「실천」의 문제다. 이것은 철학을 인간의 생활과 다른 곳에서 구하는 것이 아니고, 인간생활의 기초위에 철학을 쌓아가는 것이다.

「실천實踐」이 갖는 세 개의 의의

(1)「知」는 자연자체를 기초로 하는 것만이 아니고, 본질적으로는 인간에 의한 자연의 변화를 기초로 하는 것이라, 따라서 「知」는 인간이 자연을 변화시키는 것에서 풍부해진다. 마르크스주의의 이런 생각에 있어서는 인간의 「知」 즉, 철학이랑, 제 과학은 인간의 「실천實踐」 즉, 산업이랑, 사회적 활동이 발달하는 것에 비례해서 역사적으로 발전하는 것이 주장되고 있는 것이다.

(2)마르크스주의는, 인간의 「知」에는 한계가 있고, 그 한계보다 앞은 「신앙」에 의한 것 이외에는 어쩔 수 없다는 생각을 근본적으로 파괴하고 있다.

(3)인간의 「知」는 따라서 그 최고의 움직임인 「철학」도 일반대중의 실천이랑, 생활의 기초위에 쌓여 영위되는 것이고, 따라서 「철학」을 특수한 재능을 갖는 천재만이 관계하는 성스런 일이라고 생각하는 것은 잘못이고, 철학은 모든 인민에 해방된 일이다. 맑스주의는 「철학」을 유관자의 폐쇄된 위안으로부터 해방시켜, 그것을 근대사회에 있어서 대표적인 인민인 프롤레타리아와 결합하는 것을 꾀했다.

맑스주의의 「실천」개념에는 주의할 것이 있다.

맑스주의는 「실천」을 중시하고 있지만, 「실천」과 「철학」 혹은, 「이론」을 동일시하는 것은 아니다. 독일고전철학의 칸트는, 「실천이성」을 「이론이성」과 구별하고 있는 데, 따라서 「실천이성」과 「실천」 그 자체를 구별하는 것은 불가능했다. 또, 피히테랑 헤겔에 있어서는 「실천」이란 이성의 「움직임」 즉, 「철학하는 것」 그것이다. 여기서는 독일고전 철학의 간념적인 특징이 보인다.

맑스주의의 「실천」개념은, 독일고전철학의 경우와는 다르다. 맑스주의에 있어서는 「실천」과 「철학」혹은, 「이론」과의 관계는 다음점이다. 「실천」은 「철학(이론)」의 기초지만, 그것은 「실천」이 「철학(이론)」에 과제를 주어, 「철학(이론)」은 「실천」의 지침이 되어, 「철학(이론)」은 「실천」에 의해 검증되는 그런 구조를 갖는 것이다.

철학 상哲學 上의 이대二大 진영陣營

맑스주의는 철학을 「유물론」과 「관념론」의 두 개 진영으로 구별했다. 혹은 맑스주의는, 자기의 「유물론」을 「관념론」에 대항시켜, 이것을 공격해서 극복하기 위한 철학으로 봤다. 철학사를 자연을 근거로 보고, 자연으로부터 정신이 파생된다는 「유물론」과, 정신에 대해서 자연을 근거로 보는 「관념론」과의 대립이라는 것을 명확히 한 것은 마르크스주의였다.

진리에 관해서

마르크스주의는 「진리」론에 있어서 견해는 무한한 자연세계를 인정하고, 이것을 늘 무한히 인식하고 있는 것이 가능한 것을 주장하고 있는 것에 다름 아니다. 이점에서도 마르크스주의는, 유물론의 입장을 철저히 관철하는 것을 엿볼 수 있다.

마르크스주의는, 철학사에 처음으로 자연발생적인 유물론을 인정하고 있지만, 마르크스주의 자신이 유물론의 입장을 철저히 관철하는 것에 의해, 최후의 철학이라고 하고 있다. 따라서 마르크스주의는, 유물론의 입장을 철저히 관철하기 위해 변증법을 방법으로서 채용하고 있는 것이다.

S4변증법辨證法

유물론적唯物論的 변증법辨證法에 마르크스와 엥겔스는, 헤겔의 변증법을 유물론적인 자연 관을 받아들였다. 거기서 헤겔의 변증법이 「관념론적 변증법」으로 부르는 것에 대해서 마르 크스주의의 변증법은 「유물론적 변증법」으로 불렸다.

주관적主觀的인 변증법辨證法과 객관적客觀的인 변증법辨證法

인간사고의 일반적 운동법칙은, 자연의 일반적인 운동법칙의 「모사」혹은 「반영」이다. 즉, 「주관적 변증법」은, 자연 전체에서 행해지는 「객관적 변증법」의 「모사」다. 다시 「객관적 변증법」그 자체는 그 「모사」인 「주관적 변증법」으로서만 이해하는 것이 불가하 다. 그것은 자연의 사물은 어떤 사람의 눈에는 비치느냐에 따라서 이해할 수 없는 것은 같다. 따라서 이것을 역으로 얘기하면, 그리고 일정한 역사적 조건을 고려하면 「주관적 변증법」은 「객관적 변증법」그 자체다.

변증법辨證法의 기본법칙基本法則

그런데 마르크스주의는 「변증법」 즉, 본래는 「객관적 변증법」으로서 다음과 같은 법칙을 열거하고 있다.

(1)양적변화가 질적 변화를 초래하는 것. 또 질적 변화는 양적변화를 촉진하는 것.

(2)세계에 있어서는 서로 대립하고 싸우면서도 서로 영향을 주고, 의존하는 입장을 취하는 등의 제 경향 제 측면이 있는 것.

(3)사물의 발전은, 최초의 상태가 부정되고 다른 상태로 변하는 것과 함께 그 상태가 다시 부정되어 이전의 상태로 변하는 외형을 갖고 일어나는 것.

질質과 양量

어떤 「질」이 다른 「질」로 전화하는 것을 더욱 세심하게 주의해서 관찰하면, 어떤「질」에 관해서 말하면, 그 「질」에 있어서 「양」의 점차적인 변화가 진행되고, 그 양적인 변화의 진행이 어느 점에 이르면, 그 「질」이 다른 「질」로 전화하는 것을 알 수 있다. 극언하면, 어느 「질」이 다른 「질」로 전화하는 것(질적 변화)의 원인은, 어느 「질」내의 「양」의 변화가 있는 것이 가능하다. 이것을 간단히 양적변화가 질적 변화를 가져온다고 부른다. 다시 다른 질이 새롭게 발생하는 것에 의해, 거기에 또 새로운 양적 변화가 시작된다.

대립 물對立 物의 상호침투相互浸透

(2)위에서 이「모순」이란 어떤 주어에 술어(A)와, 그 술어의 부정(-A)이 동시에 만들어진 사태 즉, 예를 들면 이 꽃은 빨갛다, 그리고 동시에 빨갛지 않다, 라고 말해지는 사태이다. 그런 「모순」이란 사태를 내부에 포함하고 있는 만큼 어떤 사물은 변화하는 것이다.

그런데 어느 사물의 내부를 더욱 분석해보면, 그 사물이 변화하는 과정에 있어서 일방의 측면과 다른 측면과는 각각 「반대」의 성질의 제요소가 있어, 그 상반되는 쌍방의 요소가 서로 싸우는, 또 상호작용하는 것을 알 수 있다. 그래서 이들 상반되는 제요소가 하나의 전체를 형성하고 있다.

부정否定의 부정否定

(3)사물의 변화는, 이상과 같이해서 낮은 단계로부터 높은 단계로 올라가는 「발전」이다. 그때, 어떤 사물로부터 그 반대의 사물로 전화하는, 앞선 두 개의 사물의 성질을 합하면, 일시에 최초의 점으로 돌아가는 것 같은 형태로, 사물은 보다 높은 단계에로 올라간다. 예를 들면, 하나의 보리가 썩어 싹이 나고, 다시 수백의 밀알을 맺게 된다. 이것을 $+ \rightarrow - \rightarrow \pm$라는 부호로 표현하는 것이 가능하다. 그러나 이것은 사물의 「발전」을 외형적으로 본때의 특징이다.

그러나 사람들은, 이 외형만 취해 (1)(2)에 나타난 것 내적인 사정을 무시하고, 그것을 변증법이라고 부르고 있다. 그러나 이렇게 이해된 것은 변증법이 아니고, 변증법에 유사한 「삼분법」에 지나지 않는다.

S5헤겔의 변증법과 마르크스주의의 변증법
관념론적觀念論的 변증법辨證法

보통, 헤겔의 변증법은 「관념론적 변증법」으로 부르고, 맑스주의의 변증법은 「유물론적 변증법」으로 부르고, 이들은 대립하는 것으로 생각하고 있다. 그러나 이것은 「변증법」에 관념론적인 것과, 유물론적인 것과의 두 개가 있어서, 그 어느 것도 바른 의미로 「변증법」이라고 말하는 것은 결코 아니다.

바르게 말하면, 헤겔에게는 「변증법」적인 생각이 있지만, 그러나 헤겔 사상의 본질적인 성격은 관념론에 있는 데, 헤겔의 변증법은 「변증법」으로서도 불완전하고, 따라서 「관념론적 변증법」으로서 경멸적으로 표현되기까지 이르렀다.

세상에는 헤겔이 사상이랑, 인식에 있어서 「변증법」의 법칙을 발견하고, 이 「관념론적 변증법」에도 반면에 바른 것이 있다고 하는 주장이 있다. 그러나 자연에 관해서도, 의식에 있어서도, 그것이 「변증법」적인 사고에 있는 한, 그것은 유물론을 기초로 해서 성립된 것이고, 또 유물론적인 사상체계의 확대에 역할을 한 것이다. 따라서 「변증법」이란 정확히-엄밀히 말하면 「유물론」만 조화하는 「방법」이다.

삼분 법三分 法과 변증법辨證法

엥겔스는, 헤겔의 철학에는 「체계」와 「방법」과의 모순이 있다고 말하고 있다. 그것은 헤겔 철학의 관념론적인 「체계」가 헤겔 철학에서 사용되는 변증법적인 「방법」과 모순되는 것이라는 의미다. 즉, 헤겔 철학에서는 관념론과 변증법과의 모순이 있는 것이다. 「체계」를 적용하기 위해서는 변증법의 이름과 함께 삼분법을 사용하고 있다. 거기서 「관념론적 변증법」이란, 가능한 한 이 삼분법이지만, 그러나 정확히는 삼분법은 「변증법」이 아니다.

헤겔은 「변증법」적인 생각에서는 ①대상의 내용을 분석하고, 그 내용에 있어서 작용하는 것을 이해해서 ②그리고 그 움직이는 것을 어디까지나 작용하는 것으로서 이해하는 것은, 대상의 내용이 모순에 있는 것을 이해하는 것이다, 라고 말했다. 이것은 마치 유물론적인 태도이고, 헤겔이 역립逆立한 유물론으로 부르는 탓도 여기에 있다.

그러나 헤겔은, 동시에 관념론적인 생각에 있어서, 우선 완전한 도식(이념)을 생각하고, 이 도식에 연구대상(자연)을 꼭 들어맞혀 그 대상에 있어서 불충분한 부분을 미리 생각한 도식을 갖고 보충하는 그런 방법을 취했다. 여기서 사용되는 것이 삼분법인 것이다. 헤겔의 삼분법은 헤겔이 「이념」으로부터 「자연」이 나오고, 그 「자연」이 결국 「이념」으로 되돌아가는 그런 원환圓環을 그리고 있는 관념론과 조화해서 그 방법으로서 어울리는 것이다.

삼분법은 외견상 누차 변증법에 유사하지만, 그러나 모순을 대상의 본질로 해서 해결하는 것이 아니고, 모순을 관념상의 경우에 의해 해결한다. 여기서는 진정한 발전은 일어나지 않는다. 여기에 관해서 유물론적 「변증법」에서는, 대상에 있어서 모순의 해결은 출발점에 있는 것 이상의 구체화가 있어, 보다 높은 발전이 있다. 거기서는 삼분법에서는 ①미리 도식이 정해진 것으로 「실천」에 의한 검증의 필요가 없다. 또, ②낮은 단계에 있어서 취해진 추상적인, 일반적도식이 높은 단계에있어서 구체적인, 특수한 사물의 연구에도 그대로 꼭 들어맞는다.

여기에 대해서 변증법에서는 ①「실천」은 변증법적인 「방법」의 불가피한 과정이고, 또 ②보다 높은 단계에 연구를 진행하는 데 있어서 종래의 성과를 밟아가면서도, 그 보다 높은 단계의 영역에 있어서 특유의 모순을 연구할 필요가 있는 것이다.

S6유물사관唯物史觀

유물사관은, 별명을 사적 유물론으로 부른다. 마르크스주의의 특색은, 오로지 이 유물사관에 있다는 것이라는 논자가 있다. 사실, 마르크스주의에서는 유물사관, 혹은 그 적용인 제 과학, 예를 들면 경제학이랑, 역사학에 많은 업적이 오르고 있다. 그러나 유물사관, 즉 유물론적 역사관은, 고래부터의 유물론적 태도를, 사회의 역사에 있어서 보는 방법까지 추진하는, 관통하는 것이다.

즉, 유물사관의 근본적인 보는 방법은, 사회사를 자연사로 보는 것이라는 것. 덧붙이면 자연사의 발전 연장선상에 인간의 사회를 보는 것이라는 것이다. 그런데 그러기 때문에 자연을 변증법적으로 즉, 발전으로서 이해하는 것이 필요해 졌다. 거기서 변증법적 유물론이 확립되기 시작해서 유물사관도 가능한 것으로 되었다.

노동이 인간을 만들었다.

마르크스주의는, 인간은 동물 즉, 원숭이로부터 진화한 것으로 종교가 말하는 것같이, 신에 의한 특별한 피조물은 아니라고 생각했다. 그래서 마르크스주의에 의하면, 이때 인간과 다른 동물과를 구별하는 특징은 인간이 「노동하는」것이다. 「노동하는」것이라고 말해도, 인간이 단지 수족을 움직이는 것만이 아니다. 「도구」를 이용해서 생산하는 것에 있다. 그러나 진정한 노동은, 「도구」의 제조와 함께 시작되었다고 말해진다.

그런데 인간은 동물로서 원래 집단적인, 혹은 군거생활을 영위하고 있다. 단독으로 생활하는 동물은 있을 수 없다. 그러나 이동물이 인간으로 돼 「노동」하는 것으로 되면, 군거는 「사회」로 변한다. 「사회」란 「노동」에 있어서 「도구」를 중개로 해서 결합된 인간관계다. 따라서 인간의 「노동」은 항상 「사회적노동」이다.

국가國家와 계급階級

마르크스주의에서는, 이 「생산력」과 「생산관계」와의 관계, 혹은 인간이 결부된 여러 가지 업무의 「생산관계」를 총괄해서 사회의 「토대」라고 부른다. 이 「토대」의 특징은 말할 것도 없이, 인간이 영위하는, 오로지 「물질적인」생산에 연관된 것이라는 점이다. 이 「물질적」이라는 것은 인간이 「물질」을 생산하는 것만 아니고, 생산의 업무과정 자체가 「도구」를 이용하는 점에서의 「노동」에 있는 것을 의미한다.

그런데 「생산관계」가 종국적으로는 소유권 관계를 의미하게 되면, 거기에는 소유권의 유지라는 법률문제가 생긴다. 법률문제라는 것은, 「물질적」인 생산과정을 이전에 떠나서, 사회 전체의 의지에 연관된 문제로 된다. 즉, 소유권을 유지하기 위해서는 사회전체가 그 소유권을 승인하는 것이라는 것, 그 소유권을 침해하는 자를 처벌하는 것을 필요로 한다. 소유권이 사유로 형성된 때, 사회에는 특별 조직이 필요해 진다. 즉, 사유를 지키기 위해서는 「국가」라는 권력기구가 만들어진다.

「국가」의 제일의는, 우선 사유재산의 옹호에 있다. 소유관계에 있어서는 특히, 사유에 있어서는 인간은 「도구」—넓은 의미에서는 「생산수단」—에 관한 소유자와 비소유자로 나뉜다. 그들은, 각각 생산에 대해서 다른 역할을 이행한다. 이 소유와 비 소유에 의해 구별된 인간의 집단을 「계급」이라고 부른다.

「계급」이라는 인간집단은, 이상과 같이 생산에 기초를 갖고 있지만, 하나의 「계급」즉, 비소유자의 「계급」에 대항해서 자기 소유재산을 지키기 위해서, 실은 어떤 국가를 만든 것이다. 「국가」란 즉, 외견상으로는 사회전체의 의지의 표현이라는 형을 갖고 있지만, 실질적으로는 지배계급의 다른 계급에 대한 「계급」적 지배의 도구에 지나지 않는다. 또, 피지배계급도 여러 가지 수단을 사용해서 특히, 정당을 선두에 세워 지배계급과의 계급투쟁을 행하는 것이다.

이데올로기란

이상과 같이 생산수단의 소유에 관해 결부된 「계급」적 제 관계는 어떤 「토대」에 대해서, 사회의 「상부구조」로 불린다. 「상부구조」에 있어서는 「계급투쟁」을 진행하기 위해 당면한 「국가」든가, 「정당」이든가, 그 외의 법률적, 정치적 제도가 만들어졌지만, 그 외에 일견 「계급투쟁」이란 무관계한 것으로 보여서 실은, 「계급투쟁」에 중요한 역할을 하는 점에서 철학, 예술, 종교 등의 영위도 행해진다. 이것을 특히 좁은 의미에서 「이데올로기」라고 말한다.

인간사회人間社會의 역사歷史

맑스주의는, 사회의 「토대」로부터 「상부구조」까지 통일적으로 파악하는 점에서 우선 역사주의적이다. 다시 맑스주의는, 인간이 동물의 시대로부터 금일까지 발달해온 경로를 명확히 한다. 역사적 시대는 「토대」의 성격, 특히 「생산수단」의 소유의 양식에 의해 특징 지워진다.

(1)원시공동체—토지도 도구도 생산하는 사람들의 공유하고, 인간에 경제적 평등이 지배적이다. 계급이 없다.

(2)노예제—생산 하는 인간은 어떻게 생산수단을 소유하지 않고, 게다가 생산자 자신이 매매의 대상으로 된다. 노예의 계급과 자유민의 계급.

(3)봉건제—생산하는 인간은 일부의 농기구만을 소유하고, 생산수단은 소유하지 않는다. 토지는 소유하지 않는다. 농노의 계급과 영주의 계급

(4)자본제—생산하는 인간은 노동력만을 소유하고, 생산수단은 소유하지 않는다. 임금 노동자의계급과 자본가의 계급.

(5)사회주의 제—주요한 생산수단이 공유와 나란히 국유다. 무계급을 지향한다. 「상부구조」의 전 구조를 변혁하지 않으면 안 되는 변화는 「혁명」혹은, 「정치혁명」이라고 부른다. 이「혁명」자체는, 상술한 역사적 제 계급諸階級을 구절區切하는 것이다. 따라서 「혁명」자체가 사회의 새로운 진보의 어머니이다.　　　　　　　　　　참고문헌參考文獻

XII체르니셰프스키/속屬한 당파黨派

「변혁은 피하기 어렵고 정당하다. 민중은 이윽고 그들의 필요에 응했다. 따라서 진리에 응한 철학적 견지에 도달하는 것이겠죠. 변혁을 위해 싸우는 사람들이 그 철학적 견지에 있어서 동요하지 않는 때가 오면, 그것은 동시에 사회생활에 있어서도 새로운 원리의 신속한 승리의 징표이겠죠. 그런 때가 우리들의 시대에 올까. 그러나 언제가 다음 시대는 반드시 그것을 완수하겠죠. 」『철학哲學의 인간적人間的 원리原理』

S1체르니셰프스키—생애生涯와 저작著作
생활生活이 그 사상思想의 거울 같은 철학자哲學者

1840~60년대의 러시아는, 혁명적 민주주의로 부르는 일단의 사상가·철학자들이 있었다. 체르니 셰프 스키는, 그 후반기(50~60년대)를 대표하는 철학자이고, 헤겔이 독일 관념철학의 완성자라면, 그런 의미에서 혁명적 민주주의 사상의 완성자이다.

철학자 중에는, 그의 생활 자체가 그 사상의 충실한 거울이 된 것 같은 유형의 사람과, 그렇지 않은 사람 유형의 사람들이 있다. 칸트랑 헤겔 같은 사람들은, 앞의 유형의 철학자고, 그들의 대학교수로서의 생활만을 보면, 그 사상이 어떤 것인가는 거의 알 수 없다. 체르니셰프스키는, 이에 반해서 예를 들면, 소크라테스와 같이 그 생활자체가 마치 그의 사상의 체현인 것 같은 철학자였다. 혁명적 민주주의 사상은 일반적으로 러시아의 농민해방을 혁명적 수단에 의해 달성하려고 하는 사상이었다.

그렇지만 혁명적 민주주의자들 가운데는, 탄압을 피해 외국에 망명하거나, 거기서 문필활동을 지속하는 사람도 있었다. 그러나 체르니셰프스키는, 탄압을 피하지 않고 이것을 정면으로 부딪쳤다. 25년 이상 지속된 그 고난의 생활에 굴하지 않고, 거기에 감당할 수 없는 뒷받침을 한 것 자체가 마치 그의 철학이었다.

1, 체르니셰프스키가 살았던 시대
농노제農奴 制의 나라 러시아의 사회상태社會狀態

일인의 철학자가 왜 그런 고난의 길을 스스로 선택했을까, 라는 것을 이해하기 위해서는 우선, 그가 살은 시대, 그가 놓인 사회는 어떤 상태에 있었을까, 라는 것을 알고 있지 않으면 안된다.

러시아의 사회는 상당히 오래전부터 봉건적 농노제와, 그 위에 우뚝 솟은 챠르주의를 기초로, 일체의 사회적 지적발전을 저해해, 빈곤과 예속, 무지와 비참 가운데 허덕이고 있었다. 크리미아 전쟁의 패배는, 만약 러시아가 멸망을 원하지 않으면, 농노해방의 길에 나가는 외에는 없는 것을 모든 사람들 앞에 밝혀졌다.

그것은 민주주의 혁명의 전야였다. 그런데 러시아에서는, 서유럽의 경우와 달리, 당시 여전히 봉건적 지배계급에 대립해서 반봉건혁명의 기旗를 흔들 정도로 성장한 시민계급(부르주아지一)은 존재하지 않았다. 러시아에서는, 그들은 황제의 보호 하에 지주세력과 타협하고, 극히 기생적으로 생활하고 있는 것만으로, 사회적으로 자주적인 세력으로서는 마치 등장하지 않았다. 이것은, 하나는 러시아 자본주의의 후진성에 의한 것이지만, 그러가 다시 다른 원인도 있었다.

1848년의 혁명이후革命以後의 부르주아지의 반동화反動化

그것은 세계사적인 상황이었지만, 그 당시 모든 서유럽에 있어서도 부르주아지는, 봉건적 지배계급에 대해서 싸우는 것을 그치고, 새로운 사회적 세력으로서 대두돼온 노동자계급에 적대하기 위해서는, 옛날의 구적仇敵과 소위 타협을 싫어하지 않았다. 1848년의 혁명은 이 사정을 결정적인 것으로 했다. 자유와 민주, 진보와 평등의 깃발은, 이 당시 이전에 세계적으로, 부르주아지의 손에서 떨어져나갔다.

농노해방農奴解放의 두 개의 길

농노해방이 피할 수 없게 된 것은, 이전에 차르만이 알아챘다. 그렇지만 문제는 어떻게 해방되는 가 이었다 . 그래서 물은 것은 두 개밖에 없었다. 농민의 입장에서 해방일까, 지주의 입장에서 「해방」일까? 왜냐하면 당시 러시아에서는 기본적으로는, 이 두 개의 계급밖에 없었기 때문에, 체르니셰프스키를 그 최대의 대표자로 하는 1860년대의 혁명적 민주주의자들은, 농민계급의 계급적 이익을 대변하는 이데올로그인 농민의 입장에서서 해방을 요구했던 것이다.

2, 체르니셰프스키의 생애

포이에르바하의 제자弟子 체르니셰프스키는, 1828년에 러시아의 사라토프에서 한 성직자의 가정에서 태어났다. 신학교를 중퇴하고, 18세 때 하이델베르크 대학의 역사언어학과에 입학했다. 그 이전에 그는 지방도시에서도 손에 넣은 책밖에 읽지 못했지만, 그때부터 좋은 도서관을 이용할 수 있게 됐다. 만년에 그 자신이 술회한 것에 의하면, 그 이전에 그가 알고 있었던 것은, 헤겔 체계의 러시아어에 의한 지극히 불완전한 서술이었다. 그가 헤겔을 원본으로 아는 것이 가능한 때, 그는 그 제 저작을 독파했다.

원본으로 보면, 헤겔은 그가 러시아어 서술로 기대한 것보다도 줄곧 그의 마음에 들지 않았다. 그 원인은 러시아에 있어서 헤겔의 연구자의 그의 체계를 헤겔 좌파의 정신으로 기술한 것이었다. 원본에 있어서 헤겔은, 러시아어들로 서술한 어떤 헤겔보다도 줄곧 17세기의 철학자에 스콜라학자에게만 비슷한 것이었다. 과학적인 사상의 형성을 위해 그것이 무익한 것이라는 것이 분명히 있었기 때문에, 독서는 지루했다.

그런 과학적인 사상의 형성을 하는것같이 엿보는 이 청년의 손에, 이때 우연히도 포이에르바하의 주요 저작의 하나가 있었다. 그는, 포이에르바하의 저작을 열심히 되풀이 읽었다.

체르니셰프스키는, 같은 장소에서 헤겔 철학의 해체 과정을 서술했기 때문에, 헤겔 좌파가 헤겔의 형이상학적 체계극복을 위해 행한 아슬아슬한 노력을 다각화해 평가하고, 그러나 포이에르바하를 들여다보는 것은 충분히 철저하지 않고, 수많은 형이상학적 남은 찌꺼기에 착 달라붙어 있는 것을 비판하고 있다. 이렇게 그는 자기를 「포이에르바하의 제자」로 부른 것이다.

「현대인現代人」지誌에 의한 활동活動

1856~62년까지 체르니셰프스키는, 『現代 人』이라는 잡지를 주재하고, 쯔아리즘의 냉엄한 검열 탓에 정치·경제·역사·문학·미학·철학의 각 분야에서 전투적인 붓을 휘둘렀다. 이 잡지가 어떤 경향이었던 것인가는, 1861년에 검열위원회가 작성한 문서에 의해 잘 알려지게 되었다. 그것은 이렇게 서술하고 있다.

「『現代 人』지誌의 논문은, 여전히 종교에 관해서는 모두 그리스도교적 영향을 받지 않고, 법에 관해서는 현 질서에 반대하고, 철학에 관해서는 조야한 유물론에 가득차고, 정치에 관해서는 혁명을 변호하고, 온건한 자유주의를 배척하고, 사회에 관해서는 상류계급을 경시하고, 여성을 극도로 이상화하고, 하층계급에 이상한 애착을 보이는 것이다.」

고발告發·발금發禁·체포逮捕

그 당시 반동적 사회세력은, 그들 「사회주의자」-「광란하는 데마고그의 일대一隊」라고 부르고, 특히 그 두목인 「교활한 사회주의자」인 체르니셰프스키를 추방하는 것을 정부에 요구했다. 쯔아 정부는, 1862년 6월에 『現代 人』지誌를 판금시키고, 동년 7월에 체르니셰프스키를 체포하고, 페트로파와로프스쿠 요새에 구금했다. 그는 거기서 유명한 소설 『무엇을 해야 할 것인가』를 썼다.

1864년에 체르니셰프스키는 판결을 받고, 시베리아의 오지 야쿠츠쿠주 빌류이스크에 유형에 처해졌다. 그 판결문에는 이렇게 서술돼있다. 「체르니셰프스키는 그 문학적 활동에 의해 청년에게 큰 영향을 미치게 하고, 청년에게 극단적인 유물론 혹은, 사회주의 사상을 널리 알리고, 법에 의한 정부 혹은, 현존질서의 도괴倒壞를 가져온 상기 사상의 실현수단으로 되는 특히 유해한 선동자이다.」

유형 지流刑 地에서의 생활生活과 사死」

청년들을 독毒으로 하는 죄상은, 옛날 소크라테스에게 누명을 쓴 것은 동일했다. 판결을 받았을 때, 소크라테스는 이미 연로했지만, 체르니셰프스키는 아직 젊었다. 그 후 그는, 시베리아에서 19년간, 다시 1883년에 이번에는 염열炎熱의 땅 아스트라한에 이주돼서 6년, 통산 25년간의 지극히 긴 유형생활을 보냈다. 그 사이 대 사면大 赦勉의 청원請願만 쓰면 본국에 돌아가게 해준다는 그런 쯔아 정부의 유혹을 거부하고 관철했다. 이전에 젊은 시절부터, 이런 고난의 생활이자기의 전도에 오기를 기다리는 것을 예기했다. 25세 때 결혼하기 전에, 그 약혼자에게 자기에게는 고난의 운명이 필시는 죽음이 기다리고 있을지 모른다, 라고 말했다. 그러나 그는 감히 그 길을 가고, 자기가 이 고난의 생활을 선택한 것이다.

1889년 처와 아들의 소원에 의해, 체르니셰프스키는 고향의 마을 사라토프에 돌아가는 것을 허락받았지만, 사람들은 이전에 허리가 구부러지고, 흙색의 얼굴을 하고, 깊은 병색이 그의 생명을 앗아갈 위험에 고민하고 있는 그를 보았다. 사라토프에 있을 때, 4개월도 못돼서 그는 죽었다.

3, 체르니셰프스키의 저작著作

그는 지극히 광범위한 이론적 관심을 갖는 사람이었는데, 그의 저작은 지극히 다양한 지식

부문에 걸쳐있다. 그 중요한 것은, 다음과 같다.

『현실에 대한 예술의 미학적 관계』, 『러시아 문학의 고고리시대 개요』, 『공동체적 소유에 반대의 철학적 편견의 비판』, 『철학의 인간학적 원리』, 『밀의「경제원리」에의 평해』, 『자본과 노동』, 『수신인 명이 없는 편지』, 『경제활동과 입법』, 『무엇을 할 것인가』, 『프로로그』.

S2체르니셰프스키의 학설學說

1, 철학哲學의 당파 성黨派 性

당파 성黨派 性의 입장立場에선 과거過去 철학哲學의 이해理解

체르니셰프스키는, 그의 『철학의 인간학적 원리』에서「각각의 철학자는 그가 속한 사회에 있어서 그 시대에 우월을 다투는, 정치적 당파의 어떤 것인지의 대표자인」것이라고 쓰고 있다. 그는, 이 당파성의 입장에 관해, 과거의 제諸 철학자들을 다음과 같이 성격 지었다.

홉스는 절대주의자이고, 록크는 휘그당원이고, 밀턴은 공화주의자고, 몽테스큐는 영국풍의 자유주의자이고, 루소는 혁명적 민주주의자였다. 칸트는 독일에 자유를 혁명적인 방식으로 도입하면서 테러리스트 적 수단을 싫어한 당파에 속했다. 쉐링은 혁명에 놀라 중세의 제도의 폭력성을 요구하는, 독일에 봉건국가를 재흥시키는 것 같은 당파의 대변자였고, 헤겔은 온건한 자유주의자로, 그 결론에 있어서는 극도로 보수적이지만, 극 반동極 反動과 싸우고 있는 것은, 혁명의 원리를 채용하는 것이라는 입장에 서있다.

「이들 사람들이 사인私人으로서, 그런 신념을 갖고 있는 것이라는 것은 없다」라고 체르니셰프스키는 말한다.「문제는 그의 철학체계가, 체계의 작자가 속하는 정당의 정신에 의해 관통하고 있는 것이라는데 있다.」

체르니셰프스키—자신이 속屬한 당파黨派는

그는, 이전에 서술한 것같이 농민의 입장에서 농노해방을 실현하기 위해 싸웠다, 그를 위해 혁명적 수단을 사용하는 것을 두려워하지 않는 당파에 속했다. 그에게 있어서는 민중이란 농민계급에 지나지 않고, 농민계급의 해방을 위해 싸우는 것은, 봉건적 제도에 관한 전 국민적인 싸움을 의미했다.

이런 싸움의 정신적 지주는, 체르니셰프스키 자신이 『러시아문학의 고고리시대 개요』 가운데 서술하고 있는 것같이, 첫째로 넓은 의미에서의 휴머니즘의 의식이고, 둘째로 봉건적 제도 개혁의 이데올로기적 무기인 계몽주의 사상이고, 셋째로 다시 그것을 정치적으로 구체화한 민주주의의 정치사상이고, 넷째로 이상과 같은 의식의 실천적 표현으로서, 또 서유럽의 자본주의 에 대한 비판으로서 태어난 것으로서의, 사회주의 사상이다.

체르니셰프스키—철학哲學의 진로進路

전술과 같이 당파성을 갖는 철학으로서 체르니셰프스키의 철학은, 유물론에 일치하는 것을 할 수 없었다. 그가 자기를「포이에르바하의 제자」로 부른 것은 이전에 서술했지만, 그의 견해에 의하면, 포이에르바하가 다른 헤겔 좌파의 철학자들의 혼란으로부터 초래한 것이 가능한 원인의 하나는, 그의 철학사에 관한 깊은 지식, 광범위한 시야의 탓이다.

오래된 형이상학적 철학은, 헤겔과 함께 그 수명을 마쳤다. 철학의 대도는 지금은 어디로 향할까? 포이에르바하는, 그 기로에 서서 철학의 과거와 장래와를 조망하고 있다.

그렇지만 새로운 철학 자체를 수립하는 것은, 포이에르바하에게는 허용되지 않았다. 그는, 평화를 가져온 모세다. 따라서 그의 작업을 계승하고, 완성을 향해 발전시키는 것은, 그의 손을 머리에 얹은 고로 마음 강하게 먹은 것에서 나온 우리들의 작업이다.

이것이 체르니셰프스키의 자랑스러운 의식이었던 것이다. 그는, 마르크스랑, 엥겔스와 같은 학교를 졸업한 것이다. 따라서 그의 이런 의식을 현실적인 싸움의 가운데 위치시키는 것에 의해, 그것은 사실상 포이에르바하 보다도 앞서 나간다. 포이에르바하는 신이 인간을 만든 것이 아니고, 인간이 신을 만든 것이라는 것을 증명하고, 감성적인 인간의 학설을 취했다. 살아있는 현실의 인간이 아닌, 추상적인 혹은, 생물학적인 「인간」이었다. 그러나 체르니셰프스키에 있어서 「인간」이란, 사실상 쯔아리즘과 농노제의 멍에위에 허덕이고, 그것에 대해서 싸우고 있는 수백만 민중은 활동하는 인민의 관한 것에 지나지 않았다.

2, 철학哲學의 실천성實踐性
체르니셰프스키—철학哲學의 일반적一般的 특성特性

전술한 진로에 따라서 철학의 발전을 추진하는 것에 의해 그는, 포이에르바하의 유물론의 직관적관조적 성격을 넘어서 나아가고, 종종 헤겔의 변증법을 혁명적으로 개작해 이용했다. 그에게 있어서는 철학은, 무엇보다도 우선 민중의 혁명적 투쟁을 위한 무기이고, 지침이 되지 않으면 안 된다. 그의 철학은 당연히 실천적 성격을 갖는다. 따라서 이런 철학에 있어서는, 과학에 의해 기초한 유물론적 세계관이라는 것이 체르니셰프스키의 확신이었다.

유물론적唯物論的 자연관自然觀의 철저 화徹底 化

체르니셰프스키는 「존재하는 것은 물질이다」라고 주장하고, 소위, 「정신적 실체」를 단호히 거부하는 것만이 아니고, 자연현상의 객관적인 합법칙성을 강조하고 「자연법칙」으로 부르는 것이 무엇인가를 설명했다.

변증법辨證法은 「혁명의 대수학」「革命의 代數學」이다.

변증법이라는 경우에 체르니셰프스키가 염두에 둔 것은 헤겔의 변증법이지만, 그러나 그는, 그 혁명적 민주주의와 유물론에 있어서, 헤겔의 관념론적 변증법의 한계를 바르게 이해했다.

그는, 발전은 현실에 「양적차이는 질적 차이로 이행한다.」라는 법칙에 따라서 행해지는 것이라고 주장하고, 그러나 또, 역사는 점진적 개량에의 해서가 아니고, 비약·혁명적 변혁에 의해 전진하는 그런 주장을 사람들에게 납득시키려고 노력했다. 변증법을 최초로 「혁명革命의 대수학代數學」이라고 부른 것은, 그의 선배 게르첸(1818~1870)이었지만, 체르니셰프스키는 이 생각을 발전시켜 구체화했다.

3, 윤리관倫理觀—새로운 사람
그의 윤리관倫理觀의 출발점出發點

체르니셰프스키의 倫理학적 견해의 기초는, 전술한 점의 이원론二元論을 극복해서 유물론적 일원론에 철저한 그 인간관이다. 이 입장에서 그는 「인간은, 그에 있어서 보다 쾌적하게 행동하고, 보다 많은 이익 혹은 보다 많은 만족을 얻기 위해, 보다 적지 않은 이익 혹은 보다 적지 않은 만족을 거부하는 것으로 명명하는 것의 타산에 지배되는」것이라는 것을 인간행동의 원칙이라고 주장했다. 거기서 필요한 것은, 첫째로 그 진리를 확실히 인정하는 것에 있고, 둘째로, 무엇이 그에게 진정한 이익일까를 간파하는 것이다.

깨어난 사람—새로운 사람

관념적인, 또 종교적인 도덕설이, 민중의 이익에 반하는 것에 있는 데도 불구하고, 그들의 마음을 잡고 있다. 그들을 눈뜨게 하는 것이 필요하다. 깨어난 사람—그것은 「새로운 사람」으로 부른다. 이 「새로운 사람」의 모습을 체르니셰프스키는, 그가 페트로파워노프스쿠 요새에 감금 중에 집필한 소설 『무엇을 할 것인가』 가운데 전형화典型化했다.

새로운 사람—그는 에고이스트일까? 확실히 그렇다. 그러나 이런 에고이즘은, 대쪽 같은 에고이즘이다. 그들은 무엇보다도 우선 노동이 인생의 기본이라는 것을 인정하는 것이다. 노동 없는 인생은 있을 수 없다. 그것은, 향락보다 더욱더 근본적인 것이다. 노동에 관한 그런 생각이, 옛날사람과 새로운 사람과의 더욱더 본질적인 상위를 이루고 있다.

사회악社會惡의 근원根源과 타산打算에 의거依據한 행동行動

새로운 사람들은, 현실 사회에서 행해지는 제 사실을 진지하게 생각하는 것에 의해서, 인간 사회에 존재하는, 소위 악은 두 개의 원인 즉, 빈곤과 무위로부터 나온다, 라는 결론에 서있다.

이 두 개의 원인은, 하나의 공통된 근원으로부터 나온다. 그 근원에는, 노동의 혼란된 상태로 부르는 것이 있다. 노동과 보수와는 현재 상호 역관계이다. 노동이 많으면 많을수록 보수는 점점 많아진다. 그 때문에 계급의 일단에는 무위가 있고, 다른 한편에는 빈곤이 있다. 따라서 이들 중 어떤 것도 각각 사회적인 해악을 울리게 한다.

새로운 사람은, 이런 현실 가운데 다른 것이 아닌 자기 자신의 진정한 이익을 추구해서 행동하는 것이다. 그때 그의 행동을 지배하는 원칙은 「타산」이다. 이 원칙은, 실은 소위 인간, 소위 도덕의 은밀한 원칙에 다름 아니다. 그러나 옛날사람 옛날도덕은, 자신이 거짓으로 이 원칙을 부정하고, 그 자기기만의 응보로서, 비현실적인 죄의 의식에 스스로 괴로워하고 있다.

그러나 새로운 사람은 이런 거짓을 버린다. 따라서 그는, 죄를 범하는 것도, 후회하는 것도 없다. 그는 항상 사고하고, 그러나 계산에 있어서 실수를 할뿐이고, 그 후에는 그런 실수를 고치고, 그 다음의 계산에서는 실수를 초래한다. 새로운 사람들에 있어서는 선과 진, 성실과 지식, 성격과 지성은 동일한 개념이다. 새로운 인간이 현명하면 할수록, 그만큼은 그는 성실하다. 왜냐하면, 계산에 더한 실수가 그만큼 적지 않기 때문이다.

새로운 인간에 있어서는, 지성과 감정사이의 분열을 일으키는 원인은 존재하지 않는다. 왜나하면, 신경이 쓰이는 유익한 노동에 향하는 지성은, 인류의 진정한 이익과 일치하는 것 같은 개인적 이익에 합치하는 것,
그러나 가장 냉엄한 정의와 더욱더 예민한 도덕적 감정이든가가 갖는 제 청구에 합치하는 것만을, 항상 권하기 때문이다.

뚜루게니예프와 체르니셰프스키에 있어서 새로운 사람

『夫와 子』에 있어서 바자로프에 있다. 그러나 뚜르게니예프는, 그 성격으로부터 새로운 유형에 완전히 공감하는 것은 불가능했다. 그 자신은 「새로운 사람들」에 대해서는 타인이고, 먼 곳으로부터 이것을 바라보고, 부정적인 사정 가운데 이것을 그린 것이 있다.

그러나 체르니셰프스키는, 새로운 사람들이 어떻게 생각하는지 논하는 것을 알고 있을 뿐만 아니라, 그가 어떻게 느끼고, 상호간에 어떻게 사랑하고 존경하고 있는지를 자기들의 가정적 일상적 생활을 어떻게 설계하고 있을까. 또, 모든 사람들과를 사랑하고 소위 사람들에게 신뢰하는 손을 펴는 것이 가능한 것 같은 시대랑, 질서에 향하고 있는 것에 열심히 노력하고 있을까, 라는 것을 알고 있다. 여기서 『무엇을 할 것인가』에 있어서 체르니셰프스키가 「새로운 타입의」완전한 형상화에 성공한 이유가 있었다.

『무엇을 할 것인가』의 주어진 영향影響

사실, 이 소설의 영향은 심대했다. 1863년 가을 『무엇을 할 것인가』가 출판되고, 이윽고 페테르부르크에는 몇 갠 가의 「콤뮨」이 생겼다. 그 가운데는 음악가 무소르그스키 등의 콤뮨도 있었다. 그들은 모두 『무엇을 할 것인가』 가운데 표현된 체르니셰프스키의 사상에 열중한 진보적인 청년들이고, 여기서의 생활과 토론이 후년의 무소르그스키의 토대를 만들었던 것이다.

이 소설은, 또 여자의 교육에의 열망을 상기시켰다. 러시아에서는 기회가 없었는데, 수백이라는 딸들이 스위스의 츄리히에 나아가, 고등교육을 받았다. 그녀들은 의학 그 외의 공부에 종사하는 것만이 아니고, 사회운동으로 부터도 영향을 받아 「인터내셔널」의 사상을 받아들여, 이윽고 고국에 돌아가 「인민 가운데」의 운동에 참가했다.

1879년 『무엇을 할 것인가』에 관한 쥐도비치의 중상적인 팸플렛이 검열당국의 허가를 얻었을 때, 파테르부르그대학의 학생들은 여기에 「분노를 표명하기 위해」 집회를 열었다.

4. 철학사상哲學史上에 있어서 그의 학설學說의 위치位置

마르크스주의 철학의 일보 전一步 前까지 체르니셰프스키는, 포이에르바하의 제자로서 출발했지만, 그 인간학의 협소함을 초월해 나아갔다. 이것은 포이에르바하가 생물학적으로 이해한 「인간일반」의 입장에 머무른데 반해서, 체르니셰프스키는, 역사적으로 규정된 러시아 농민을 항상 염두에 두었던 때문이다.

그러나 그도, 또 인간사회의 역사에 관해서 진정으로 과학적인 이론을 제기한 것이 불가해, 역사관의 약간의 중요한 문제점으로서 관념론에 빠졌다. 또, 일반적으로는 변증법적인 견해를 갖고 있으면서, 개개의 문제점인 기계론적인 견해를 서술했다.

체르니셰프스키는, 마르크스와 엥겔스와 거의 동시대인이었지만, 마르크스주의 학설에 관해서 알 기회가 없었다. 여기에는 그의 후반생을 유형지에서 산 것이라는 사정이 크게 재앙으로 작용했다고 생각된다. 그 결과 체르니셰프스키는, 마르크스와 엥겔스 이전의 소위 유물론철학의 최고수준을 넘어서, 마르크스주의 철학—변증법적 유물론과 사적 유물론과 동일 수준까지 달하는 것이 불가하고, 그 일보 전까지 멈추어 섰다.

러시아의 후진성後進性 때문에 체르니셰프스키, 또는 그의 친구들이 독립에는 마르크스주의 철학과 같은 수준에 달하는 것이 불가한 것에는 객관적인 원인이 있었다. 그것은 러시아의 후진성, 그중에서도 자본주의의 미발달, 그러나 또, 프로렐타리아의 미발달에 있었다. 체르니셰프스키의 학설 가운데는, 다시 금이 간 곳이랑 모순이 포함돼 있지만, 그러나 그것이 터지고 모순이 있는 것이 분명해지기 위해서는 다시 30년의 역사의 추이가 필요했다. 그래서 이 30년을 그는 유형 가운데 보내고, 이어서 죽음으로써 그 발전을 차단하고 멈추게 되었던 것이다.

「『미래의 폭풍의 젊은 조타수들』과 게르쩬은 그들(체르니셰프스키들)을 명명했다. 그러나 이것은 또, 폭풍 그 자체는 아니었다. 폭풍, 그것은 대중자신의 운동이다. 」(레닌). 폭풍은 폭풍자신의 사상을 낳는다. 그것은 체르니셰프스키가 할 수 없었던 것을 끝까지 완수한 것이다.

참고문헌參考文獻

XⅢ 중강조민中江兆民의 철학哲學/중강독개中江篤介(1847~1901)

「나는 이학理學에 있어서 지극히 냉랭하게, 지극히 드러내고, 지극히 살풍경인 것이, 이학자의 의무, 아니 근본적 자격이라고 생각한다. 따라서 나는 단연코 무불無佛, 무신無神, 무정혼無精魂 즉, 단순한 물질적 학설을 주장하고 있는 것이다.」　　　　　『통일년유반統一年有半』

S1 중강조민中江兆民의 생애生涯와 저작著作

일본출신의 진정한 철학자

1, 중강조민中江兆民의 생애生涯

그의 성장成長과 학습시대學習時代

홍화 弘化4년 토좌土佐의 고지高知에서 낳았다. 자유 민권운동自由 民權運動의 이데올로그로서, 자유 민권운동自由 民權運動의 패퇴敗退·위로부터의 개량改良의 진행進行. 정치활동政治活動의 계속繼續·실업계實業界 입문入門.

중병―『일년유반一年有半』과 『통일년유반統一年有半』과 명치 34년 54세 때, 그는 후두암에 걸려 의사로부터 여명이 1년 반이라고 선고받았다. 천주 계에서 그는 『생전의 유고』라는 부제를 단 『일 년 유반』을 썼다. 동년 9월에 동경에 돌아왔지만, 필담밖에 할 수 없는 상태였다. 하지만 그는, 자택에서 『통일 년 유반』을 1개월에 걸쳐서 썼다. 동년 12월에 죽었다.

2, 중강조민中江兆民의 저작著作

역서는 죠셉 『삭국 재산상속법索國 財産相續法』, 루소 『민약 오해民約 譯解』, 보니에 『불국 소송법원론佛國 訴訟法原論』, 루소 『비개화론非開化論』, 베론 『유씨미학維氏美學』, 피이에 『이학연혁사理學沿革史』(조민이 이학이라는 것은 철학을 가리킴). 쇼펜하우어 『도덕 대원론道德 大原論』. 주요한 저서로는 다음과 같은 것들이 있다. 『이학구현理學鉤玄』, 『혁명전법랑서革命前法朗書 2世紀 事』, 『평민平民의 눈부심』(일명 『국회의 심득國會의 心得』), 『삼취인 경륜문답三醉人 經倫問答』, 『국회론』, 『선거인選擧人의 눈부심』, 『우세개언憂世概言』, 『일년유반』, 『통일년유반』, 혹은 사후에 출간된 『경세 방언經世 放言』

S2 중강조민中江兆民의 학설學說

1, 중강조민中江兆民은 철학哲學을 어떤 것으로 생각했을까?

관학파官學派 철학자哲學者의 움직임

중강조민은 제야의 철학자였다. 한편, 명치정부는, 절대주의 국가의 필요에 의해 관학파의 양성에 매진하고, 또 그것에 따르는 「철학자」들도 적지 않았다. 옛날에는 민권론의 제창자였던 가등홍지加藤弘之는, 일찍이 보다 전투적인 자유권 공격의 급선봉으로 전향했지만, 헌법 발표 다음해 교육칙어의 선포와 함께, 신귀조의 「철학자」 정상철차랑井上哲次郎은, 정부의 뜻을 받들어 은명에 감격해서 『칙어 행의』를 쓰고 충군애국주의의 고무에 매진했다.

제1조 「대일본제국 팔만 세 일계/천황 ㅋ レ ヲ 통치 ス」 제3조 「천황 ハ 신성 ニ シ キ オ ガ ス バ カ ラ ズ」―이 제국헌법의 기초, 여기에 관해 단호한 싸움을 도전하고, 언제나 학문의 독립, 진정한 철학이 있을 수 있을까? 관학파 철학자들의 움직임은 마치 철학을 죽이는 것에 지나지 않았다.

우리 일본日本엔 철학哲學은 없다.

이런 경향을 비판한 조민兆民은, 『일년 유반一年 有半』에서 다음과 같이 서술했다. 이즈음 가등加騰이라든가 정상井上이라는 자들이 철학자를 자칭하고, 세간에도 그런 인식이 있는 것으로 보이지만, 그들은 실상, 자기들이 읽은 유럽의 이것저것의 논설을 그대로 수입해 그대로 받아들일 뿐으로, 이것을 철학자로 부르는 것은 불가하다. 일본인은 매우 심한 것을 쉽게 이해하고, 좋은 때의 필요에 따라 입장을 바꾸는 것을 알고 있지만, 그러나 그것은 정치에 있어서, 주의 없는 당파의 싸움에 있어서, 수미일관성이 없는 무원칙과 정반대되는, 결국 철학 없는 약삭빠름에 지나지 않는다. 따라서 우리나라의 역사에는, 서양제국과 같은 어리석고 또, 비참한 종교투쟁은 볼 수 없지만, 또, 소위 변혁이 항상 불철저하게 타협적이고, 아니면 표면적으로 행해지고 만다.

따라서 필요한 것은, 조속히 교육의 근본을 개혁해서 죽은 학자가 아니고, 활기찬 인민을 충분히 단련하는 노력을 하는 것이다. 정당이 현재와 같은 꼴을 보이면, 인민은 그 자신 몸소 즐거워하는 것이 아닌—이라고 조민兆民은 결론 졌다. 「우리나라 일본 옛날부터 지금까지 이르도록 철학 없이」 「모든 병의 뿌리가 여기에 있다」라고 했다.

지志를 철학哲學에서 구求하라.

과거와 현재를 비판한 조민兆民은, 미래를 짊어지는 사람들을 향해 말한다. 「제군의 지를 말하고 요약하면, 정치를 일으켜 이것을 철학에서 구하고, 아마도 철학을 갖고 정치를 타파하는 것, 이것이 가장 긴요하다. 그 지知가 없는 새벽에는, 자기도 또, 비석(碑石)의 뒤로부터 손을 내밀어 이것을 축하하겠죠.」

철학哲學이란 무엇인가?

그러면 일단 철학이란 것은 무엇일까? 조민兆民은 말한다. 철학의 효능은 갑자기 눈에는 한눈에 들어오지 않는다. 그것은 경제랑, 사회의 현실과는 아무 관계도 없는 것같이 보이지만, 그러나 「대저 나라에 철학이 없으면, 마치 상좌(床の間])에 족자가 없는 것과 같이, 그 나라의 품위를 떨어뜨리는 것은 실수하지 않게 한다. 칸트랑, 데카르트랑, 실은 독불獨佛의 자랑이고, 두 나라 상좌上座의 족자이다. 두 나라 인민의 품위에 있어서 저절로 관계없는 것을 할 수가 없다. 이런 쓸데없는 시비에 대해서 쓸데없는 것으로 하지 않는다. 철학 없는 인민은, 아무것도 이루지 못하는 것도 깊은 뜻 없이 천박함을 면치 못할 것이다.」

조민兆民의 자세姿勢

철학을 「상좌의 족자」에 비유하는 것은, 이것은 어떤 얘기일까요? 결국 그것은 철학을 비실천적인 풍파의 마음 같은 것에 추대하는(혹은 내리는) 것으로 끝나지 않을까? 사실, 조민兆民에게 그런 경향이 틀림없이 없었던 것은 말할 수 없다. 이점에 관해서는 옛날에 검토한 것이겠죠. 그러나 그것만이라고 한다면, 자유민권운동의 좌절에 어울리는, 실천으로부터 관조에의 도피에 지나지 않는 것이겠죠. 라고 한다면 「철학을 갖고 정치를 타파하는」것이라는 것은 공언에 지나지 않고, 「이런 페시비非是非에 대해서 페시비를 하지 않는」것은 패배한 것에 대한 공허한 자위에 지나지 않겠죠,

그렇지만 확실히 그것뿐일까요? 확실히 거기에는 어떤 관조적인 약점이 있다. 이 관조적인

약점이, 철학에 의지한 조민兆民의 희망을, 추상적인 것으로 하고 있는 것도 확실하다. 그러나 조민兆民의 말은, 그 이상의 것을 느끼게 한다. 중심에 있는 것은, 결코 피난의 자세가 아닌 철저하게 전투적인 태도다.

데카르트와의 일치一致

위에서 인용한 조민兆民의 말은, 조민兆民이 직접 읽은 틀림없는 데카르트의 『철학원리』 불란서어역 서문의 다음의 말을 생각하게 한다. 「우리들을 오랑캐 인종과 구별하는 것은 철학에 있어서 다름 아닌, 모든 국민은 그 철학이 뛰어난 만큼 개화가 진행돼 세련됐다고 생각하지 않으면 안 된다. 한나라의 철학자가 그 나라의 최대 행복이 되지 않으면 안 된다.」

본서의 데카르트 장에서 얘기한 것으로부터도 살필 수 있었던 것같이, 데카르트의 이런 말은 구세력에 대한 그들의 학문적인 싸움과, 그 사회적 패배의 가운데서 봐온 것이다. 패배의 고멸苦滅과, 거기에도 불구하고 굴욕에 굴하지 않는 신념과, 이 두 개의 감정이 없이 혼합돼서 서문 전체에 주는 비통과 희망의 복잡한 색조는, 여기서 인용한 부분의 가운데도 읽을 수 있겠죠. 우리들은 조민兆民의 어떤 말 가운데도, 같은 교차된 감정을 읽고 이해할 수 있을까?

후진後進에의 기대期待—철학哲學을 갖고 정치政治를 타파打破하자!

데카르트는 서문에서, 자기의 힘으로 자기의 시대의 적을 타도하는 것이 불가능하다는 것을 인지하고, 이어서 세대가 자기의 원리를 발전시키는 것에 의해, 언젠가 완전한 승리를 거두는 것을 기대했다. 「나는 후진의 성공을 이룬 것이다」라고 그는 그 서문을 맺고 있다.

따라서 조민兆民의 『일 년 유반一年 有半』은, 이전에 본 것 같이 그 끝에 해당하해서 다시 명확한 것은 후진의 성공을 빌고 있는 것은 아닐까. 「제군, 부디 자중하고 우리들의 지가 없는 새벽은, 나도 또 비석의 뒤로부터 손을 내밀어 축복하겠죠.」라고.

「철학을 갖고 정치를 타파하는」 것이라고 말하는 그의 말은, 그에게 있어서는 결코 공언空言이 아니었다. 그것은 확실히 철학 본래의 사명에 따르는 것이었다. 우리나라의 철학에 있어야할 본연의 자세, 지향할 방향이 여기에 불려오지 않았을까?

따라서 「정치」란, 이 경우 구체적으로는 천황제 혹은, 결국은 이 천황제의 틀을 조금도 파괴하지 않으면 정치꾼식의 「정치」에 지나지 않는 것은 아닐까? 그런 「정치」를 타도하는 철학—그 구체적인 내용을 조민兆民은, 죽음의 침상에서 총망하게 가르쳐준 것의 형태가 『통일 년 유반統一年 有半, 일명 무신 무영혼』 가운데 해당하는 것으로 됐다. 다시 그 말미를 다음과 같은 「타일他日」 후진에의 기대의 말로 매듭 지으면서. 「조직적으로 한 책을 편찬하는 것은, 저자 오늘의 경우에 용서받는 것이라는 점이다. 타일 다행히 그 사람을 얻어 그간보다 첫 번째의 나까에니즘을 조직하는 것이 있다면, 저자에게는 본회(本懷)의 극치다」라고.

2, 조민兆民의 철학설哲學說의 내용內容
젊은 시절時節의 조민兆民과 철학哲學

조민兆民에 있어서 철학은, 결코 죽음의 상床에 있어서 졸지에 생각한 것은 아니었다. 제자 행덕추수가 증언한 것같이, 그는 철학에 있어서 미리 전부터 독자의 견지를 갖고, 결국 「이것을 자세하게 논술해 일대 저작을 만들려는 것이, 철학자로서의 선생이 다년간 바랐던 것이었다.」라는 데 있다.

이전에 조민兆民은 다년간에 걸쳐 수많은 역서 중에, 예를 들면 머테리얼리즘(유물론)을 실질 설, 아이디얼리즘(관념론)을 허무설로 번역하는 것에 의해 그 독자의 견식見識을 가리키고 있다. 실질 설, 허무설의 단어를 포함해, 그의 고심어린 수많은 철학 상의 술어가 일반의 것으로 되지 않았던 것은, 그가 그것에 대해서 싸운 점이 우리나라의 불행한 역사, 따라서 또 우리나라의 철학의 불행한 역사 때문이다.

무신無神 무영혼無靈魂

그것은 하여튼 『統一年有半』에 해당된 그의 철학 설은, 그의 부제 「무신·무 영혼」이 가리키는 대로, 단호하게 유물론적이다. 「나는 단호하게 무사, 무신, 무정혼 無私, 無神, 無精魂 즉, 단순한 물질적 학설을 주장하는」이라고 그는 말한다. 신의 존재랑, 영원불멸의 설은, 확실히 큰 병에 걸려, 일 년, 반년과 하루하루 다달이 죽음에 다가가는 인물 등에 있어서는 큰 위로가 되겠죠.

「그러나 그것은, 이학(철학)의 장엄을 말하지 않고, 냉정한 도리를 볼 수밖에 없는 철학자다운 자격을 어쩔 도리가 없다. 나는 이학에 있어서 지극히 노골적으로, 지극히 살풍경이지만, 이학자의 의무 어나, 근본적 자격에 있다고 생각한다.」

신의 존재, 영혼불멸, 사후세계에 있어서 인과응보의 삶 등을 인심교화를 위해 사회질서 유지를 위해 요청하는 것은, 철학자로서 수치스러운 일수 밖에 없는 것이다, 라고 그는 격렬하게 주장한다. 마약 정신이 신체를 주재하는 것이라고 하면, 그 정신으로 되는 것은 신체중의 어디에 자리를 잡고 있을까? 그래도 정신은 무형이라는 것일까?

그러나 무형이란, 감각에 직접 이해되는 것에 지나지 않는다. 만약, 실질적인 것은 모두 직접감각이 이해되지 않아도, 학술의 도움을 빌려 우리들은 간접적으로 이것을 이해할 수 있게 되겠죠. 금일까지, 어디까지 이해되지 않아도 언젠가는 이해되겠죠. 「순수한 허무의 정신이 일신의 주재로되, 제종의 효과로 되는 것이라는 것과 같은」 것은 틀림없는 배신이다. 실은, 정신은 신체의 작용에 지나지 않는다. 장작이 불이 붙으면 연기는 꺼진다. 신체가 해체되면 정신은 소멸된다.

물질物質은 불멸不滅이다.

여기에 반해서 물질 자체는 불멸이다. 신체를 구성하고 있는 제諸 원소元素도 불멸不滅이다. 태고太鼓적부터 파괴해보면, 그 음은 참을 수 있지만, 그 파괴된 태고는, 그 뒤 어떤 형태를 갖는 것으로 돼, 일분일초도 소멸하지 않고, 어딘가에 존재하고 있다. 「이것이 물체의 본체로 작동하고 즉, 작용과 별개다. 석가·예수의 영혼은 소멸하고, 이전에 오래된 것도 노상路上의 마분馬糞은 세계와 함께 유구하다.」

있는 그대로 보는 유물론唯物論의 입장立場

원래, 영혼이 존재할 때, 그것이 불멸할 때, 신을 믿을 때, 사후 세계를 푸는 것은 인간의 방자한 원망, 자기중심적인 편견에서 유래하는 것이다. 그러나 「이학 즉, 세상의 소위 철학적 사조를 연구하는 것은, 5척 몸 가운데 국한하고 있는 것은 도저히 불가능하다. 바로 신을 시

時와 공간과의 한가운데(무시무종무변무한의 물건의 한가운데에 있다고(한다면)에 있어서」생각하지 않으면 안 된다. 철학이란, 마치 이런 입장에 신을 놓고 사물의 진상을 직시直視하는 것이다. 그 결과가 어떻게 인간에게 있어서 엉뚱해도 「냉정한 도리를 볼 수밖에 없는 철학」은, 사실을 원망에 바꿔치는 것을 허락하지 않는다.

여기에 『통일 년 반유』에 있어서 철학 상의 기본적 입장이 지극히 명료하게 드러나고 있다. 그것은 무엇보다도 우선, 세계를 또 사물을, 인간의 공간적·역사적 또 사회적·도덕적 감정·등등, 일체의 주관적인 입장과 거기로부터 온 요구로부터 떨어져 그 있는 그대로 보는 것이 유물론의 입장이다.

시時와 공간空間에 관한 조민兆民의 이해理解

그런데 그러나 이 「바로 몸을 시와 공간과의 한가운데 놓고」 객관적으로 직시할 때, 그들은 다시 구체적으로는 어떤 세계관을 배후에 갖고 있는 것일까? 거기에는 이 「시와 공간」에 관해서 그의 견해를 묻는 것이 지름길이다.

그들에 의하면, 공간이란, 「세계의 용기」로서 객관적인 존재이다. 「만약, 세계만물이 있는 이상은 어떤 장소에 숨는 것이 틀림없다. 즉, 이 장소는 공간이라고 한다면, 우리들의 정신을 떨어져서 특히, 소위 공간이 존재하는 것은 말할 것도 없다」. 세계는 무변-무한이기 때문에 「즉, 공간도 무변-무한이다」. 공간을 일매一枚의 종이라고 비유하면, 만물은 그 위에 걸린 그림이다. 「공간인 종이 위에, 촌극도 없이 그림이 그려진 회화가 즉, 만물이 우거진 모양인 것이다」.

이상에서 보면, 공간과 세계와는 동일물인 것으로 보인다. 그래서 조민 자신 「공간은 마치 세계와 하나를 이루고 있다」라고 말하고 있다. 그러나 여기서 그의 설명에는 혼란이 보인다. 즉, 그들은 이렇게 말하고 있다. 「공간이란―광막한 대허大墟를 포함해 약 대소실물이 수용되는, 또 받아들일 수밖에 없는 허극墟極을 합한 총칭이다.」「비유하면 세계 망망 무일물이라도 공간이 없으면, 결국 안가고, 물이 있고 없음에 관계없이, 물物이 있을 수밖에 없는 장소의 모든 것을 공간으로 부른다.」 그렇게 하면, 공간과 물질적 세계와는 하나가 아니다. 그것은 비유하면 물질에 의해 충만한 것보다도, 그것으로서는 공허한 용기容器다.

시간에 관해서 조민의 소설所說은, 다시 애매하다. 그는 말한다. 「싫어하는 물건이 있으면, 그 물건이 경과하는 시간이 있다.
즉, 시時란 만물을 세우고, 그 각한刻限(정해진 시간)보다 각한에는 운반해가는 차와 같은 것이다.」 이것은 설명이 되지 않는다. 그렇다면 시간이란 세계만물과는 다른, 다만 객관적으로 존재하는 것으로 이해되는 것은 확실하다.

「이것에 의해 말하면, 공간은 세계의 크기를 의미하고, 시時는 세계의 영원함을 의미하고 있다」라고 그는 그 설명을 할 때, 시간공간은 다른 것은 아닌 것으로 보인다. 그러나 이상 본바와 같이, 그의 설명은 이 결론을 배반하고 있는 것이다. 그가, 일체의 인간적인 주관을 떠나 「신을 시와 공간과의 한가운데 놓고」라고 말할 때, 그는, 즉, 이런 물질적 「실질」이란 구별된 공허한 공간과 시간의 입장에 신을 맡기는 것이다.

조민兆民의 시간·시간 설時間·時間 說에 관한 비판批判

이런 입장은, 본래 기계론적 유물론의 입장이다. 따라서 이전에 본 것 같은 그의 소설所說의 불합리는, 그들이 이 입장을 극복하는 방향으로 무의식적으로 보조를 맞추면서 결국은, 그 입장에 머물고 있는 그 동요를 보이고 있다. 그것은 반드시 사死의 상床에 어수선함 탓인 것은 아니겠죠.

아니, 일 년 유반이라는 지극히 특수한 사정에 재촉되었다면, 이 불합리 탓에 나까에니즘이 그 뼈대만 남은 문자에 글로 써서 나타내는 섯은 아닐지도 모른다. 하여간, 그것은 공간과 시간을 운동하는 물질의 존재양식으로서 이해되는 것은 아니다. 물질과 시간·공간을 나누는 것은 즉, 물질과 운동과를 나누는 것이다. 이런 종의 철학의 관조적·정관적觀照的·靜觀的인 경향은 여기서부터 생긴다. 그것은 사물을 그 자기운동에 있어서 이해하지 않는다.

그것은 확실히 사물을 객관적으로 보는 것이지만, 다만 제3자로서 「냉정한 모양」에 그의 주관이 비추는 것을 응시하는 것이고, 그 사이 사물은 관찰자의 주관 앞에 혹은, 공허한 시공 가운데 내던져지고, 가로놓인 것으로 간주된다. 이런 「객관적」인 것은 결국은 주관적으로 된다. 왜냐하면, 그것은 대상 그 자체의 입장에서는 아니기 때문이다.

3, 조민兆民의 철학설哲學說(나까에니즘)의 사회적社會的 위치位置
사족출신士族出身 인텔리겐챠의 입장立場

그런데 상술한 실질에 관한 구별된 공허한 시간공간의 입장은, 명치유신의 원동력인 자유민권의 진심이 없는 손으로 됐다. 인민대중 즉, 백성들에 대해, 사족출신 인텔리겐챠의 입장에 견주는 것이 가능했다. 그들은, 때로 인민대중과 일체로 되는 것처럼 보이면서, 결국은 익숙한 높은 곳에 있다.(?)

그들은 인민이라는 「실질」의 옆에 서서 이것을 포용하고, 여기에 장소를 차지하는 천하의 그릇, 인민이라는 「실질」의 때로부터 이때에로 운반되는 천하의 차車를 갖고 자임하는 것은 아닐까? 조민은 말한다. 「냉담한 철학자의 마음」이란, 이런 구 사족舊 士族인텔리겐챠의 의식은 아닐까?

허무해상虛無海上 일허주一虛舟─니힐리즘

이런 세계관적 입장에서부터 반성된 것으로 된 인생관은, 『일 년 유반』의 시작에 조민이 단적으로 말로 표현한 것같이, 「우리들은 이것, 허무해상 일 허주」다. 그것은 일반적으로 체제의 옆에 서는 또, 인민대중으로부터도 떨어진 인텔리겐챠의 의식이다. 『일 년 유반』 정통을 관통하는 처참한 기, 니힐리스틱한 것이었다. 이런 의식에서 유래한다.

이렇게 보면, 그의 철학관에 우리들이 봐온 것을 할 수 없었던 그 관조적인 일면의 소성도 알려져 있겠죠. 또, 그것이 그대로는 바로 변혁적 실천에 연결되는 것이 불가한 것으로, 연결하기 위해서는 니힐리스틱 한 것이 아닌, 관념적인 것을 매개로 하지 않으면 안 되는 것이라는 것도, 이와 관련하여 이 니힐리스틱한 것은, 조민의 제자 행덕추수幸德秋水에 있어서 단적으로 드러난다. 조민에 있어서는, 그의 무신무영혼의 철학과 변혁적인 실천과를 매개하고 있는 것은, 보다 많은 양명학적인 사대부의 기개氣槪에 있다고 말할 수 있다.

나까에니즘에 포함된 전진前進의 계기契機

　이런 것이 「나까에니즘」이다. 그것은 이전에 본 것 같이, 수많은 혼란과 동요를 포함하고 있다. 조민에 의해 양육된 세대 중에 조민을 초월해서 사회주의 운동이 싹터온 때, 이 조민의 가운데 있던 전진에의 계기는, 변증법적 유물론에 향해서 발전 방향을 주어질 수가 있었다.

참고문헌參考文獻
토방화웅 『중강조민』 소33 동대출판회
대정정 『일본의 사상』 소 29 청목신서
대정정 『일본 근대사상의 논리』 소33 합동출판사
삼기박음 『일본의 유물론자』 소31 영보사
소도우마 『중강조민』 소 24 홍문당
영전광지 『일본 유물론사』 소 11 백양사(『영전광지 산집』V.소 23 백양사에 수록)

XIV듀이의 철학哲學

S1개요概要

프래그마티즘과 현대現代

프래그마티즘은 현대에 유행한 철학이다. 현대란, 어떤 특징을 갖고 있는가는 한마디로 답하는 것은 어려운 문제다. 그러나 현대의 철학을 말할 때, 우리들은 거기에 있는 현저한 특징을 보는 것이 가능하다고 생각한다.

그 특징은 다음과 같다.

(1)관념론도 아니고, 유물론도 아닌 그것과는 별개의 제3의 성격을 갖는 철학이 되려는 노력.

(2)사물의 본질과 실체라든가는 철학 상의 문제는 될 수 없다. 철학의 문제로 되는 것은, 눈에 보이는 현상만을 하는 것은 불가지론이다.

여기 있는 1과2는 밀접히 연관된다. 따라서 이 생각에 의하면, 옛날 철학은 감각적으로 아는 것이 불가한 정신이라든가 신이라든가 혹은, 자아라든가를 원리로 해서, 여기서부터 모든 것을 설명하고(관념론) 혹은, 그 반대로 이것도 직접감각이라고 부를 수 없는 원자라든가, 무언가 법칙이든가를 원리로 해서 세계의 제 현상을 설명했다(유물론).

따라서 옛날 철학은 형이상학이라고 그렇게 말하고, 외관도 감관에 직접 호소하는 것만을 실재 진정한 것으로서 취급하는 것이지만, 새로운 철학의 존재방식이라고 간주된다. 프래그마티즘도 이런 시각을 갖고 있다.

실용주의實用主義

실용주의는 19세기 이래 철학의 본류인 독일 제 주류와 비교할 때, 다음 점에서 차이가 난다.

(1)실험과학과 결부돼 그 성과를 받아들이는 것.

(2)인간의 일상생활, 인간행동 가운데 철학의 기능을 부여하는 것을 추구한다.

즉, 독일철학의 사변성과 심각성은 실용주의에서는 적고, 게다가 평이하고, 평명한 표현을 갖고 있다. 그것도 그럴 것이 실용주의는, 철학사상 계보를 단순한 선으로 긋고, 영국경험론에 연결되기 때문이다. 영국경험론은 그 시조 베이컨에서 볼 수 있듯이, 예의 「우상」 퇴치에 의해 사변 성을 배척하고, 또 거기서는 「아는 것이 힘이다」라고 말하는 데서 보듯이, 「지知」를 실제생활에 응용하려고 하는 노력이 불식됐다. 프래그마티즘은 「실용주의」라든가, 「실제주의」라든가로 번역하는 것이 가능한데서도 봐도, 베이컨 이상의 그런 의도를 십분 이어 받고 있는 것을 알 수 있다.

S2생애生涯와 청년시대靑年時代에 받은 사상적思想的 감화感化

젊은 듀이의 철학사상에 영향을 미친 3인의 사상은 ①헤겔, ②콩트, ③제임스다. 이들 철학자는 각각 개성 있는 철학자다.

헤겔로부터의 영향

①듀이는, 젊은 시절에는 헤겔에 경도되었다. 주관과 객관과의, 물질과 정신과의 신神적인 것과, 인간적인 것 총합을 기도했다. 소위 객관적 관념론의 수립자였다.

그러나 듀이는 이점에서 헤겔에 끌리지는 않았다. 듀이에 의하면, 헤겔의 매력은 헤겔이 문화·제 제도諸 制度·예술을 취급하는 경우에, 여러 가지 구별이랑, 대립을 융합해 내는 힘을 갖고 있는 점이었다. 요컨대 듀이는 헤겔의 「변증법」에 매력을 갖고 있었기 때문이다. 그러나 듀이는 「변증법」을 「모순」에 의해 발전한 학설로는 보지 않고, 상대주의적 동일성의 학설로서 이해하고 있었다.

콩트로부터의 영향

②콩트(Conte1798~1857)는, 실증주의의 제창자로서 유명하지만, 그도 헤겔에 지지 않는 대체계가大體系家였다. 콩트는, 사회에 있어서 3단계론 즉, 신학적 단계(고대, 중세), 형이상학적 단계(혁명적 과도기), 실증적 단계(현대)라는 발전론이 있다.

그러나 듀이는, 이것에 대해서 흥미를 갖지 않았던 것 같다. 다시 콩트는, 인간을 몇 갠가의 직능으로 구별하고, 이들 직능이 상호간에 모여서 하나의 조화를 이루고, 전체사회를 이루는 것이라는 사회학설을 갖고 있다. 따라서 그때 이들 직능을 합쳐서 전체적인 것으로 가져오는 것은, 콩트에 의하면 지적·관념적인 작용이었다. 듀이에 의하면, 콩트에 있어서 이점이 특히 주목을 받은 것이었다.

제임스로부터의 영향

③제임스는, 듀이에 있어서는 프래그마티스트로서의 직접 선배였다. 또, 「프래그마티즘」이란 퍼스에 의해 창도唱導 되었지만, 제임스에 의해 특히 유명해진 말이었다. 제임스에게는 그러나 몇 개의 사상적 요소가 있었다.

우선 첫째로, 제임스는 주관과 객관을 합일한 상태를 갖는 것도 구체적인 실재實在라고 생각했다. 이것은 끝없이 유동하는 「의식의 흐름」으로 부르지만, 주관이랑 객관은 이 「의식의 흐름」이 고정화돼 반성할 때 가능한 두 개의 측면에 지나지 않는 것이라고 말한다.

둘째로, 제임스는 「프래그마티즘」을 「방법」으로서 확립했다. 이 「방법」도 관념론의 유연한 마음, 유물론의 경직된 마음 어느 쪽을 초월하는 「방법」이 아니면 안 된다고 말해진다. 따라서 다시 제임스는, 관념은 그것을 믿는 것에 의해 인간의 생활에 어떤 결과를 가져오는가에 따라서 즉, 유익한가, 무익한가에 따라서 그 「관념」이 「진리」가 「허위」가 결정된다고 말한다.

셋째로 제임스는, 생명을 활동하는 생명, 행위 하는 생명으로서 이해했다. 생명이란, 개체와 환경과의 기계적인 관계는 아니고, 환경에 적응하는 기계 그 자체다, 라고 말했다.

그러나 듀이는, 이 제3의 견해만을 제임스로부터 받아들였다고 말하고 있었다. 물론, 이것은 듀이의 주관적인 생각에 있어서, 이전에 본 것같이 제일, 제이의 점에 있어서도 제임스에 근접한 것이었다.

S3철학사상哲學思想

듀이의 착상着想

듀이도 다른 프래그마티스트와 같이 사상이랑, 지식을 생활이랑, 실천과 단절되지 않고, 그것만으로 고찰하거나, 다시 사상이랑, 지식을 실천이랑, 기술보다도 귀중한 방식을 배척했다. 듀이에 의하면, 이런 태도는 「관념론」적이고, 혹은 「형이상학」적이다. 따라서 듀이는 그것이 관념의 물질적인 것으로 와 「절대」를 고찰의 대상으로 한 과거의 「철학자」에 대해서 그는, 「인간」의 입장으로 내려온다고 부른다.

또, 그것을 다른 단어로 말하면, 일상생활과 과학—철학도 포함된 의미로 결합해서 통일하는 것이, 듀이의 과제로 되었다. 여기서 듀이의 「도구주의」의 이론이 전개된다. 그렇지만 실은, 「도구주의」를 듀이가 일부러 창도唱導한 것은, 제임스에 의해 유명해진 「프래그마티즘」 운동과 자기의 철학적입장과를 구별하려고 생각하고 한 것이었다.

이런 것이 퍼스에게도 보였다. 이 말이 제임스의 노력에 의해 실제로 유행되면, 자기의 입장을 「프래그마티즘」이라는 답답한 단어로 특징지은 것이다. 이것은 어떤 종種의 철학자들이 자기의 개인적인 입장을 아무리 강조해도 객관적으로는, 사상적으로는 역시 「프래그마티즘」으로서 총괄되는 것이다. 이것은 사상사에 있어서, 개인주의와 객관적 사조와의 관계를 볼 때 중요하다.

사상思想은 도구道具다.

듀이의 「도구주의」를 한마디로 말하면, 지성이랑 사상은 환경을 지배하는 「도구」라는 것이다. 듀이는 따라서, 대상을 분석적으로 검사하는 과정 자체, 혹은 여러 가지 발명을 행하지 않고, 검증을 해나가는 과정 자체를 하나의 「행위」에 있다고 보지 않고, 이것을 「사상」으로 명명하는 것이다.

듀이는, 대저 이런 생각을 유기체와 그 환경과의 관계로부터 유추한다. 유기체 특히, 인간의 유기체는 환경과 교섭하지만, 이 교섭활동에 있어서는 사고가 중요한 활동이 된다. 즉, 사고는 손이랑, 발의 활동의 고도화한 활동이다, 라고 말하고 있다.

당시 학계에서는 대상의 반영이 있는 것이 아니고, 단순히 기호론이다. 따라서 과학자가 그 기호를 사용하기 때문에 과학이라는 인간의 작업, 혹은 조작을 편리하게 하기 위한 것이다. 그것 이외에는 개념의 의미는 있을 수 없는 것이라고.

이런 생각은 오스트리아의 마허 프랑스의 포앙카레 등의 자연과학의 이론가에게도 현저하게 나타나는 생각이었다. 듀이는, 본질적으로는 이것과 같은 생각을, 생물유기체로서의 인간이 환경에 적응하는 방법이 비교해서 설명하기까지 했다.

미래적未來的·계획적計劃的·모험적冒險的 지성知性

보통 「지성」이란, 주관과 객관 간에 작용하는 관계에 있을까, 객관에 대립하는 주관에 있을까 로서 생각되고 있다. 듀이는, 주관과 객관과를 우선 구별하지 않았다. 듀이에 의하면, 가장 원초적인 것은 경험의 동적인 맥락이고, 극서 자체가 구체적인 것이다. 그것은 인간유기체와 환경 간에 있어서 혹은, 그런 구별도 또 없는 것의 혼연渾然으로서 움직임이다. 그것은 「

충동」으로도 부른다.

　이것은 제임스가 주관과 객관과를 분리하기 이전의 상태를 더욱더 구체적인 것으로 생각해 그것을 「의식의 흐름」으로 부르는 것과 유사하다. 이 「충동」은 끝없이 움직인다. 그 진행 방향이 미래이다. 따라서 남아있는 방향이 과거이다. 이 「충동」의 움직임이 「경험」으로 부르는 것이지만, 여기서는 이윽고 경험된 것이라는 점과, 이미 경험이 끝난 것이 알 수 있다.

주관이란 전자의 방향에 대한 명칭이고, 객관이란 후자에 대해한 명칭이다.

　이전에 우리들은 「충동」의 움직임이 「경험」이라는 것을 봤지만, 이것은 또 「습관」이라고도 부른다. 그러나 이 「습관」의 과정에 있어서 「충동」이 움직이는 방향을 결정하고, 「충동」이 갖는 우연성과 무계획성을 규제하는 움직임이 「지성」인 것이다.

　「지성」이란 「충동」 가운데 있으면서, 「충동」을 목적의식적으로 방향지우는 움직임이다. 그러나 「지성」은 본래는, 「충동」의 움직임으로서의 「습관」에 의해 역으로 제한을 가해 압박하는 것이다. 혹은, 「지성」의 움직임이 그 자체 「습관」을 만드는 것이다, 라고도 말할 수 있겠죠.

　그러나 그때 「충동」이 「습관」을 파괴하고, 「지성」의 유연한 움직임을 회복시키는 것이다. 듀이는, 이 「지성」에 있어서 인간유기체와 환경간의 관계가 최초의 혼돈된 상태로부터 규칙 바른 관계(습관)에로 변하는 것을 고찰한다. 이것이 「적응」이라는 것이다. 그러나 이때, 「지성」은 항상 미래에로 향해서 창조적으로 나아가고, 계획을 세워서 예견하고 어디까지나 모험적으로 움직인다고 말해진다.

실험주의實驗主義

　「프래그마티즘」은, 영국경험론의 계보에 연결되고, 또 당시의 자연과학의 발달에도 보조를 맞추고 신경 쓴 관계상 「실험」이라는 생각을 대단히 중요시했다. 그런데 이 「실험」이라는 개념이, 듀이에 있어서 어떻게 되었을까? 다음에 이것을 보죠. 듀이는, 「실험」을 다음 3개의 의미로 사용하고 있다.

⑴인간유기체와 환경의 관계 간에 있는 일정한 변화를 일으키는 행위.

⑵기가 혼돈되는 행위가 아닌 명확한, 계획성 있는 개념에 기초해 움직이는 행위.

⑶이 행위는, 경험상으로 새로운 사태를 구성하는 것.

　종래의 「실험」이라는 개념은, 이론과 실험이라는 바람에 이론의 대어對語였다. 어떤 이론이, 그것이 진짜인가 가짜인가가 검증되는 것의 물적인 수단을 「실험」으로 부르는 것이다. 그런데 지금 보는 것 같은 듀이의 「실험」의 개념은, 인간유기체와 환경간의 관계를 혹은, 제사물의 관계를 계획적으로 변경하는 행위다. 이것 자체 그런 정도 문제는 아니다.

　그러나 「실험」에 의해 야기된 결과로서 즉, 제사물의 관계가 변경되는 것에 의해, 제사물이 구성되는 것같이 된다고 말해지는 것이 이때 중요하다.

물론, 제사물의 관계가 변경되기 때문에, 변경된 결과로서 제사물이 그렇게 구성되는 것이라는 것은 불가사의한 것이 아니다. 문제는, 듀이가 어떤 계획에 있어서 「실험」을 행하면 제사물이 그대로 구성되어, 그들의 관계가 변경된다고, 주장하고 있는 점이다. 이렇게 되면 「실험」이 검증의 수단으로 사용되는 것은 문제가 되지 않는다. 오히려 「실험」이란 어떤 고정관념(계획)에 따라서 제사물의 관계를, 대상자체를 생산하는 행위에 지나지 않는 것이다. 계획이-관념이 실현돼 새로운 세계를 차례대로 창조해나가는 것 자체가 「실험」이라는 이름에 가치가 있을까? 그것은 하나의 의문이다.

사회관社會觀

최후로 듀이의 사회학설을 더해보죠. 듀이는 사회의 단위로서 「개인」을 생각하고, 그 「개인」이 불가분활의 원자와 같은 것으로 생각했던 옛날 개인주의를 버렸다. 듀이에 의하면, 「개인」이란 원자와 같은 「한사람」을 가리키는 것이 아니다.

「개인」이란, 공동생활의 기본으로 상호 영향을 주고, 자극을 주고, 그 과정에서 무한히 잡다한 반응을 나타내면서, 일정한 습관·기질·세력으로서 출현하는 것이다. 이것을 제외하고 「개인」이라고 하면, 그것은 상호 육체적으로 분리된 존재를 가리키는 데 지나지 않고, 사회적으로는 「개인」은 이미 해당되는 것이 없다. 거기에는 오히려 「개인」은 창조되고, 사회적 환경과 함께 변화하는 함수다. 이것과 같이 「사회」도 이 「개인」과 대응해서 변화한다. 개인의 공동생활은 조직돼 보다 크게, 보다 포괄적으로, 보다 통일적으로 형성돼 국가로 된다. 그것과 동시에 사회적 제한이랑, 복종으로부터 개인이 해방돼 자유롭게 되고, 따라서 개인은 고립에 머물지 않고, 새롭게 자유로운 결합을 하고, 각종집단을 형성해간다. 학회·기업자단체·노동조합·교회 등등. 이들 단체는 실은, 그 이해가 국가적인 범위를 넘어서 국제적으로 된다.

듀이는, 개인과 사회를 동일 실재의 두 방면의 변화로서 보고 있다. 거기서 양자는, 원리적으로는 조화적이고 특수한 경우에만 충돌하는 데 지나지 않는다. 또, 자본가와 노동자도, 남과 여 공히 조직전체, 혹은 국가에 있어서는 필요한 유기적인 부분이라고, 이렇게 듀이에 있어서는 개인과 사회와는 상관적으로 보고 있었지만, 그러나 다음 점을 묵인하면 안 된다. 듀이는, 「사회」化를 「습관」의 체계로 보고 있는 것이다. 라고 말하는 이유다. 거기서, 듀이의 사회학설에 있어서도, 그 근원에는 충동주의, 혹은 생물학적 비합리주의가 가로 놓여있다고 말할 수 있다.

듀이의 민주주의民主主義

듀이는 미국 민주주의의 전형적인 철학자로 평가되고 있지만, 그때 그는 인간이 본래 갖고 있는 제 능력에 신뢰를 갖는 것이 민주주의의 기초라고 말했다. 여기서는 민주주의와 휴머니즘의 결합이 보이고 있다. 그러나 지금 봐온 것같이, 듀이가 인간의 본래적인 것으로서 「충동」을 갖고 있는 것으로 하면, 그 민주주의에도 비합리주의, 혹은 신비주의가 숨어있는 것이 이해된다.

참고문헌參考文獻

ⅩⅤ장 폴 사르트르의 철학哲學

S1개관槪觀
실존주의實存主義의 두 개의 발전단계發展段階

실존주의는, 우수한 현대적인 사상이다. 그렇지만, 그것은 저의 두 개의 단계로 나뉘어 발전해왔다. 제1단계에서는, 키엘케골이랑, 니체가 대표적이고. 제2단계에서는 하이데거, 야스퍼스, 사르트르가 대표적이다. 거기서는 실존주의의 제1단계와 제2단계에는 어떤 차이가 있을까요?

대저 실존주의는, 하나의 인간학 아니면 인간론이다. 즉, 그것은 자연관도 아니고, 인식론도 아닌, 가령 마르크스주의 철학의 구성성분을 이용하는 것으로 하면, 그것은 변증법적 유물론이 아니고, 사적 유물론에 해당된다. 더욱이 골똘히 생각해보면, 실존주의는 개인주의적인 인간론이다. 그러나 실존주의는, 부르주아 상승기의 원자론적인, 유물론적인 개인주의는 아니고, 오히려 어떤 종의 개인주의적 인간관의 막다름을 표현한, 새로운 개인주의적 인간관이다.

이런 실존주의의 발전 과정 중에, 제2단계의 실존주의는 제1단계의 그것에 비해서, 현저하게 『학문적』으로 되었다는 것이 특색이다. 즉, 제1단계의 실존주의에 있어서는 「실존」이란 직접적으로 「인간」의 모습을 가진 형상학적으로 감성적으로 표현된 것이다. 제2단계에서도 사르트르의 경우는 일부분 여기에 가깝다. 그러나 제2단계의 실존주의는 신칸트파랑, 현상학의 인식론에 의해 『학문적』으로 세련된 「인간」의 문제가 개념적으로 표현돼있다.

사르트르는, 제2단계의 실조주의 철학자로서 여러 가지 점에서, 타인들과 공통적인 특색을 갖고 있다. 그러나 다른 사람들이 막다른 개인주의를, 자칫하면 파시즘에의 전화轉化에 의해 타개하려는 기도에 반해서, 사르트르는 마르크스주의에의 경도에 의해 그것을 타개하려고 기도했다.

사르트르의 생애生涯

사르트르는 파리에서 선원이었던 부친은 일찍 죽고, 모친의 손에 양육되었다. 1924년에 에콜·노르말에 입학해 28년에 졸업했다. 29년에는 철학과 교수자격을 얻었다. 한때, 베를린에 가서 독일철학을 연구한 때도 있었다. 38년경부터 실존주의 문학을 쓰기 시작해 『구토嘔吐』를 출판했다. 39년에는 제2차 대전에 응소해, 다음해 포로로 됐지만, 41년에 사면되었다.

그러나 사르트르는, 그 후 레지스탕스 운동에 참가해서 프랑스해방에 진력했다. 종전 후 작가생활에 들어가 45년에는 잡지 『현대』를 창간했다.

사르트르의 작가생활은 왕성했고, 미국이랑 소련을 여행하고 또, 각종 사회적 정치적 운동에 참가했다. 세계평화 평의회의 평화운동에 참가, 알제리해방에 대한 원조는 그 가운데도 중요한 것이다. 또, 실존주의 작가 후써얼과의 논쟁, 루포루와의 논쟁은 언제나 공산주의를 주제로 하는 것이었고, 사르트르와 공산주의의 관계는 세인의 주목을 받았다.

사르트르가 이렇게 공산주의에 대해서 정면으로 맞붙은 것은 현대 사상가로서의 특징을 가리키는 것이다.

S2사르트르의 철학사상哲學思想의 기초基礎

실존實存의 의미意味

「실존」이란, existentia, Existenz의 역譯이다. 이 단어는, 중세철학에서는 essentia, Wessen이라는 단어의 대어로서 쓰였다. 따라서 전자는, 「현실존재」 후자는, 「본질존재」라는 의미를 갖고 있다. 요컨대 「존재」(esse, Sein)에는 두개의 방식이 있다. 하나는, 밖으로 드러난 「존재」방식(현실존재)과, 다른 것은 진짜 「존재」방식(본질존재)이다, 라는 때문이다. 중세철학에 있어서 「존재」에 관한 이 구별은 실존주의에도 그대로 통하고 있다. 다만, 다른 것은 다음의 점이다.

중세철학에는 「본질존재」 혹은, 「본질」이 우선 「있고」, 그것이 「현실존재」 혹은, 「실존」으로서 「드러나는」이라는 것에 반해서, 실존주의에서는, 「본질존재」 혹은, 「본질」은 예를 들어 「있다」라고 해도 우리들에게는 이것을 알 수가 없고, 또, 그것에 무관하다. 따라서 「있다」고 부르는 것은 다만 「현실존재」 혹은, 「실존」만 있다, 라는 것이다.

즉, 실존주의에서는 「본질존재」(신)를 부정하는 것이 아니고, 마음의 이면에서는 긍정하고 있지만, 철학의 문제로서는, 「현실존재」(인간)만을 받아들이는 것이 가능할 뿐이다, 라고 주장한다. 이것은 실존주의 일반의 생각방식이다. 그러나 사르트르는, 하이데거와 동시에 훗써얼의 현상학적 방법을 취해서, 그 실존주의 철학을 다시 정밀하게 논리화했다.

지향성志向性

사르트르가 훗써얼로부터 인용한 것은 「지향성」이라는 개념이다. 그것은 어떤 의미일까. 후써얼은, 현상학을 성립시킨 철학적인 전제로서 「자연적 태도」를 「배척하는」것을 부르짖었다. 「자연적 태도」란, 우리들의 의식외부에는 세계가 실존하는 것을 자명하다고 하는 소박한 실재론이다. 이 소박한 실재론은, 그러나 철학적 유물론의 지초로 자각적으로 받아들여진 면도 있다.

후써얼은, 이①「자연적 태도」를 「배척하는」것을 또②사물이랑 마음, 자연이랑 신, 즉 실체에 관한 「판단정지」를 행하는 것도 있다, 라고 말한다. 엄밀히는, 이①과②는 두 개의 같은 사태는 아니다. 그러나 ①은 유물론에 반대하는 것이고, ②는 유물론도 관념론도 함께 넘어가지만, 이 두개를 동일시한다. 이 새로운 철학적 태도를 취하려는 것은, 19세기 후반 이래 누차 봐온 제3의 길이다. 후써얼은, 「자연적 태도」를 「배척」한 결과 혹은, 사물이랑 마음에 관해, 자연이랑 신에 관해서 「판단을 정지」한 결과, 다시 「남은 것」(Residuum)이 있다는 말이다. 이 「남은 것」은 무엇일까?

대체로 의식할까, 판단할 까는 언제나 「무엇일까」에 관한 것이다. 혹은, 의식은 언제나 외계의 「무엇일까」(etwas)를 「지향」하고 있는 「무엇일까」에 향하고 있는 것이다. 그런데 그 「무엇」을 묻는 것이 불가능하다. 따라서 거기에 「남는」 것은 「순수의식」 혹은, 「지향성」 즉, 「무엇일까」에 향하고 있는 의식의 움직임에 지나지 않겠죠.

순수의식純粹意識

이렇게 「의식」은 언제나 「무엇일까」를 「지향」하는 때문이지만, 이 「무엇일까」에 역점을 둘 때, 「의식」은 「노에마」로 부르고 또, 「지향성」자체는 「노에시스」로 명명된다.

따라서 「순수의식」은 이 「노에마」와 「노에시스」의 상관관계라는 구조를 갖는 것이라고 말해도 좋다.

이상의 「순수의식」의 구조는 「순수한 나」가 「무엇일까」를 「지향」하는 끝에 체험의 구조도 있다. 이 「순수한 나」란 「지향성」 그 자체지만, 이것은 신체로서의 「나」를 또, 그 「나」를 둘러싼 세계도 「배제」하고, 「남은」「나」이다. 이 「남은」것으로서 「나」는 「의식」에 내재하는 것으로도 말해지지만, 그러나 이 「의식」을 「무」 내용으로 하는 것에 의해 「의식」을 초월하고 있는 「나」이다. 이 「순수한 나」는 「내재해있는 초월」이다. 이상과 같이 「순수한 나」를 내재시켜 게다가 「순수한 나」에 의해 초월된 것인 「의식」은 「노에마」이고, 초월하는 쪽의 「순수한 나」는 「노에시스」이다.

근대近代의 존재개념存在概念

실존주의자로서의 사르트르의 주저는, 『존재와 무』이다. 여기에는 「현상학적 존재론의 시험」이라는 방제가 붙어있다. 여기에도 명료한 것같이 사르트르는, 훗써얼의 현상학을 이용해서 자기의 실존주의 철학 즉, 존재론을 만들려고 시도했다. 그것은 옛날에 하이데거도 했던 것이었다.

「실존」이란 이전에도 본 것같이, 「존재」(있다)의 일종이다. 즉, 「실존」에는 일반적으로 「존재」로부터 강요할 필요가 있다. 원래부터 「존재」는 옛날부터 철학의 주요 문제이다. 아리스토텔레스의 형이상학은, 「존재」의 의미를 집중적으로 문제시하고 있다. 또, 중세에 있어서도 사정은 같았다.

그러나 19세기말 이래 혹은, 20세기에 걸쳐 「존재」의 문제에는 어떤 공통적인 특색이 있다. 다음으로 거기에 관해서 말할 필요가 있겠죠. 그것은 사르트르의 철학의 역사적인 전제인 사르트르의 철학의 구성상의 기초에도 있기 때문이다.

1. 영국경험론이 주관주의적인 경험론에 전화轉化할 때의 유명한 명제로서, 버클리의 「존재는 감각이다」라는 명제가 거론된다. 여기서는 의식을 초월한 것으로 생각되는 것이, 여기서는 그것은 통용되지 않는다. 이 생각은, 19세기 이래 마하주의 등에 의해 일반화돼 지금도 논리실증주의에서는 실재, 혹은 존재는 감각과 일치하는 것으로 간주된다.

2. 데카르트가 「나는 생각한다, 고로 나는 존재 한다」라는 유명한 말이 있다. 여기서는 「나」에 관해서는 「사고」와 「존재」가 일치하고 있다. 게다가 「나」의 본성이 「사고」에 보이고 있다. 거기서 여기서는 「존재」는 「사고」와 혹은, 「나는 존재하는」 것은 「나는 생각하는」것과 일치한다. 이렇게 해석하는 한 「사고」와 「감각」과는 다르다고 해도, 버클리와 데카르트는 아주 유사하다. 즉, 「존재」를 「의식」에 한정하고 있는 것이다. 혹은, 「의식」에 해당하는 것에 한정하고 있는 점에서 양자가 일치하고 있는 것이다. 이것은 실증주의라든지 현상주의로도 부른다. 훗써얼 도그랬다.

S3존재론存在論

사르트르는, 이상과 같이 사상의 전통을 받아, 어떤 의미에서는 그 전통을 더욱 철저히 해서 「존재」라는 단어를 쓰고 있다. 즉, 사르트르의 「존재」는, 중세철학의 「현실존재」, 버클리의 「감각」과 일치하고 있는 「존재」, 데카르트의 나의 「사고」와 동일한 「존재」라는 의미로서 연결되고 있다. 거기서 사르트르의 존재론은, 이 「존재」 개념의 범위 내에 있어서 전개되는 「본질존재」의 영역에 도착하는 것이 아니다.

즉자존재卽自存在

사르트르에 의하면, 「존재」란 우선 그것 자체에 있어서 있는 것, 그것이 있는 점의 것이 있는 것이다. 「존재」하는 것은, 따라서 다만 무언가 그곳에 있고, 그대로 나타나는 보이는 대로 있는 것이다.

따라서 이런 「존재」는, 무한하고 쌔고쌨고, 언제나 어디에 나도 있다. 이런 「존재」는 다른 어떤 것으로부터도 찾을 수가 없고, 다른 무엇에 의해서도 설명되지 않는 즉, 그것 만으로만 규정될 수 없는 것이기도 하다. 「존재」는 꼭 그 자신이 끈기 있게 붙어있다.

따라서 「존재」는 우연적이고, 또 절대적이기도 하다. 사르트르는, 이런 「존재」를 「즉자존재」라고 명명했다. 「즉자존재」란, 그것 만으로의 「존재」다. 따라서 그것은 다른 어떤 것에 의해서도 설명할 수 없는 것과 같이, 다른 어떤 것으로도 설명되지 않는다. 그것은, 다른 것과의 관계를 일체 포함하지 않는다. 만약 「존재」란 이런 것이기 때문이라면, 「존재」에 관해서 철학 상의 문제는, 여기서 숨이 막힐 수밖에 없다.

질문質問

그런데 사르트르에 의하면 「즉자존재」는 「표현(현상)」이다. 즉, 「의식」에 있어서의 「표현」(현상)이다. 「의식」에 있어서의 「표현」인만큼 「존재」라고 부른다. 이것은 사르트르철학의 전제이다. 「존재」의 바로 이면에는 「의식」이 찰싹 달라붙어있다. 따라서 사르트르에 의하면, 「의식」의 움직임에는 무엇보다도 「의문」이 있다. 그러나 존재「에 관해서」 묻는 것이라는 것은, 이전에 「존재」와 「의식」 간에 「갈라진 곳」이 있는 것을 나타내고 있다. 그러나 「의식」은 「존재」에 관해서만 「묻는」것이 불가하다. 즉, 「질문되는」 것은 「있는」(존재)것만 있을 수 없다. 따라서 「의식」은 「존재」로부터 밖에 있는 것이 될 수 없다. 「의식」은 「존재」의 품에, 「존재」의 한창 때, 「의식」하는 (묻는)것이다.

대자존재對自存在

그런데 「의식」이란, 그것에 대해서 「존재」가 「존재」로서 나타나는 점에 있는 것으로부터 그 「의식」도 역시 하나의 「존재」에 있다고 말하지 않으면 안 된다. 즉, 「존재」가 동조하는 것은 역시 「존재」에 있고, 따라서 또 모든 것은 「존재」만이 아닌 것에 있기 때문이다. 이렇게 「의식」은 「존재」 가운데에 하나의 「존재」로서 「존재」의 품에서 「묻는」 것이다. 따라서 이 「물음」에 의해서 가능한 「균열」은, 「존재」 가운데에 「균열」밖에 없다. 그러나 「균열」이란 것은, 덧붙이면 거기에 아무것도 「없는 것」(무)이다.

「균열」 즉, 「무」는 「묻는 것」에 의해 「묻는 것」에 있어서 일어난다. 즉, 「묻는」 것은 「즉자존재」에 관해서 있고, 「묻는 것」에 있고, 「즉자존재」를 규정하는 것에 있고, 「즉자존재」 가운데에 한계랑 「균열」을 일으키는 것이고, 즉 「무」를 잠입시키는 것이다.

「의식」은 「존재」 가운데에 「무」를 분비한다, 라고도 부른다. 따라서 분비된 「무」에 의해, 옛날 철학관의 단어로 말해보면, 한편으로 「의식」은 주관으로서, 다른 한편에서 「존재」가 객관으로서 상관적으로 간격이 있는 것으로도 생각하는 것이 가능하다. 그러나 「존재」도 「의식」도 함께 「존재하는」것이지만, 이들 두개는 영역이 다르다. 「즉자」라든가, 「즉자존재」라든가는 단지 「있는」것, 그것 자체에 있어서 「있는」것, 그것이 「있는」장소의 것에 지나지 않는다.

여기에 대해서 「의식」은, 이 「즉자」 즉, 「즉자존재」와는 다른 「무언가」에 관한 「의식」이고, 「존재」 가운데 「무」를 분비해서 「균열」을 일으키는 것의 「존재」이다. 즉, 「의식」은 「물음」을 본성으로 하는 데 있기 때문에, 「무」로서 이외에는 「존재」는 있을 수 없는 곳의 그런 「존재」다. 사르트르는 이런 「존재」를 「대자」 혹은, 「대자존재」라고 말했다.

탈자脫自
사르트르는 따라서 「존재」를 다음과 같이 정의한다.

(1)「즉자」 혹은, 「즉자존재」, 그것은 그것에 있는 장소의 것이고, 그것에 엉뚱한 곳의 것의 엉뚱함이다.

(2)「대자」 혹은 「대자존재」, 그것은 그것에 있는 곳에 있지 않고, 그것에 엉뚱한 곳의 것이다.

이상에 보는 것같이 「즉자」는 동일성에 있어서 「존재」이고, 따라서 그것은 영구히 「존재」를 계속할 수밖에 없는 「존재」이지만, 「대자」는 모순에 있어서 모순으로서의 「존재」이다. 그것은 「존재」로 되지 않는 이외에는 자기를 처리할 수 없는 「존재」이다. 따라서 「존재」가 못 된다는 말이다. 이 「존재」의 존재방식을 「탈자脫自」라고 부른다. 이 「탈자脫自」는 훗써얼의 「내재하는 초월」에 연결된다고 생각하고 있다. 따라서 이 「탈자脫自」야말로 「자유」라고 부르는 것에 해당된다.

자유自由
사르트르는 이 「대자존재」의 이론을 다시 자유론에 응용했다. 인간은 인간으로 「있는」것에 있어서 이전에 「자유」이다. 인간은 「자유」로 있는 것 보다 그 외에 「존재할」수밖에 없다. 인간의 「자유」는 무언가 다른 것으로부터 자유롭게 되지 않으면 안 된다. 인간은 「자유」로 「있는」 것에서 「자유」로 있는 것을 그만두는 것은 불가능하다.
그렇지만 인간은, 인간의 「존재」(의식)에 있어서 이전에 「무」이었기 때문에, 인간은 자기를 만들고 있는 것 이외에는 「존재」의 사양이 없다. 따라서 인간은 자기를 만드는 것에 있어서, 끊임없이 자기를 「선택」하고 있는 것이다. 인간의 「실존」이란 이 「자유」이다.

S4사르트르와 커뮤니즘
철학사상에 있어서는, 실존주의자 사르트르가 그 선배들보다 철학적으로 뛰어난 점이 진보적인 데 있다고 결정적으로 말할 수는 없다. 사르트르의 논리는 하이데거보다도 역설적으로, 또 자기를 막다른 골목에 몰아넣었다. 더욱이 이것 자체가 실존주의가 논리로서 파탄하고 있는 것을 완전히 가리키고 있다. 신앙에의 비약이, 자살이, 이것이 실존주의의 철학으로서의 도겠죠. 그러나 사르트르를 오늘날 시대의 사상가로서 존재하고 있는 것은, 「자유」에 있어서 「자유」 그 자신이 사장될 상태를 오히려 문학작품에 있어서 묘사하는 탁월함과, 그의 마르크스주의와의 불과 같은 만남에 의해서겠죠. 다음에 이 후자의 점에서 서술해보죠.

1952년 이전以前의 반 유물론反 唯物論

여기서 사르트르는, 마르크스주의적 유물론은 실존주의로서 위장된 형이상학이라고 말하고, 자연에는 역사가 없고, 역사는 인간만이 있는 것이지만, 변증법은 아니고, 특히 정신을 물질에 의해 설명하는 것에 지나지 않는다고 말하고, 따라서 다시 물질이 물질이라는 관념을 생성하는 것은 이상하지 않을까라고, 반발했다.

커뮤니스트와의 협력協力

사르트르는 커뮤니스트 특히, 그「당黨」은 노동자계급의 혁명에 있어서는 결핍된 것을 불가능한 조직이라는 것을 인정했다. 요컨대 사르트르는, 직접 노동자계급의 혁명에 들어가는 것까지는 몸을 뺀 것이다.

따라서 56년의 헝가리사건 때에, 사르트르는 헝가리정치와 소련의 개입을 통렬히 비판했지만, 그러나 커뮤니즘 그 자체와, 사회주의에 관해서는 이것을 의심하지 않았다. 오히려 스탈린의 시정의 역사적 필연성만 논증하려고 하였다. 다시 그는 철학이론에 있어서는, 실존주의는 마르크스주의 철학의 보족적인 이데올로기인 것을 선언한다.

커뮤니즘과 철학哲學

이것을 갖고 사르트르가 마르크스주의 철학이랑, 변증법적 유물론을 마르크스주의자로 됐다고 승인했다고 생각하는 것은 틀림없는 오해이다. 사르트르는 과연 노동자계급의 혁명과, 마르크스주의적인 커뮤니스트의 「당」과의 밀접한 관계를 승인한다. 그러나 사르트르는, 노동자의 심리로부터 혁명의 필연성을 지도한 시도였다. 또, 그는 노동자계급을 그 자체로서 즉, 「당」 아니면 혁명적인데 있다고 이해하고 있는 데 지나지 않는다. 그는, 「당」을 갖는 것에 의해서 처음으로 노동자계급이 현실적인 계급으로 되는 것, 또 혁명적으로 되는 것을 이해하지 않았다.

사르트르에 있어서는 「당」은 노동자계급에 관해서는 오히려 실용적이고, 편의적인 존재에 지나지 않는다. 이것은 사르트르가 유물론과 타협하는 것을 최후까지 거부한 것과 관계된다. 사르트르는, 유물론적 변증법의 학설 즉, 자연의 변증법의 근원성의 학설을 인정하지 않는다. 최근의 사르트르의 견해에 의하면, 변증법은 어떤 사고의 법칙에도 아니면, 또 단지 물질의 자연 법칙도 아니다. 그것은 인간의 실천법칙이다.

이것이 사르트르의 변증법에 관한 이해지만, 이 「실천」이 근원적으로 물질적 생산의 「노동」으로서 이해되지 않으면 안 되는 것을 사르트르는 알지 못했다. 따라서 사르트르의 변증법에의 이해도 유물론적으로는 될 수 없었던 것이다. 사르트르의 커뮤니즘에 대한 대결은, 그것을 어떤 정치이론에 한정해서 이해하지 않고, 철학이론에까지 파내려가는 것이지만, 금후 중요한 문제로 되겠죠.

참고문헌參考文獻

칼 포퍼(Karl Raimund Popper=1902,7/28~1994,9/17)

오스트리아-헝가리제국 오스트리아-헝가리 빈-잉글랜드 런던

연구 분야=인식론, 합리성, 과학철학, 논리학, 사회철학, 정치철학, 형이상학, 심리철학, 철-학 세계관론, 양자역학 해석

주요 업적=비판적 합리주의, 반증 가능성, 시행착오, 확률 성향, 열린사회, 우주론적 다원주의, 확률

영향을 준 분야·인물

칼 레이먼드 포퍼 경(Sir Karl Raimund Popper, CH, FRS, 1902/7/28~1994/9/17)은 오스트리아에서 태어난 영국의 철학자로, 런던 정치경제대학교(LSE)의 교수를 역임하였다.

20세기 가장 영향력 있었던 과학철학자로 꼽히고 있으며, 과학철학 뿐 아니라, 사회 및 정치철학 분야에서도 많은 저술을 남겼다. 고전적인 관찰-귀납의 과학 방법론을 거부하고, 과학자가 개별적으로 제시한 가설을 경험적인 증거가 결정적으로 반증하는 방법을 통해 과학이 발전함을 주장하였다.

생애

포퍼는, 1902년 오스트리아 헝가리제국의 빈에서 카를 라이문트 포퍼(독일어:Karl Raimund Popper)라는 이름으로 태어났다. 그의 부모는 개신교로 개종한 유대혈통의 중산층이었다. 그러나 포퍼는, 생애 내내 인종이나 혈통에 의해 사람을 분류하는 것을 반대하였으며, 자신도 스스로 유대인으로 분류되는 것을 거부했다. 그는, 나치즘에 대해서도, 시오니즘에 대해서도 모두 반대하였다. 포퍼는, 부모로부터 루터교 신앙을 물려받았으며, 빈 대학교를 수료했다. 아버지는 변호사였지만, 집안 형편이 그렇게 넉넉하지는 못했다. 그의 아버지는 장서 수집가였으며, 12,000~14,000권 가량의 책을 개인서고에 모았다. 포퍼는 아버지로부터 책들과 함께 도서 수집벽도 함께 물려받았다.

1919년 포퍼는 마르크스주의에 경도되어 학생 사회주의 협회에 가입하였으며, 오스트리아 사회민주당의 당원이 되었다. 그러나 얼마 후 포퍼는, 마르크스주의의 역사유물론에 회의를 품게 되어 탈당하였으며, 이후 사회자유주의를 지지하였다.

그는, 1928년 심리학 박사학위를 획득하였으며, 1934년 첫 저서 『과학적 발견의 논리』를 출간하였다. 그는, 이 책에서 심리주의, 자연주의, 귀납론, 논리실증주의 등에 대한 자신의 비판을 서술하였다. 1937년 나치의 준동과 오스트리아 병합으로 인해, 포퍼는 뉴질랜드로 이민하여, 캔터베리대학교의 철학 강사가 되었다. 1945년에 『열린사회와 그 적들The Open Society and It's Enemies』를 출판하여 전체주의를 비판했다.

전쟁이 끝나자 1946년 영국으로 건너가, 런던대학교의 런던 정치경제학교(LSE)에서 논리학 및 과학적 방법론을 강의하였다. 1949년 교수에 임용되었으며, 1976년 런던 왕립학회의 회원으로 선출되었다. 포퍼는, 세속적 휴머니즘 협회의 회원이었으며, 스스로를 불가지론자이기는 하나, 기독교와 유대교의 도덕적 전통을 존중하는 사람이라 밝혔다.

포퍼는, 그의 저서 『열린사회와 그 적들』에서 오늘 우리에게 지닌 가장 중요한 적합성은,

그가 거기에서 옹호한 사회민주주의 철학이며, 또한 바로 그것이 그가 그 책을 저술할 때 <문명의 긴장> 많은 사람들이 자유를 진정으로 원하지 않는다. 왜냐하면, 자유는 책임을 수반하는 데, 많은 사람들은 책임을 지는 것을 두려워하기 때문이다.

가장 위대한 혁명은 ≪닫힌사회≫로 부터≪열린사회≫로의 탈바꿈하는 일이다. 포퍼는, 자기의 철학적 입장을 비판적 합리주의Critical Rationalism라고 명명하였다.

열린사회와 그 적들

칼 라이문트 포퍼 지음
이한구 옮김/민음사

《줄거리 대략 풀이》

그는, 그 당시 한참 유행하던 비엔나 학단(學檀)의 논리실증주의에는 동조하지 않았으며, 그이후에도 논리실증주의에 대한 그의 입장은 마찬가지였다. 오직, 비판을 통해서만 지식은 진보한다고 진심으로 믿고 있다. 비록, 플라톤과 마르크스에 대한 포퍼의 논의가 잘못되었다 하더라도, 민주주의를 옹호하는 그의 논지들은 타당할 수 있다. 무엇보다도 포피의 저술은 논증이 풍부하다.

포퍼의 철학은 체계적이다. 포퍼는, 자기의 사상을 본래 자연과학으로부터 사회과학으로 전개해 갔기 때문에, 전자에 대한 이해가 없이는 후자에 대한 깊은 이해에 도달할 수 없기 때문이다. 사회의 법칙은 우리가 해도 좋은 것과, 그렇지 않은 것이 무엇인가를 규정한다. 그것은 깨질 수도 있다. 자연의 법칙은 규정적이 아니라 기술적이다. 자연의 법칙이 명령이라는 과학이전의 믿음이 바로 법칙이라는 말의 다의성을 낳은 이유이다.

과학의 발전은, 이미 존재하는 그러한 지식의 덩어리에 새로운 확실한 지식들을 첨가해 가는 계속적인 과정으로 이해된다.

흄 첫째, 물리학의 법칙이 지금까지 들어맞았다는 사실로부터 내일도 타당하리라는 것을 논리적으로 추론할 수 없다.

둘째, 물리학의 법칙 등은 그 자체가 아무리 많은 관찰된 사례를 끌어 모은다 해도, 관찰된 사례에 의해서는 논리적으로 함축되지 않는다. 우리의 과학은 자연의 규칙성을 가정한다. 흄이 도달한 결론은 이렇다. 귀납법의 타당성을 증명하는 방법은 없다 하더라도, 우리 인간은 심리적으로 그렇게 되어먹었기 때문에 귀납적으로 생각하지 않을 수 없다. 그리고 실제에 있어서 귀납법은 작용을 하므로, 우리는 귀납법을 사용하는 것이다.

흄의 논증이 증명하는 것은, 나는 그 증명을 논박할 수 없다고 본다. 귀납법은 다른 경험이나, 다른 논리적 원리로부터 추론될 수 없는 독립된 논리적 원리라는 것과, 이러한 원리가 없이는 과학은 불가능하다는 것이다.

포퍼의 생산적인 업적은, 이러한 귀납법의 문제에 대한 만족할만한 해결을 제시했다는 점이다. 이와 같은 중요한 논리적 의미에서 경험적인 일반화는 비록, 검증할 수는 없다 하더라도 반증할 수 있다. 다시 말하면, 우리는 어떤 종류의 반증 적 경험자료 이든 거부할 수 있다.

다른 한편, 포퍼는 우리가 이론을 너무 쉽사리 폐기해서도 안 된다는 점을 지적하고 있다. 왜냐하면 그렇게 되면 시험에 대해 엄밀한 태도를 지니지 못하게 되어, 이론자체가 철저히 시험되지 못할 가능성이 많기 때문이다. 지식의 탐구에 있어서 우리의 관심은 진리에 더욱 가까이 접근해 가는 것이다. 우리가 하나의 이론에 어떻게 도달하게 되는가 하나의 이론을 어떤 과정을 통해 만들게 되는가 하는 문제는, 과학적으로 아무런 중요성도 없다는 사실로부터 우리가 말할 수 있는 것은 어떤 방식으로 만들게 되든지 다 좋다는 것이다. 그러므로 좋은 이론은, 비판자가 말하는 바에 같은 방식으로 만들어지게 될 수도 있다.

그러나 그런 이론 형성의 방식의 문제는 심리적 과정에 관한 것이지, 논리적 과정에 관한 문제가 아니다. 사실, 귀납법에 관한 모든 문제는 논리적인 과정과 심리적 과정을 구별하지 못한 데 기인한다. 우리가 생각할 때 사용하는 개념들은, 로크에서 흄에 이르는 경험론 자들이 믿었던 것처럼, 우리를 둘러싸고 있는 환경 속에 있는 객관적 규칙성에 의해 밖으로부터 우리에게 주어졌다기보다는 우리의 문제, 관심, 관점에 따라 우리에 의해서 개발된 것이다.

새로운 발견은 새로운 문제를 낳는다는 이 인식이 포퍼의 방법론의 알맹이를 이루고 있다. 대담한 이론화는 옳음이 드러나면 우리를 전진케 하지만, 틀릴 가능성도 또한 더 많다. 그러나 그것을 두려워해서는 안 된다. <과학에 대한 그릇된 견해는 맞는 것이기를 열망할 때 나타난다.>

우리가 하는 모든 활동에 있어서, 다음과 같이 생각하는 것은 놀랄 만한 해방감을 우리들에게 안겨준다. 개선될 수 있는 것이 무엇인가를 찾아냄으로써, 우리는 보다 나은 일을 할 수 있다. 그리고 단점들을 감추거나 못 본척하고 눈감아 버릴 것이 아니라, 적극적으로 찾아내어야 하며, 남이 주는 비판에 대해 화를 내기는커녕, 그것은 더 없이 소중한 도움으로 환영되어야 한다.

포퍼가 늘 관심을 가지고 있는 것은 발견과 새로운 창조이며, 이론의 시험과 지식의 성장의 문제이다. 이것이 바로 참이 아닌 과학적 이론이 대단히 중요하고도 유용한, 대단히 많은 결론에로 도달될 수 있다는 이유이다. 과학에 있어서도 사정은 마찬가지이다. 조금은 빗나갔으나, 분명히 명제가 참이긴 하나, 애매한 명제보다 좀 더 사용가치가 있다. 그렇다고 우리가 거짓명제에 만족해야 한다고 말하려는 것은 아니다.

과학자들은 흔히 그들의 이론이 결함이 있는 줄 알면서도, 그 이론을 사용해야 하는 경우가 대부분이다. 왜냐하면, 아직은 그보다 더 좋은 것이 없기 때문이다. 이론은 될 수 있는 한 명백히 표현해 놓음으로써, 반증이 분명히 가능하도록 해야 한다는 것이 포퍼의 주장이다. 마르크스주의자들과 정신 분석가들은 바로 그러한 반증을 체계적으로 회피하려는 노력을 하는 사람들이다. 반증 가능성은 과학과 과학 아닌 것을 구별하는 기준이다.

포퍼는, 그리하여 형이상학을 무의미하다고 내동댕이쳐 버리기보다는, 오히려 형이상학적 신념, 이를 테면 자연에 있어서 규칙성의 존재에 관한 신념을 자신도 가지고 있다고 선언한다.

어떤 분야(언어에 관한 학문을 제외하고)에 있어서든지, 쓸 만한 지식의 총량은 그 분야에서 사용되는 말의 의미에 관한 논의의 양에 반비례한다고 말할 수 있다. 논리적 원자론으로부터 발전되어 생겨나서 한 세대를 지배했던 논리실증주의와, 그 후 한 세대를 휩쓸었던 언어분석 모두를 그는 비판했다. <언어 분석가들은 진짜 철학적 문제란 없다고 믿거나, 만일 있다면 언어의 용법 혹은, 말의 의미에 관한 문제가 있을 뿐이라고 믿는다.

그러나 나는 생각하는 사람이면, 모두 관심을 가지고 있는 철학적 문제가 적어도 하나는 있다고 믿는다. 그것은 우주론의 문제이다. 즉, 우리들 자신을 포함하는 세계와 세계의 일부분으로 인간의 지식을 이해하는 문제가 바로 그것이다.

모든 과학은 우주론이다. 철학의 관심거리는 과학에 못지않게 우주론에 얼마나 기여하는가에 있다고 나는 믿는다. 과학적 방법에 관한 전통적 견해1)관찰과 실험2)귀납적 일반화3)가설4)가설에 대한 검증의 시도5)증명 혹은 반증6)지식.

포퍼1)문제(일반적으로 이미 있는 이론이나 기대에 어긋나는 것,2)해결의 제안, 다른 말로하면 새로운 이론3)새 이론으로부터 도출되는 시험 가능한 명제들4)시험 즉, 무엇보다도 실험과 관찰에 의한 반증의 시도5)경합하는 여러 이론 가운데서의 취사선택.

모든 유기체는 밤낮으로 문제해결에 항상 몰두해 있다. 모든 것은 가장 단순한 원초적 형태로부터 시작하여, 현재의 생물체와 같은 복잡한 형태로부터 시작하여, 현재의 생물체와 같은 복잡한 형태로 진행되어 가는 연속적인 진화적 사건들이다. 착오를 제거하는 데는 두 가지 길이 있다.

그 하나는, 필요하거나 적합한 그 어떤 변화를 일으키는 데 실패한 생물체가 생존이 불가능하게 되는 소위 자연도태요, 다른 하나는, 적합지 않은 변화를 수정하거나 억압하는 유기체의 통제장치에 있어서의 발전이 그것이다. 참으로 새로운 것이 어떻게 나타나는가 하는 문제가 그의 관심거리이며, 우리가 앞으로 그에게서 기대할 수 있는 중요한 철학적 공헌의 한 분야이다. 《P1—>TS—>EE—>P2 P1은 최초의 문제, TS는 시도된 해결 방안, EE는 제거된 오류,P2는 나타난 새로운 상황.》

그는, 그 공식을 수학과 논리학에는 적용할 수 없다고 늘 주장해 오다가, 라카토스의 연구를 확인하고 나서야 나중에 적용 가능하다고 확신하게 되었다.

과학이 우리에게 확실한 지식을 가져다주며, 우리가 지닌 모든 문제에 결정적인 해답을 제공한다는 관념을 포퍼의 철학은 과학주의라는 낙인을 찍어 저주한다. 둘 다 직관을 필수적으로 사용하여 진리를 찾아가는 구도자들이다. 그것은 공적영역인 세계3에 거주한다. 그것은 개인의 사적 마음의 상태에 존재하지 않는다.

그는, 삶을 무엇보다도 문제해결의 과정으로 보기 때문에, 문제해결에 적합한 사회를 원한다. 문제해결은 비판과 오류제거가 가능한 시험적 해결의 대담한 제시를 요청하므로, 그가 바라는 사회는 여러 가지 다른 제안들이 아무런 제약 없이 제기되며, 비판을 통해 새로운 수정의 가능성이 열려 있는 사회이다. 민주주의는 높은 생활수준을 초래하고 유지하는데, 결정적역할을 수행했다.

그 정책을 실시해 보면서 잘못된 것을 고쳐가는 것이 정상이다. 정책은 현실에 의해 시험되고, 경험의 빛 아래서 수정되어야 하는 하나의 가설이다. 비판적 검토와 토론을 통해 그 속에 도사린 위험한 오류를 색출해내는 것은, 실제로 일을 해 보고 잘못이 나타날 때까지 기다리는 것보다, 자원과 사람과 시간의 낭비가 훨씬 적은 더 합리적 절차이다.

의사결정과 조직 주고의 형성에 있어서 이러한 불가피한 사실은 용납되어야 한다. 이것은 정책의 집행과정에 있어서 비판적인 경계를 부단히 요구하며, 교정의 필요성을 더욱 제고해준다. 변화하는 목적에 따라, 조직적 수단에 건설적인 비판적 태도를 함양시켜 주는 정치과학과 정치기술이 요청된다.

합리성 논리 그리고 과학적 접근법은, 모두 여러 가지 서로 상충하는 견해들이 표명되며, 서로 엇갈리는 목적들이 추구될 수 있는 다원적이며, 열려진 사회를 지향한다. 열려진 사회가 하나의 현실이 되기 위해서 근본적으로 요청되는 것은, 권력을 쥔 사람들이 일정한 기간마다 폭력이나 물리적 힘에 의하지 않고, 다른 정책을 가진 사람에 의해 교체되어야 한다는 적이다. 그리고 이것이 참으로 가능하기 위해서는, 현 정부에 있는 사람들과 다른 정책을 가진 사람들이 새로운 정부를 수립하여 그 정권을 이향할 수 있는 자유가 있어야 한다.

《간략 내용》

포퍼의 반증주의

포퍼는, '귀납이 아닌 연역만으로 과학을 할 수 있는 방법'으로 반증을 소개했다. 반증이란 다음과 같은 것이다. 원앙새가 알을 낳았다고 하자. 그리고 '새는 알을 낳는다.'라는 가설을 세웠다고 하자. 그런데 어떤 다른 새가 알을 낳지 않는 걸 발견했다고 하면 가설이 반증'된다.

포퍼는, '과학적 진술'인지 아닌지에 대해 판단할 때, 어떤 가설이 반증될 수 있는가 없는가를 보면 된다고 했다. 반증이 가능하다면 그것은 과학적인 진술이다. 이는 그 진술이 틀렸는가, 맞는가를 판단하는 것이 아니다.

포퍼의 반증주의는 귀납주의의 한계를 극복하였지만, 반증사례를 무시하고 연구하여 성공한 해왕성 발견의 사례, 음파의 속도 문제해결의 사례[출처 필요] 등은 반증주의의 한계를 느끼게 만들었다. 다른 반증주의의 한계 사례 중엔, '동전의 앞면이 나올 확률은 절반이다.'와 같은 문장이 있다. 이는 수학적으로는 옳은 문장이지만, 반증하기는 불가능하다. 그럼에도 불구하고 과학적인 진술로써 사용된다. 또 다른 사례로는, 만유인력 법칙이 있다. 이것은 현재로써는 반증이 불가능하지만, 과학적인 사실로 받아들여지고 있다.[

포퍼의 과학관/포퍼와 논리 실증주의

포퍼는, 인식론과 과학철학에서 두 가지 근본 문제라고 생각한 '구획기준의 문제'와, "귀납의 문제"를 모두 해결했다. 그는, 비엔나 모임을 주도한 학자들과 입장이 달랐다. 그는, 실증주의자로 불리는 것을 좋아하지 않았다. 포퍼는, 자신의 자서전에서 자신의 입장이 논리실증주의자들의 철학에 영향을 주었다고 주장을 하고 있다. 과학철학자로서 포퍼의 명성을 높여준 『탐구의 논리』에서 그는, 논리실증주의의 학문적 노선에 대해서 동의하지 않았다. 노이라트는 포퍼를 논리실증주의의 '공식적 반대자'라고 불렀다.

포퍼는, 귀납의 이념과 검증 사이에는 실제적인 차이가 없으며, 과학은 귀납적이 아니며, 귀납은 흄이 그 정체를 폭로한 하나의 신화에 불과하다고 생각하기 때문이다. 논리실증주의는 검증가능성을 의미 기준으로 내세워, 검증 불가능한 언명을 무의미한 언명으로 분류하였다. 그들은, 이 기준을 사용하여 과학은 의미 있는 언명으로, 형이상학이나 윤리학의 명제들은 무의미한 언명으로 분류하려고 하였다. 경험적인 내용을 담고 있는 명제 가운데, 과학적인 언명만이 검증 가능한 언명이기 때문에 유의미하다는 관점이다.

포퍼는, 검증주의자들이 받아들이고 있는 논리학의 구조 안에서, 이러한 기준을 적용하는 것은 대단히 어렵다는 사실을 지적하였다. 과학법칙은 보편언명이고, 이 언명이 언급하는 영역은 시공간적으로 무한하기 때문이다. 보편언명을 지지하는 언명을 아무리 많이 모은다 하더라도, 그 언명들은 검증을 위해서는 충분하지 못 하다. 자연법칙은 보편언명이며, 관찰 결과를 보고하는 언명은 단칭 언명이기 때문에 무수히 많은 단칭 언명을 수집하였다고 할지라도, 보편언명이 논리적으로 정당하다고 할 수 없다.

포퍼는, 검증가능성 대신에 반증가능성을 제시하였다. 가설은 단칭 언명에 의해 검증될 수는 없지만, 반증될 수는 있다는 점에 착안한 것이다. "희지 않은 한 마리의 백조"를 관찰하였다면, "모든 백조는 희다"는 언명은 거짓이 된다. 포퍼는, '반증 가능성'을 과학과 과학 아닌 것을 구분하는 구획기준으로 제시하였다. 그의 구획기준은 의미 기준이 아니라, 단지 과학과 비과학을 구분 짓는 기준이다.

포퍼는, 논리실증주의의 의미 기준은 귀납적 과학관의 연장이라고 보고, 귀납법에 대한 비판과 동일한 맥락에서 그것을 비판한다. 논리실증주의는 흄이 제기한 '귀납의 문제'를 받아들이지만, 여전히 귀납법이 과학의 방법으로 유용하다고 믿기 때문에 귀납법의 전통 위에 있다고 볼 수 있기 때문이다.

포퍼가 말하는 합리주의

포퍼가 말하는 합리주의란, 데카르트 같은 철학이론을 말하는 것이 아니다. '인간은 철저하게 이성적인 존재'라는, 철저하게 비이성적인 주장을 하는 것은 더더욱 아니다. 내가 이성이나 합리주의를 논할 때는 오직, 우리가 우리 자신의 실수와 오류에 대한 타인의 비판을 통해, 그리고 나아가 자기비판을 통해 '학습'을 할 수 있다는 믿음을 이야기하는 것이다.

합리주의자는 한마디로 자신이 옳음을 증명하는 것보다, 다른 이에게서 배우는 것을 더 중요하게 여기는 사람이다. 나아가 남의 의견을 무조건 받아들이는 게 아니라, 자기 생각에 대한 남의 비판을 쾌히 받아들이고, 남의 생각을 신중히 비판함으로써 타인에게서 기꺼이 배울 의향이 있어야 한다. 여기서 중요한 것은 비판, 더 정확히 말하면 '비판적 논의'이다.

진정한 합리주의자는, 자신을 포함한 누구도 진실을 알 수 없다고 생각한다. 그리고 비판만 하고 새로운 관념을 발전시킬 수 있다고도 생각지 않는다. 반면, 인간의 관념에 한해서는 오직 비판적 논의만이 찌꺼기에서 낟알을 가려낼 수 있다. 사상의 수용 혹은, 거부가 결코 철저하게 이성적인 문제가 될 수 없다. 그러나 한 가지 관념을 다각도에서 검토하고 타당한 판단을 내리는 데 필요한 성숙함은, 오직 비판적 논의를 통해서만 얻을 수 있다. 비판적 논의에 대한 분석에는 인간적 측면도 포함된다.

합리주의자들은 비판적 논의가 사람 사이의 유일한 관계가 아니며, 오히려 합리적으로 이루어지는 비판적 논의는 우리 삶에서 매우 드물다는 것을 잘 알고 있다. 그런데도 합리주의자는, 비판적 논의의 근본이 되는 주고받기(Give and Take) 태도가 철저히 인간적인 의미가 있다고 본다. 비판적 논의에 임하려면, 이성을 가지고 다른 사람들을 대해야 하는 때문이다.
합리적인 비판적 논의 태도는, 오직 다른 이들의 비판을 거쳐서만 생길 수 있으며, 다른 이들의 비판을 통해서만 자기비판에 이를 수 있다.

합리주의적 태도란 다음과 같다. '내가 틀리고 당신이 옳을 수도 있다. 진리에 가까이 가는 것이 누가 옳은지 그른지 따지는 것보다 더 중요하다는 것을 잊지 않는다는 전제하에, 이 논의가 끝날 때쯤 우리 모두 이 문제를 전보다 더 명확하게 볼 수 있기를 바라자.

이러한 목표를 염두에 둘 때만 우리는 토론에서 자신의 견해를 최대한 옹호할 수 있다.

참고문헌 『삶은 문제해결의 연속이다.』

《주요 내용》

민주주의의 역설

우리의 목적이 자유체제를 확립하는 데 있다면, 성권을 물리적 힘에 의해 유지하는 정권에 가하는 물리적 힘은, 도덕적으로 정당화될 수 있다(그리고 이때 성공의 가능성은 풍부하다). 왜냐하면, 우리의 목적은 폭력에 의한 지배를 이성과 관용에 의한 통치로 교체하는 데 있기 때문이다.

관용의 역설

관용성 있는 사회는, 어떤 상황에서는 관용의 적을 억누를 준비가 되어 있어야 한다. 더 우리에게 친숙한 역설, 이미 플라톤이 암암리에 말한 바 있는 역설은 <자유의 역설>이다. 국가 간섭 그 자체를 반대하는 사람들은 자기모순에 빠져 있다는 것을 포퍼는 지적한다. 그것을 보장해 줄 수 있는 유일한 장치인, 정부개입은 참으로 위험스러운 무기이다. 그것이 없거나 너무 적으면 자유는 죽고 만다. 그것이 너무 많아도 자유는 죽는다.

그리하여 우리는 다시 지배받는 자에 의한 정부통제가, 민주주의의 필수 조건 일 수밖에 없다는 사실로 돌아오게 된다. 그 통제가 효과적이려면, 그 정부를 바꿀 수 있어야 한다. 그러나 이것이 필요조건이긴 하지만, 충분조건은 아니다. 그것은 자유보존을 보장하지 않는다. 자유의 값은 영원한 불침번이다.

통치권역의 역설

많은 사회에 있어서 힘은 널리 분산되어 있다. 가장 핵심이 되는 질문은 <누가 통치하는가?>가 아니라, <그릇된 통치-그 가능성과 귀결-를 우리가 어떻게 극소화시킬 수 있는가>이다.

그러한 제도를 무력하게 만들려는 시도는 권위주의적 정부를 세우려는 시도에 불과하므로, 필요하다면 물리적 힘에 의해서라도 그것을 막아야 하며, 그러한 독재체제에 대항하여 물리적 힘을 사용하는 것은, 독재체제가 다수의 지지를 얻고 있을 때라 하더라도 정당화될 수 있으며, 그러한 반독재적 목적으로 물리적 힘을 사용하는 것은, 자유체제가 이미 존재하는 곳에서는 자유체제를 보위하는 행위이며, 자유체제가 존재하지 않는 곳에서는 자유체제를 수립하는 행위이다.

불행을 극소화하라.

우리는 그러므로 그것을 먼저 적용한 다음 그 결과에 따라 행동하고, 다시 사태를 검토할 때는, 첫째 원리를 그 안에 포섭하는 보다 풍부한 둘째 원리를 적용하여야 한다는 방법론적 입장을 취해야 할 것이다.

그 둘째 원리는 이것이다. <개인들이 각기 원하는 바에 따라 살 수 있는 개인의 자유를 극대화하라>.

우리의 목적이 자유체제를 확립하는 데 있다면, 정권을 물리적 힘에 의해 유지하는 정권에

가하는 물리적 힘은 도덕적으로 정당화될 수 있다(그리고 이때 성공의 가능성은 풍부하다).

왜냐하면, 우리의 목적은 폭력에 의한 지배를 이성과 관용에 의한 통치로 교체하는 데 있기 때문이다.

반 귀납주의

포퍼의 관점에 따르면, 과학자들의 과제는 가설을 제시하고 테스트하는 것이다. 이러한 과정에 대한 연구가 '과학적 발견의 논리,' 곧 '과학의 방법'에 대한 연구이며, 과학적 지식의 성장에 대한 연구이다. 이 문제는 '과학이 무엇이며, '경험과학에 속한 언명(이론들, 가설들)과 다른 언명 특히, 사이비 과학적 언명, 전과학적 언명, 형이상학적 언명, 수학과 논리학의 언명을 구별하는 기준'인 구획기준의 문제와 밀접히 연결되어 있다.

포퍼는, 이러한 물음에 대해 모범 답안을 제시해 온 전통적인 귀납주의 과학관을 전면적으로 부정하면서, 자신의 논의를 시작한다. 포퍼에 따르면, 귀납주의 과학관은 과학을, '귀납적 방법'은 하나의 신화에 불과하며, 과학자들은 귀납적 방법을 전혀 사용하지 않을 뿐만 아니라, 귀납적 방법은 많은 논리적 문제를 안고 있기 때문에, 결코 정당한 방법이 될 수 없다는 사실이 밝혀지게 되었다. 과학자들과 일반인들이 과학의 징표로 생각해온 귀납적 방법을 과감하게 부정하고, 완전히 새로운 눈으로 과학을 해석할 수 있는 통찰을 부여한 개념이 바로 '반증가능성'이다. 반증가능성은 포퍼 철학에서 가장 핵심적인 개념이다.

포퍼는 '반증가능성'이라는 개념을 사용하여, 그가 인식론의 근본 문제로 설정한 '귀납의 문제'와 '구획기준의 문제'를 해결하고, 추측과 반박을 새로운 과학의 방법으로 제시하였다. 과학은, 추측과 반박을 통해 끊임없이 진리에 접근한다는 지식의 성장이론은 반증주의 과학 이론의 당연한 결론이라 할 수 있다.

구획기준의 문제

과학과 비 과학을 구별할 수 있는 기준의 문제가 '구획기준의 문제'이다. 포퍼는, 한 명제가 반증 가능한 경우, 그 명제는 경험과학에 속한다고 말한다. 그러나 이 문제는 진리의 문제와 무관하다. 그는, '구획의 문제는 더욱더 중요한 문제인 진리의 문제와 구별된다. 거짓으로 밝혀진 이론도 거짓으로 밝혀졌음에도 불구하고, 경험적 가설, 과학적 가설의 성격을 지닐 수 있다.'라고 하였다. 반증가능성은 가설이 진리인가 그렇지 않은가 와는 무관하다.

포퍼는, 반증가능성은 논리적 반증가능성임을 강조하고 있다. 반증가능성은 명제의 논리적 구조와 관계가 있을 뿐이다. 구획기준으로서 반증가능성은 반증이 실제로 행해질 수 있거나, 혹은, 행해지는 경우 반증이 아무런 문제가 없어야 한다는 사실을 의미하지는 않는다.

그는, "나의 기준에 따르면, 한 언명 혹은, 이론은 적어도 하나의 잠재적 반증가능자 곧, 적어도 그 언명과 논리적으로 상충할 수 있는 가능한, 기초 언명이 존재하는 경우, 오직 그러한 경우에 한해서 반증가능하다. 관련된 기초언명이 참임을 요구하지 않는 것이 대단히 중요하다."고 말한다. '모든 백조가 희다.'와 같은 명제는 반증가능하다. 희지 않은 백조가 존재할 수 있기 때문이다. 그러나 "모든 인간의 행동은 자기 이익에서 나온 이기적 행동이다."와 같은 언명은 반증이 불가능하다. 이러한 주장은 심리학, 지식사회학, 종교학에서 널리 주장되고 있지만, 어떤 이타적인 행동도 그 행동 뒤에는 이기적 동기가 존재한다는 견해를 반박할 수 없기 때문이다. 포퍼는, 반증가능성에 의해 과학과 비 과학을 구별할 수 있다고 주장하였다. 과학과 과학이 아닌 것을 구별할 수 있는 기준이 있다면, 이 기준을 사용하여 우리는 과학과 사이비 과학을 구별할 수 있기 때문에, 포퍼의 이러한 제안은 대단히 매력적이다. 과학을 높이 평가 하는 시대정신에 편승하여, 저마다 자신의 주장이 과학적이라 주장하는 상황에서 구획기준이 있다면, 이것을 사용하여 사이비과학의 기만을 폭로할 수 있기 때문이다. 포퍼가 구획기준에 관심을 갖게 된 배경에도 이러한 의도가 도사리고 있었다. 그 당시 과학을 표방하고 나온 정 신분석학과 마르크스주의가 비과학적임을 입증하려는 의도를 가지고 있었다.

그는, 이 두 이론에 대해 어느 정도 적대감을 가지고 있었다. 아들러주의자들은 순종하는 아들과 반항하는 아들 모두를 오이디푸스 콤플렉스로 설명하려고 하였다. 포퍼는, 아들러의 이론은 반증불가능하기 때문에 비과학적이라는 결론을 내렸다. 마르크스주의도 이와 상황이 조금 다르긴 하지만, 여전히 비 과학으로 분류될 수밖에 없다. 마르크스는 많은 예측을 하였 지만, 그 예측은 맞지 않았다. 그럼에도 불구하고 마르크스주의자들은 결정적인 반증을 피하 면서 변명을 늘어놓았다. 포퍼는, 과학으로 위장하여 학문적인 위상을 높이려 한 이론들의 정 체를 폭로하였다.

합리주의

포퍼는, 과학의 합리성의 근거를 비판과 토론에서 찾음으로써, 합리성의 개념을 바꾸어 놓 았다. 포퍼의 합리성에 대한 새로운 개념은 과학의 영역을 넘어, 철학전반에 확대 적용될 수 있으며, 근본적으로는 철학의 방법이라고도 할 수 있다. 그는, '합리적 태도'와 '비판적 태도' 를 동일하게 본다. 철학과 과학에 방법이 존재한다면, 그것은 합리적 토론의 방법이며, 이 방 법은 "문제를 분명히 진술하고 그에 대해 제출된 다양한 해답들을 비판적으로 검토하는 것이 다."

과학이론은 단지 비판받을 수 있다는 사실에 의해, 비판의 빛 아래에서 수정될 수 있다는 사실에 의해 신화와 구별되고, 비 과학과 구별된다. 합리주의에 대한 이러한 관점을 그는, '열 린사회'로 응용하여 사회철학에까지 확대하였다. 비판과 토론의 방법은, 폭력이 아닌 이성을 통해 우리가 더 살기 좋은 사회를 만들어 갈 수 있다는 점진적 사회공학의 이론적 근거가 된 다.

포퍼는, "과학 또는, 철학으로 나아가는 길은 하나뿐이다. 문제와 만나고, 그 아름다움을 찾 아내고, 그 문제와 사랑에 빠져라. 만일 더 매혹적인 문제와 만나게 되지 않거나, 그 문제가 해결되지 않았다면, 죽음이 그 문제와 당신을 갈라놓을 때까지, 그 문제와 결혼하고 행복하게 살아라."고 하였다. 주례사 같은 이 말은 철학과 과학에 대한 그의 생각의 핵심을 잘 보여주고 있다.

참고문헌

『인문계 학생을 위한 과학기술의 철힉적 이해』 제5판(포퍼 외 2인 과학철학)

저서『탐구의 논리,Logik der Forschung』(1934)

『열린사회와 그 적들 The Open Society and It's Enemies』(1945): 전체주의에 대해 비판했다.

『역사주의의 빈곤, The Poverty of Historicism』(1957)

『과학적 발견의 논리 The Logic of Scientific Discovery』(1959) '1934년에 출판된 탐구의 논리 영어번역(후속 작)'

『추측과 논박 Conjecture and Refutations』(1963)

『객관적 지식 : 진화적 접근 Obejective Knowledge: an Evolutionary Ap-proach』(1972)

『자아와 그 두뇌-상호작용론에 대한 논증, The Self and It's Brain』 존 에클스(John Carew Eccles) 공저(1977)

서훈

1965년 기사작위(Knight Bachelor) 서임

1982년 컴패니언 오브 아너(Order of the Companions of Honour, CH)

참고문헌

장대익 (2008).『과학에는 뭔가 특별한 것이 있다』. 김영사. ISBN 9788934921318.

각주

Watkins, J. Obituary of Karl Popper, 1902-1994. Proceedings of the British Academy, 94, pp. 645-684

이상욱. '과학이 반증을 견딜수록 발전하듯 열린사회는 여러 제도시험을 거친다.'

데이비드 에드먼즈, 존 에이디노지음, 김태환 옮김 『비트겐쉬타인은 왜?』 웅진닷컴 ISBN 89-01-03521-9

Magee, Bryan. The Story of Philosophy. New York: DK Publishing 2001. p221 ISBN 0-7894-3511-X

장대익 2008, 71쪽.

Raphael, F. The Great Philosophers London: Phoenix, p. 447, ISBN 0-7538-1136-7

The collection of bibliophile prints, Alpen-Adria-Universitat Klagenfurt

칼 포퍼-브리태니커 백과사전 (다음백과 미러)

칼 포퍼-두산세계대백과사전

칼 포퍼.《네이버캐스트》.

유대인들이 부(富)를 쌓은 간략 역사

　　이스라엘의 현대 국가는 유다왕국에 그 기반을 두고 있다. 국가설립 후, 초대 왕 사울에 이어 그 사위인 다윗의 통치시대가 열렸다. 다윗의 탁월한 통치 덕에, 유다왕국은 견실한 국가로 발전할 수 있었다. 오늘날 이스라엘 국기 명칭이 '다윗의 별'인 것처럼 유대인의 영향력은 세계 각국에 퍼져 있다.

　　유일신을 예배하는 유대인들의 민족성 배경은, 모세오경과 탈무드이다. 그들은 이 바탕에서 세계로의 길을 열었다.

　　뉴암테르담의 총독 페트루스 스토이베산트는 네덜란드 개혁교회 신자로, 유대인들과 퀘이커 교도들이 늘어나자, 이들을 못 마땅하게 여겨 추방하려 했다. 그 무렵, 퀘이커교는 17세기 영국청교도 운동의 극좌파에 해당하는 종교로 유대교와 많은 면에서 공감대를 이루고 있었다. 그러자 유대인들은 소위 '플러싱 항의서'라고 알려진 서신을 네덜란드 서인도회사에 보내, 종교의 자유와 장사를 핍박하는 총독을 파면시킬 것을 탄원했다.

　　서인도회사는 곧 총독에게 유대인들의 종교와 장사를 훼방하지 말라는 경고를 냈다. 스토이베산트는, 결국 파면 당한 다음 네덜란드로 돌아갔다. 이를 계기로 뉴암스테르담에서는 종교의 자유가 철저히 보장되었다.

　　뉴암스테르담에 이주한 초기 유대인들은, 생업으로 맨해튼 어촌에서 네덜란드에서 하던 대구 잡이와 간단한 일용잡화 행상부터 시작했다. 맨해튼 앞 바다에도 대구가 있지만, 가까운 매사추세츠 동남부 반도에 '코드곶'(Cape Cod Bay)이 더 많았다. 그 앞바다는 대구 산란철이 되면 말 그대로 '물 반, 대구 반'이었다. 지금도 그곳은 세계 4대 어장 중 하나이다.

　　보통 1미터가 넘는 크고 못 생긴 물고기 대구는, 입이 커서 대구(大口)라고 불린다. 무게도 보통 30킬로그램이 넘는 대형고기로, 살이 많아 사람들이 좋아했다. 대구 잡이 유대인들은 인디언들로부터 물물교환 형식으로 사들인 비버 가죽을 서인도회사에 비싼 값에 되 팔았다.

　　1655년 영국군의 침략에 대비해 맨해튼 남부에 통나무외벽을 쌓기 위한 모금이 시작되었다. 그때, 맨해튼에 처음 도착했던 유대인 23명 중 5명이 네덜란드 은화 1천 플로린을 기부했다. 그 외벽을 쌓은 지대가 지금의 월가=월스트리트(Wall Street)다.

　　유대인들은 더 많은 모피 수집을 위해 인디언들이 사는 펜실베이니아로 대거 진출했다. 이로써, 1655년에 펜실베이니아(펜의 숲)에도 두 번째 유대인 정착촌이 들어앉게 되었다. 유대인들의 세 번째 정착촌이 '뉴포트'와 '프로비던'이다.

　　대구 잡이를 매개로 어업을 발달시킨 유대인들은, 고깃배를 직접 건조하는 조선소도 세워 무역선까지 만들었다. 식민지시대가 끝날 무렵에는, 영국선박의 1/3이 아메리카 동북부 뉴잉글랜드에서 건조되었다. 이에 앞서 1625년 네덜란드 유대인들은, 브라질과 카리브해 섬에서 가져온 사탕수수 경작에 성공을 했다. 각지에서 많은 돈을 끌어 모았다.

　　어떤 국가나 민족이든, 그 구성원을 뭉치게 하는 전통적 관습이 있다. 이스라엘인들은 피부가 희든 검든 국가관, 하쇼아(홀로코스트 유대인학살)의 역사관과 국민적 세속을 구심점에 둔 유대인성을 지녔다. 그 특성을 잘 보여주는 것 중 또 하나가, 성인식이다. 만 13세가 되면 성인대접을 받는다. 여성의 경우 '바트(Bat)'란 단어를 써서 '바트 미쯔바'라고 한다. 일부 종파에서는 그 나이 소녀들의 빠른 성숙을 감안하여, 여성의 경우 12살에 성인식을 치르기도 한다. 유대 어린이들은 그 준비 1년 전부터, 부모에게 기도 방법을 배우는 학습을 넘어, 유대교 회당에서 토라(성경)을 공부한다. 이때, 대중 앞에서 말하는 방법을 배우기도 하는 데, 그 덕에 유대인들은 토론의 달인으로 손꼽히게 되었다. 두 사람이 모이면 세 가지 의견이 나온다, 라는 말은 결코 과장이 아닌 이유이다.

유대인들의 지혜서인 『탈무드』에서는 '돈은 버는 게 아니라 불리는 것'이라고 가르친다. 눈(雪)을 모아 굴리면 어렵지 않게 눈덩이가 된다는 원리이다. 그래서 유대인들은 종자돈을 형성하는 그 수단의 틀을 일찍부터 제도로 갖춘다. 또한, 유대인들은 차후 대비인 보험에도 적극적으로 가입하여 안전자산의 틀을 다지기도 한다.

돈과 관련된 유대인들의 경제관은 '자선'이다. 유대인들은 "이 지독한 유태 놈아!"(셰익스피어 작, 베니스상인의 한 대목)의 욕을 들을 정도로 피도 눈물도 없는 깍쟁이로 알려져 있지만, 가난한 이웃을 돕는 자선에 바치는 돈만큼은 아끼지 않는다. 이는 '가난한 자를 불쌍히 여기는 것은 여호와께 꾸어 드리는 것이니, 그의 선행을 그에게 갚아 주시리라'(구약잠언 19장17절)는 생활적 실천이다.

유대인들은 그들이 살던 곳에서 언제 추방될지 모른다는 불안을 한시도 떨칠 수 없었다. 유대인들은 이 같은 상황 대비로 손 쉽게 들고 갈 수 있는 재화 마련에 열을 올렸다. 무거운 귀금속보다는 만국의 공통 화폐인 작고 값진 재화나 보석이 제격이었다. 실상, 15세기 이베리아 반도에서 쫓겨난 유대인들은, 피신해온 앤트워프로에서 몸에 숨겨 지니고 있던 보석을 재빨리 풀어 정착을 잡았다. 유대인들의 가공기술은 다이아몬드 산업을 불러일으켰고, 그 전통을 이어받아 앤트워프는, 오늘 날에도 유럽 최대의 다이아몬드 유통지로 남아있다.

다이아몬드가 보석으로서 최고의 자리를 차지하게 된 과정의 배후에는, 17세기말 베네치아의 유대인 페루지 인물이 있다. 그는, 다이아몬드 커팅기술의 정수인 '브릴리언트컷'의 연마 방법을 발명한 인물이다.

다이아몬드는 물질 가운데서 가장 단단하다. 영원불멸의 강력함과 깨지지 않는 사랑을 상징한다. 그래서 결혼반지로 많이 쓰인다.

세계에서 가장 단단하게 뭉친 민족

유대인에게 무덤은 종말이나 죽음의 상징이 아니라, 생명의 상징이다.

꺾일 줄 모르는 자존심은 성공의 걸림돌이다.

어머니가 어두우면 가정이 어둡고, 어머니가 밝으면 온 가정이 밝아진다.

거주지를 고를 때, 유대인은 근처에 좋은 학교가 있는지를 잣대로 삼는다.

유대인은 소화가 안 된다.

유대인은 유대인에 대한 안전을 지킬 의무가 있다.

『탈무드』에서는 '얼굴을 맞대고 칭찬하는 입은 열린 무덤이다.' 즉 아첨을 철저하게 금한다.

유대인 두 사람이 모이면 세 가지 의견이 나온다.

유대인이 시간을 잘 지키지 않는 것을 영어로는 '주이쉬타임'

유대인은 질문하기를 좋아하는 민족이다.

유대인에게 질문을 하면 질문으로 되돌아온다.

미국의 코미디언들 중에는 유대인이 많다.

중세 유럽에서는 유대인의 활동 장소를 게토, 곧 유대인 거리에 제한시켰다.

유대인은 언제나 '외국인'이었다.

중세의 경제는 길드 제도, 즉 상호 부조적인 조합이 지배했다. 그러나 유대인은 여기에 참가하는 것이 허락되지 않았다.

중앙 유럽의 봉건 영주들은 경리와 무역을 유대인에게 자주 위탁.

유럽의 황후들 사이에 통상의 기초를 다져놓은 것은 유대인이라고 할 수 있다.

중세 전반기에 유럽의 교역활동을 도맡다시피 한 유대인은, 그 과정에서 자본을 쌓아 힘을 기르고 마침내는 독립. 유럽에서 큰 역할을 하고 있는 독일의 큰 은행들은 모두가 유대인의 금융회사가 발전한 것들이다. 유대인의 성공비결 중 하나는 유대인답게 사는 것이다.

산업혁명이 시작되자, 유럽의 금융 중심지는 런던으로 옮겨졌다. 철도건설과 새로운 산업의 발전을 위해 수많은 자금 대부와 투자가 이루어졌다. 로스차일드가는 동유럽의 철도건설을 위해 차관을 얻으려고, 영국의 재무성과 교섭했다. 그 결과 그들은 1811년에서 1816년까지 6년에 걸쳐, 그 당시 돈으로 4,250만 파운드라는 거액을 대부받는 데 성공했다. 그리고 건설자금의 절반이 넘는 액수를 로스차일드가가 출자했다. 또한, 노일전쟁에서 일본이 진 외국 빚의 절반을 유대인 은행가가 인수했다.

로스차일드가는, 19세기 동안에 프러시아를 비롯해서 유럽의 여러 나라 정부와 브라질에 거액의 차관을 제공했다. 이것은 로스차일드가가 유럽대륙에 있는 유대계통의 은행가들과 긴밀한 유대 관계를 맺고 있어서, 돈을 모으는 일과, 신용을 제공하는 일과, 정보를 수집하는 일 등이 손 쉬웠기 때문에 가능했다.

러시아의 페테르스부르크에 독일에서 온 두 사람의 유대인 형제 곧, 니콜라스와 르토이크 쉬데이 크리츠가 처음으로 은행 문을 열었다. 긴스버그 은행은, 유대인 요셉 긴스버그가 1859년에 창설. 18세기 말에 폴란드계가 많은 유대인들이, 은행이나 철도건설 같은 새로운 산업을 일으키는 데 큰 힘을 보탰다. 루마니아 유대인이 경영한 마르말라슈 프랭크은행은 루마니아에서 가장 큰 은행.

유대인이 헝가리의 은행과 기업 활동의 개척자 역할.

체코슬로바키아 베지에크가가 유대인 은행가이자 기업인 집안.

스웨덴 경제발전에 이바지한 유대인으로서, 덴마크의 코펜하겐 유대인이 재무장관 네덜란드 17-18세기 무렵에 유대인은 네덜란드의 금융계에 활발히 참여했다. 벨기에·스위스에도 지대한 영향을 끼쳤다.

서인도제도나 포르투칼에서 미국에 이민 온 유대인들이 이와 같이 뉴욕의 금융업계나 상업계의 발전에 크게 기여했다. 현재 세계 유대민족의 50%가 미국에 건너와 살고 있다.

솔로몬은 아메리카 역사에 이름을 남긴 유대인이다. 그는, 1740년에 프러시아에서 태어나 신대륙 미국으로 건너왔는데, 미국 독립전쟁 시 독립전쟁 자금을 대준 미국 사람 로버트 모리스의 배후에서 돈을 마련해준 장본인이다. 솔로몬은 미국 독립전쟁에다 그의 모든 재산을 바쳤다. 19세기 중엽에는 스위스에서 구겐하임 일가가 미국에 건너와서 구겐하임가 라는 재벌을 이루었다.

19세기에는 퀸 로에브 상사라는 유대인은행 스페인에서는, 7세기부터 온갖 폭력을 써서 유대인을 기독교로 개종시키려고 안달했다. 그러다가 스페인은 무어족의 침략을 받았다. 그러나 무어족의 술탄은, 기독교인보다는 너그러운 태도로 유대인을 대했다.

13세기의 유럽은 반 유대감정은 절정에 달했었다. 유대인은 그리스도를 죽인 백성이며, 돈놀이를 하는 자들이었으므로, 사람들의 양심을 만족시킬 만한 명분은 얼마든지 만들어낼 수가 있었다. 많은 유대인이 영주의 회계를 맡고 있었으므로, 유대인들은 일반 사람들의 원한을 사기도 했다.

1648년에는 훼메르니크 반란으로 많은 유대인들이 학살당했다. 훼메르니크는 카자흐족의 지도자로서 폴란드 영주에 반발하여 반란을 일으켰는데, 이때 폴란드에 거주하던 유대인 인구의 절반쯤이 학살되었다.

유대인은 역사를 통틀어 언제나 속죄양으로 이용되어왔다. 독일의 나치는 유대인을 모으면 곧바로 전혀 알지 못하는 곳으로 데려갔다. 가령, '밤과 안개'라는 유대인 학살의 극비지령이 떨어지면, 여지없이 독일 점령지나, 독일 국내에서 긴 화물열차가 달린다. 그 속에는 수천 명의 유대인이 마치 가축처럼 차곡차곡 쌓여 있다.

바르샤바 봉기는 유럽에서 살던 유대인이 들고 일어나 싸운 사건으로는 가장 영웅적인 것.

유대인은 아무리 박해를 받아도 결코 멸망하지 않는다. 15세기 말에는 아브라함 화라소라는 유대인학자가 유대인이 돈놀이를 하여 이자를 받는 것은 정당하다는 책을 지어 유대인에 대한 비난에 대꾸하기도 했다. 20세기 초에는 반유대주의 문헌으로 유명한 '시온의 정서'라는 것이 나돌았다. 이것은 러시아의 비밀경찰이 날조한 것으로, 유대인이 세계 정복을 꾀해 국제 조직을 만든다는 허위 사실이었다.

《제4권》
《죽음에 대한 기본적 이해》

사실인즉 죽음은 불가항력적이지만
모든 생명은 고귀하다는 측면에서
누구나 좋은 죽음, 평화로운 죽음을 소망한다.

죽음에 대한 기본적 이해

좋은 죽음/나쁜 죽음
의학적 측면

의학에서는 인격적 과정이라기보다는 단적으로 혹은, 주로 생물학적 사건으로 취급하고 있다. 의학에서 죽음의 개념을 살펴보면 다음과 같다.

(1)생체 액 유동기능의 불가역적 정지(심장과 폐혈관의 기능정지)
(2)육체로부터의 영혼의 불가역적 이탈(호흡기능 정지)
(3)신체적 통합능력의 불가역적 정지(뇌기능의 정지)
(4)사회적 상호작용 능력의 불가역적 정지(뇌피질사)

이러한 개념은 인간의 특성이 의식, 그리고 타인과의 상호 작용을 통한, 사회 환경과의 관계를 맺을 수 있는 능력이라고 보는 견해를 두고 있다. 그러므로 인간관계에 있어서의 죽음은 인간성의 상실을 의미한다.

임상적으로는 심장고동의 정지를 근거로, 사망하였음을 확인하고자 한다. 그러나 생물학적으로 심장이 멈추었다고 하여, 신체의 모든 세포가 곧 죽었다는 것을 뜻하는 것은 아니기 때문에, 죽음에 대한 의학적 정의와 법률적 정의가 서로 다르다. 과학으로서의 의학은 아직 인간의 죽음에 대해 일치된 정의조차 내리지 못하고 있는 것이다.

대한의학협회의 '죽음의 정의 연구위원회'는 1983년 다음과 같이 발표했다. "죽음의 정의는 심장기능 및 호흡 기능과 뇌 반사의 불가역적 정지, 또는 소실을 죽음이라 정의 한다."

이상과 같이 의학에서는 죽음을 비인격적인 과정으로 보며, 그렇기 때문에 죽음의 의미라든가, 인간적인 죽음에 대해서는 함구하고 있다. 죽음을 비인격적 현상으로 본다는 것은 마치 우리가 매일같이 신문지상에 나타난, 모르는 사람의 죽음을 알리는 부고를 접할 때 느끼는 것과 같은, 전혀 인간적인 뜻이 담겨지지 않은 단순한 현상으로 취급하는 태도를 말한다.

오늘날 의학이 할 수 있는 일이란, 인간의 생물학적 죽음을 얼마동안 지연시킬 수 있다는 것뿐이다. 생명을 연장시키고자 하는 의학적 노력은 은연중 다음과 같은 태도를 형성해 왔다. 곧, 의학은 살아 있는 사람을 다루지 죽은 사람과는 상관이 없으며, 어떤 의미에서 죽음은 의학적 노력의 패배로 간주된다. 여기에서 죽음을 부정하는 태도를 볼 수 있다.

법학적 측면

법학에서는 죽음의 의미나 가치보다는 죽음의 책임을 묻는다. 그러므로 자연사(natural death)보다는, 외부의 자극(물리적이거나 정신적인)에 의한 죽음, 즉 살인을 논하게 된다. 법에서는 살인죄(Totung, Homicide:사람을 살해하는 것을 내용으로 하는 범죄)의 테두리 안에서 인간의 죽음을 바라본다. "사람의 생명은 생활의 기본이므로, 법률은 이를 보호하고 이를 침해하는 행위에 대하여 엄벌로 임하는 이유가 있다.

형법상에 있어서 '살해'는 고의로 사람의 생명을 자연적인 죽음의 시기에 앞서 단절하는 것인 반면, '과실치사'는 단지 사람을 죽음에 이르게 하는 것이다. 살해는 그 수단방법에 불문한다. 예를 들면 작위에 의하건, 무작위에 의하건, 직접적이건, 간접적이건, 유형적이건, 무형적이건 어느 경우에도 불문한다. 한편, 과실치사죄는 죽음의 결과발생이 과실로 인함을 말한다.

사람의 죽음의 기준에 관해서는 형법학에서 몇 가지 간단한 이론을 제기한다.

첫째. 호흡이 종지한 시점을 택하는 호흡 종지설.
둘째. 심장의 박동이 종시한 시점을 택하는 맥박 종지설.
셋째. 최근의 심장이식 수술이 개발됨에 따라 뇌의 장기 사를 개체의 죽음으로 보는 경우이다.

이는, 뇌파의 일정기간 정지로서 뇌사를 판정하려는 뇌파 종지설이다. 법학자인 진발호 교수는, 아울러 "현재의 의학수준으로서는 뇌파의 완전 정지 상태를 확정할 수 있는 일반적으로 승인된 신뢰할만한 방법이 없으므로, 뇌 전파 정지 설을 받아들이는 것은 무리라고 볼 때, 맥박 종지설이 타당하다"고 본다. 여기서 우리는 우리나라의 법에서는 맥박정지를 죽음의 기준으로 판단한다는 사실과, 의학계의 죽음기준의 과학적인 연구의 발전과 기준설정에 깊은 이해가 없다는 사실을 발견하게 된다.

블랙법률사전(Black`s Law Dictionary)에서는 "죽음은 생명이 끝나는 순간에 일어나는 것이며, 심박동과 호흡이 정지하기 전까지는 일어나지 않는다. 생명의 정지, 존재의 끝남, 의사들이 정의한 바로는 혈액순환의 완전한 정지, 그리고 그에 따른 호흡이나 맥박과 같은 생물적 생명기능의 정지"라고 정의한다. 이런 정의는 죽음에 대한 전통적 기준으로 뇌기능에 의한 죽음 판단에 대항하는 법 개념이다.

따라서 사람의 죽음에 대한 일반적인 법률정의는 생명에서의 이탈(departure from life), 육신적 삶의 정지(cessation of his physical life)라고 말할 수 있으며, 좀 더 정확히 표현하자면, 혈액순환의 완전한 정지(total stoppage of the circulation of blood)와 호흡이나 맥박과 같은 생명기능의 정지이다. 이와 같이 죽음에 대한 법적이해는 죽음을 과정(process)으로 보기보다는, 어떤 시간의 순간에 일어나는 사건(event)으로 보고 있다.

철학적 측면

의학에서 죽음을 부정하고자 하는 것과 마찬가지로, 전통적인 철학과 형이상학에서도 이 죽음의 문제를 문제 삼는 것을 소홀히 하고 회피해 왔다. 그러나 오늘날 서양에서는 죽음에 대한 관심이 갑자기 고조되었으며, 일반대학 철학과에는 '죽음과 죽는다는 것(death and dying)'이라는 과목까지 등장하게 되었다.

죽음에 대한 중요한 철학적 문제로는, 죽음의 공포(the fear of death)라는 문제가 있다. 그 문제에 대해서는 5가지 견해가 있다. 첫째는, 죽음에 대해서는 죽음이 괴로울 것이라는 가정에 근거를 두고 있으나, 죽음 그 자체는 절대로 괴로움이 될 수 없다는 에피쿠로스(기원전 341-270)의 주장이며, 둘째는, 죽음의 공포를 극복하려면 죽음을 항상 염두에 두고 살아야 한다는 스토아철학자들의 주장이며, 셋째는, 인간은 절대로 죽음을 정확히 알거나 직시할 수 없다는 스피노자(1632-1677)의 견해이며, 넷째는, 행복한 사람은 행복한 죽음을 가지고 온다는 입장이며, 다섯째는, 죽음자체에 아무런 의미를 부여할 필요가 없다는 쇼펜하우어(1788-1860)의 주장이다.

그러나 19세기와 20세기에 들어서면서 인간은 구체적인 삶과 지금 있는 '현존재' 또는, '실존'에 부쩍 관심을 기울이게 되었다. 실존철학은, 실존을 그 철학의 출발점으로 삼고 있다. 일반적이고 보편적인 인간을 문제 삼는 것이 아니라, 구체적이고 개별적인 지금 여기 인간을 문제 삼고 있다. '죽음의 문제는 이제 인간이 간단히 처리해 버린다거나 또는, 피해버릴 수 있는 문제로서가 아니라, 그 문제와 진지하게 대결하지 않으면 안 될 문제로 대두하게 된다.

현대철학은 크게 현상학, 실존주의, 분석철학, 실용주의로 나눌 수 있다. 그리고 현상학과 실존주의는 주로 유럽에서 성행하여 대륙철학이라고 부르고, 분석철학과 실용주의는 영국과 미국에서 성행하여 영미철학이라고 부른다. 죽음에 관해서 영미철학보다는 대륙철학이 더욱 관심을 가지고 있다고 말할 수 있으며, 그 중에서도 실존철학은 죽음을 철학의 가장 중요한 문제로 취급하는 경향이 있다.

이런 실존철학의 대표라고 할 수 있는 하이데거(Heidegger)는 존재문제를 본격적으로 다룬 최초의 사람이라고 할 수 있다. 그는, 인간은 신의 존재와 내세의 존재를 가정하지 않더라도 죽음을 직시함으로써 삶의 의미를 발견할 수 있다고 하였다.

그러나 같은 실존철학주의자인 샤르트르(Sartre)는, 어떤 의미도 죽음에서 뺄 수 없다고 말한다. 그리고 영미철학에서는 죽음의 문제를 그리 중요하게 다루지 않는 경향이 있으나, 분석철학의 대표자 중의 하나인 종교언어를 윤리적으로 해석한 필립스에 의하면, 죽음의 공포는 내세를 현세에 실현시킴으로써 '영원한 술어'로 표현된 영광(?)을 누릴 수 있다고 했다. 그리고 전통적인 기독교입장에 서서 이상의 입장들을 자신의'종말론적 해석'으로 비판한 힉(John H. Hick)은, 비록 그 내세는 미래증명 적이긴 하지만, 우리가-비록 희미할 수밖에 없겠지만-실제로 내세를 가정하지 않는 한 죽음의 의미를 발견할 수 없다고 했다.

좋은 죽음이란

누구나 좋은 죽음, 평화로운 죽음을 소망한다. 사람들은 폭력, 사고, 전염병 등에 의한 죽음이 아니라, '자연사'를 갈망한다. 모든 생명은 고귀하다는 측면에서 자신을 돌보면서 훌륭한 죽음을 맞기를 기원한다. 사마천(司馬遷)은 "왜 어떤 죽음은 고귀하고, 어떤 죽음은 아홉 마리 소의 터럭하나(九牛一毛)만도 못할까"하며 안타까워 한 것도 우연이 아니다. 그는, "현명한 사람은 진실로 자신의 죽음을 중히 여겼다"고 했다.(김영수2010)

루트비히 비트겐슈타인(Wittgenstein2015) 역시 "훌륭한 죽음을 맞을 수 있는 그런 삶을 살아야 한다."고 했다. 현인들의 말은 한마디로 잘 죽어야 한다는 것이다. 그렇다면 우리 삶에서 배제돼온 삶과, 죽음이라는 2분법적 틀을 깨고 진지해지는 것이 죽음을 보는 우리의 진정한 자세가 아닐까 싶다.

그런데 여기서 좋은 죽음이란 죽어가는 과정(dying)에 초점을 맞추는 개념이다. 죽어가는 순간까지 총명하게 자아를 잃지 않고 자신을 돌보며 존엄하게 죽는 것을 의미한다(Zimmermann 2012). 반대로, 노인으로 살아가면서 오랜 질병으로 인한 냄새, 욕창, 낙상, 신체구속, 그리고 기저귀를 차고 지내다가 죽는 것은 인간으로서의 존엄성을 잃는 것이다. 또한, 극단적 예로써 자동차사고 등으로 갑자기 사망했을 때, 건강하고 활기찬 사회활동 등 미래의 가능성이 파괴된다는 의미에서 나쁜 죽음에 해당한다. 즉, '맞이하는 죽음이 아닌 당하는 죽음'은 나쁜 죽음이다.

비트겐슈타인은 "오로지 죽음만이 인생의 의미를 준다."고 했다. 죽음을 생각하는 삶은, 인간의 유한성을 직시하며 초월적 무한성과 연관된 삶이라고 할 수 있다. 꼭 종교적이지 않더라도, 인간의 죽음이 이미 영원한 삶과 연결돼 있다는 생각으로 살아가는 것이 복이다. 육체적 고통의 극복만이 아니라 정신적 심리적 고통, 그리고 영적인 허무함에서 해방된 죽음이 좋은 죽음이다. 요컨대 늘 건강하게 자성하고, 참회(회개)하며 잘살고 잘 죽기를 소원하는 것이다.

나쁜 죽음이란

우리는 죽음이 왜 나쁘다고 생각할까? 어떻게 죽는 것이 나쁜 죽음인가. 젊어서 죽는 것은 나쁜 죽음인가. 다른 사람보다 더 오래 살다가 죽으면 운이 좋은 사람인가. 갑자기 사망하거나, 일찍 죽은 아이들의 죽음은 나쁜 죽음(bad death)이고, 노년기에 제 수명을 다하고 죽은 사람들은 좋은 죽음(good death)인가. 혹은, 아침에 아내가 남편의 침실을 열었을 때 남편이 죽었다면 그것은 어떤 죽음인가. 생각하기 나름이겠지만, 좋은 죽음은 아닐 것이다. 이러한 죽음에 대한 생각은 노년기에 우리의 몸, 마음, 죽음, 심지어 영혼자체에 대해 부정적이거나 긍정적인 영향을 미친다.

내가 확실히 아는 것이 하나 있다면, 그것은 내가 죽는다는 사실이다. 확실한 것은 죽음이란 현실세계로부터 없어지는 것이고, 다른 방으로 들어가 잠자는 것이나 다름없다는 위로의 말도 있다. 하지만 끝없는 논란의 대상으로써 실체가 없는 비존재 상태가 죽음이다. 내가 그렇고 당신이 그렇게 비존재 상태로 죽는다. 실제로 우리의 삶과 죽음을 단순히 정량화하는 것은 불가능하다.(Brown, 2007) 그럼에도 불구하고 많은 사람들은 존재론적 죽음을 받아들이지 못하거나, 세상을 떠나는 것이 나쁜 죽음처럼 생각한다. 그 이유는 죽음으로 인해 '아무도 더 할 수 없다'고 생각되기 때문이다. 인간이 다양한 모습으로 존재하듯이 죽음에 대해서도 좋고, 나쁨이라는 이분법적 사고가 지배하는 것이 우리들의 삶이다.

사실인즉 죽음은 불가항력적이지만, 아쉬운 감정을 갖게 한다. 어린 나이에 죽는 것은 누구를 사랑해 보지 못하고 죽는 것, 장년의 죽음은 자기의 목표를 이루지 못하고 죽는 것, 노년기는 흘러가는 세월을 아쉬워하며 죽어갈 것이다. 특히, 사람들은 갑작스런 죽음을 두고 부정적인 반응을 보인다. "너무 빨리 갔어. 건강했는데, 일어날 수 없는 일이 일어났어. 믿어지지 않아!" 등등 죽음에 대한 아쉬움을 표한다. "열심히 살아보려고 했는데"하며 눈물로 망자를 저 세상으로 보낸다. 생각하기 나름이겠지만, 모든 것을 부정하면 재앙이 된다. 반대로 지금까지 살아왔다는 사실에 감사하고 긍정할 때에, 좋은 죽음을 맞이할 수 있을 것이다.

게다가 죽음은 모든 것을 박탈당한다는 점에서 '불모의 삶'으로 돌아가는 것을 뜻한다. 죽는 순간부터 행복하게 누리던 유쾌한 경험을 빼앗기는 '박탈문제'(deprivation thesis)가 제기된다. 죽음은 모든 향락을 박탈하기 때문에 나쁜 것이라고 생각한다. 사람들에 따라 다르지만, 욕망을 내려놓지 못하고 죽을 때에 더 아픈 것이다. 나쁜 죽음은, 그 사람의 욕망의 정도와 밀접한 관계를 나타낸다(Belshaw, 2013). 죽어가는 모습에서 평화로운 임종(편안한 얼굴)인가, 아니면 고통스러운 모습인가? 을 짐작할 수 있다. 고통스러운 죽음은 결국 삶의 과정에서 악을 행했거나, 불행한 삶을 살았기 때문이라는 견해도 있다.(Bradley, 2013) 불행하게도 대부분의 사람들은 고통스럽게 죽어가는 것이다.

좀 더 죽음을 이해하기 위해 다른 예를 들어 보자. 이를테면 이제 당신이 80세라고 하자. 노년후기에 접어들었지만 무의식중에도 당신은 90세, 100세 이상 살 것을 상상할 것이다. 아니면, 더 늦게 태어나서 지금 20세쯤 살아간다면 얼마나 좋을까? 즉, 늦게 태어났다면 앞으로 60-70년 이상 더 살 것이 예상되기 때문이다. 아니면 우리아버지가 정자를 냉동보관 했다가 수년 후 더 좋은 세상이 되었을 때, 어머니자궁에 이식해 태어난다면 어떨까? 라는 상상도 해 볼 수 있다. 말인즉 시간을 거꾸로 돌리고 싶은 마음이다. 사람의 생명도 되돌릴 수 있다면 얼마나 좋을까? 하고 소망하는 것이다.

또, 비슷한 맥락에서 살짝 비틀어 생각해 보자. 당신이 90살이라고 가정해 보자. 그런데 병원진단에서 1년 안에 죽는다고 했을 때, 그것은 좋은 죽음인가 나쁜 죽음인가? 결국 당신은 1년 안에 죽는 것이 아니라, 100세 이상을 살 것이라고 상상하기 때문에 1년 내의 죽음이 나쁜 죽음이라고 생각되는 것이다. 반대로 이제까지 살만큼 잘 살았으니 남은 1년을 긍정적으로 겸손하게 받아들일 때, 그것은 좋은 죽음일 것이다. 당신의 이룰 수없는 존재욕구가 크게 작용할 시는, 결국 나쁜 죽음으로 생각되는 법이다.

무슨 얘긴가. 이 모두가 시간 속에 존재한다는 뜻이다. 현실세계에서 생명에 대한 시간의 차이가 있을 뿐이다. 시간에 좋고 나쁨이 어디 있는가. 삶은 더없이 소중하면서도 유한하지 않은가. 시간은 일단 지나가면, 단 1초라도 돌아오지 않는다. 플라톤과 하이데거의 경우, 존재의 영역(실체, 관념의 세계)과 시간영역(되어감, 진행)으로 나누고 있지만, 사실은, 모든 존재란 시간에 의해 한정될 뿐이다. 존재(나)의 죽음도 시간 속에서 제한될 뿐이다. 시간 속에서 일어나는 일(죽음)들이 뭔가 나로부터 빼앗아가기 때문에 나쁘다고 생각하게 되는 것이다.

이렇다 보니 사람들은 죽음을 악(惡)으로 간주하는 경향이 있다. 죽음에 대해서 나쁘게 생각하면, 죽음자체가 불행해질 수밖에 없다. 하지만 죽음은 악도 아니고 선(善)도 아니다. 다만 소멸되는 것뿐이다. 결국 제한된 생명을 누리다가 죽는 것이 자연의 법칙이다. 인간의 수명주기에서 죽음은 현실이고, 자연으로 돌아가도록 설계되어 있다. 다만, 우리는 지구상의 모든 종(種)들보다 나쁜 죽음을 피할 수 있는 능력을 가지고 있을 뿐이다. 이같이 생각하면 노년기에 좋은 죽음이 일종의 집착이겠지만, 육체의 건강, 영혼의 건강을 위해서 긍정과 웃음, 사랑과 배려, 낙관주의로 살아갈 때에 좋은 죽음을 맞이할 수 있을 것이다.

어떻게 좋은 죽음을 만들까

좋은 죽음을 만들기 위해서는 우선 살아있을 때 좋은 삶을 살아가는 일이다. 죽음을 예상하고, 고통 없이 주어진 생명을 누리다가 떠나는 것이 좋은 죽음이다. 무수히 많은 생명체가 걸어온 길을 따라가는 것이 우리 삶이요 죽음이다. 사마천은 "세상의 헛된 죽음을 보면서 태산보다 무거운 죽음"을 말한다(김영수2010). 언젠가는 죽을 것을 알기에 명예로운 죽음이 귀중하다는 뜻이다. 내 생명의 길이를 예측할 수 없지만, 그러기에 신비롭고 태평하지 않을까하는 생각도 든다.

그럼 좋은 죽음을 어떻게 만들 수 있을까. 그것을 행동에 옮기는 것이 쉬운 일이 아니지만, 환자 및 가족의 입장에서 살펴볼 몇 가지 방법을 찾아보자.

1⇔환자자신이 죽음을 예감하고, 주변정리는 물론 가족들도 마음의 준비를 하며 죽음으로 인한 충격을 줄이는 일이다. 죽음에 이르기 전에 못다 한 일들을 정리하는 한편, 가족들과 사랑

을 나누고 용서하면서 심리적 불안감을 줄여가는 일이다.

2⇔가능한 통증 없이 죽는 것이다. 고통을 줄이는 즉, 완화치료(palliative care)는 죽어가는 사람에게 매우 필요한 조치다. 완화치료는, 좋은 죽음을 목표로 한 것으로써 죽음의 질에 영향을 미친다.

3⇔모든 사람들과의 인간관계를 정리한다. 살아가면서 생긴 갈등, 모순, 적대감을 모두 풀고 가는 것이다. 아이라 보이오크(Byock, 2004)는 죽음직전에 인간관계를 푸는 데는 "나는 당신을 사랑합니다. 감사합니다. 당신을 용서합니다. 나를 용서해 주세요."라고 했다.

4⇔가족들로서는 환자가 소원하는 것을 충족시켜 주는 일이다. 먹고 싶은 음식을 만들어 주거나, 여행을 동행하며 함께 보내는 것이다. 가족 및 친지들과의 작별인사를 할 수 있는 기회를 마련해 주는 것도 빼놓을 수 없는 배려다.

5⇔인생의 의미를 찾도록 배려하는 일이다. 환자가 추구하는 가치를 느끼도록 하는 일, 책을 읽어주거나 음악을 들으며 휴식을 취하도록 돌보는 일이다.

6⇔임종을 대비해 신뢰할 수 있는 사람과 대화기회를 만들어주고 재산, 장기기증, 죽음의 선택 등을 놓고 충분히 말할 기회를 만든다.

7⇔원치 않는 생명의 연장을 강요하지 않는다. 의료기기에 의존하지 않고, 온전히 존엄을 지키며 죽는 것이다. 무의미한 생명연장 없이 조용히 떠나도록 돕는 일이다.

8⇔죽음이 임박할 시 집에서 혹은, 병원에서 임종할 것인가를 선택한다. 임종이 임박하다면 안방으로 옮겨 눈을 감도록 한다. 안방은 죽어가는 자의 마지막 끝내는 장소니 그렇다.

9⇔종교적 믿음을 갖도록 권한다. 생명에서 죽음의 통로로 이어지는 과정에서 신의 도움을 받아 영혼의 평안을 얻도록 하는 일이다. 우리는 허구의 썩어 없어질 육체에 사로 잡혀 죽어가지만, 진정한 생명은 불멸하는 영혼이라는 믿음을 가질 때 좋은 죽음이 된다.

10⇔사망 후, 사회적 관계에서 어떤 비난을 받거나 수치스러운 일이 발생하지 않도록 조심한다. 가족·친지·사회로부터 애도의 대상이 될지언정 비난을 받지 않도록 한다. 손가락질 받지 않는 죽음이 훌륭한 죽음이다.

어쨌든 한 가지는 분명하다. 아무리 건강하고 성공했더라도, 어느 땐가는 죽음을 맞이하게 된다. 인간이면 누구나 불편하게 생각하는 것이 바로 죽음이다. 삶의 뒤를 돌아보면서 "인생이 왜 이리도 무의미하고 추악한가?"혹은, "왜 고통을 겪으면서 죽어야 하는가?"하고 낙담할 것이다. 그렇다고 늙고 병들어 마지막으로 다가오는 죽음을 단순히 피해 대상으로 볼 것은 아니다. 그러니 가족들은 죽어가는 사람에 대해 신체적, 심리적, 사회적, 영적으로 해방된 죽음을 맞이할 수 있도록 하는 것이 마지막 배려일 것이다.

끝으로 이 글을 끝내면서 불편한 경고의 말을 해야겠다. 노년후기에 치명적인 질병으로 인해 오랜 기간 와상(臥床) 상태에 빠지면, 한 평생 살아온 아내도, 아이들도, 이웃들도, 사회도, 나의 생각, 내 행동의 죽음까지도 포기하도록 요구한다는 사실이다. 오히려 당신의 임종에 기뻐할지도 모른다. 그렇다고 그들을 미워할 것도 아니고 분노할 것도 아니다. 세상이 그렇다. 그렇게 가는 것이다.

다만, "다 사랑한다. 미안하다"는 말을 남기고 떠나라. 특히, 아내에게는 "내가 먼저 저세상으로 갈 것 같으니, 당신은 몇 년 더 살고 따라 오라"고 위로하며 죽는 것이다. 그것이 삶의 끝마무리요 영원한 생명으로 남는다.

기억되는 죽음remembered death

첫째, 야곱은 성경에 나오는 위대한 족장으로 천수를 다하고 자연스럽게 발을 침상에 모으고 숨을 거뒀다. 야곱(Jacob)은, 열두 아들을 축복하고 죽는다.(창49: 28-33) 죽으면서 아들에게 아브라함과 그의 아내가 묻힌 곳에 장사지내라고 한다. 자신을 이집트가 아닌 조상이 묻힌 가나안의 막벨라 밭에 있는 굴에 장사지내도록 당부했다. 요셉과 형제들은 아버지를 위해 칠 일동안 애통하며 장사지냈고, 애급사람들까지도 칠십일 동안 그를 위해 곡하였다. 야곱은 죽음을 앞에 두고 요동하지 않고 침착하게 147세에 경건하게 죽는다. 존재론적 자신의 한계를 깨닫고 노인답게 정면으로 죽음을 맞이하는 모습이다. 시간 속에 귀결되는 죽음이지만, 단순한 종말이 아닌 신과 만나는 죽음, 죽음 속에 깃들여 있는 초월성, 그리고 유한한 삶이지만 자식들을 통해 자신의 유한성을 극복해가는 모습을 보여준다.

둘째, 명예로운 죽음으로 소크라테스의 '평온한 죽음'(tranquil death)을 예로 들 수 있다. 그리스철학자 소크라테스는, 신(God)을 부정하고 젊은이들을 타락시켰다는 이유로 아테네정부로부터 재판에 회부되어 자기사상을 포기할 것인가? 아니면 독약을 받고 죽을 것인가에 기로에 놓였다. 그는, 영원불멸을 믿으며 죽음을 택하고 죽는다. 그는, 죽음을 육체로부터 영혼이 해방되는 것으로 믿었다. 유죄를 인정하거나 사과하지 않고, 사망을 피하지 않고, 도망가지 않고, 자신의 바람직한 이상을 실현하고 죽음을 택한다. 종교적 초월성을 체험하고 자기만의 믿음으로 자신의 유한성을 극복하고 진정한 인간성을 보여줬다. 현재 자체가 영원으로 이어지는 평화로운 죽음을 맞이했다. 소크라테스는 "죽음은 인간만이 받을 수 있는 축복 중 최고의 축복이다"라고 했다.

셋째, 그리스도의 '구속적 죽음'(redeemed death)이 있다. 예수는 당국의 재판에 넘겨져 가장 고통스러운 십자가형을 받고 죽는다. 예수는, 로마제국과 종교권력에 의해 위험인물로 지목돼, 십자가형을 언도받고 겟세마네동산에서 십자가에 매달려 죽는다. 예수는, 순종의 행위로 죽는다. 조롱하는 자, 죄를 용서하기 위한 속죄제물의 죽음이다. 성경의 메시지가 예수의 죽음과 부활을 말하지만, 뮤지컬 '지저스클라이스트'에서 그 장면을 다시 보라. 종교인, 비종교인 가릴 것 없이 감당할 수 없는 고통과 고뇌하는 지저스(예수)의 대속 적 죽음을 느낄 수 있다. 예수의 고통과 죽음은 신학적으로 인류구원을 위한 속죄물이 되는 죽음이었다.

넷째, '이타적 죽음'(altruistic death)이 있다.
가까운 예로 찰스 디킨스(Charles Dickens1812-1870)의 고전작품 '두 도시의 이야기'(A Tale of Two Cities, 1859)에서 보자. 작품이 전하는 내용은, 프랑스혁명 당시 런던과 파리를 오고가며 펼쳐지는 숭고한 사랑이야기다. 주인공 시드니 카턴(Carton)은 아름다운 루시 미네트(Manette)를 처음 만나 사랑을 느끼면 삶의 의미를 찾는다. 그러나 루시가 다른 남자 찰스 다네이(Darnay)와 결혼하자 시드니 카턴은, 사랑하는 루시를 위해 자기가 할 수 있는 모든 것을 다 하겠다고 선언한다. 두 사람의 결혼을 시기하기 보다는 그의 행복을 빌어준다.

그런데 정치혁명 와중에서 루시와 남편 찰스의 생명이 사형당할 위기에 놓인다. 이에 시드니 카턴은, 고소하게 잘됐다는 생각보다, 죽음에 직면한 그들을 돕는다. 루시의 행복을 위해 찰스 다네이를 대신해 기꺼이 죽는 사나이 시드니 모습이다. 시드니의 희생으로 루시는 남편을 되찾고 잘 살아간다. 사랑이란 사랑하는 사람이 가장 행복하도록 만들어 주는 모습을 보여 준다. 죽음으로써 영원히 사랑하는 여인의 가슴에 살아있는 존재가 된 시드니다. 이타적인 사랑이야말로 이 세상을 구원하는 유일한 대안임을 제시한다.

물론, 좋은 죽음, 훌륭한 죽음은 위에서 언급한 사례 이외에도 많다. 고대그리스 작가 호머(Homer)의 서사시 오디세이(Odyssey)에서 보면, 오디세우스가 자신이 전쟁이 끝나고 집에 돌아와서 아내(페넬로퍼)를 유혹하며 괴롭혔던 당시 귀족들을 모두 죽인다. 이때, 오디세우스에게는 상대방의 죽음이 승리의 기쁨인 셈이다.

플라톤은 죽음이 행복하다고 했다. 에피쿠로스는 자신이 죽음으로 행복한 사람이 되었다고 했다. 키케로(Cicero)는 안토니우스에 의해 죽임을 당하면서도, "더 이상 고통 받지 않게 되었다"며 자기 머리를 내 주었다.

그런데 좋은 죽음이라는 의미는 최근 들어서 약간 변하는 듯하다. 21세기 장수사회에서 좋은 죽음이란 무의미한 연명치료를 중단하는 등 환자 자신의 생명선택권 보장을 중시한다. 그리고 각종 사건사고, 전염병으로 인한 죽음을 피하는 것이 좋은 죽음이다. 평균수명이 길어지는 현실에서 외롭게, 무기력하게 당하는 홀로사망, 자살 등이 나쁜 죽음이다. 삶과 죽음 사이에서 의학기술, 약물에 의한 무한정 생명의 지속상태, 혹은 식물인간 상태에서 죽는 것은 불행한 죽음이라는 뜻이다.

아울러 좋은 죽음을 맞이하기 위해 지금 할일보다 하지 말아야 할 것들이 많다는 사실을 간과할 수 없다. 예를 들어 사건사고를 방지하기 위해 음주운전, 마약복용, 지나친 욕심 등에서 벗어나는 마음의 변화가 있어야 한다. 이를 위해서는 매일 저녁에 귀중한 자투리 시간까지도 유익하고 즐겁게, 그리고 스스로 삶의 동기를 만들고 실천해 가는 일이다.

아리스토텔레스는 "당신의 생명이 끝날 때까지 좋은 삶을 만들 수 있다"고 했다. 그것은 마지막 순간까지 스스로 책임질 수 있어야 가능한 것이다. 그렇게 할 때, 정신적 사고와 판단력을 높여준다는 아드레날린(adrenalin)호르몬이 분비될 것이다.

우 정(자유기고가, 사회학)최종수정:2016.4.10.

좋은 죽음, 나쁜 죽음/작성자 물푸레 <참고자료>

죽음에 관한 철학적 이해

성 염(서강대 철학과)

철학-죽음을 준비하는 예술

"난 어둠 속에서 그분에게 외치면서도 가끔 거기에 아무도 없는 것처럼 느낍니다."

"아마, 아무도 없을지도 모르지."

"정말, 그렇다면 삶이란 끔찍하게 무서운 일이죠. 눈앞에는 죽음이 있고 만사가 허무라면 누가 살 수 있겠습니까?"

"대개는 죽음도 허무도 생각하는 법이 없지."

"인생의 마지막 지점에서야 그 어둠을 바라보게 되지요."

잉마르 베르그만이 감독한 『일곱째 봉인』(1957년 작)에서 기사 안토니우스 블록크와 죽음의 사자가 고백실 창살을 사이에 두고서 나누는 대화이다.

일찍이 플라톤은 철학함을 죽음을 준비하는 예술이라고 하였다. 철학하는 사람은, 인간은 죽음에 대하여 사색하지 않으면 안 된다. 그리고 로마의 스토아철인 세네카는 "사는 방법은 일생을 통해서 배워야만 한다. 그리고 아마도 그 이상으로 불가사의하게 여겨지겠지만, 평생을 통해서 배워야 할 것은 죽는 일이다"라고 설파하였다.

그렇지만 모든 것이 끝장나버리는 죽음에도 어떤 의미가 있을까? 만약 죽음이 무의미하다면, 삶 전부가 무의미해지리라는 우려에는, 우리 모두가 잉마르 베르크만처럼 심각하지는 않더라도 "내가 살아 있는 한 죽음은 존재하지 않고, 내가 죽은 다음에는 죽음이 존재하지 않는다."라는 그리스인 디오게네스의 말은 위안이 되지 않고, "아직, 삶도 모르면서 어찌, 죽음을 알리요?"(未知生 焉知死)라는 공자님의 말씀도 보탬이 되지 않는다.

죽음을 바라보는 철학적 시선들

서구에서 유대-그리스도교라는 종교적 배경을 갖는 사람들로부터 무신론적 포스트모더니즘의 불가지론자들에 이르기까지의 사유는, 다음과 같은 시선들로 죽음을 바라보고 있는 듯하다.

먼저 생자필멸(生者必滅)의 이치를 수용해야 한다면서, 영혼이 감옥인 육체로부터 분리되는 것이라면서 어차피 죽음은 전생이나, 이승에 저지른 죗값, 또는 업보라면서 체념하는 달관 적 자세가 있다. 스토아철학자 에픽테토스(Epicenters: AD1세기)의 말이 대표적이다.

죽음이 악이라고 느껴질 때에는 언제나 다음과 같이 생각하라! 악을 피하는 것은 옳은 일이지만, 죽음은 피할 수 없다. 왜냐하면 죽음은 나로서 어쩔 수 없기 때문이다. 내가 죽음을 피해서 어디로 도망친단 말인가? 다만, 당당한 소리로 "나는 위대한 일을 하려고 떠나련다. 어떤 위대한 일을 할 기회를 타인에게 주기 위해서 나는 떠나련다. 내 비록 실패하더라도, 남이 고귀한 행동을 하는 것까지는 질투하지 않겠노라"라고 말할 수는 있지 않은가?

(에픽테토스 대담 2.7.3)

두 번째로 똑같이 초연함을 견지하면서도 사후 생명이라는 위험스럽고 부적절한 환상으로 자기를 기만할 것이 아니라, 인간의 유한성은 무(無)를 향한 맹목적 돌진일 따름이라고, 어차피 죽음은 끝이요 모든 것의 종말이요, 내 존재와 모든 성취의 무화(無化)이며, 마지막 결정적인 파괴라는 환원주의(還元主義)도 많은 생철학자들에게서 관찰된다. 죽음은 무시해버리거나, 내 손으로 앞당겨버림으로써 죽음의 '가시'를 피하자는 태도인데,' "자유인은 삶만을 명상한다!"는 명제를 내세워서 합리주의의 이름으로 죽음에 대한 사색을 거부하는 것이 대표적이다.

명제 "자유로운 사람은 전혀 죽음을 생각지 않는다. 그리고 자유로운 사람의 지혜는 죽음에 대한 명상이 아니라 삶에 대한 명상이다."

증명 "자유로운 사람은 즉, 다시 말하면 이성만의 명령에 따라 사는 사람은 죽음에 대한 두려움에 의해서 인도되는 것이 아니라, 직접적으로 선을 욕망한다. 다시 말하면 자기 자신의 이익을 추구하는 원리에 따라 행동하고 살며, 자신의 존재를 보존하고자 한다. 그러므로 그는 죽음에 대해 전혀 생각하지 않으며 자신의 지혜는 삶에 대한 명상이다."

(스피노자 에티카 명제67)

세 번째로, 이집트의 피라미드에서 시작하여 우리겨레의 초혼(招魂)이나, 제사에 이르기까지 인류 거의 대다수가 품어온 꿈 "인간에게는 불사불멸하는 무엇이 있다"는 신념이나, 만인의 죽음을 목격하면서도 "나는 죽지 않는다."는 심리적 확신이 어디서 나오는지 탐색하는 사람들이 많다. 인간이 죽어 무덤에 묻히거나, 화장장에서 불타버리는 신체는 소멸될지라도, 인간에게는 불사하는 존재양식이 지속하리라는 희망을 버릴 수 없다는 것이다.

플라톤의 대화편 『파이돈』은 주로 이 문제를 다루면서 지금까지도 지성인들의 손에서 떨어지지 않는다. 소크라테스가 사형을 선고받고서 감옥에 갇혀 있을 때, 그의 제자들이 찾아와 대화를 나누는 장면이 이 책에 그려져 있다.

"자! 나는 그대들에게 참 철학자란 죽음이 임박했을 때, 기쁜 마음을 가질 만한 이유가 있고, 또 죽은 연후에는 저 세상에서 최대의 선을 얻을 희망을 가질 수 있다는 것을 증명하려 하오. 죽음은 영혼과 신체의 분리가 아닐까? 그리고 죽는다는 것은 이 분리의 완성이 아닐까? 영혼이 신체를 떠나 홀로 있고, 또 신체가 영혼을 떠나 홀로 있으면, 이것이 다름 아닌 죽음이 아니고 무엇이겠는가?

그러면 영혼은 언제 진리에 도달하는 것일까? 신체와 더불어 무엇을 탐구하려하면 영혼은 속을 것이 뻔 할 터이니 말일세. 참 철학자들만이 도대체 영혼을 이와 같이 해탈시키려고 하는 것이야. 신체로부터의 영혼의 분리와 해탈이야말로 철학자들이 특별히 마음을 쓰고 실천하는 바가 아닌가? 그러나 신들의 세계에 들어가 신들과 함께 있을 수 있는 것은, 오직 철학을 연구하고 신체를 완전히 해탈하여 순수하게 된 사람에게만 허락되는 것이요, 그밖에는 아무에게도 허락되지 않는 일일세.

(플라톤, 파이돈64a-82c)

끝으로 우리주변에서 무수히 발생하는 '남의 죽음'은 객관적인 사건으로 지나가지만, 정작 죽음이 나와 나의 사랑하는 사람들과 관계될 적에는 문제는 달라진다는 것을 우리는 체험한다. 나는, 내 자신의 죽음을 체험하고서 제삼자에게 증언할 수 없다. 아무도 나를 대신해서 죽음을 체험할 사람도 없다. 나의 죽음이 띠는 주관적인 객관성 때문에 죽음을 정면으로 사색해야 할 필요성을 절감한다. 그리하여 죽어가는 인간에게 시간성, 유한성을 본질적인 요소로 보면서도, 죽음은 생명이라고 일컫는 프로세스의 종국(終局)이니까, 그 마지막 순간도 '인간답게 살아가야'한다면서 도전하는 실존주의자들도 만난다.

하이데거(M.Heidegger1889-1976)는 인간을 `죽음을 향해 있음.' 또는,`죽음에 붙여진 존재 '(Sein zum Tode)라고 규정한 철학자이다. 죽음은, 실존의 한계를 보여주는 지평선(地平線)으로서 이 지평에서 무엇보다도 먼저 무(無), 그야말로 허무(虛無)에 대한 생각이 우리를 사로잡는다. 허무에 대한 이 의식은 염려와 불안으로 나타나고 이러한 삶의 고뇌가 의미를 갖는 것은 우리 존재가 '죽음을 향해 있음'이기 때문이고, 우리의 실존은 죽음과의 관계를 통해 방향이 정해진다고 한다. 그래서 '죽음을 향해 있음'은 우리 존재가 삶의 의미를 지닐 수 있는 출발점이 되고, 또 어쩌면 의미가 가능해지는 조건일지도 모른다. 인간 현 존재(現 存在)는 태어나자마자 자기 죽음에 넘겨져 있고, 숨이 끊어지는 순간까지 자기 죽음을 향하여 존재하면서, 끊임없이 죽어가는 가운데 항상 이러저러한 실존적 결정을 내리고 있다는 뜻이다.

인간다운 죽음

우리는 여기서 하이데거의 실존주의보다 한 걸음 더 나아간 시각에서 인간을 총체적으로, 영원히 파괴해버리는 이 생물학적 사건을 가장 긍정적으로 바라보는 그리스도교 철학사상을 살펴봄으로써, 인간이 필연적으로 맞는 이 종말이 `인간의 죽음' 또는, '인간다운 죽음'으로 정립될 수 있는 논지를 개진해 보고자 한다.

죽음 앞에서 실존적 결단을 요청한 하이데거의 착상은 위대하지만, 우리는 그의 사상에서 죽음자체가 절대적이고 궁극적인 무엇이 되어버리는, 마치 죽음이 하느님처럼 되어버리는 '비극적 영웅의 철학'을 감지한다. 실존적인간의 가장 위대한 결단이 결국 무를 향하고 허무로 끝나버린다면, 인간실존의 가장 숭고한 실재가 허무가 되고 만다. 그의 철학에서 존재(存在)와 무(無)가 동일시되는 이유가 여기 있다.

이 글의 본론처럼 소개하는 다음 사조는, 그리스도교 철학유산을 간직하면서도, 캐트와 하이데거의 철학적 성찰을 개방적으로 수용하는데서 얻어진 결실인 데, 대표적인 몇몇 사상가들은 철학과 신학을 넘나든다는 사실을 전제해야 한다. 철학적 사변과 결론이 지성의 유희로 그치지 않고, 자기의 삶 곧 종교로 전환되어야 한다는 학문적 성실에서 유래하는 현상임을 독자들이 이해하면 좋겠다. 죽음은 지적 사색으로 풀 수수께끼가 아니라, 혼신으로 매달려야 할 신비이기 때문이다.

우선, 이들의 사상을 이해하려면, '인간'과 '세계'(세상)에 대해서 다음과 같은 개념정립에 동의할 필요가 있다.

먼저, 인간이란 자연본성(自然本性)과 위격(位格)의 합일 체요, 위격 적이고, 자유스러운 정신과 물질적인 육체의 결합체, 간단히 말해서 육화(肉化)한 인격(人格)이다.

살아있는 육체가 곧 인간이므로, 철학하는 사람들이 흔히 나누어 개념 하는 정신과 육체는 단일한 인간 안에서, 토마스 아퀴나스의 표현을 빌리자면, 실체적 결합(實體的 結合)을 이루고 있다. 즉, 단일한 실체를 이루고 있다. 그리고 아리스토텔레스의 질료형상론(質料形相論)을 빌려 설명하자면, 마음 혹은, 정신 혹은, 영혼은 육체의 형상이다(anima forma corporis). 정신이 물체를 형상화(形相化)하는 이상 정신이 갖는 육체와의 관계는 인간의 본질이고, 육체와의 관계를 상실한 정신은 인간이 아니다.

그리고 우리가 사는 세상 혹은, 세계란 나그네 인생이 전개되는 무대도 아니고, 인간의 정복대상도 아니고, 인간의 세계다. 인간은 곧 세계내존재(世界內存在)이고, 실재의 총화(總和),

역사까지 포함하는 의미에서 신적이고 인간적인 것들을 모두 망라하는 총화이다. 이러한 인간관과 세계관에 입각해서 우리는 죽음을 표현하는 가장 범속한 명제들에 철학적 깊이를 부여하여 다음과 같이 해설해 볼 수 있겠다.

①"모든 사람은 죽는다. 예외 없이…"
첫째로 죽음은 자연스러운 사건이다.
인간은 하나의 생명유기체이므로 죽음은 극히 자연스럽고, 유한한 생명에는 으레 닥치리라 예상되는 종말이다. 그리스도인들이 상상하는 원초의 상태가 어떤 것이었든, 인간은 유한하고 사멸할 존재로 창조 받았고, 죽음도 창조의 일환이다.

이 명제는, 단순히 생자필멸(生者必滅)이라는 경험적인 귀납을 가리키는 말이 아니다. 과학자들이나 의료인들은 죽음을 '아직 해결을 못 본 생물학적 문제(problem)' 정도로 간주하며, 따라서 과학의 발달(회춘의약, DNA연구로 질병예방과 노화방지, 복제인간에 의한 장기대체 혹은 개인대체)로 언젠가 해결을 보리라는 막연한 기대를 품고 있다.

그렇다고 죽음을 생명과정의 필연적 부분으로만 간주할 수도 없다. 아무리 죽음이 '자연적' 과정에 일임되었더라도, 죽음의 보편성과 필연성에 관한 화학적이고 생물학적인 근거들을 발견한다 치더라도, 인간실존 전체가 총력을 기울여 죽음에 반항하는 이 현상은 무엇으로 설명할 것인가? 당사자의 종교적-철학적 이념적 소신이 무엇이든 간에, 인간은 자연스럽게 자기 생을 종결 짓지 못하고, 온 유기체와 정신력의 반항 속에 죽음을 맞는다. 프로이트 말대로, "내심에서는 아무도 자기가 죽으리라는 것을 믿지 않는다. 무의식의 차원에서 인간은 자기의 불사불멸을 확신하고 있다!" 인류의 가장 무서운 이 집단적 착각 "나만은 죽지 않는다."는 신념이 어디서 나오는가?

여기서 철학자들보다는 종교인들이 문제의 개연성 있는 해답을 찾고 있는 것 같다. 상상할 수 있는 인간의 미래를 전부 망라하여 모든 사람은 죽어야 하고, 실제로 죽으면서도 인간은 자기가 당하지 않아야 할 죽음, 또는 당해서는 안 될 형태로 죽음을 맞고 있다고 의식한다. 그리하여 그러한 죽음의 이유를 동서고금을 통해서 '죗값'으로 풀이하는 사조가 생겨났다.

죽음이 죄의 결과라는 종교인들의 해석은, 신(神) 또는, 존재근거는 생명 자체이거나 생명을 부여하는 존재이므로, 생명체들의 죽음의 원인일 수 없다는 뜻이다. 진화하는 세계, 유기체로 구성된 세계 속에서는 죽음은 필연이다. 따라서 죽는다는 그 사실이 문제가 아니라, 죽음을 체험하는 양식이 죄의 결과로 느껴진다는 것이다. 죽음은, 인간 '자기의 죽음'인 동시에 인간의 무력함이 가장 처절하게 드러나는 사고이기도 하여, 이 무력감이 저 많은 종교와 인간상식이 죽음을 죗값으로 보는 견해를 낳은 것 같다.

②"죽음으로 영혼과 육체가 분리된다."
이 명제에 철학적 깊이를 부여하는 내용은 다음과 같다. 생물학적이고 현상적 사건으로서의 죽음으로 "혼이 나간다." 또는, "영과 육의 분리"라는 고전적인 명제를 거의 전 인류가 사용하고 있는 데, 이 범속한 명제는 "인간의 정신적 생명원리가 죽음으로써 육체라는 것과, 전혀 새롭고 전혀 다른 관계를 갖는다."는 뜻으로 해명될 수 있다. 영혼이 하나의 생명단자(生命單子)로서, "육체라는 세계의 일정한 시공 점(時空 点)과 가져오던 관계를 청산하고(원래부터 영

- 292 -

혼이 갖고 있던) 전우주적 세계관계가 드디어 현실화되는 것이 곧 죽음이 아닐까? 즉, 죽음이 인간의 실존을 비우주적(非 宇宙的a-cosmic) 무엇으로 만드는 것이 아니라, 오히려 전우주적 (全 宇宙的all-cosmic)존재양식으로 만든다는 설명이 가능하지 않을까?

실제로 죽음은 공동체에서 일어난다. 아내와 자녀들에게 에워싸여 임종하는 가장이든, 공권력에 의해서 처형당하거나 범인에게 살해당하는 사람이든, 전쟁과 사고와 재난으로 떼죽음당하는 경우든, 죽음은 사회공동체에서 발생하므로, 공동체가 그 의의를 해석해주고(자연사니 비명횡사니 순국과 순교와 순직으로)공동의 삶에 통합해왔다.

그래도 죽음은 인간을 공동체로부터 배우자, 가족, 혈연, 우정, 사회로부터 분리시킨다. 그것도 영구히! 이웃 인간과, 대자연과, 그리고 신과의 관계를 와해시킨다. '죽음의 가시'는 개인적 생명과 더불어 공동체 생명을 상실하는 그것도 영원히 상실하는 데에 있다. 죽음은, 그 모든 인연과의 관계를 깡그리 파괴해버리는 사건으로 비치기 때문에, 죽음에 대한 번뇌를 동물적 공포나, 감정적 미숙이나, 신앙의 결핍으로 간주해서는 안 된다. 죽음에 대한 불안은 사랑에서, 생명에 대한 사랑, 인간들에 대한 사랑에서 우러나고, 삶에 의미와 목적을 부여하는 것이 이 관계이므로 이불안은 진지하게 취급되어야 한다.

그래서 죽음으로 영혼은 다른 영육 체들의 생명의 기저(基底)가 되는, 전체세계의 공동규정소(共同規定素)로 변화하는 것이다. 사람이 목숨을 바쳐 타인과 나라와 역사에 이바지한다는 깊은 의미를 여기서 추출할 수 있겠다. 어린 자녀를 두고 숨 거두는 어머니, 무력한 가족을 남기고 죽는 가장, 정의사회를 위하여 투신하다가 게릴라전선이나 사형장이나 학살현장에서 피살당하는 의인(義人)들이 죽는 순간, 사랑하는 이들의 삶과 한반도의 역사의 저변으로 스며들어가서 살아남은 자들과 더불어, 그 삶과 역사를 긍정적으로 변화시키는 활력소가 되리라는 희망이 왜 불가한가?
다른 종교들과는 달리 그리스도교에서 그 창시자 나자렛 사람예수가 인류를 구원한 것이 그리스도인들이 믿는 대로 하느님의 아들이라는 신분으로도 아니고, 역사상의 베스트셀러 성경에 기록된 고귀한 말씀으로도 아니고, 기막힌 기적으로도 아니고, 본인의 죽음으로였다고 믿는 것은 그 범례가 되겠다. 죽음에서 구원이 오다니!

③"죽음은 나그네 인생의 종료이다."
그러면서도 죽음은, 각자의 삶에서 부닥뜨리는 참으로 유일무이하고 개인적인 사건이다. 유한한 존재체험(存在體驗)을 궁극적으로 맛보게 만드는 이 사건은, 인간으로 하여금 억지로라도 그 체험의 의미와 목적을 응시하게 만든다. 삶의 종국을 대면하면서 누구나 자기 삶의 전체적 맥락을 회고하면서 평가하지 않을 수 없다.

지금 여기 행복하게 발랄하게 전개되는 나의 존재에 죽음의 가능성이 깃들어 있다. 그렇다면 죽음을 앞두고 아니, 죽음을 정면으로 응시하는 순간부터 어쩌면 삶과 죽음의 본연의 의미를, 창조적 의미를 발견할지도 모른다. 그래서 오로지 파괴적으로만 서술되는 죽음을 두고 하이데거는 죽음의 적극적 역량도 제시해 보려고 시도하였다. 죽음에 붙여진 인간만이 "책임 있는 자아의 창조"를 할 수 있고, 지금 여기서 내가 행하고 있는 관심과 행위를 그 창조에 비추어 평가하고 판단해 보자는 것이다.

그러면 죽음자체(dying)에서는 무슨 일이 일어날까? 죽음이 '나그네살이의 종료'라면, 그것은 인간이 죽음에 임하여 비로소 가장 밝고 자유스러운 상태에서 인격적인 행동을 통해서 자아긍정(自我肯定)을 종결시키는 최종결단(最終決斷)을 내린다는 의미라고 설명할 수 있지 않을까? 간단하게 표현한다면, 죽음을 맞으면서 '한 인간이 육체적 생명을 유지하는 동안에 도달해 있던 실존적 자세, 그가 존재근거와 역사와 타인들 앞에 과연 자기를 개방하느냐, 폐쇄하느냐 하는 인격적 결단에 결말과 완료를 초래한다.'는 뜻이 아닐까?

이것을 소위 '최종결단 설(最終決斷 說)'이라고 통칭한다. 인간은 역사 속에서 즉, 전 생애를 통해서 항상 단편적인 시간의 맥락 단편적이고 애매모호한 조건하에서만 결단을 내리고, 자신과 타인의 실존을 성취한다. 그러다가 죽음 '속에서'는 인간이 최초로 전인적 행위를 성취할 수 있는 가능성이 드러난다. 일평생 누려보지 못한 밝은 빛 속에서 사건과 의미를 관찰하고, 더할 나위 없이 자유로운 처지에서 결단을 내릴 수 있으리라는 추정이다. 이로써 죽음은 가장 완벽한 의식화(意識化)가 이루어지고, 가장 자유로워진 상태에서 신과 타인과 역사와의 진솔한 대면과, 영원한 운명의 결단을 내리기에 가장 뛰어난 존재적 장(場)이 될 수 있는 것이다.

인간은 태양과 죽음을 똑바로 볼 수 없다.

"죽음은 인간을 파멸시킨다. 그러나 죽음에 대한 올바른 이해가 그를 구원한다."(E.M.포스터)고 하듯이, 죽음에 대하여 말하는 것은 삶에 관하여 말하는 것과 같다. 이 글에서 강조해온 대로 생명에 죽음이 포용되어 있기 때문에, 죽어가는 사람으로 하여금 생명을 바라보도록 초대하는 작업이, 종교인들이나 철학자들에게 기대된다. 철학적 인간학 수강자들에게 "그대에게 3개월의 시한부 인생이 주어지면 어떻게 살 것인가?"라는 질문을 던질 적에 나오는 대학생들의 응답으로 미루어 임박한 죽음은 삶에 진지함과 깊이를 부여한다.

"우리 대부분에게는 죽음이 그렇게 일찍 찾아오지 않는다. 그러므로 죽음이 멀리 있고 대수롭지 않은 것으로 느껴져, 삶이 부패되고 나태해진다. 죽음과의 만남을 약속했을 때, 인간은 보다 개선된 삶을 영위할 수 있다"(W.카우프만). 죽음과의 약속에서 삶은 아주 당연한 권리가 아니라, 소중한 하나의 선물이며 밖으로부터 온 선사품임을 체험한다. 죽음에 위협받는다는 사실로 인하여 삶은 아주 귀중한 것, 반복될 수 없는 모험으로 간주된다. 죽음에 입각하여 비로소 삶은 '인간적'이 된다. 철학이 죽음을 거론하는 명분이 여기 있다.

이 글에서 죽음(death and dying)이 너무 아름답게 묘사되었는지 모른다. 종교적이고 철학적인 설명이 어떻게 나오든 간에, 죽음은 여전히 인간이 접할 수 있는 가장 짙은 어둠이다. 죽음은 여전히 생물학적 생명체로서의 인간의 종말이다. 죽음은 일격으로 인간전체를 붕괴시키며, 외부로부터 인간을 맹타한다. 죽음은 하나의 파멸이며, 갑자기 외부에서 덮치는 사고이다. 그래서 여전히 죽음은 인간의 경험에는 완전히 감추어진 영역이다. 사멸할 존재들에게는 절대 들여다 볼 수 없는 신비이다.

죽음의 이 어둠이야말로 인간실존의 더없이 적나라하고 인간다운 자세를 당사자와 철학도들에게 요구한다고 하겠다. 종교적 표현으로는, 인간의 구체적인 죽음이 영원한 구원이 되거나, 영원한 파멸이 된다. 그래서 결국은 마음을 연채로 이 신비에 자기를 내어 맡기는 '실존적 귀의(實存的歸依)'밖에 취할 것이 없다. 그 밖의 다른 태도는 불가능하여 죽음의 신비는 철학에서 머물지 못하고, 종교의 차원으로 넘어가는 수밖에 없다.

死의 철학

죽음은 필연인 동시에 우연이다. 생과 사와의 관념적 무차별 동일은 오늘날의 원자력시대는 이미 生의 시대가 아니고, 혼란스러울 수밖에 없는 死의 시대이다. 그런 시기를 맞아 '死의 철학'이 과제로 되는 것은 당연할 수밖에 없다. 그렇기는 하지만 다른 쪽에서 생각하면, 그런 불가 도(不可 倒)의 초월적인 세력으로서의 사는, 어디든지 내재된 생의 입장으로부터 자각되는 것이 불가능하다고 말할 수는 없다.

右에서 본 것 같이 사가 생의 자각이 결여됐다고 할 수 없는, 어디까지나 생의 자각에 매개되는 한 가지 적인 것이 되지 않으면 안 된다고 말해져도, 그것과 동시에 사는 무(無)의 대표로서 지(知)의 유적(有的)내용에 속할 수 없다는 이율배반이, 바로 형이상학에 고유한 무로(無路)의 난관에 있다는 것으로서 우리들 앞을 가로믹는 것은 부정할 수 없다.

이런 형이상학이 내재적인 것을 목표로 하는 과학과 작별하고, 초월적 원리에 대해 비약적인 신앙에 입각하는 것의 종교와 손을 잡는 까닭이다. 따라서 형이상학을 계기로 하는 철학은, 단순히 과학의 연속-연장으로서 성립하는 것은 아니고, 동시에 과학과 종교와의 사이에 서서 양자를 부정적으로 매개하지 않으면 안 된다고 생각되어지는 것은 당연하다.

사(死)를 생(生)의 연관에 있어서 자각하면서 게다가 사를 생에 내재된 종속되지 않은, 마치 운명의 첨단으로서 생의 바깥에서 그것에 대립하고 생을 부정하는 힘을 갖는 것으로서의 사를 자각하는 것이 철학의 과제로 된 연유다. 과학의 입장에서 생물학, 생리학이 인식하는 관점에서의 사는 실은, 생을 초월하는 힘으로서 자각된 사가 아닌, 생의 종말로서 생에 소속된 존재자로서 생에 내재화된 사의 현상에 다름 아니다.

그것은 생 그 자체에 대립하는 초월적 부정력(否定力)으로서의 본질적인 죽음은 아니다. 그런 의미에서 생을 초월하는 부정원리(否定原理)로서의 사는, 어디까지나 생과 연관을 유지하면서 생을 부정하는 대립계기로서 자각되어서는 안 된다. 오히려 그것에 의해 시작되는 생의 자각이 가능한 것은 이미 본바와 같다. 생사가 철학의 구체적 본질적인 과제로 인식되어지는 연유다.

안락사 시비

우리나라 5福(복) 중의 하나인 考終命(고종명)은 오래 살아서 天壽(천수)를 다하고 집에서 자연사하는 것을 말한다(이슈투데이 9/9/00 필자의 '고종명' 참조). 그러나 한국인을 비롯한 선진국 노인들은 대개가 병원에서 사망하게 됐으니, 늙어서 죽음에 이르는 양상이 집에서 자연사하던 옛날과는 아주 달라졌다. 그래서 너나할 것 없이 죽을 때의 내 모습 특히, 병원에서 임종할 때의 사태에 관심을 가지고, 나아가서는 여기에 대한 마음의 준비도 해야 하는 세상이 되었다.

이제 21세기에 사는 우리는 좋은 세상을 만나 자유와 인권존중이라는 인간의 기본 권리를 법의 보호를 받아가며 향유하다가, 이제 오랜 건강수명 끝에 임종할 때도, "평소 자기가 바라던 모습대로 죽을 수 있는 인간의 권리"를 법적으로 행사할 수 있는 시점에 이르렀다. 즉, 죽는 병에 걸렸을 때, "얼마만큼 치료받다가 어떠한 모습으로 죽고 싶다"는 임종 시의 자기운명을 결정할 수 있게 되었기 때문이다.　　　(이슈투데이 12/12/00 필자의 '안락사 개론' 참조).

<'존엄사'라 할 것인가? 또는 법이 허용하면 '안락사'라 할 것인가?> 하는 생전유언(Living Will)을 현재(미국) 또는, 장차(한국?)도 준비할 수 있게 되었으니 말이다. 여기서 필자는 안락사와 존엄사 시비를 말하기 전에, 의사로서의 자신이 직접 보고 느낀 경험을 먼저 말하고자 하니, 그 이유는 필자의 견해 내지 주관은 전적으로 경험을 통해서 형성됐기 때문이다.

존엄사에 대한 견해

1966년 도미한 필자는, 내과 수련을 다시 받기 시작하야 숙직하느라고 24시간 병원 근무하는 일이 잦았다. 숙직 때 고역의 하나는, "Code Blue-심장마비 발생"이라는 비상방송이 울리면, 재빨리 달려가서 무조건 환자를 되살리려는CPR(Cardio-Pulmonary Resuscitation, 소생술)를 시행한다. 여기 해당하는 대부분의 환자는 심장병(Heart attack) 중환자이며, 그중 절반 이상은 열성적인 소생법의 보람도 없이 죽어가는 데, 그 임사(죽기 직전)의 모습 또한 가관이다.

각 종족의 수련인(백인, 흑인, 황색동양인 의사)들이 손을 바꾸어가며 '흉부 마사지'라 해서 환자의 가슴을 치고 눌리는 가운데, 환자는 숨을 거두게 되니, 마치 올림픽 광장에서 색깔 다른 만국기의 축복아래 천당행 하는 격이다.

CPR 겪는 환자 중에는 암이나 만성중풍환자 등 치료불가능 한 환자들도 있다. 이들은 CPR에도 불구하고 대개 죽기 마련이지만, 그중 일부는 불행하게도(?) 살아남아 예외 없이 혼수상태에다 호흡곤란으로 인공호흡기라는 승강기를 닮은 괴물에 매달리고, 온 몸에 국수 줄 같은 많은 줄(혈관주사, 산소, 심장감시 장치, 관 영양공급 등등)이 연결되어 '연명의료'의 덕으로 식물인간이 되어 생명을 유지한다. 이때, 환자모습이 국수 줄을 주렁주렁 달았다 하여 Spaghetti Syndrome(짜장면 증후군)이라 부르기도 한다.

어떤 환자는 불행히도 연명의료의 효과가 커서 몇 개월 또는 몇 년간 연명하는 수도 있다. 그들은 장기간 계속되는 혼미한 정신상태 중에서 이세상의 아름다운 꿈을 꿀 런지, 원망하는 지옥의 꿈만 꿀 런지는 독자의 상상에 맡긴다.

필자의 한국수련의 시절에는 심장마비환자는 별로 없는지라, CPR는 사고로 죽는 젊은이에게나 실시해봤고, 또 당시 병원서 죽어가는 노인환자는, 서둘러 퇴원시켜서 집으로 모시고가는 것을 많이 보았다.

그러나 인명을 존중한다는 미국에 오니, 환자의 상황은 무시한 채 이 세상에서 가장 소중한 생명을 수단방법을 가리지 않고 살려야한다는 어떤 맹신적인 종교관으로, 또는 의사의 잘못된 사명감으로, 이러한 비인도적인 '의료연명'이 필자의 미국생활 전반기라 할 1970년대 후반까지 계속 되었던 것이다. Karen사건 후 1980-90년대에는 의사의 재량권이 넓어져 말기중환자에겐 CPR 못하게 지시할 수도 있고, 생전유언을 소지한 환자나, 또는 연명의료를 원치 않는 가족의 수도 눈에 뜨이게 증가하는 경향이었다.

필자는, 1999년 미국 연방병원에서 은퇴할 때까지, 몇 년간 치매환자 병동의 책임자로 일한 바 있다. 존엄사나 안락사의 대상은 '치료해도 회생불가 한 '말기환자'(non-curable and terminal)라야 한다. 치매는 육체적으로 건강해도 '불치환자'라 규정하나, 중병이 있거나 쇠약하여 침상에 눕는 지경이 돼야만 '말기환자'가 된다. 그들은 보호해서 걸어 다니며, QOL(삶의 질)이 전혀 없는 치매들이지만, 고혈압이나 당뇨병 등 만성병이 있는 자는 약을 계속 복용하고 있다.

그런데 '말기가 아닌' 이런 환자가 심장수술 등 어려운 시술을 받아야 할 경우도 있으나, 이를 거부할 존엄사 대상이 될 수가 없어 딱하기만 하고, 이럴 경우는 법 범위 내에서 가족의 의사(원치 않는)를 존중하여 병원윤리 위원회의 결정에 따른다.

생전유언은 환자 정신상태가 판단력이 있을 때(Competent) 서명한 것이 유효하다. 그래서 초기의 치매나 중병으로 혼미해진 환자는, 서명할 시기를 놓치게 된다. 그럼으로 Living Will 은, 다른 유언(재산관계)처럼, 우리 정신상태가 건전할 때 일찌감치 갖출 일이다.

필자의 경험으로는 생전유언이 없는 미국 환자가 절반이상이며, 이런 환자의 병이 악화되어 서명할 판단력을 잃을 때는 가족의 소원을 받아들이는 수도 있다. 그러나 '연명의료'에서는 어디까지나 본인의사가 가장 중요시 되어야한다고 해서, 여기에 대한 생전 유언(Living Will) 문제는 미국과 유럽선진 국가에서는 법적으로 이미 마무리단계에 있다.(필자의 '안락사개론'참조)

그리고 일본에서는 '존엄사'에 한해서 죽을 권리를 주장하는 '일본 안락사협회'가 1976년 조직되어 1983년 '일본 존엄사협회'로 명칭 변경했으며, 이 협회에서 존엄사를 허용하는 법제화를 위해 적극 계몽을 하고 있다지만, 아직 여론수렴이 안된 상태인줄 안다.

들리는 말에 의하면 한국은 존엄사나 생전유언 문제에 있어 아직 처녀지라고 한다. 필자의 모친과 장모는, 지난 1년 사이 서울서 작고했다. 둘 다 90노인으로 오랜 병상생활 끝에 갔다.

내 모친은 X대학병원에서 불행하게도 존엄사와 고종명을 외면한 채 인공호흡기에 매달려서 갔다. 마침 의료대란이 시작할 때라, 여기에 관해서 쓴 필자의 글 '고종명'을 읽은 어떤 원로 선배님은 평하기를 "정부에서 병원경영을 힘들게 하니, 그런 식으로 해서 수입을 올려야지"라 했다. 장모는 다행히도 친지의 개인병원에서 부분적이나마 존엄사 했다.

우리인간은 육체적 영생이 불가능하며, 우리 모두 죽음을 조만간 맞이해야 하는 데, 그 죽음은 반드시 인도적이라야 한다고 필자는 믿는다. 필자는 경험을 통하여 연명의료의 결말이 지극히 비인도적이라는 것을 목격하고 실감했으며, 따라서 존엄사를 찬성한다.

그래서 존엄사에 관한 한 한국에도 선진국 예를 따라, 임종 시 본인의 의사와 권리를 받드는 '생전 유언Living Will'이 조속히 법제화되기를 바라며, 이를 위해 우선 학계 언론계가 주도하는 계몽과 여론수렴이 절실히 요망된다. 유교전통사회에서 존엄 사를 계몽하는 데는 많은 저항을 각오해야 할 것이며, 여기에 한국지식인들의 역할이 크다고 믿는다.

안락사에 대한 견해

안락사 행위란, 환자에게 독약과 다름없는 치사량의 약을 주사하거나 또는, 사망 장치를 써서 자기목숨을 끊을 에너지가 없는 말기환자의 자살을 도와주는 일이다. 중환자를 고통에서 한시라도 빨리 해방시킨다는 뜻에서, 자비살인(Mercy Killing)라고도 부른다. 이일이 인도적인가? 하는 문제에 대해선 많은 견해 차이가 있는 줄 안다.

필자도 의사생활 오래하면서 심한 고통에 신음하는 중환자를 대할 때, Mercy Killng의 충동을 느낀 적도 있다. 그러나 필자자신을 생각할 때, 이런 자살행위만은 당하고 싶지 않다는 게 솔직한 심경이다.

우리는 현재의 문화와 윤리 속에서 살며, 허무주의자가 아닌 이상 우리는 죽은 뒤에도 현재의 윤리에 사는 자손을 괴롭히지 말아야 할 것이다. 우리는 죽어서도 우리자손의 기억 속에 살아 있을 것이니, 안락사하고 나서 가족에게 남기는 큰 상처를 고려해야만 한다. 윤리의 기준이 1세기 후엔 달라진다 해도, 오늘을 살아온 우리의 평가는 현재의 기준에 의거하기 때문이다.

그래서 자살행위만은 피해야 한다. 불교에서 인생은 苦海(고해)라 했듯이, 우리는 잘사는 사람이나 못사는 사람이나 할 것 없이 많은 고생길을 악착같이 살며, 실망하면서도 좌절되지 않고 절망 속에서도 목숨을 끊지 않고 살아왔다.
중병말기에서 존엄사를 택할 경우 즉, '연명의료'를 받지 않는다면, 우리생명은 아무리 질겨도 1주일을 넘기지 못한다. 일평생 태평양같이 넓은 고해를 헤쳐온 우리가 조그만 호수 같은 마지막 고해를 건너갈 각오는 돼있어야 할 것이다.

우리가 감사하는 마음으로 살아온 이 세상을, 후손에게 오점을 남겨가며 하직할 수는 없을 것이다. 우리는 현실주의자며 죽는 순간도 현실을 무시할 수가 없을 것이다. 그러하니 마지막 순간의 자살행위를 거역하며, 안락사를 극복하고 임종할 각오가 돼 있어야 한다는 것이 필자의 신념이자 안락사에 대한 견해이다.

-결론적으로 필자는 존엄 사를 적극 찬성하나, 안락사 논의는 시기상조라고 본다.
[참고]

지난 11월 28일 네덜란드 국회에서, '안락사 법'이 104대40으로 정식통과 되어 공개적으로 "의사에 의한 살인방조"를 허용한 세계최초의 국가가 되었다. 네덜란드는 지난 20년간 다수국민의 찬성아래 법원에서 안락사를 실질적으로 허용해 왔던 유일한 국가이며, 그간 몇 천 명의 말기환자가 안락사 했다고 하나, 1994년 제정한 시행령에 있어 28개의 요건을 지켜야하는 엄격한 법적제약을 받고 있었으며, 자칫 잘못하다가는 의사가 살인방조 죄에 걸려 12년형까지 받을 수 있었다고 한다. 이 새 법 역시 많은 제약을 가하고 있으나, 종전의 법에 비해 훨씬 덜 까탈하다고 한다. 이 법에 대해 교황청에서는 "인간의 존엄성을 범 한다"고 비난했다.

안락사의 법적·윤리적 문제

고려대학교 법학과 교수 김일수

　네덜란드 의회가 세계 최초로 적극적 안락사를 합법화 했다. 말기환자가 품위 있게 죽기를 바랄 때, 의사가 생명을 단축시키는 조치를 취할 수 있게 한 것이다. 이로써 인간은 이제 전통 깊은 살 권리와 함께 새롭게 죽을 권리까지 획득하게 된 셈이다 .

　환자의 죽을 권리는 현대의료 형법에서 개발한 '설명을 듣고 난 동의(informed consent)' 내지 '환자의 사망 유언서(living will)'의 다른 이면이었다. 특히, 미국의 의료형법은 환자의 이 같은 자율적인 사망결정에 대해 몇 가지 국가적인 관심사를 이유로 제한해 왔다. 이를 테면 모든 생명의 거룩 성을 보존하는 일-자살을 저지하는 일-한 사람의 죽음으로 곤궁에 처할 죄 없는 제3자를 보호하는 일-의사 신분의 완전성을 보호하는 일 등이 국가적 이익이기 때문에, 이와 충돌하는 환자의 죽을 권리는 제한되어야 한다는 것이다 .

　네덜란드의 안락사 합법화는 1995년 5월의 오스트레일리아 노던 테리토리에서 통과된 자살 방조법이나, 1997년 10월14일 미연방 대법원에 의해 비로소 합헌판결이 내려진 1994년 11월의 오리건주 존엄사법의 조치를 한 단계 뛰어넘는 모험을 감행한 셈이다. 이제 네덜란드에서는, 환자의 의사에 따라 사망에 이르도록 적극적인 조치를 취한 의사는 법적으로 더 이상 책임을 지지 않는다 .

　EU국가 중 네덜란드만큼 진보적 법 정책을 펼쳐나가는 나라는 없다. 마약 자유화와 대체마약 제공-낙태 자유화로 명성을 얻은 이 나라는, 부족한 의료 인력을 메우기 위해 아시아·아프리카 국가들의 의료인들을 수입해 낙태시술에 투입하고 있다. 게다가 안락사 합법화까지 밀고 나갔다. 남아공의 과거 혐오할 만한 아파트헤이드 정책도 네덜란드인 후예들이 주도했다는 사실에 비추어 보면, 그들의 진보적 모험심은 자유주의 이념의 발로라기보다 인간 모독적 성향의 발로가 아닌 가 추측된다 .

　이제 암묵적으로 안락사를 용인해 온 인근의 벨기에와 스위스는 물론 남미의 콜롬비아도 안락사 합법화에 가세할 전망이다. 이에 뒤질세라 대한의사협회도 회복 불가능한 환자의 경우 환자나 그 가족의 요구, 또는 의사의 판단에 따라 치료를 중단하고, 죽음에 이를 수 있도록 하는 이른바 소극적 안락사를 허용하는 취지의 의사윤리지침을 내놓았다. 이 애드벌룬이 일반 여론의 저항을 비켜나가기만 하면, 대한의협은 십중팔구 안락사 합법화 조치를 관철하려 할 것이다 .

　소극적 안락사 즉, 불치·난치의 환자가 더 이상 생명연장을 위한 적극적 조치를 분명히 거부한 때는, 의사가 가능한 생명연장 조치를 포기하고 부작위로 나아갔더라도, 촉탁·승낙살인죄의 구성요건에 해당하지 않는다. 환자의 의사에 반하여 치료를 강요할 수는 없는 노릇이기 때문이다. 문제는, 환자가 생명연장이나 단축 등의 의사표시를 할 수 없는 단계에 놓인 경우 의사 단독으로 또는, 가족들만의 요구로 사망 시기를 결정할 수 있는가 하는 것이다 .

　독일의 다수설은 이러한 기구에 의한 연명이 환자에게 더 이상 의미가 없고, 환자의 의식회복 기대가 완전 소멸되었으며, 따라서 기구의 제거가 환자의 추정적 승낙에 합치한다고 보여줄 수 있는 경우, 의사가 생명연장기구의 작동을 중지시킬 수 있다는 방향이다. 그러나 환자가 의사의 치료에 의해 의식을 회복할 가능성이 남아 있는 한, 비록 의식회복 후 얼마간 연명하지 못할 것이라는 확실한 예측과, 과다한 진료비 부담이 든다하더라도 의사는 그 기구작동을 중지시킬 수 없다. 문제는, 회생의 가능성 여부에 관한 객관적 기준을 설정하기 어렵고, 의사와 환자가족들의 주관적인 처분의사가 환자의 생사여탈을 좌우할 위험이 높다는 점이다.

만약, 소극적 안락사의 길이 제도적으로 열리면 생명경시 금지의 타부가 깨지기 시작하고, 뒤이어 적극적 안락사 조치를 취하는 건 시간문제일 것으로 보인다. 모자보건법에 의한 낙태 합법화 이후, 불법낙태의 봇물이 터지기 시작한 쓰라린 사례를 우리의 법 정책에서 체험하고 있기 때문이다.

안락사는 헌법상 인간존엄성의 존중요구와 형법상의 생명보호 극대화 요구에 의해 제한될 수밖에 없다. 예외적으로, 간접적 안락사나 소극적 안락사가 취해질 수밖에 없는 상황에서도 위법성 조각사유에 의한 구체적인 정당화 여부를 검토해야만 한다. 죽음과 삶의 갈림길은 타인의 손에 전적으로 내맡겨질 수 없다. '의심스러울 때는 생명에 유리하게(in dubio pro vitae)'라는 기본원칙이 무너져서는 안 되기 때문이다.

안락사는 허용되어야 한다.

전 중등교장 김영식

정가에서 안락사 문제가 심심치 않게 거론되더니, 시중에서도 예외는 아니다. 종교계의 반대에도 불구하고, 긍정적으로 보는 견해가 많은 것 같다. 방송사에서 쌍방 토론 중에 나타난 시청자의 의견에서도 안락사를 인정해야 한다는 견해가 절대 다수로 나타났다.

찬성 의견이나, 반대 의견이나 모두 사람의 생명을 존중하여야 한다는 점에는 같은 견해다. 그러나 존중하는 방법에는 차이가 있다. 안락사 반대론자는 의학적으로 생존가망이 없는 사람도, 자연사 할 때까지 효과 없는 불필요한 의학적 조치라도 계속하는 것이 인간의 생명을 존중하는 것이라 하고, 이와 반대로 안락사 찬성론자들은, 의학적으로 치유 또는 생존 가능성이 없다고 판단된 환자가 스스로 생을 정리하고 품위 있는 죽음을 맞을 수 있도록 하는 것도 생명을 존중하는 것이라고 보는 견해인 것 같다.

생명을 존중한다는 이유야 어떻든, 나는 자신의 생명은 자신만이 책임질 수 있다고 생각한다. 사회학자는 생명의 사회성을 말하고, 종교인은 신을 들먹이지만, 그것은 종교를 믿는 자에게 한할 뿐, 다른 사람에게는 별로 설득력이 없다.

불치의 병으로 무서운 고통을 겪는 것도 자신이요, 경제적인 부담을 져야 하는 것도 자신이며, 윤리 도덕적인 문제로 고통과 비난을 받는 것도 자신이다. 그런데 이중 어느 것도 다른 사람이 대신 해주지 못하면서, 안락사를 무조건 반대하는 것은 온당치 않다고 본다.

진정, 인간의 생명을 존중한다면 품위 있게 생을 마감할 수 있는 자신의 결정도 존중되어야 한다고 생각한다. 다만, 인간생명 경시풍조를 예방하고, 나아가 특정 목적을 위한 안락사의 남용을 방지하기 위하여, 엄정한 조건을 두는 것은 지극히 당연한 일일 것이다.

개인에 따라서는 희망이 없는 줄 알면서도 생의 애착을 버리지 못하는 사람도 있다. 그러나 생을 정리하고, 고통을 덜고, 편안히 죽음을 맞고 싶어 하는 사람도 많을 것이다. 안락사는 바로 이러한 사람에게 필요한 것이다. 참기 힘든 육체적 고통과, 가정적인 심각한 문제를 인내하며 죽음을 기다리라고 하는 것은, 어찌 보면 죽음 보다 더 가혹한 일이다.

제도적으로 주민등록증 이면에 일정한 조건하에서, 안락사와 사후 장기이식 여부에 대한 본인의 의사를 기록하는 방법도 긍정적으로 생각해 볼 가치가 있다고 본다. 출생이 아름다운 것처럼, 죽음도 스스로가 아름답게 만들어 갈 수 있도록 기회를 주어야 할 것이다.

품위 있는 죽음

6일 SBS, CNBC '집중분석 takE'에서는 '품위 있는 죽음'을 주제로 이병찬 동국대 생사문화학과 교수와, 손명세 연세대 보건대학원원장과 이야기를 나눴다.

"죽기 전에 '무엇을' 하고 싶다."라는 구절로 시작한 2부에서는, '웰 다잉 10계명'에 대한 이야기를 나눴다. 방송에서 제시한 '웰 다잉 10계명'은 다음과 같다.

첫 번째, 버킷리스트 작성하기, 두 번째, 건강 체크하기, 세 번째, 법적효력 있는 유언장, 자서전 작성하기. 네 번째, 고독 사 예방하기, 다섯 번째, 장례계획 세우기, 여섯 번째, 자성의 시간 갖기, 일곱 번째, 마음의 빚 청산하기, 여덟 번째, 자원봉사하기, 아홉 번째, 추억 물품 보관하기, 열 번째, 사전의료의향서 작성하기가 있었다.

이병찬 교수는 버킷리스트 작성 팁을 알려줬다. "불치에 가까운 병을 얻어, 조용히 죽음을 준비하기 위해서 산속에 들어간 적이 있었다. 한 15년 전이다. 그런데 거기에서 탐욕과 집착이라는 것이 만병의 근원인 것을 알게 됐다"며 "버킷리스트는 죽기 전에 첫 번째부터 중요 순서대로 해나가는 것이다 그렇기 때문에 삶은 날마다 버킷리스트로 살아간다는 것은, 내가 죽음을 의식하고 살아간다는 것으로 죽음은 삶과 똑같은 것이다"라고 조언했다.

손명세 원장은, "정기적인 건강진단을 통해서 어느 정도의 건강상태를 유지하고 있는지에 대한 것들은, 자기가 알고 있는 것이 첫 번째 준비"라며 첨언했다.

법적인 준비에 대해서는 "유언은 민법상 나와 있고, 보통 5가지로 공정증서나, 비밀증서나 여러 가지를 하고 있는 데, 가장 손쉬운 것은 본인이 자필로 서명하는 것"이라며" 가까운 변호사에서 그 내용을 공증을 받으면 더 확실하다"고 밝혔다.

손 원장은, 장례절차 부분에 대해서도 "장례의향서 등을 미리 써놓으면 문상은 어떻게 받아라, 돈을 받지 말라, 관은 간단한 것을 써라, 옷은 수의 대신 깨끗한 옷으로 입혀 달라, 화장해 달라, 이런 식으로 써놓을 수도 있다"며 장례의향서를 작성하길 권했다.

'웰 다잉'에 대한 인식이 자리 잡기 위해서는 "당하는 죽음보다, 맞이하는 죽음을 위해서는 이를 위해 뒷받침해 줄 수 있는 조치가 있어야 한다."고 밝혔다.

이 교수는 "마음의 복잡한 응어리를 치유할 수 있는 방법이 바로 죽음이 왔을 때"라며 "내가 하심으로 돌아가 모든 것을 내려놓고 남을 보게 되면, 내가 소중하면 남도 소중하듯 내가 행복하면 다른 사람도 행복한 것이다"라며 웰 다잉을 위해 '내려놓기'를 조언했다.

마지막까지 잘 사는 삶

생명의 말씀사/2015.9.20.

저자 존 던롭 John Dunlop, MD은 의사, 크리스천, 부모의 마지막 나날을 지켜본 아들, 나이 드는 문제를 직접 경험해 가는 60대의 암 생존자로서의 저자가 전하는 지혜로운 인생 마무리. 1973년 존스 홉킨스 대학(Johns Hopkins University)에서 의학박사 학위를 받았고, 트리니티 국제대학(Trinity International University)의 생명윤리 및 인간존엄 센터(The Center for Bioethics and Human Dignity) 겸임교수이자 예일대 의학 대학원(Yale School of Medicine) 소속으로 노인의학에 관련된 의술을 펼치고 있다.

《책 속으로》

나는 30년 넘게 내과 진료를 하면서 노인의학에 특별한 관심을 쏟아 왔다. 덕분에 사망진단서를 숱하게 써 봤다. 사망진단서를 쓸 때마다 이런저런 생각이 든다. 이것이 좋은 죽음이었는가? 우리가 최선을 다했는가? 혹시 최선을 다한다는 명목으로 도에 지나치지는 않았는가? 환자가 떠날 준비가 되었는가? 가족들은 보낼 준비가 되었는가?

믿음과 관련된 질문도 자주 던지게 된다. 크리스천답게 삶을 마무리하는 법이 따로 있을까? 어떤 마무리가 하나님께 영광이 될까? 어떻게 해야 우리의 죽음이 신앙과 복음의 증거가 될 수 있을까? 이것은 매우 중요한 질문들이다. 우리 모두가 반드시 고민해야 할 질문들이다.

그동안 내가 깨달은 사실 하나는, 잘 죽는 것이 우연인 경우는 별로 없다는 것이다. 그것은 평생에 걸친 선택들이 쌓이고 쌓여서 만들어 내는 결과다. 결국, 잘 죽는 것은 마지막 순간까지 잘 사는 것을 의미한다. 우리 사회에서 자신의 마지막을 일부러 계획하는 사람은 별로 없다. 하지만 오늘날 그런 계획이 그 어느 때보다도 필요하다.

《들어가는 글》

고령화가 사회문제로 대두되면서 양질의 노년의 삶뿐 아니라, 최근 《어떻게 죽을 것인가》 같은 웰다잉(Well-Dying)을 말하는 책이 베스트셀러에 오르고 있다. 이미 미국이나 유럽, 일본에서는 이런 책들이 많이 나와 있고, 우리나라도 점차 좋은 인생 마무리가 무엇인지에 대한 관심이 높아지고 있다.

특히, 크리스천들은 여기서 그치지 않고 바울의 말처럼 결승선(피니시라인)을 향해 달려가는 마음가짐으로 인생을 잘 마무리하려는 노력이 필요하다. 그래서 이 책은 크리스천들에게 웰피니싱(Well-Finishing)이 필요함을 이야기한다.

실제적인 노년과 삶의 마무리에 대해 크리스천들이 읽을 수 있는 성경적 관점을 보여주는 책이 필요한 시점이다. 성경에서는 '죽음'에 관해 어떤 말씀을 하고 있는지 또, 복음의 관점으로 노년을 어떻게 바라보고 준비해야 하는지에 대해 신실한 크리스천이자 노인의학에 관련된 의술을 펼쳐온 의사인 저자는, 수많은 환자들을 봐오면서 인생의 황혼기에 죽음을 앞두고 성장할 수 있음을 보여 주는 수많은 사례를 소개하며, 실제적인 질문과 답을 제시하고 있다. 또, 깊은 묵상에서 나온 성경구절 인용과 기도를 돕는 기도문, 묵상을 통해 삶이 예배로 이어지도록 돕는다.

이 책은 이런 것들을 준비하고 누릴 수 있게 해 준다.
-복음 안에서 노년의 유익과 기회를 즐기는 법
-노년의 상실들을 직시하고 대처하는 법
-이후의 영원한 삶을 고대하는 법
-역경을 통해 성장하는 법
-죽음의 두려움을 극복하는 법
-느려진 죽음에 준비하는 법
-의학을 현명하게 사용하는 법
-편안하고 인간적인 마지막을 맞는 법
-예수님 안에서 쉼을 누리는 법

어떻게 삶을 잘 마무리할까에 대한 질문은, 죽기 직전까지 어떻게 잘 살아갈 것인지 답을 내놓는 것과 같다. 하나님의 영광을 위해 살아가는 우리는, 마지막까지 하나님께 영광이 되는 끝을 맞이하기 원한다. 그렇게 되려면 준비가 필요하다. 크리스천다운 인생 마무리는 무엇인지, 아름다운 마무리를 위한 탁월한 지혜와 전략을 알려 준다.

《요약 문》

성숙하려면 반드시 슬픔을 다루는 법을 배워야 한다. 그것은 누구나 소중히 여기는 것을 잃거나, 포기해야 할 때가 있기 때문이다. 상실은 죽음을 통해서만 찾아오는 게 아니다. 살던 곳을 떠나면서, 정든 친구들을 남겨 두고 올 때 우리는 슬픔을 느낀다. 나이를 불문하고 누구나 직장이나 재정, 친구, 사랑하는 사람들을 잃는 경험을 한다. 하지만 노년에는 여러 가지 상실이 서로 겹치면서 슬픔이 배가된다. 나아가 나이를 먹을수록 상실 후에 새롭게 출발할 기회가 줄어든다.

크리스천들에게 슬픔은 이상한 것도 잘못된 것도 아니다. 사도 바울도 친구 에바브로디도가 죽게 되었을 때, 극심한 슬픔을 느꼈다고 고백했다(빌 2:25-27). 스데반 집사가 순교를 당했을 때도 그랬다. "경건한 사람들이 크게 울더라."(행 8:2). 옛날 사람들은 슬픔을 표출하는 것을 창피해하지 않았다.

슬퍼해도 괜찮다는 사실을 받아들이고 나면 슬픔을 준비할 수 있다. 슬퍼하거나 '감정적으로 무너지지' 말아야 한다고 생각하면 상실을 다루기가 힘들다. 슬픔은 기쁨에 관한 성경구절로 공격해야 할 적이 아니다. 슬픔은 탈출해야 할 함정이 아니다. 슬픔은 초월해야 할 대상이 아니라, 통과해야 할 터널이다. 자신이 상실했다는 사실을 직시한 뒤에 그 상실에서 비롯한 감정도 부인하지 말고 인정해야 한다.

슬픔을 다루는 법(두 번째 전략. 움켜쥔 손을 놓고 삶을 간소화하라).

크리스천이라고 해서 죽음에 대해 격한 반응을 보이는 것을 이상하게 볼 일은 아니다. 아니, 그런 반응을 보여야 정상이다. 죽음을 좋아하거나, 죽음에 관해 좋게 말할 이유가 전혀 없다.

"죽기 싫어!" 이 말은 매우 적절하며, 심지어 크리스천다운 말이기도 하다. 예수님이 곧 나사로를 되살리실 것이면서도, 그의 무덤 앞에서 우신 것을 기억하는가?(요 11:35) 예수님은 나사로가 죽었기 때문에 우신 것이 아니다. 그분…달려갈 길을 잘 마무리하기 위한 후반부 인생 전략 인생을 잘 마무리하는 것은 끝까지 잘 사는 것이다.

"우리에게 우리 날 계수함을 가르치사 지혜로운 마음을 얻게 하소서"(시 90:12).
인생 마무리 잘하기
주님은 더욱 커지셔야하고 나는 작아져야 합니다.(요한 3,30)
예수님, 저는 예수님께 의탁합니다.
하느님을 아버지라고 부를 수 있는 우리는 얼마나 행복한 존재인가!

모든 성인들과 천사들의 기도와 선행도 한 대의 미사와 비교할 수 없다. 언제 어디서나 항상 저희와 함께 계시는 예수님, 저희의 전부가 되소서. 인생을 사는 것도 중요하지만, 인생의 마무리를 잘하는 것은 더욱 중요합니다. 우리 신앙인도 마찬가지입니다. 그런 면에서 마무리를 잘한 믿음의 사람 다윗 왕을 살펴봅니다.

1. 다윗 왕은 자신의 인생 마무리를 점검하고 있습니다.
알고 보면 가장 어리석은 것이 인간입니다. 그러나 보잘 것 없는 인생이지만 그 속에 믿음이 들어갈 때, 하느님의 은총이 임할 때, 지혜로운 삶과 성공적인 삶을 살 수 있습니다. 누구나 인생은 늙고 죽게 마련입니다. 그러나 그 늙음 자체가 비참한 것은 아니고, 오히려 그것을 깨닫고, 하느님께 나아가는 삶을 살면 그것은 축복입니다. 반면, 계속해서 육신적인 인생 향락적인 인생을 산다면 그때는 그 인생이 정말 비참해집니다.

다윗 왕은 말년의 때에 비록 병상이지만, 젊을 때보다 더 하느님께 가까이 나아가는 인생의 삶을 전개하고 있습니다. 인생관을 서서히 믿음으로 바꾸는 성숙된 인생을 산다는 것입니다.
즉, "인생이란 정말 아무것도 아니구나. 무언가 있는 것 같지만 없는 것이나 다름없구나. 내 손에 있는 재물, 내가 왕으로서 쌓아놓은 부귀영화와 보화들이 지금은 내 손에 있지만, 언제 내 곁을 떠날지 모르는 것이로구나." 라는 사실을 깨닫게 되었습니다.

그래서 다윗이 이렇게 고백합니다.
"나의 주여, 이제 무엇을 바라고 살리이까? 당신 외에 또 누구를 믿으리이까?"(시편39,7)
대부분의 사람들은 이렇게 합니다. "잠깐 있다가 없어지는 세상적인 것들에 마음 빼앗기면 안 됩니다. 마음을 하느님께 두십시오."라고. 그렇게 이야기 하는 분들 중 말과 행동이 다른 사람이 많습니다. 말은 그렇게 하면서도 신앙은 뒤로 한 채, 천년만년 살 것처럼 물질과 자신의 인생에 온통 마음을 집중하다가 나중에는 허무 속에서 인생을 끝맺기도 합니다.
다윗이 병중에 있는 그런 순간에서 자신의 인생을 돌아보면서 "하느님만이 내가 의지할 자이시니, 나를 붙들어 주소서" 하고 기도를 하였습니다. 하느님께 전적으로 소망을 두는 생활로 된 것입니다.

2. 다윗 왕은 자신의 입술로 범죄 할 순간을 잘 컨트롤 하고 있습니다.
사람은 누구나 임종을 직감할 때, 살기위하여 온갖 방법으로 발버둥을 치지만, 다윗 왕은, 임종을 직감하고 건강을 회복시켜 달라는 기도를 할 때, 자신의 삶을 믿음으로 잘 정리할 수 있기 위한 건강을 구하고 있는 것입니다. 죽음이 싫어서 생명의 연장을 구하는 기도가 아니고, 세상 사람들처럼 신변 정리를 하는 것도 아니라, 자신과 하느님과의 사이에 정리입니다.

다윗은 일들 가운데 입술로 범죄 한 일이 가장 마음 아픈 것으로 다가왔습니다. 지난 날 고난 중에서 입으로 범죄 한 사실들을 회상하면서, 다시는 내가 혀로 범죄지 아니할 것을 마음속에 굳게 다짐하고 있습니다. 다윗이 입술로 범죄 한 것이 어떤 것이 있을까요? 하느님께 대한 원망, 악인을 대적하면서 저주한 말, 악인이 잘되는 것을 불평한 것입니다.

다윗 왕은 과거에 입술로 범죄 한 것이 많이 있지만, 임종의 순간에도 아래 사람의 배신 등으로 화가 치밀어 입술로 범죄 할 그런 환경에 놓여 있습니다. 다윗 왕은 능히 불평할 수 있는 현장에서 입에 재갈을 먹이겠다고 다짐합니다. 무슨 뜻입니까?

"혀는 불과 같습니다. 혀는 우리 몸의 한 부분이지만, 온 몸을 더럽히고 세상살이의 수레바퀴에 불을 질러 망쳐버리는 악의 덩어리입니다. 그리고 혀 자체도 결국 지옥 불에 타 버리고 맙니다."(야고보 3,6)

3, 다윗 왕은 자신의 육신의 한계를 확인하고 있습니다.

"주님, 알려 주소서, 며칠이나 더 살아야 이 목숨이 멈추리이까? 내 목숨 얼마나 덧없는 것인지 알고 싶사옵니다."(시편 39,5)

사람은 반드시 죽는 날이 오게 마련입니다. 자기의 죽음을 알고 산다는 것은 놀라운 지혜이며, 지혜로운 사람은 '나는 이 세상을 곧 떠나게 될 것이다.'라는 자세를 가지고 살아갑니다.

인간은 연약한 존재입니다. 세상의 모든 것은 지나가며, 우리 인생의 한 때 아름다웠던 순간들도 들의 꽃처럼 시들고 마는 세상에 우리는 존재합니다. 인간은 바람처럼 흔들리는 존재로서, 사람마다 든든히 선 것 같아도, 역시 불안정하고 흔들리는 존재입니다.

우리는 언제 무슨 일이 일어날지 모르는 세상에 살고 있습니다. 인생은 짧습니다. 우리도 사는 날도 그리 길지 않을 것입니다. 그래서 분명히 종말을 알아야 하고, 연약함도 알아야 합니다. 지금까지 어떻게 살아왔느냐, 이것은 물을 필요가 없고 다만, 앞으로 어떻게 사느냐가 중요한 것입니다. 은혜는 다른 것이 아니라, 주님을 생각하면서 모든 것을 드리고 싶은 마음입니다. "당신들은 내일 당신들의 생명이 어떻게 될는지 알지 못합니다. 당신들은 잠깐 나타났다가 사라져 버리는 안개에 지나지 않습니다."(야고보 4,14)

《결론》

"다시는 사람을 믿지 말라. 코에 숨이 붙어 있을 뿐, 아무 보잘 것 없느니."(이사야 2,22) 사람을 믿지 말라는 뜻은 자신의 건강을 의지하지 말고 살라는 말입니다. 어느 날인가 건강이 내게서 떠날 날이 오고 있기 때문입니다. 젊음도 의지하지 말고 살아야 합니다. 영원히 젊음을 유지할 수 없습니다. 이제 조금만 더 지나면 자신의 젊음이 사라질 날이 올 것입니다.

자신의 미모도, 재산도, 명예도, 권력도 내가 의지할 것이 못 되는 것은 이것들이 머지않아 내게서 모두 떠날 날이 있을 것입니다. 그날이 오기 전에 나의 인생을 다시 점검하여 믿음으로 잘 가꾸면서 살아가야 합니다. 지금까지 입술로 불평하던 모습을 다 깨뜨려버리고, 자신의 생명의 길이는 지극히 짧겠지만, 그 시간을 잘 아껴서 하느님의 은총 안에서 사는 우리가 되어야 합니다.

매언잡언罵言雜言

一日一生:하루를 일생처럼 사는 것을 일일일생주의(一日一生主義)라 합니다. 오늘을 내게 주어진 마지막 날이라 생각하면 언제나 특별하고 소중한 하루입니다

일상이 무너지고 신앙을 삶으로 꽃피우지 못한 채, 설익은 열매처럼 떫고 쓴 한국교회의 자화상 앞에서, 간조의 묵상을 공유한다는 것은 매우 의미 있는 신앙훈련이 아닐 수 없다. 2005년 한 해《일일일생》과 더불어 "하루는 귀한 일생"(一日一生)이라는 그의 고백을 이루어 나가기를 기대해 본다. 깊이 없는 사변과 본질에 이르지 못한 우리의 '큐티 문화'를 솔직히 인정한다면, 여기 한 아름다운 구도자의 삶과 희망이 녹아 있는《일일일생》이 기쁨과 유익을 더해 줄 것이다.

一日一生主義

어림해서 인간의 일생을 팔십 평생이라고 치자. 그것은 아주 긴 세월인 듯하지만, 나이를 먹어갈수록 때우듯 지나가는 시간들이 모여서 휙휙 넘어가는 달력 장수를 세기가 무서울 정도다. 어렸을 때는 까마득하게 느껴지던 분기점 '서른 살'도 아무렇지 않게 지나간 세월이 된다. 바쁘게 무지 바쁘게 살아가는 데, 정작 삶의 목적과 의미에 대한 깨달음은 얼마나 얻었는지 또, 얼마나 값진 삶을 살았는지는 헤아려볼 시간조차 모자란다. 뭐, 80평생이니 시간도 많이 남았는데…우리는 타성에 젖어 자꾸만 정말 중요한 것들 근본적인 물음들을 뒤로 미룬다. 중심이 아닌 주변적인 것들에 치우쳐서, 허황된 욕망 속에 살아가기 쉬운 게 인생인 듯하다. 무언가 이러한 타성을 제어할 장치가 필요하다.

동일한 24시간이라도 80여년을 한평생으로 생각하고 살아가는 인간에게서의 하루와 하루살이의 하루 매미의 하루는, 그 비중이 전혀 다를 것이다. 만약, 하루살이와 매미가 생각하고 말할 수 있다면, 하루하루를 그냥 때우듯 살아가는 사람들에게 따가운 소리라도 한마디 할 것 같다.

주지하듯이 시간은, 체감하는 시간은 상대적이다. 사랑하는 사람과 좋아하는 일을 할 때는, 시간이 어느새 다 지나간다. 정말 빠르다. 하지만 정말 하기 싫은 일을 할 때, 혹은 추운 날 버스를 기다릴 때에는, 시간은 하염없이 느리게 흘러간다. 마찬가지로 하루만 살 수 있는 자의 하루와 수만 날을 살 수 있다고 믿으며, 그 중의 하루를 살아가는 자의 하루는, 삶을 영위하는 자세와 태도에서 차이를 가져올 것이다.

다석 유영모 선생의 '일일일생주의'를 돌아보게 된다. 그 일화는 타성에 젖기 쉬운 우리가 하루하루의 삶을 그야말로, 마지막 날처럼 살아가도록 촉구한다. 다석 유영모 선생은, 함석헌의 스승이자 한국의 불후의 종교사상가이지만, 드러내지 않고 조용히 살아가는 삶의 방식으로 인해, 그다지 많이 알려지지 않았다. 그의 업적과 일화에 대해서는 언급하고 배울 부분이 아주 많지만, 여기서는 그의 '일일일생주의'와 관련된 부분에 대해서만 말하려고 한다.

유영모는, 1918년 1월 13일부터 자기가 이 세상에서 산 날을 세기 시작했다. 그때 나이가 28살이며, 산 날이 1만240일이었다. 산 날을 세게 된 까닭은, 1918년 4월 5일에 탈고한 「오늘」에 잘 나타나 있다. 여기서 유영모는, 아침에 잠이 깨어 눈을 뜨는 것이 태어나는 것이고,

저녁에 잠드는 것이 죽는 것이고, 하루하루가 일생이라는 일일일생주의(一日一生主義)의 생각을 드러내었다. 치열하게 살면서 삶의 깊이를 더해가던 유영모는, 1941년부터 일일일식(一日一食)을 시작하였고, 비슷한 시기에 부인과 성생활을 하지 않겠다는 소위 해혼선언(解婚宣言)을 하고 실행에 옮겼다.

일일일식과 해혼을 한 뒤 대략 1년이 지난 다음인 1942년 1월 4일에, 그는 신앙생활의 전기를 맞이하는 체험을 하고 이 날을 '거듭난 날'이라고 하였다. 이때의 체험을 그는 「부르신지 38년 만에 믿음에 들어감」이라는 시로 써서, 성서조선(147호)에 실었다. 또한, 이 무렵부터 잣나무 판자 위에 담요를 덮고 누워 자는 등, 정신이 깨어있는 삶을 살기 위해 스스로를 단련해 갔다. 그리고 그는 1955년부터 1974년까지 계속해서 일기를 써, 나중에 이 일기가 그의 제자 김흥호에 의해 석일지(多夕日誌)로 묶여 영인되었다. 유영모는 일기를 새벽에 썼는데, 반드시 자신이 살아온 날수를 함께 적었다고 한다.

유영모 선생의 본을 받아서, 일기 첫머리에 살아온 날수를 적어놓고, 아침에 잠이 깨어 눈을 뜨는 것을 태어나는 것처럼, 저녁에 잠드는 것을 죽는 것처럼, 하루하루를 일생처럼 살아보려고 해보지만 생각처럼 쉽지 않다. 불교에서는 이번 생에서 해탈하지 못한 이들은 윤회를 거듭한다고 한다. 힌두교의 신화에서도 이번 생에서 깨달음을 얻지 못하고, 욕망에 눈이 먼 인드라가 수천수만 번 환생하는 이야기가 나온다. 하루하루를 일생으로 생각해본다. 나 역시 일만 이천 번도 넘게 다시 태어났다. 그래도 아직 깨달음을 얻지 못하여, 생애마다 속 좁은 마음으로 동일한 잘못들을 번번이 되풀이하곤 한다.

잠들기 전 가만히 눈을 감아 본다. 오늘 하루를 돌이켜 본다. 하루 동안 일어난 일이건만, 빠르게 흘러간 내 삶의 시간들이 아득하게만 느껴진다. 꼬리를 물고 일어나는 생각을 가만히 접는다. 이제는 돌아감을 위한 시간이기 때문이다. 버려야 할 것들을 하나하나 버리다가 저무는 오늘 하루 이번 생애.

*一期一會:
지금 이 순간을 소중하게 간직하라. 일생에 단 한번 만나는 인연이다.
(유기쁨<홀씨>2004년 4월호)출처: http://zeropencil.tistory.com/47 [zeropencil]

법정(法頂)스님의 미리 쓰신 유서(遺書)

죽게 되면 말없이 죽을 것이지 무슨 구구한 이유가 따를 것인가.
실제로는 유서 같은 걸 남길만한 처지가 못 되기 때문에
편집자의 청탁에 산책하는 기분으로(이 글을 쓴다)

누구를 부를까?
(유서에는 누구를 부르던데)
아무도 없다.
철저하게 혼자였으니까.

이 세상에 올 때에도 혼자서 왔고,
갈 때에도 나 혼자서 갈 수 밖에 없으니까
인간은 저마다 혼자일 수밖에 없다.
그것은 보라 빛 노을 같은 감상이 아니라,
인간의 당당하고 본질적인 실존이다.

온갖 모순과 갈등과 증오와 살육으로 뒤범벅이 된
이 어두운 인간의 촌락에
오늘도 해가 떠오르는 것은
오로지 선의지 때문이 아니겠는가?

이웃의 선의지에 대하여 내가 어리석은 탓으로 저지른
허물을 참회하지 않고는 눈을 감을 수 없을 것 같다,

때로는 큰 허물보다 작은 허물이 우리를 괴롭힐 때가 있다.
그러나 나는 평생을 두고 한 가지 일로 해서
돌이킬 수 없는 후회와 자책을 느끼고 있다.
  그것은 그림자처럼 따라 다니면서 문득문득 나를 부끄럽고 괴롭게 채찍질했다
  중학교 1학년 때, 같은 반 동무들과 어울려 집으로 돌아오던 길에서였다. 엿장수가 엿판을
내려놓고 땀을 들이고 있었다. 그 엿장수는 낯익은 사람인 데, 그는 팔 하나와 말을 더듬는
장애자였다. 대여섯 된 우리는, 그 엿장수를 둘러싸고 엿가락을 고르는 체하면서 적지 않은
엿을 슬쩍슬쩍 빼돌렸다. 돈은 서너 가락 치 밖에 내지 않았다. 불구인 그는 그런 영문을 전
혀 모르고 있었다.

  이 일이, 돌이킬 수 없는 이 일이 나를 괴롭히고 있다. 그가 만약 넉살 좋고 건강한 엿장수
였다면, 나는 벌써 그런 일을 잊어버리고 말았을 것이다. 그런데 그가 장애인이었다는 사실에
지워지지 않은 채 자책은 더욱 생생하다
  내가 이 세상에 살면서 지은 허물은 헤아릴 수 없이 많다. 그런데 무슨 까닭인지, 그때 저
지른 그 허물이 줄곧 그림자처럼 나를 쫓고 있다. 이다음 세상에서는 다시는 이런 후회할 일

이 되풀이되지 않기를 진심으로 빌며 참회하지 않을 수 없다.

　내가 죽을 때에는 가진 것이 없음으로 무엇을 누구에게 전한다는 번거로운 일은 없을 것이다. 본래 무일푼은 우리들 사문의 소유관념이니까. 그래도 혹시 평생에 즐겨 읽던 책이 내 머리맡에 몇 권 남는다면, 아침저녁으로 "신문이오!" 하고 나를 찾아주는 그 꼬마에게 주고 싶다. 장례식이나, 제사 같은 것은 아예 소용없는 일, 요즘은 중들이 세상 사람들보다 한술 더 떠 거창한 장례를 치르고 있는 데, 그토록 번거롭고 부질없는 검은 의식이 만약, 내 이름으로 행해진다면 나를 위로하기는커녕 몹시 화나게 할 것이다. 평소의 식탁처럼 간단명료한 것을 즐기는 성미이니까.

　내게 무덤이라도 있게 된다면, 그 차가운 빗돌 대신, 양귀비꽃이나 해바라기를 심어 달라하겠지만, 무덤도 없을 테니 그런 수고는 끼치지 않을 것이다.

　생명의 기능이 나가버린 육신은 보기 흉하고, 이웃에게 짐이 될 것이므로, 조금도 지체할 것 없이 없애 주었으면 감사하겠다. 그것은 내가 벗어버린 헌옷이니까, 이웃에게 방해되지 않은 곳이라면, 아무 데서나 다비해도 무방하다. 사리 같은 걸 남겨 이웃을 귀찮게 하는 일을 나는 절대로 하고 싶지 않다.

　육신을 버린 후에는 훨훨 날아서 가고 싶은 곳이 꼭 한군데 있다. "어린왕자"가 사는 별나라. 그 나라에는 귀찮은 입국사증 같은 것도 별로 없을 것이므로 가보고 싶다.

　그리고 내생에도 다시 한반도에 태어나고 싶다. 나는 이 나라를 버릴 수 없다.

　다시 출가 사문이 되어 금생에 못 다한 일들을 하고 싶다.

《제5권》
《중국고전 편》

山不在高 산은 높아서가 아니라,
有仙則名 신선이 살면 이름을 얻는다.

《제5권》
《중국고전 편》

유마경(維摩經, 維摩詰所說經

석철종 NHK텍스트100분de명저

불가사의 해탈(不可思議 解脫)은 속박이 없는 경지다.

선과 악, 생사와 열반, 번뇌와 보리 등 모든 대립을 초월한 입장에 서서 세계를 바라보는 유마거사가 사는 방법과 수행하는 방법을 설한 것이 불가사의 해탈이다. 속박과 해탈은 대립된 개념이라고 생각한다. 또한, 구속되어 있는 것과 해방되어 있는 것은 별개로 우리들은 생각하고 있다.

이렇게 일반적으로 우리 범부(일반생활인)들은 생각하고 있으나, 유마거사는 속박과 해탈은 별개의 것이 아니라고 본다. 속박에 대립되는 해탈은, 진실한 해탈이 아니다. 진실한 해탈은, 속박과 대립시켜 보지 않고, 더 높은 고차원적인 입장에서 본다. 그래서 해탈이라고 하는 글자 위에 불가사의라는 문자를 붙인 것이다. 우리들의 천박한 머리로는 알 수 없다는 것을 불가사의라고 한다. 우리들은 행복과 불행을 다른 것으로 본다. 그래서 행복은 좋아하고 원하지만, 불행은 싫어한다. 그러나 유마거사의 눈으로 보면, 행복과 불행은 따로 없다. 그러한 행복과 불행은 인생의 그림자에 불과하다. 한낮 허깨비나 그림자인 환영(幻影)에 불과하다. 또한, 공화(空華)에 불과하다.

불행이라고 생각했던 것이 오히려 행복일 경우도 있고, 행복하다는 생각에 잠겨있을 때, 불행이 있을 수 있게 된다. 인생은 잘 나가거나 융성할 때가 가장 위험하다. 권력이나, 재력이나, 부귀나 그 어떤 것도 그렇다. 그리고 그것들은 영원할 수 없는 일시적인 것일 뿐이다. 속박이 해탈이라고 유마경은 설하는 데, 왜 그런 가를 밝혀가기 전에 속박되었다는 것은 어떤 상태를 말하는 가를 알아보자.

해탈은 번뇌로부터 풀려나는 것이고, 속박은 번뇌에 붙들려있는 것을 말한다. 지금까지 생활하면서 생긴 망집에서 일어난 여러 가지 일들에 매달린 세계와는 판이하게 다른 세계가 열려야 한다.

어떤 선승禪僧에게 그의 제자가 물었다.
"스님, 저를 위해서 해탈의 법문을 설해 주십시오."
"누가 너를 속박했나?"

해탈의 방법을 가르쳐 달라고 했으나, 너를 속박하고 있는 것이 되레 누구냐고 묻는다. 너를 속박하고 있는 것은 아무도 없다는 것이다. 속박하고 있는 것은 자기 자신이라는 것이다. 자승자박自繩自縛이라는 말이 있다. 우리들의 마음을 얽어 묶어 움직이지 못하게 하는 것은, 실은 자기 자신이다.

우리를 속박하고 있는 것은 모두가 악마이다. 악마는 밖에 있는 것이 아니고, 자기 자신 안에 있다. 자기 자신 안에 있는 악마는 유념有念이다. 유념이라는 것은 어떤 것에 집착하는 것, 사물에 이끌리는 것, 그것을 절대화하는 것을 말한다. 용수(150-250년경의 인도의 중관학자)는 말했다.

"유념을 하면 악의 그물에 떨어지고, 무념無念을 하면 악의 그물에서 벗어난다. "유념에 대한 무념이라는 말은 무심無心과 같아서 어떤 것에도 구애되지 않는다는 말이다.

우리는 돈, 지위, 권력 등 모든 욕망에 얽매어 악의 그물에 떨어져 그 악마의 그물에 얽매어 있다. 이것이 우리들의 현실적인 모습이다. 그러나 불가사의 해탈을 얻은 유마거사는, 악의 그물에 얽매어 있으면서도 속박되어 있는 것이 아니다. 악의 그물은 악마의 세계에 있는 일들이다. 유마거사는 악마의 세계에 있으면서도 악마의 세계를 초월했다. 그래서 유마거사는 악마의 세계를 두려워하지 않는다. 속박도 두려워하지 않는다.

부처의 세계와 악마의 세계에 대해서 몽창스님은 다음과 같이 말한다.
"부처의 세계의 상相을 애착하면 곧 악마의 세계가 되고, 악마의 세계의 상을 잊으면 곧 부처의 세계가 된다. 진실한 수도자는 부처의 세계도 애착하지 않고, 악마의 세계도 두려워 않아야 한다."

애착한다는 것은 집착하는 것, 속박되는 것, 구애되는 것을 말한다. 부처의 세계가 좋은 것이라고 애착하게 되면 악마의 세계가 된다. 반대로 악마의 세계를 망각하면, 악마의 세계는 그대로 부처의 세계가 된다.

불가사의 해탈을 깨달은 사람은, 부처의 세계도 애착하지 않고, 악마의 세계를 싫어하지도 않는다. 우리 속인들은 악마의 세계 속에서 모든 것에 구애되고, 속박되어 어찌할 바를 모른다. 그러나 유마거사는 부처의 세계도 애착하지 않고, 악마의 세계도 두려워하지 않는 경지에 있다. 그러면서 삼매三昧의 경지에서 유희하며 생활하고 있다.

유마거사의 불가사의 해탈을 다른 말로 말하면, 유희삼매遊戲三昧라고 한다. 도대체 유마거사가 생활한다는 것과, 우리가 생활한다는 것은 어떻게 다른가?

우리가 노는 것은 골프를 친다, 텔레비전을 본다, 술을 마신다, 등산을 한다, 여행을 한다는 등 노는 방법이 수없이 많다. 인간은 일만하고 살수 없는 것이 당연한 일이다. 또, 노는 것도 어렵다. 가령, 관광을 갔다가 녹초가 되어 돌아온 경험은 누구나 있을 것이다. 술을 과음하고 며칠을 고생하고 다시는 마시지 않겠다고 결심도 해 보았을 것이다. 우리들이 노는 것에는, 괴로움과 허탈이 있다. 그것은 왜 그럴까? 그냥 무심하게 놀지 못하기 때문이다. 노는 것에 몰두해야 한다. 어떤 이유가 있거나, 목적이 있어도 안 된다. 일체를 버려야 한다. 오직 노는 세계에 몰두할 때, 노는 것이 노는 것이 아님이 된다. 이렇게 되면 노는 것과 일하는 것과도 구별이 없어진다. 일하는 것과 노는 것이 둘이 아니게 된다. 일도 일이 아니게 된다. 그야말로 천지일배무심天地一杯 無心의 멋진 논임이 된다. 이것을 유희삼매라고 하고, 불가사의 해탈이라고도 한다. 이러한 불이법문이나 불가사의해탈을 설하는 유마거사가 주인공이 되어 활약하는 것이 유마경이다. 유마경은 상식을 부정한 자유무애 한 투철한 세계를 설하는 경전이다.

일반적으로 불교는 깨달음의 경지를 가르치는 것이라는 것 정도는 다 알고 있다. 그런데 깨달음의 경지를 일체의 악이나, 비행이나 번뇌를 단절한 곳에 있다고 생각하기 쉽다. 그러나 유마경에서는 악이 선이라고 하며, 선이 악이라고 하고, 번뇌를 해탈이라고 한다. 이제는 유마경의 내용을 간단히 살펴보자,

「유마의 일묵一黙, 울리는 번개와 같아」라고 부르는 「유마 일묵一黙」은 『유마경』 중에 가장 유명한 절정의 장면이다.

생과 사를 생각해보면 확실히 사와 생은 분명히 별개의 존재이지만, 생이 있기 때문에 사가

있는 것이다. 생과 사는 마치 비연속의 연속이다. 생과 사를 별개의 것으로 보면 비연속이지만, 생이 없으면 죽음도 없어서 생과 사는 연속된 것으로 된다. 장작과 재의 경우와 같다. 장작과 재는 별개로 보면 두 개지만, 장작이 타서 재가 되고, 장작과 재는 불이不二라는 것으로 된다.   (『침묵의 가르침 유마경』 집영사)

생명의 본질은 아무 구별도 없고, 상태가 변화하는 것 만이네. 따라서 상태는 언제나 변화하고 있다. 즉, 「제행무상諸行無常」을 끝까지 파고 들면 「불이不二의 法門」에 도달한다.

제13장 「법공양품法供養品」에서는 공양 중에 「법의공양」이 가장 멋있는 공양이라고 석가는 설하고 있다. 「법의공양」이란 불교의 가르침이 쓰인 경전을 읽고, 가르침을 완전히 이해하고, 그것을 실천하고, 다른 사람에게 전하는 것을 가리킨다.

불도수행에서 처하는 4개의 법 「법사의法四依」가 석가에 의해 설파된다. 우선 첫째는, 「의義에 의존하고, 말에 의존하지 않는(가르침의 진의를 확인하고, 단어에 구애되지 말라)」 예컨대 「저기에 달이 보인다.」라고 손가락으로 가리키는 경우, 우리들은 어떻든 가리키는 손가락에도 신경을 쓴다. 손가락(단어)이 아닌, 그것이 가리키는 달(진리)을 보지 않으면 안 된다고 말하는 것이 이 단어의 의미다.

두 번째는, 「지智에 의존하고, 식識에 의존하지 말라(지혜를 의지하고, 지식知識에 미혹되지 말라)」. 이것은 지식知識이랑 정보에 미혹되지 말고, 자기가 완전히 책략을 생각하는 것의 본질에 의거하지 않으면 안 된다는 의미다.

세 번째는, 「법에 의지하고, 사람에 의존하지 말라(가르침을 처소로 그것을 설하는 사람을 처소로 하지 말라)」는 대승불교에 한하지 않고 불교가 최초부터 설파해온 가르침이다. 불교에 흥미를 갖고 있는 사람은, 「자등自灯 명明 법등法灯 명明」 혹은, 「자주법주自州法州」라는 단어를 들은 적이 있을지도 모른다. 「불교의 가르침과 자기 자신을 처소로서 살아나가라」라는 의미다.

또 하나, 「예의경了義經에 의하고 불량의경不良義 經에 의지하지 말라(가르침이 정확하게 설파되지 않은 경전에 의존해서는 안 된다.)」라고 설하고 있다. 유마경은 대승불교가 성립되는 초기에 반야경에 이어 나타난 경전이다. 원명을 바이마라키르티 니르대샤 수트라라고 한다. 산스크리트 원문은 전해지지 않지만, 전천의 대승집보살학론 속에 유마경을 많이 인용하고 있기 때문에, 원전에 가깝게 복원할 수 있다고 한다.

중국에서 한역되어 현재 남아 있는 것은 다음과 같다.
유마힐경지겸 역(2권), 유마 힐 소설경, 구마라 집 역(93권),무구칭경, 현장 역(6권) 위의 세 가지 역본 중 가장 많이 읽혀지고 있는 것은, 구마라 집의 유마 힐 소설경이다. 지금 우리가 유마경이라고 하는 것은 구마라 집이 한역한 유마 힐 소설 경을 말하며, 이 경을 풀이하고 있다.

현장은 중국 제일의 번역가로써 당대(唐代)인 7세기경에 무구칭경(유마경)을 번역했으나, 중국인들은 구마라 집의 한역본을 옛날부터 더 존중하고 좋아하면서 더 많이 읽어왔다. 그것은 현장은 원문에 너무 충실했기 때문에 문장이 매끄럽지 못하여, 중국인들은 문장이 매끄러운 구마라 집의 역본을 더 많이 좋아했다고 한다. 더구나 종교서적은 직역으로 번역하는 것보다, 마음에 호소하는 박력을 가진 것을 더 좋아한다.

유마힐 소설 경이라는 말은 유마힐이 설한 경전이라는 뜻이다. 유마(유마힐의 약칭)는 바이마라키르티의 번역어로써, 인도의 바이샤리(비사리)시의 부호이다. 이 유마가 병상(病床)에서 쉬고 있을 때, 부처님의 대표적 제자인 문수보살이 유마를 방문하여 문답을 주고받는 형식으로 경의 드라마는 진행한다. 그 사이 사이에 가지가지의 이야기가 끼어있고, 부처님의 제자들이 한 사람 한 사람이 유마를 맞나 그에게 말로 당한 이야기가 나온다. 재가신자라 해도 종교적 진리를 체험한 유마거사가 내로라하는 부처님의 제자들을 꼼짝 못하게 한 것은, 참으로 재미있는 일이 아닐 수 없다.

이 유마경은 모두 14품으로 되어 있다. 처음 불국 품으로부터 시작한다. 처음 제1불국 품에서는 부처님이 비야라 성의 암라수원에서 설법하는 것으로부터 시작한다. 다음이 방편 품이다. 제2방편 품에 와서 처음으로 이 경의 주인공인 유마거사가 병에 들어서 나타난다. 그 다음 제3 제자 품에서는 부처님은 사리불이나 목건련 등 부처님의 10대 제자에게 유마거사를 문병하라고 당부한다. 그러나 옛날에 유마거사에게 당했던 일을 상기하면서 사양하고 문병을 가지 않았다. 그래서 제4보살 품에서는 미륵보살 등 8천명의 보살들에게 명했다. 그러나 이들도 유마거사에게 당했던 일로 사양하고 가지 않는다. 그러나 마지막으로 문수보살은 문병 갈 것을 받아들였다. 그래서 제5문질 품에서는 지혜의 문수보살과 유마거사가 맞나 전대미문의 용호상박의 대 문답을 전개하게 되었다.

이 문답을 보고 있던 많은 보살들이, 유마거사의 방에 들어가려하였으나, 방이 작아서 들어갈 수 없었다. 그래서 유마거사는 누어있던 작은 방에 넓은 강당을 집어넣고, 그 속에 들어가게 했다. 이것이 제6의 부사의 품이다. 그 뿐만 아니다. 수미산을 겨자씨 속에 집어넣기도 하고, 큰 바닷물을 털구멍 속에 넣기도 했다. 이품의 이야기들은 참으로 재미있는 이야기로 꾸며져 있다. 다음 제7관중 생 품과 제8불도 품에서는 천녀와 사리불의 문답이 있고, 유마거사가 중생들에게 불도를 설하며 제9불이법문 품에 이른다.

여기서는 대승불교의 진수인 불이의 도리를 설했다. 그러나 구극의 진리는 입으로 설할 수 없기 때문에 침묵하고 한마디의 말도 하지 않았다. 그래서 그 유명한[유마의 침묵은 우렛소리와 같다]라는 말이 있게 되었다. 또 다시 유마는, 부사의 한 일을 나타내어 대중들에게 중향국의 향반(香飯)을 가져다주었다. 이것이 제10의 향적불 품이다. 제11보살행 품에서는 유마거사가 방을 나와 문수보살을 데리고 부처님이 계시는 곳에 가고, 제12의 법공양품으로부터 제14의 촉루 품에서는 이 경전을 어떻게 널리 알릴 것인가를 설했다.

이상 유마경의 내용에 대해서 간단하게 설명했는데, 여기서 풀이하는 유마경은 앞에서 말한 바와 같이 구마라 집이 번역한 것이다. 그리고 사람들에게 가장 많이 사랑을 받고 있다. 그러기 때문에 여기서 번역자인 구마라 집에 대해서 한마디 말하고자 한다.

시궁창속의 연꽃

광막한 타크라마칸 사막에는, 서역의 북도와 남도의 두 루트가 있다. 이곳은 동서교역의 요로이다. 북도는 돈황에서 북상하여 이오에 이르고, 또 고창을 지나 구자에 이르며, 다시 소륵에 이르는 길이다. 이곳은 모래의 바다로써 바위와 모래만 있을 뿐, 아무 것도 없는 죽음의 광야이다. 이렇게 가혹한 서역의 구자 국에서 구마라 집은 서기344년경에 태어났는데, 그는 세상에서 드문 천재였다. 그의 아버지는 인도인 구마라염이고, 어머니는 국자국왕의 누이동생이었다. 9살 때 구마라 집은 출가하여, 어머니와 함께 인도에 가서 불교에 관한 공부를 했다. 또, 구마라 집의 어머니도 그와 함께 출가했고, 출가한 어머니는 아들을 훌륭한 성자가 되게 하려 모든 정성을 다했다. 구마라 집은 처음에는 소승불교를 배웠지만, 후에 대승불교로 전환했다. 특히, 용수(龍樹)의 공(空)의 불교와 반야경을 많이 배웠다.

그런데 중국의 장안에서 세력을 떨치던 전진왕 부견은, 여광장군에 명하여 구자 국을 정벌하게 하고, 구마라 집을 포로로 잡았다. 여광에게 끌려온 구마라 집은 양주까지 오게 되었다. 그런데 그때, 전진왕 부견이 살해되었다. 그곳에서 전진왕 부견이 살해된 것을 알게 된 여광은, 그곳에서 양주의 왕으로 군림하게 되었고, 구마라 집은 그곳에서 16년 동안 머물러 있게 되었다. 어쩌면 여기서 중국어를 배우게 되었고 많은 고생도 했을 것이다.

그리고 후에 후진의 요흥은, 홍시4년(401년)에 양주를 정벌하고 구마라 집을 장안으로 데리고 갔다. 불교를 존중하던 후진왕 요흥은, 구마라 집을 국사로 봉했다. 구마라 집은 이곳에서 죽을 때까지 경전의 번역과 강의에 종사했다.

구마라 집이 번역한 경전은 삼백권이 넘는다. 반야경, 아미타경, 법화경등의 대승경전은 그후 중국뿐만 아니라, 동아시아 불교 국에 속하는 한국, 일본에서도 그들의 근본성전으로 독송되기도 했다. 또한, 용수의 중론, 대 지도론 등의 공사상을 설한 론서의 번역은, 중국인들에게 진실한 불교의 사상을 전해주게 되었다.

구마라 집은 천재적인 학자였다. 또한, 단순한 학자가 아닌 정열적인 사람이었고, 의욕이 강한 사람이었다. 계율을 파계한 파계승이라고 말할 수 있을지 모르겠으나, 이 유마경에 나타난 계율사상으로 미뤄 보았을 때는 있을 수 있는 일이라고 생각할 수 있지 않을까. 구마라 집을 포로로 한 여광은, 구마라 집과 구자국의 왕녀와 한방에 가두어 놓고 술을 마시게 했다. 구마라 집은 간단하게 이 왕녀와 통정도 하게 되었다.

구마라 집을 존경했던 요흥은, 너무 뛰어난 구마라 집의 재능에 놀라 어떻게 해서라도 구마라 집의 자손을 남겨야 하겠다고 생각하고, 어느 날 "당신처럼 훌륭한 재능을 가진 사람은 천하에 둘도 없습니다. 당신이 죽으면, 이러한 재능이 없어집니다. 이 천하를 위해서 자손을 남겨주십시오."라고 말하고, 아름다운 후궁 삼천명중에서 미녀 열사람을 뽑아 구마라 집의 시중을 들게 했다. 구마라 집은 이 미녀들과 생활을 같이 하게 되었다. 보통의 승려라면, 일생불범一生不犯의 사문에게는 이러한 파계의 행위는 있을 수 없다고 하여 준엄하게 거절했을 것이다. 그러나 구마라 집은 어떤 저항도 없이 미녀들을 받아 들였다.

낮에는 중국 역사상 일찍이 없었던 대 번역 사업에 열중하여 다음에서 다음으로 번역을 진행해 나갔고, 저녁에는 열 명의 미녀들이 있는 집으로 돌아와서 많은 쾌락을 마음껏 누렸을 것이다.

구마라 집은 어느 날 제자에게 "시궁창 속의 연꽃을 살리기 위해서 연꽃만 따지 말고, 시궁창도 함께 가져와야 한다."라고 말했다고 한다. 열사람의 미녀와의 생활은 오직 시궁창 같은 생활로써 지저분할 뿐이다. 그런데 구마라 집이 이러한 말을 한 것은, 자기 자신이 시궁창 속에서 피는 연꽃이며 진실한 연꽃임을 확신시키려는 의도였을 것이다.

구마라 집은 유마경에서 설하는 번뇌 즉, 보리의 가르침에 환희했다. 이것이야 말로 자신을 구하는 틀림없는 경전임을 굳게 믿게 된 것이다. 그는, 유마경을 정열을 다해서 번역했다. 확실히 자기는 불이법문을 실천하고 있음을 알았다. 색다른 자신의 시궁창생활을 반성했을 때, 이래서 되는가? 자책하는 생각이 들기도 했을 것이다. 그러나 미녀의 유혹은 이기지 못했다. 구마라 집의 강열한 에너지는, 미녀들을 뿌리치는 것을 허용하지 않았다. 어떤 자책감이 들어도 몸이 들어주지 않았다. 그리고 그 시간이 지나고 나면, 갑자기 거대한 허탈이 되어 버린다. 공허 그것이었다. 허탈감은 인간이 감당하기 어렵다. 무엇이 적극적인 긍정이 되는가를 찾으려고 했다.

구마라 집의 거대한 일은 번뇌와 보리의 갈등 속에서 생겨났다. 확실히 시궁창 속에서 핀 한 떨기의 아름다운 연꽃이었다. 그 연꽃은 다름이 아닌 불교경전의 번역이었다. 그는, 죽기 전에 "나의 번역된 경전은 시종일관해서 원문과 조금도 다른 곳이 없다. 만일, 내 말이 진실이라면 내 몸이 탄 뒤에도 나의 혀는 조금도 타지 않고, 그대로 남아 있을 것이다"라고 유언했다고 한다. 그래서 다비한 후에 혀를 찾아보니, 몸은 전부 탔는데도 혀는 조금도 타지 않았다고 한다. 구마라 집의 번역은 산스크리트 원문과 어느 정도 다른 것으로 알려지고 있다. 중국어에 유창하면서 그 의미를 약간 다르게 했다. 그러나 구마라 집이 자기의 번역문이 모두 원문과 다르지 않다고 자신하는 것은, 그의 깊은 체험으로부터 힘차게 용솟음치는 그것이었다. 그의 시궁창 속에서 힘차게 피는 연꽃의 체험은, 경문의 진의는 이래야 한다는 확신과 신념이었다. 그러므로 자기의 번역은 조금도 잘못된 것이 아니라고 했을 것이다.

유마경은 불이법문을 실천하고자 하는 구마라 집에 의해서 번역되었다. 구마라 집이 자신의 인생과 모든 것을 바쳐 번역한 것이 유마경이라고 해도 지나치지 않으리라. 그래서 이 유마경은 중국인뿐만 아니라, 우리나라를 비롯해서 일본인들의 마음까지 사로잡았다.

동양에서 활짝 핀 유마경

유마경이 그 진가를 발휘하게 된 것은, 구마라 집이 중국에 전하면서부터 시작되었다. 구마라 집의 번역이 세상에 나타나면서, 불교계에서는 그 인기가 아연하게 유마경에 집중되었다. 그래서 많은 학자들이 이 경전을 연구하게 되었다. 당시, 지칠 줄 모르는 구마라 집의 힘을 옆에서 보고 있던 제자 승조는, 정열을 쏟아 유마경의 주석인 주 유마(註 維摩)를 썼다. 이 책은 유마경의 지침서가 되어 오랫동안 후세에서 의용 되었다.

중국불교의 각 종파의 조사들도 이 경전에 정열을 쏟아 주석을 썼다. 천태종의 개조지의도, 삼론종의 대성자길장도, 법상종의 개조자은도 주석서를 썼다. 유마경은 학자들에 의해서만 연구된 것이 아니고, 다른 여러 사람들에 의해서 독송되고 신앙되기도 했다. 유마거사의 초탈超脫한 풍격에 매료된 남조의 사대부들은 죽림의 칠현과 유마거사와의 이미지를 견주었다. 또한, 유마거사를 탈속의 현자로 받들고 친근감을 가졌다. 유마거사는 그들의 이상적 인간상으로 보였을 것이다.

당대唐代의 시인이며, 남화南畵의 시조로써 중국의 회화사에 이름을 떨친 왕유는, 유마거사를 깊이 흠모하여 자기를 스스로 왕마 힐이라고 불렀다. 그리고 민중들 사이에서는 유마경을 믿고 열심히 읽었기 때문에 악마의 손에서 풀려 도망할 수 있었고, 공중으로부터 아름다운 음악을 들었다 거나, 병이 완쾌되었다는 말도 있게 되었다.

낡은 자기를 해체하고 새로운 자기를 구축하라.

　사람은 일상생활에서 알게 모르게 잘못된 생각과 모순 속에 살면서도 잘못과 모순을 모르고 지나칠 수도 있고, 알면서도 대수롭지 않게 생각한다. 사람은 선과 악을 동시에 가지고 있다. 그러면서 또 그렇게 살고 있다. 불교에서는 부처와 중생의 두 대립된 관념을 가르치고 있다. 즉, 인간은 부처가 될 가능성과 중생 그대로 영원히 번뇌 속에서 살 가능성 양면을 가지고 있다고 한다.

　불교는, 혼탁하고 고통스러운 번뇌 속에서 살고 있는 현실적인 인간의 마음을 문제로 삼고 있다. 번뇌 속에서 살고 있는 중생이지만, 그들의 속에는 부처가 될 가능성을 가지고 있다고 불교에서는 말한다. 또한, 불교는 우리가 사는 의미에 대해서 시원스런 해답을 주고 있다. 그리고 무엇 때문에 이렇게 시시하고 힘든 세상에서 살아야만 하는가를 생각해 본 사람에게는 보람된 해답을 줄 것이다. 인생문제에 대해서 생각해보지 않은 사람에게는 별 의미가 없을지 모르겠으나, 사는 의미가 무엇인가를 골몰이 생각해 보았거나, 삶의 괴로움을 통절히 경험하고 느껴본 사람은, 이 유마경에서 무엇인가 보람 있는 의미를 찾을 것으로 확신한다.
불교사상의 일대전환-재가자가 출가자에게 설교를?

　불교도는 출가자出家者와 재가자在家者의 둘로 나뉜다. 출가자는 사유재산을 거의 갖지 않고, 가족이랑, 업무 등의 사회생활로부터 떠나 엄한 계율 하에서 불도수행을 실천하는 사람들을 지칭하고, 재가자는 업무와 가정을 갖고, 보통 평범한 생활 중에 불교의 가르침을 실천하면서 살아가는 사람들이다. 일반적으로는 세속을 떠나 금욕생활을 하는 출가자가, 사회에 몸담고 있는 재가자보다 수준이 높다고 생각되지만, 유마경은 역으로 재가자의 입장에 있는 유마가 출가자들에게 불교의 본질을 설파하는 내용인 것이다.

　유마경의 주인공으로 활동하는 유마거사는, 재가의 생활인으로써 속인俗人불교신자이다. 오로지 수도에만 열중하고 매진하는 승려나 수도자가 아니다. 속세를 버리고, 오직 구도에만 정진하는 성자는, 이 유마경이 그렇게 인연이 있는 존재가 아닐지 모르겠다. 또한, 웬만한 경전의 주인공은 훌륭한 보살이나 성자가 주인공으로 등장하여 활동하나, 유마경에서는 돈 많은 재가의 속인신자가 주역으로 등장했다. 이것이 이 경의 특이한 점이고 흥미로운 활력이다.
　깨달음을 이룩한 성자들이나, 깨달음을 완성한 부처는 우리 중생들의 고뇌에서 떠나있다. 그러나 재가 불교신자인 유마거사는, 우리들의 생활 속에서 우리와 함께 하고 있다.

　지금부터 유마경을 풀이해 가겠는데, 불교의 술어가 때때로 나와서 곤욕할지 모르겠다. 그래서 가능한 한 어려운 술어나 말을 되도록 쉽게 현대어로 설명하려고 노력했다. 그래도 이해하기 어려우면 어려운 곳은 그대로 넘어가면서 읽어주기 바라는 마음이다. 무리하게 불교용어를 이해하려고 하는 일은 뒤로 미루고, 생동하는 유마경의 생명을 음미하는 데 노력해주기 바라는 마음이다.

　유마경을 설한 주인공이 재가신자인 것이 큰 매력이 아닐 수 없다. 유마경이 목표로 하는 것은 재가성불在家成佛이다. 다시 말해서 속인성불俗人成佛이다. 성자의 입장에서 내려다보면 하잘것없는 생활을 하고 있는 우리도 부처에 가까워지는 길이 있음을 가르쳐 주고 있다. 다시 말해서 자기의 생활을 충실히 하면서 가족을 거느리고, 가족을 위해서 일하지 않으면 안 되는 우리에게도 부처가 되는 길이 있음을 밝혀 주고 있다.

유마거사는 재산도 많고 장사도 하고 있었다. 때로는 술집이나 도박장에도 드나들었다. 그러한 재가의 속인俗人인 유마거사가 당당하게 주인공이 되어 가르침을 설할 뿐만 아니라, 구도의 대보살이나 쟁쟁한 성문聲聞들을 상대로 해서 자유자재하게 막힘없는 만장의 기함을 토한다. 유마경에서 가장 돋보이는 매력은 여기에 있다.

자기를 낮추라.

과잉에너지가 언어, 예술, 종교, 과학 등 여러 영역에서 생겨 인간 삶의 즐거움의 원천으로 된다. 그러나 즐거움의 원천인 동시에 고뇌의 원천도 된다. 어설프게 하면, 이런 과잉상태가 자기 자신을 멸하는 것으로 되기도 한다. 인류 그 자체를 멸망시키는 것도 일어난다.

석가는, 이런 「과잉」을 어떻게 다룰까를 구체적으로 가르치고 있다. 그래서 살면서 피할 수 없는 고뇌(노병사老病死 등)의 근원인 「자기의 처지」를 축소하는 길을 제시한 것이다. 자기 처지의 농도가 짙으면 짙을수록 고뇌의 늪은 깊어진다. 우리들은 「고뇌」에 확실히 눈을 뺏겨 그것을 축소하려고 하지만, 잘 안 된다. 왜냐하면 그것은 결과기 때문이다. 원인 쪽으로 눈을 돌리지 않는다. 원인인 「자기처지」를 축소하면 결과의 고뇌도 조절된다. 구극적究極的으로는 자기처지를 소멸시키고 「고뇌」도 소멸된다.

종종 우리들은 자기 처지라는 사고를 통해 사물을 인식하고 사고한다. 편견이 강하면 강할수록 고통도 깊어진다. 부모니까, 친구라서 라는 생각의 틀을 갖고 있을수록 인간관계의 고민은 깊어진다. 그런 이유로 자기라는 사고를 통하지 않고, 본질을 보는 길을 석가는 가르치고 있다. 이것이 불교에서 말하는 「지혜智慧」다.

왜 수행에는 출가가 필요했을까?

힌두(힌두문화는 이 지역에 진출한 아리아인의 문화와 선주민의 문화가 긴 세월을 통해 융합해온 것이었다.) 문화권에서는 죽음과 재생을 반복하는 생명관이 기반으로 되었다. 불교에서도 「윤회輪廻」라는 입장을 갖고 있다. 윤회의 생각에도 변천이 있지만, 잘 알려진 것에 「육도윤회六道輪廻」가 있다. 생물은 죽으면 「육도六道」(천인天人 수라修羅 축생畜生 아귀餓鬼 지옥地獄)의 어느 세계에든 살아 변해서, 거기서 죽으면 또 살아 변하는 이것을 영원히 반복한다고 생각한다. 선행善行을 쌓으면, 지금보다 나은 세계에 악행惡行을 반복하면, 지금보다도 악한 세계에 사는 것으로 변한다.

이 육도에 사는 한 고뇌로부터 피하는 길은 불가능하다. 거기서 출가자가 지향하는 것은, 깨어나 다시 변해 사는 것이 아닌, 윤회로부터 탈출(해탈解脫)해서 고통이 없는 경지·세계인 "열반涅槃"에 달하는 것이다.

그러나 재가자의 신앙의 목적은, 두 번 살고 변하지 않는 열반에 이르는 것이 아닌, 적어도 좋은 세계에 다시 태어나는 것이다. 「생천사상生天思想」이라는 것이, 그것으로 그는 출가자에 보시布施를 하는 등의 선행을 쌓아가는 것에서, 최종적으로는 육도의 최상 위 세계인 「천天」에 변해 사는 것을 지향한다. 천이란, 신과 천인天人이 사는 안녕한 세계다. 그러나 윤회 중에 위치하는 것이 다르기 때문에, 한번 천에 태어났어도 죽으면, 또 육도의 어딘가에 살아 변하는 것으로 된다.

이렇게 불교의 출가자와, 재가불교 자와의 차이에 대해서 이윽고 「출가자도 재가자도 같이 같은 불도佛道를 걷는다.」는 불교사상이 발달하기 시작했다. 또, 「출가자는 사회성이랑, 타자성이 결핍되어」「불교는 본래 지혜智慧와 자비慈悲의 도道로 더욱 자비의 실천에 힘쓸 뿐이다 」라고 말하는 입장도 전개된다. 그 가운데 생겨난 것이, 대승불교大乘佛教로 부르는 운동이다.

그때까지의 불교와 대승불교의 차이
대승불교 운동 중에는 반야경·법화경·화엄경·무량수경·유마경 등 여러 가지 대승경전이 만들어져왔다. 보리살타의 약어인 보살은, 원래 깨달음을 구하는 자라는 의미다. 또, 보살은 사람들과 같이 걷고, 교도敎導하는 이타 행을 실천하는 자다. 자기의 수행과 이타활동이 하나로 된다.

원래 보살이란 깨달음을 얻기 전의 석가를 가리키는 것이었지만, 대승불교에서는 자기의 깨달음을 구하고(자리自利), 남을 이끌고(이타利他) 그 보살도를 걷는 자 모두를 지칭하는 것이다. 또, 그 도를 걷는 자는 모두 성불하는(깨달음을 얻어 불타佛陀로 되는) 것이 가능하다는 주장이다. 이와 관련하여 대승불교에서는 불타佛陀는 석존만이 아니고, 이 세계에는 무수한 불타佛陀가 존재한다고 생각한다. 여기에는 불을 법신法身(진리 그 자체. 형形은 없다) 보신報身(여러 가지 불佛. 법신과 응신을 통합한 존재) 응신應身(역사적으로 실재한 불佛.석가)등 다면적으로 본 사상이 적용될 수 있다.

번뇌 없이 깨달음도 없다-연꽃은 진흙 속에서 핀다.
출가자 중심의 부파불교部派佛教에서는 개인을 위한 「깨달음의 불교」인데 대해서 대승불교는 많은 사람을 구원하는 것을 목적으로 한 「구원의 불교」로도 말할 수 있다. 종교에 있어서 구원의 문제가 클로즈업된 결과, 불교 중에 있는 「신앙」「구원」「타자 성」「사회성」을 크게 꽃피운 것이 대승불교다.

모든 틀을 초월하라/어떻게 하면 불이不二의 법문法門에 다다를까?
불이의 법문이란 선善과 악惡, 미美와 추醜, 정淨과 부정不淨 등 상반相反된 것으로서 하나로 된 세계를 지칭하는 것이지만, 여기서는 단순히 깨달음의 세계로 받아들이는 것으로 족하다. 이 질문에 최초로 답한 것은 법자재보살法自在菩薩이다.
살아있는 것과, 죽은 것은 상호 상반된다. 그러나 존재하는 것은 돋아나는 것은 아니다. 라고 말하는 것은 죽은 것도 아니다. 이것을 체득하면 무생법인無生法忍(안녕한 깨달음의 세계)을 얻는 것이 가능하다. 즉, 상반된 것마저 평등한 세계(불이不二의 법문法門)다.
제9장에서는 「대상對象과 주관主觀」「선과 불선」「덕과 악」「성과 세속」「깨달음」의 세계와 혼동의 세계」「지혜와 우치」「공空과 색色」「자격 刺激(자극)과 감각기관」「신체와 정신」「자기와 타자」「빛과 어둠」「진실과 허위」등등 보살들이 여러 가지 이항대립의 예를 열거하면서 「그것을 해체한 세계자체가 불이의 법문」이라고 말하고 있다.

삼장법사 현장三藏法師 玄奘
602~664. 중국 당나라 승려. 622년 장안을 출발하여, 서역경유 인도로 들어가 인도 각지를 순례하고 수행 뒤, 16년 후에 귀국하여 갖고 온 경전의 한역(반야심경般若心經)에 몰두하

고, 중국불교계의 중심적 존재가 되었다. 여행기에 대당서역기大唐西域記가 있고, 명대明代의 구어소설 서유기西遊記에 나오는 삼장법사三藏法師의 모델이다.

유가행瑜伽行

유가瑜伽는 산스크리트어 「요가」의 음사音寫, 호흡법呼吸法이랑, 좌법坐法 명상법冥想法이랑 등의 훈련에 의해 범인凡人 이상의 심신의 상태를 실현해 해탈을 지향하는 수행법. 고대 인도에는 많은 종교가 도입돼 불교에 있어서도 기본적인 수행법으로서 중시되었다. 초기의 대승불교에서는 유가행파瑜伽行波 라는 학파도 탄생했다.

대승불교의 근원에는 여러 설이 있다. 석가가 세상을 열반한지 100년 정도 경과 후 출가한 집단은, 보수파(상층부)와 혁신파(대중부)의 두 개 파벌로 갈라짐. 현재 태국이랑, 스리랑카는 상층부 불교가 중심이지만, 지역 민족문화에 따라 분파는 진행돼 왔다.

『유마경』은 이런 대승불교의 흐름 가운데 생긴 경전이다. 또, 불교는 하나의 체계가 구축되면서, 그 체계에 반대되는 체계가 일어나는 것을 반복해왔다.

출가자 중심의 불교가 중요하면 재가자 불교가 발달한다. 「있다」는 존재론이 정밀해지면 반동으로서 「공空」의 이념이 제시된다. 실천적 유가행瑜伽行이 흥융하면 밀교도 일어나고, 상층부 불교에의 회귀도 일어난다. 여기에, 불교라는 종교의 큰 특징이 있다. 중아함경中阿含經 중에 「아리타경阿梨吒經」에 석가가 나의 가르침은 강을 건너기 위한 뗏목 같은 것이다(욕망에 흘러가지 않고 안녕한 세계에로 도달하는 것에 비유). 그래서 건너편 안부岸에 닿으면 뗏목을 버려도 좋다. 라고 말한다.

그 경전에는 혼돈의 어둠속에 있는 자에 대해서 욕망을 버리는 길에 이르는 것을 설파하지만, 구극 적으로는 불교도 버리라고 말하고 있다. 즉, 「모든 집착을 버리세요.」라는 가르침은 그 가르침 자체에도 집착하는 등을 말한다.

어떤 종교가 그 내부에 자기부정을 설정하고 있는 그런 생각이 가능하다. 그런 종교체계는 아주 드물다. 소위 탈 구축장치脫 構築裝置라고 말할 수 있겠지만, 불교에서는 내장돼 있는 것이다. 따라서 그 장치를 세팅한 것은, 다름 아닌 석가 그 자신이었다.

밀교密敎

대승불교의 일환으로서 살아남은 밀교에 있어서도 삼밀三密의 유가 행瑜伽 行이 중시된다. 삼밀은 수手와 指지를 呪力이 있는 형으로 조직해(신밀身密) 입으로 만트라(진언眞言)라는 주구呪句를 노래하고(구밀口密)심에는 불佛의 일체화一體化를 그려 해설을 지향하는 수행법(의밀意密)

『중아함경中阿含經』

『아함경阿含經』은 석가입멸 후 가장 빠른 시기에 정리된 경전의 집성. 태국과 스리랑카에 전해진 것은, 파리 어(고대인도의 구어에 기원하는 언어)로 쓰인 『니카-야』로 부르고, 현재도 파리어로 읽히고 있다. 그 내용에 상당하는 경전 몇 개가 한역漢譯되어, 그중 하나가 『中阿含經』이다.

불교의 기초를 순서 있게 말하는 석가

『유마경』의 최대의 특징은, 석가의 제자랑 보살이 주역이 아니고, 재가자인 유마라는 인물을 통해서 가르침을 설說하는 점에 있다. 다시 불교사상이 담담히 엮여진 것이 아니고, 문학성이 풍부한 드라마 같은 구성이 경전의 특징이며 큰 매력이다.

『유마경』은 어떻게 사회성이랑, 타자 성을 중시하는가를 알 수 있다. 계속해서 석가는, 「육파라밀六波羅蜜」의 중요성에 대해 이야기한다. 「육파라밀」은 대승불교에서 정한 수행법으로, 「보시布施(베풀기)」「지계持戒(계율을 지키는 것)」「인욕忍辱(잘 참고 인내하는 것)」「정진精進(잘 노력해 힘쓰는 것)」「선정禪定(조용히 명상하는 것)」「지혜智慧(사물의 실상을 체득하는 것)」의 6개가 이에 해당된다.

석가는 깨달음을 얻기 위해 필요한 것으로서 「사무량심四無量心」「사섭법四摂法」을 열거했다. 「사무량심四無量心」은 불교에 있어서 이상적인 정신으로 「자무량심慈無量心」「비무량심悲無量心」「희무량심喜無量心」「사무량심捨無量心」의 4개를 가리키고, 「사섭법四摂法」은 불교에 있어서 이상적인 행위로 「보시布施(베품을 행함)」「애어愛語(상대에게 자비로운 말을 사용)」「이행利行(타자를 위해 행동)」「동사同事(모두협력해서 좋은 사회를 만듦)」의 4개를 가리킨다.

이렇게 자세하게 나누고 있지만, 이것은 모두 자비의 중요성을 가르친다고 생각해주세요. 육파라 밀은 대승불교의 가르침이지만, 사무량심과 사섭법은 초기불교에서도 설파하고 있다.

『유마경』의 구성

제1장 불국품佛國品, 제2장 방편품方便品, 제3장 제자품弟子品, 제4장 보살품菩薩品, 제5장 문수사리문질품文殊師利問疾品, 제6장 불사의품不思議品, 제7장 관중생품觀衆生品, 제8장 불도품佛道品, 제9장 입불이법문품入佛二法門品, 제10장 향적불품香積仏品, 제11장 보살행품菩薩行品, 제12장 견아축불품見阿閦仏品, 제13장 법공양품法供養品, 제14장 축나품囑累品

둘이면서 둘이 아니라고 하네!!<불이(不二)라네!!>

대승불교의 경전은 유마경 외에도 수없이 많으나, 이 유마경에 가장 강하게 이끌리는 것은 이 경전이 지향하는 사상에 있다. 또한, 유마경은 대승불교의 근본사상을 진실 되고, 선명하게 나타내 보이고 있기 때문이다. 대승불교의 근본원리는, 번뇌가 곧 깨달음이라는 보리 즉, 번뇌(菩提 卽 煩惱)이다. 이 가르침을 유마경에서는 불이법문(不二法門)이라고 말한다.

우리는 모든 것을 대립된 것으로 볼 뿐만 아니라, 나누어진 것으로 생각한다. 가령, 번뇌와 깨달음, 이상과 현실, 성공과 실패, 선과 악, 깨달음과 미혹, 등 이 모두를 다른 것으로 생각한다. 이렇게 생각하는 것을 불교에서는 '분별'이라고 한다. 다시 말해서 사물을 구별하는 것, 대립시켜서 생각하는 것을 분별이라고 한다.

인간의 사유 활동은 어디까지나 사물을 구별하는데 있으나, 구별하는 것은 필연적으로 사물을 대립적으로 생각하게 된다. 그러나 인간의 진상은, 대립에 매달려서 안 되는 것도 있다. 분별이라는 것을 차별이라고 생각해도 좋다. 둘로 나누어 생각하는 것이다. 번뇌와 보리만 해도 그렇다. 번뇌라고 하는 것은, 몸과 마음을 괴롭히는 정신작용이며 집착이다. 보리라고 하는 것은 깨달음이다. 사물에 집착하는 것과, 일체의 사물에 집착하지 않는 깨달음의 경지는 다르다고 생각하기 쉽다. 그러나 인간의 살고 있는 모습을 똑바로 보면, 정말로 집착하기 때문에 집착을 떠난 자유스러운 경지를 얻게 됨을 알 수 있다. 애욕에 깊이 푹 빠짐으로써 애욕의 허무함을 알게 되고, 술을 많이 마심으로써 불음주계의 진실한 의미를 알게 된다. 불교의 계율에서도, 성욕이 없고 남근이 없으면 승려가 될 수 없다는 규칙이 있다. 그것은 남성으로써 강렬한 성욕이 있기 때문에 금욕의 의미가 있게 되고, 금욕의 에너지를 수도에 전환할 수 있는 것이기 때문이다.

불이법문은 대립하고 있는 둘을 하나로 보는 고차원적인 사상이다. 유마경의 사상은, 이 불이의 사상을 일관하고 있다. 불이의 사상을 여러 가지 형태로 드라마틱한 문학적인 표현을 사용하면서, 장대한 스케일로 희곡적으로 묘사했다. 이것이 이 유마경의 문학이다. 번뇌, 즉 보리를 철학자나 불교 자가 설명한다면 정말로 시시할 것이다. 그것은 형이상학에 매달린 말장난이 되기 때문이다. 그런데 유마경에서는 이것을 고차원적이고, 현실적인 드라마로 엮어서 사람들 앞에 내놓았다.

태어나기 전의 우리와, 태어난 후의 우리는 다른 것 같지만 다르지 않다. 살고 있는 자신과 죽은 뒤의 자신은 또한 다른 것 같지만, 다르지 않다. 생과 사를 생각해 보면 반드시 생과 사는 별개의 존재이다. 그런데 태어남이 없으면 죽음이 없다. 그러나 생이 있음으로써 사가 있다. 생과 사는 확실히 비연속의 연속이다. 생이 없으면 사가 있을 수 없다. 그러므로 생과 사는 연속되어 있다. 땔감과 재와 같은 경우다. 땔감과 재를 별개로 보면 둘이다. 그러나 땔감이 재가 되었기 때문에 둘이 아니다. 땔감과 재와 같이 생과 사도 둘이면서 둘이 아니다.

이 불이의 법문에 들어가면, 일체의 대립이 없는 무 대립의 세계에 들어가는 것이 아니고, 둘의 대립되는 것에 메이지 않는 자유스러운 경지에 들어가게 된다. 불교의 기본입장을 나타내는 말에 「제행무상諸行無常(모든 현상은 시시각각 변화를 계속한다)」「제법무아諸法無我(모든 존재에 있어서 불멸불변의 실체는 없다)」라는 말이 있지만, 유마는 여기서 그것과 같은 것을 말하고 있다.
출가란 이랑불리, 공덕이랑 무공덕, 손이랑 득, 적과 친구 등 말하는 일체의 대립관계로부터 떨어진 세계(무위)가 되지 않으면 안 된다. 일반적으로 삼독三毒은 탐욕貪慾(유애有愛), 진애瞋恚(노怒 함), 우치愚癡(치痴)로 표현된다.

유마경은 어떤 경전인가?
기쁨에 쌓인 종결
「축나품囑累品」은『유마경』의 최종장이다. 「축나囑累」란 석가가 가르침을 사람에게 의탁하는 것을 의미한다.
석가는 "언젠가는 나도 열반에 들게 되겠죠. 그 전에 당신들이 이 세상에서 '법'을 널리 펴지게 설파해 끊어지게 하면 안 된다. 왜냐하면 이 길(道)이 모든 "깨달음을 구하는 자들에게 있어서 길이기 때문이다."

이렇게 석가가 가르침을 끝내면서 유마거사, 문수보살, 사리불, 아난, 거듭 보살들이랑, 천인天人들을 포함해 이 집단에 있는 모든 존재는 크게 환희에 가득찰 것이라고 설파했다.」
이상『유마경』의 해설을 말해왔지만, 모든 것은 요소의 집합체에 지나지 않고, 절대 변화하지 않는 관계성 중에 성립된다. 그것이 존재와 현상의 본성임을 각지覺知하는 것에서 존재와 현상만 찾지 말고, 집착執着이랑, 고착固着하지 않는 길을 걸어가라. 이 입장에 서면 모든 활동은 「공의실천 空의實踐」이 된다.

아무것에도 의하지 않고 단독으로 성립하는 것은, 이 세상에는 존재하지 않는다. 모든 사물은 관계성의 가운데 성립하고 있다. 따라서 타자에의 자비심과 활동은 자기 깨달음에의 길이다. 모든 사람들이 이런 길을 걸으면 불교가 생각하는 이상의 나라(불국토佛國土)가 된다.

세속·득도世俗·得道, 선악善惡이란, 이항대립二項對立의 사고방식에 좌절하면 분노랑, 증오랑, 차별이랑 배제가 생긴다. 지기 경우라는 사고랑 틀을 통하지 않고 인식하면 평등한 세계가 보인다.

세속을 혐오해서 성스런 세계를 희구해도 어디를 가도 세속인 것이다. 따라서 차라리 이 세속의 한가운데를 사는 길을 걸어라. 얽매이는 것이 아닌 세속에서 살아라. 그것이 구극究極의 불도佛道이다.

현대인이『유마경』을 읽는 의미

출가자중심 불교에 이의를 제기해 「재가자도, 출가자 같이 깨달음(득도)이 가능하다」는 주장을 한 것이『유마경』의 큰 업적이다. 그것은 「이 고난의 인생을 멋지게 살아남는 자기」에게로 태어나서 변하기 위한 과정이다. 「자기라는 틀」이 강고强固할수록, 인간은 고뇌를 품는 것으로 된다. 「자기라는 것」의 방벽을 해제할 필요가 있다.

『유마경』은 이 「자기라는 것」의 장벽을 해제하는 것이 인생을 살아가기 위한 열쇠이고, 보다 좋은 사회를 만들기 위한 길이라고 설파하고 있다.

불도교경에서는 다음과 같이 설하고 있다.

"비구들이여, 열심히 정진하면 어떤 일이거나 어려울 것이 없다. 그러므로 그대들은 오로지 정진하라. 마치 작은 물방울이 계속해서 떨어져 바위에 구멍을 내듯이…."

이것은 불도를 구하는 사람은 계속해서 정진해야 한다는 것을 설한 것이다. 그 비유로 작은 물방울도 바위를 뚫는다고 했다. 바위는 견고한 것이나, 부드럽고 약한 물방울이 긴 세월을 지나면서 그 바위에 구멍을 뚫을 수 있다고 한다. 오랜 세월이 지난 처마 밑의 돌을 보자. 비올 때마다 지붕에서 떨어지는 낙수가, 계속해서 오랫동안 같은 곳에 떨어져 그 돌에 구멍을 뚫었다.

옛날 남도에 명전이라는 스님이 있었다. 원흥사에 들어가 법상종의 학문을 배웠으나, 성품이 우둔하여 배운 것을 조금도 알 수 없었다. 절망한 명전스님은 배움을 단념하고 절을 떠나려고 했는데, 그때마침 비가 내렸다. 짐을 꾸리고 나가는 도중에 누문 밑에서 비를 피하고 있었다. 그런데 누문의 주춧돌에 마음이 쏠렸다. 그 돌에는 빗방울이 똑똑 떨어지며 우묵하게 파여 있다. 이것을 본 명전스님은 깨달았다. 연하고 작은 빗방울도 돌을 뚫을 수 있음을… 이것은 긴 세월을 지나면서 된 것임을 알았다. 명전스님은 다시 절로 돌아가 주야로 힘든 정진을 하며, 침식을 잊은 채 학문에 열중하여, 결국은 승도라는 직책까지 받게 되었다.

이 명전스님의 깨달음에서 알 수 있듯이, '물방울이 바위를 뚫는다.'라고 하는 것은 진리다. 어떤 사람이라도 학문이건, 예술이건, 취미생활이건, 자기의 목적을 위해서 조금씩 긴 시간동안 계속할 필요가 있음을 알게 한다.

介子推

　　살아있는 옛 동네, 당지아춘, 党家村입니다. (당지아춘(党家村)-약670년의 역사를 가진 촌락으로 중국역사문화 명총으로 지정됨). 700여년의 역사를 자랑하는 이곳은, 처음 당 씨와 가씨가 터를 잡고 살았던 곳이죠. 고풍스런 옛길은 수수하지만 우아한 멋이 그윽합니다.

　　이것은 시즈루(惜字樓)라는 곳입니다. 예전에는 성인들이 문자를 창조하였다고 믿었죠. 그래서 부모들은 아이들이 쓴 글자를 함부로 버리지 않고, 여기로 가져와서 다 태웠어요. 지식과 문화를 존중한다는 의미죠.

　　어, 이게 간단한 구조물인 데, 이게 중국의 오래된 정신이군요. (시즈루(惜字樓)-문자가 석힌 종이를 소중히 여긴 중국 사람들이 송나라 때 답을 만들어 태우기 시작함). 오래됐지만 글자를 아끼는 정신만은 변함없이 지켜지고 있습니다. 이 하나에서도 마음에 깊이 배어 있는 문자 숭배의 기풍이 느껴집니다. 여기서는 작은 의자를 꺼내 앉아 있었죠. 낮에는 의자를 밖에 두고, 밥을 먹으며 이야기를 나누고, 저녁에는 문 앞에 쌓아 두었습니다. 의자를 문턱으로 쓴 건가요? 네, 지금 의자를 꺼낼 수 있나요? 네. 아, 이렇게 요.

　　　　　　　　　　　　[출처]龍門에 오르다-司馬遷|작성자 pinetree

　　등용문의 주인공, 사마천의 한청을 떠난 저의 이야기는 이제 한식의 유래를 찾아 산서성의 멘산으로 향합니다. 황허를 사이로 이웃하고 있는 섬서와 산서(산시 성(山西)-중국동부에 위치한 성(省)으로 황하문명 발상지 중 한곳). 이번엔 쯥이라 불리는 산시 성에서 역사의 숨결을 오롯이 품고 있는 곳을 찾아갑니다. 산시 성의 중추인 태악 산맥의 한 줄기, 이 첩첩산중 절벽에 불교와 도교사원들이 박혀 있는 듯 즐비합니다. (멘산(綿山)해발2000m-산시성(山西) 진중(晉中)에 위치하며 개자추(介子推) 일화로 유명). 여기가 바로 멘산 입니다. 이 낭떠러지에 길을 내 멘산에 이르게 한 것인데요.

　　김성곤 : 황하의 지류인 분하(分河)를 따라 쭉 올라오다 보면, 산서(山西) 지방의 명산인 면산(綿山)이 있습니다. 산서(山西)에 면이 많다 보니까 면으로 된 산이냐 그게 아니고, 면면이 쭉 이어진다고 해서 면산이에요. 인간계와 선계가 공존하는 면산, 본격적으로 길을 떠납니다. 구불구불 이어지는 길을 따라 사원이 자리를 잡은 것이 참 장관입니다. 이곳이 명산이라서 각종 사원들이 많아요. 여기 대라궁(大羅宮)이라고 해서 도교의 사원인 데, 아주 까마득한 절벽 끝에 거창하게 지어놨어요. 13층 건물이 하늘 위로 향하고 있습니다. (정과사(正果寺)-면산 봉우리 높은 곳에 위치하며 포골 진신 상을 모신 곳. 12존 등불이 안치되어 있는 사찰).

　　저기, 까마득한 벼랑 중간에 길을 냈어요. 잔도(棧道)가 쭉 이어지는 데, 이게 바로 천교(天橋)예요. 하는 다리(천교(天橋)-300m 높이의 절벽 위에 만들어진 다리로 하늘 위를 걷는 것 같다 하여 이름 붙여짐). 절벽 굴속에 하늘을 향해가는 길이 놓여 있습니다. 여행은 나그네에겐 만만치 않은 길입니다만, 옛날에 신전에 오르는 사람들, 참배하고 기원하기 위해서 올라가는 사람들은 한 발자국 한 발자국이 정성이고 기원이었을 테니 까요. 드디어 까마득한 절벽에 걸쳐 있는 천교에 닿았습니다. 바로 하늘 다리입니다.

　　수려한 절벽들이 풍광이 그만이에요. 여기에 길이 있고 사원이 있는 계곡 절벽 무늬가 도끼로 내려찍은 주름 같다고 해서 부벽준(斧劈皴)이라 하거든요. 그런데 저 산들이 오랜 세월 동안 온갖 풍상을 겪어서 저렇게 아름다운 주름들이 생긴 거예요. 자꾸 주름 펴려고 애쓸 필요 없어요. 그냥 나둬야 저렇게 아름답다고요.

자연대도(自然大道), 자연함을 강조한 도교의 가르침이 여기에 있습니다. (서현곡(栖賢谷)-중국 춘추시대 진나라의 충신 개자추가 노모를 업고 숨어든 계곡으로 유명). 그런데, 이 온갖 사당이 있는 면산을 더욱 이름 높여 중국역사에서 **빼놓을** 수가 없게 한 이가 있었습니다.

山不在高 산은 높아서가 아니라,
有仙則名 신선이 살면 이름을 얻는다.

산은 높다고 해서 명산이 되는 게 아니다. 그 산에 신선이 살면 그 산은 명산이 된다. 면산(綿山)이 경관이 수려해서 명산이 된 게 아니에요. 면산(綿山)이 명산이 된 건 신선이 있어서 그래요. 아니 신선보다 더 중요한 인물이 이 산의 주인공이기 때문에 명산이 된 거예요.

때는 중국 춘추시대, 이곳에 숨어 은자로 살고자 했던 인물인데요. 그 주인공은 우리가 지내는 寒食날, 한식날이 있게 만든 장본인 介子推입니다. 개자추, 개자추를 찾아가는 길, 개자추가 그의 어머니를 등에 업고 깊은 산속으로 숨어들 때 걸었던 그 길을 지금 우리가 밟아가고 있습니다. 그런데 정말 이번 여정도 쉽지는 않겠습니다. 개자추가 노모를 등에 업고서 이 길로 가기 어려웠을 텐 데요. 그래도 제가 처음은 호기 있게 시작했는데, 바로 아찔한 잔도가 저를 맞이합니다. 이건 뭐 거의 산에 딱 붙어 오릅니다.

어우, 여긴 뭐 어느새 한시는 어디가고, 입에서 나오는 건 연신 탄식과 신음뿐입니다. 그야말로 한식기행이 아니라 극한직업입니다. 옛날에는 이런 다리도 없었을 텐데, 어머니를 등에 업은 개자추는 이 길을 정말 어떻게 올랐을까요? 원래 세상을 피해서 깊은 계곡으로 숨어 사는 隱子의 길은 스스로가 돌아갈 수 없게 길을 끊으면서 가는 거예요. 그러니까 이런 험한 길, 미끄러운 계곡 길이 이어질 수밖에 없는 거죠. 굶주린 진문 공을 위해 자신의 넓적다리살을 내준 개자추, 하지만 진문공은 왕이 된 후에 그를 잊어버렸죠.

개자추는 이곳 면산으로 들어가게 됩니다. 나중에 이를 알게 된 왕이 그를 불러내어 산에 불을 지르고 개자추는 끝내 이 산에서 불에 타 죽습니다. 아이고, 개자추 무덤 찾아가던 제가 무덤에 들어가겠어요. 나중에 산불이 잦아들고 커다란 버드나무 아래에서 그 버드나무를 끊어 안고 불에 타 죽은 개자추와 그의 어머니의 모습을 晉文公이 발견해요. 그 屍身을 끌어안고 진문공이 오열을 합니다. '그대는 나를 신의 없는 임금으로 만들어 놓고 이대로 가버렸구려' 통곡을 하죠.

그런데 개자추가 끌어안고 죽은 버드나무 다 타버린 버드나무에 조그마한 구멍이 있는 거예요. 그 안에 뭔가가 있어서 꺼내 봤더니, 거기에 개자추가 죽으면서 자기 피로 쓴 시 한구가 남아 있어서 그 시가 진문 공한테 전하는 개자추의 마지막 당부인 시였죠. 끝까지 忠臣이었던 개자추, 그의 무덤이 보이기 시작합니다. 이곳이 바로 개자추의 무덤입니다. 무덤이 그냥 따로 봉분이 있는 게 아니고, 산봉우리네요. 산봉우리. 그의 무덤이 그 어떤 봉우리보다 높고 크게 보이는 건 아마도 그의 삶 때문일 겁니다. 그가 죽고 2500여년이 지났음에도 우리가 이곳을 찾는 이유이기도 하죠. 중국 역사에 큰 산으로 남은 개자추, 이곳에서 그의 마지막 시를 바칠니다.

割肉奉君盡丹心 넓적다리를 베어 임금을 모셔 성심을 다한 것은
但願主公常淸明 다만 주공께서 항상 맑고 청명하기를 바란 것
臣在九泉心不愧 신은 구천에서도 마음에 부끄러운 바 없네
勤政淸明復淸明 힘써 다스려 청명하고 또 청명 하소서

　　개자추가 어머니와 함께 죽은 후, 진문공은 그를 기리기 위해 이 면산 주변을 개자추의 땅으로 봉하고 또, 매년 사람들이 개자추를 기억하게 했는데요. (개자추(介子推)(출생, 사망미상)-춘추시대 진나라 사람으로 진문공이 왕위에 오른 후 등용되지 못해 어머니와 멘산으로 은신함). 진문공이 이제 개자추가 불에 타 죽은 것을 너무 슬피 여겨서 해마다 그날이 되면, 아예 온 백성들로 하여금 불을 못 피우게 했어요. 그래서 차가운 음식을 먹는다는 寒食이 시작된 거죠. 찰 한(寒)자에 먹을 식(食)자, 그날은 백성들이 찬 음식을 먹으면서 개자추를 추념하는 거죠.
　　그것이 점차적으로 이제 개자추가 아닌 백성들의 조상을 추념하는 것으로 바뀌게 된 거죠. 老子에 보면, '죽었으나 잊히지 않으면 그것이 장수하는 것이다' 그런 말이 있는 데, 개자추가 그런 거죠. 죽었어도 지금껏 많은 사람들에게 잊히지 않는 不滅의 삶을 계속 살고 있는 거예요. 곡절 많은 황허처럼 살고 간 司馬遷과 介子推, 역사의 땅을 흐르는 황허가 계속되는 한 이들의 삶도 영원할 것입니다. (EBS 세계테마 기행. 278화 2.3부 '용문에 오르다'에서 정리).

①禹의 도끼질로 황허가 흐르게 된 곳, 하류에서부터 올라오는 큰 잉어들이 여기를 올라가야 하는데, 강이 워낙 폭이 좁고 물살이 엄청 세서 못 올라가는 거예요. 수위가 높을 때는 굉장히 거칠게 급류로 흐르고, 그래서 잉어들 중에서 이 거센 물결을 뛰어넘어 가지고 상류로 올라가는 놈들은 용이 되고, 그러지 못하는 놈들은 밑으로 내려갈 수밖에 없다, 그래서 오를 登, 登龍門, 龍門에 오르다, 라는 고사가 만들어지죠.

②실제로 龍門으로 불렸던 이곳에서 그 꿈을 이룬 인물이 있다. 때는 기원전 145년 전한시대, 여기서 한 아이가 태어납니다. 성인이 된 후 한무제에 直言하다 反逆者가 되어 거세형벌을 받습니다. 하지만 끝내 영혼불멸의 大作史記를 완성시키는 데, 그가 바로 司馬遷입니다. 그는 정말 견딜 수 없는 치욕을 참고 살아남아서, 마침내 불후의 史記를 끝낸다, 그를 표현하는 사자성어가 忍辱負重,치욕을 참고 자기에게 지어진 막중한 책임을 끝까지 진다. 거세형벌의 치욕을 넘어 不滅의 著作을 남긴 司馬遷은 중국 최고의 歷史家로 우뚝 서 있다.

③3천년 중국 역사를 다룬 司馬遷의 史記는 전 인류의 고전이 되고 있습니다. 그가 쓴 史記 속 영웅들처럼 황허의 물길과 함께 흐르는, 조금 따라 올라가다 보면, 잉어가 거슬러 올라가서 용이 된다는 龍門이 있어요. 사마천이 태어난 漢城이 옛날 이름이 龍門이에요. 사실은 龍이 된 잉어 바로 司馬遷이에요. 불굴의 용기로 치욕의 거센 물결을 거슬러 올라가서 마침내 龍이된 사나이 司馬遷.

④산은 높다고 해서 名山이 되는 건 아니다. 그 山에 神仙이 살면 그 山은 名山이 된다. 綿山이 경관이 수려해서 名山이 된 게 아니다. 綿山이 名山이 된 건 신선이 있어서 그렇다. 아니

신선보다 더 중요한 인물, 介子推가 綿山의 주인공이기 때문에 名山이 된 거다.

⑤老子에 보면 '죽었으나 잊히지 않으면 그것이 장수하는 것이다.' 라는 말이 있는데, 介子推와 司馬遷이 그런 거죠. 죽었어도 지금껏 많은 사람들에게 잊히지 않는 不滅의 삶을 계속 살고 있는 거예요. 곡절 많은 황허처럼 살고 간 司馬遷과 介子推, 역사의 땅을 흐르는 황허가 계속되는 한 이들의 삶도 영원할 것이다.

[출처] 龍門에 오르다-司馬遷|작성자 pinetree
중용 제1장 천명지위성 2(0)2019.01.15
성자명출=명자천강=천명지위성 性自命出=命自天降=天命之謂性

후기

우리들은 살아가면서 지난 세월에 대해 후회와 아쉬움으로 뉘우칠 때가 한두 번이 아니다. 나도 그런 면에서는 예외가 아님을 조심스럽게 받아들인다. 그래서 아끼며 보듬어주어야 할 다음 세대 후손들만은, 선대들 보다 후회 없는 삶을 살아가길 바라는 심정에서 부족한 글 솜씨로 끄적거린 결과물을 내게 됐다. 앞서 산 어른의 반성문 형식의 충고와 조언을 후손들에 하고 싶어서, 횡설수설이 아닌지 모를 이 책을 상재하게 되었다.

오늘에 입각해서 앞으로 더욱 기승을 부릴 후기 자본주의의 모순과, 그 부작용으로 인한 사회적 연대의 파괴는, 심각 수준을 넘어 거의 살생 수준에 이르렀다 해도 과언이 아닐 터이다. 빈부격차의 양극화 가속 등으로 인한 인간의 분자 혹은, 원자화(atom 化)?와 할리우드 영화에서도 못 볼 기상천외한 범죄(보이스 피싱, 살인적 고리대금업, 존속살상 등)의 빈발이 이러한 현상을 대변하고 있지 않은가? 이에 대한 대처 어떻게 할 것인지, 과연 오늘날 지도자로 자처하고 나선 사람들, 그 실마리 푸는 해결책 고민을 얼마나 하고는 있는지, 의문을 떨칠 수 없다는 점 나만의 알레르기일까?

우리들이 선진국으로 인정하는 독일이나, 일본의 저력은 신뢰에 바탕을 두고 있다. 이와 대조적으로 남부이태리나, 불란서 및 화교사회 등은, 신뢰 부족으로 도약의 힘이 약하여 실패를 거듭하고 있지 않은가? 세계적 명품브랜드로 내세울 제품의 부재나, 선진경제체제로의 문턱에서 주저앉는 것 우리들의 주지대로 타산지석의 경종이 아닐 수 없다.

문제는, 사람이 서로를 믿고 의지하는 도덕적 개화(改化)는 뒷전으로 밀려나있다는 현실이다. 서로의 신뢰에는 발전의 견인이 있다. 사고를 전면 바꾸는 혁명적 전환에는 나부터 생활이 바른 이 바탕이 형성되어 있어야 한다. 그래야 사회 또는 국가기반이 튼실해진다. 그런데 소위 법을 만들어 세운다는 정치꾼들부터 증오정치의 바이러스를 무단 퍼트리지 않는가. 그러니 사회 또는 국가를 뒤흔드는 범죄가 극성을 부리지 않는가. 부도덕을 극대로 키울 뿐인 지도자들의 수준이 이렇게 미달권이니, 이가 갈리는 분노에 잠을 쉬 이르지 못할 지경이다.

자본주의의 물질 과소비는 정신을 혼란스럽게 하는 자극성 말초신경이 있다. 공연 때마다 만석의 인파를 불러들이는 케이 팝이나, 케이컬쳐 등이 남기는 후유증은 정신적 빈곤의 심화이다. 오늘날 쇼셜미디어에 잔뜩 취한 전 세계인들…원래 종교축제로 출발한 핼러윈파티를 변질시켜, 젊은이들의 소음장인 된, 그 고막 찢는 재주부리 대중놀이를 잠시라도 즐기지 못하면, 죽음에 다다른 중병에 걸리기라도 한양 안절부절 떨지 않는가.

필자는 지면을 빌어 제안하나를 올린다. 건강의 메마름이나, 환경오염의 가속화를 막기 위한 대안으로, 초·중교부터 모든 사람들에 속하는 철학을 접하게 하자는 것이다. 학문의 전체인 철학의 배움을 거쳐 우리들 생활 속에 인문이 스며들게 하자는 생각이다.

우리 국민의 독서열은 부끄럽게도 대단히 낮다. 이점에서 우려는 경쟁력 약화이다. 우리나라는 곧, 초 고령사회에 진입하게 된다. 우리자신의 신체 및 정신건강(치매예방 등)을 위해서라도 생애학습에 따른 국민적 독서운동이 더욱 절실히 필요하지 않을까 라고 생각해본다.

덧붙여 다소 동떨어진 주제지만, 우리보다 앞서 초 고령사회를 겪는 일본에서 장례절차의 간소화와, 분묘형식의 변화(예:수목장 산골 해양장, 우주장? 등)에 대한 논의가 이루어지듯이, 우리도 장례문화의 해법을 선진적으로 안착했으면 한다.

마지막까지 도움을 마다하지 않은 김성호 사장에게 다시 한 번 감사드린다.

2024년 새봄을 맞는 서재에서

參考文獻

모리야 히로시[수옥 양守屋 洋]:『中國古典 一日一言』—PHP 新書2014

모리야 히로시[수옥 양守屋 洋] 박연정 옮김: 성공하는 리더를 위한『중국고전 12편』—도서 출판 예문1995

유아사 구니히로[탕천홍방湯浅弘邦]:초 입문『中國 思想』—大和書房2016

유아사 구니히로[탕천홍방湯浅弘邦]:『諸子百家』—中公新書2010

유단 우단于丹『장자의 마음』자유롭게 살기위한 힌트—행복의 과학출판주식회사2008

노무라 시게오[야촌무부野村茂夫]『노자·장자』—角川쏘피아 文庫2004

오노다오오쿠라[小野田大藏] 주성윤 편저:『노자老子』—현대지성1988

이영직『마흔에 읽는 오자병법』—북 에디션2016

오기『오자병법』/김경현 역저—홍익출판사1998

윤재근『빛나되 눈부시지 않기를』—디자인하우스1995

오오이 다다시[大井 正], 데라자와 쓰네노부[寺沢恒信]:『세계 15대 철학』—PHP 문고2014

사와베 유우지[택변유사沢辺有司]『圖解 제일 쉬운 철학책』—彩圖社2013

사사끼 시즈까,오오구리 히로시[좌좌목한 佐佐木閑 대율박사大栗博司]:『진리의 탐구』불교와 우주물리학의 대화—幻冬舍 新書2016

히로사찌야[증원양언增原良彦]『최초의 불교』그 성립과 발전—中公文庫2013

히로사찌:자기답게 살기위한『선』그 성립과 발전—中公文庫2012

佛樂學會(著):『禅語 100選』—禪文化 研究所 所長 西村惠信[監修] 知的 生活 文庫2007

가쓰히데 가게야마[음산극수蔭山克秀]:만화같이 술술 읽는『철학입문』—大和書房2017

키다 겐[木田 元]『反 哲學 入門』—新潮 文庫2007

다니자와 에이이치 곡택영일谷沢永一]동서고금의 주옥의 말『인생의 지혜 명언의 지혜』—PHP 文庫2005

『침묵의 가르침 유마경』집영사集英社)

미야시다 마꼬또[궁하 진宮下 眞]『부처』생명의 말씀—永岡書店2015

사쿠 텟슈[석 철종釋 徹宗]『 유마경 』100분 de 명저 NHK 텍스트 2017년 6월—NHK 출판

사사끼 시즈까[좌좌목한 佐佐木閑:집중강의『대승 불교』100분 de 명저 NHK 별책—NHK 출판

브라이언 매기『칼 포퍼 그의 과학철학과 사회철학』—문학과 지성사1992

칼 라이문트 포퍼 이한구 역『열린사회와 그 적들』—민음사2006

오까다 히데히로[강전영홍岡田英弘]『중국문명의 역사』—講談社 現代新書2004

오까다 히데히로 [강전영홍岡田英弘]연표로 읽는 중국의 역사』—왁(WAC)주식회사2015

김진『철학의 현실문제들』—철학과 현실사1995

<참고자료>

김영수(2010)『사마천 인간의 길을 묻다』, 서울:왕의 서재.

Byock, Ira(2014), The Four Things That Matter Most: A Book About Living, New York: ATRIA Books.

Belshaw(2013), Christopher, "Death Value and Desire" in Bradley, Ben, Fred, Feldman(2013), The Oxford Handbook of Philosophy of Death, Oxford: Oxford University Press.

Bradley, Ben(2013), How Bad is Death, Canadian Journal of Philosophy, 37(1),

111-127).

Brome, John(2013), The Badness of Death, Goodness of Life, in Bradley, Ben, Fred, Feldman(2013), The Oxford Handbook of Philosophy of Death, Oxford: Oxford University Press. 218-233.

Brown, Guy(2007), The Living End: The Future of Death, Aging and Immortality, New York: MaCmillan.

Wittgenstein, Ludwig(2015), 이윤(엮음) 『비트겐슈타인의 인생노트』,서울 : 필로소픽.

Zimmermann, C(2012), Acceptance of dying: A discourse analysis of palliative care literature, Social Science & Medicine, 75(1), 217-224.

하시즈메 다이사부로 [교조대삼랑橋爪大三郎]:『정치의 교실』—講談社 學術文庫2012

이케가미 아키라[지상창 池上彰]:『池上彰의 정치의 학교』—朝日新書2012

미즈노 가즈오[수야화부水野和夫]『망해가는 제국과 역설의 21세기경제』—集英社 新書2017

미즈노 가즈오[수야화부水野和夫]『자본주의의 종언과 역사의 위기』—集英社 新書2014

미즈노 가즈오[수야화부水野和夫]『주식회사의 종언』—디스커버2016

요시노리 히로이[광정양전広井良典]『포스트 자본주의 』과학·인간·사회의 미래—岩波新書2015

미즈노 가즈오[수야화부水野和夫] 가와시마 히로유끼[천도박지川島博之]:『세계사 중의 자본주의』—동양경제신보사2013

미즈노 가즈오[수야화부水野和夫]:『자본주의를 알 수 있는 책꽂이』—日經 프레미어 시리즈 2016. 백광열:서울. 토론토. 밴쿠버-한울(한울아카데미)2005

성염:죽음에 관한 철학적 이해